KB054928

新編高麗史全文

세가3책

선종-예종

目　次

『高麗史』卷十 世家卷十

宣宗 5

獻宗 59

『高麗史』卷十一 世家卷十一

肅宗 1 69

『高麗史』卷十二 世家卷十二

肅宗 2 129

睿宗 1 151

『高麗史』卷十三 世家卷十三

睿宗 2 199

『高麗史』卷十四 世家卷十四

睿宗 3 251

『高麗史』 卷十 世家卷十

[輔國崇祿大夫·議政府左贊成·知集賢殿經筵春秋館成均事·世子賓客·臣金宗瑞奉敎撰]

正憲大夫·工曹判書·集賢殿大提學·知經筵春秋館事兼成均大司成·臣鄭麟趾奉敎修

宣宗

宣宗·安成·思孝·□□[寬仁]·□□[顯順]大王,[1] 諱運, 字繼天, 古諱烝, 又祈, 文宗第二子, 順宗母弟, 文宗三年九月庚子[10日]生. 幼而聰慧, 及長, 孝敬恭儉, 識量弘遠, 博覽經史, 尤工製述, 十年三月, 册爲國原侯, 累封尙書令, 進爵爲公, 三十七年七月, 順宗卽位, 加守太師兼中書令.

十月乙未[23日], 順宗薨.

丙申[24日], 奉遺詔, 服袞冕, 卽位於宣政殿, 受百官賀.

丁酉[25日], 設金剛明經道場於乾德殿.

戊戌[26日], 王率百官, 服喪服, 詣宣政殿, 行祭.[2] 禮畢, 百官詣西上閤門奉慰, 又陳慰于慈壽殿.

十一月[壬寅朔小盡,甲子], 庚申[19日], 親臨啓殯, 哭盡哀, 葬于成陵.[3]

丁卯[26日], 翰林院奏, "凡內外州府郡縣·寺院·公私門館號及臣僚以下名, 犯御諱者及音同者, 請改之". 制, 從之.

戊辰[27日], 御神鳳樓, 赦, 加文武官一級.

是月, 遣侍御史李資仁, 如遼告喪.[4] [資仁, 至遼, 帝勅不許入京館, 詰問, 二君

---

1) 여기에서 宣宗은 廟號이고, 思孝大王은 諡號인데, 이는 1094년(獻宗 즉위년) 5월에 宣宗의 陵[仁陵]이 마련될 때 붙여진 것이다. 그런데 선종은 1140년(인종18) 4월에 寬仁이, 1253년(고종40) 10월 3일(戊申) 顯順이 각각 덧붙여졌으나, 이 기사에 반영되어 있지 않다. 또 安成은 어느 시기에 붙여진 것인지는 알 수 없다.

2) 이 구절은 지18, 禮6, 國恤에 "戊戌, 王率百官成服, 詣宣德殿, 行祭"로 되어 있다.

3) 이 기사는 지18, 禮6, 國恤에도 수록되어 있다.

4) 李資仁은 12월 21일(辛卯) 契丹에 도착하여 告哀하였던 것 같다. 또 이때 宋의 使臣으로 거란

連逝, 必有他故, 合奏實情. 資仁奏, "國公夙有疾恙, 加以哀毁, 遂至大漸, 實無他故. 願留臣等, 特遣使到本國究問. 臣若誣罔, 當服重罪. 語甚切直". 帝道宗出御城外氈殿, 引見慰諭:節要轉載].[5)]

[是月甲寅13日, 契丹帝道宗詔僧善知讎校高麗所進佛經, 以頒行之:追加].[6)]

[是月頃, 册延和宮妃李氏國子祭酒李碩之女爲王妃:列傳1宣宗妃思肅太后李氏轉載].[7)]

十二月[辛未朔大盡,乙丑, 虹見, 大霧連日:五行3轉載].

壬申2日, 設華嚴經道場于乾德殿五日.

丁丑7日, 設八關會, 御神鳳樓前帳殿, 受百官賀, 遂幸法王寺, 以前月値國恤, 至是, 行之.

丁亥17日, 御乾德殿視朝, 退御宣政殿, 門下侍郞平章事李靖恭·中書侍郞平章事金良鑑·參知政事王錫·中樞院使柳洪, 陳時政得失.

[某日, 制, "宮城內各衙門官吏, 黲服出入, 不合儀制, 凶服者不入公門之義. 宮城外官, 准資換任. 其不得已任宮城官者, 依書儀, 入朝但吉服之文, 入宮城吉服, 歸家, 依制行服":禮6五服制度轉載].

[是年, 定各品及庶人墳墓禁限步數, 一品墓地方九十步, 四面各四十五步, 二品方八十步, 三品方七十步, 四品方六十步, 五品方五十步, 六品方四十步, 七品至九品方三十步, 庶人方五步以上, 步數並用周尺, 標內田柴火焚, 一皆禁止:追加].[8)]

에 와있던 吳安持가 館伴 耶律儀를 통해 고려사신의 도착, 文宗과 順宗의 崩御, 宣宗의 卽位 등의 사실을 들었다고 한다.

·『요사』 권24, 본기24, 道宗4, 大康 9년 12월 辛卯, "高麗三韓國公勳薨".

·『속자치통감장편』 권343, 元豊 7년 2월 癸酉4日, "太僕少卿吳安持等言, 昨奉使至遼, 於十二月, 問館伴耶津儀, 知高麗使在遼廷, 儀言, 高麗國王徽, 今秋卒, 長子勳, 嗣位六十日, 又卒. 今立徽次子運, 權知國事, 已遣使封册. 此月丙戌可考, 按遼史載記, 高麗, 大安元年册勳子運爲國王, 今以運爲徽次子, 與遼史互異".

5) 이 기사는 열전8, 李資仁에도 수록되어 있으나 자구에 출입이 있다.

6) 이는 다음의 자료에 의거하였다. 이때 고려가 契丹에 보낸 佛經을 元曉의 『華嚴經疏』로 추측하는 견해도 있다(김영미 2002년).

·『요사』 권24, 본기24, 道宗4, 大康 9년 11월, "甲寅13日, 詔僧善知讎校高麗所進佛經, 頒行之".

7) 이 기사에서 李碩의 官職은 工部尙書로 되어 있지만, 그의 壻인 金義元의 묘지명에는 國子祭酒로 되어 있다.

8) 이는 다음의 자료에 의거하였다(蔡雄錫 2009년 389面 ; 전경숙 2015년 ; 李宗峯 2016년 106

[○詔, 進士以下諸業, 自今, 許三年一試:選擧1科目轉載].

[○以潛邸府錄事鄭文爲直翰林院兼四門助教:列傳8文正轉載].[9)]

[○以潛邸府僚屬郭尙爲監察御史:列傳10郭尙轉載]

[○以忠州牧掌書記任懿爲神虎衛錄事參軍兼直翰林院:追加].[10)]

[○以三重大師韶顯爲首座. 尋文宗昇遐, 順宗嗣位, 未幾而王崩, 卽宣宗承纂. 上祈泰平中興, 下批, 以顯爲僧統. 又命顯移住玄化寺:追加].[11)]

甲子[宣宗]元年, 契丹大康十年, [宋元豊七年], [西曆1084年]

1084년 2월 9일(Gre2월 15일)에서 1085년 1월 28일(Gre2월 30일)까지, 355일

春正月辛丑朔小盡,建丙寅, 放朝賀.

己巳29日, 普濟寺僧貞雙等奏, 九山門參學僧徒, 請依進士例, 三年一選, 從之.[12)]

[某日, 以朴收向爲東南海都部署使:慶尙道營主題名記].

[是月, 王弟祐世僧統煦入闕, 請入宋求法, 上會群臣議, 皆以爲不可:追加].[13)]

面). 이의 制定이 文宗이 崩御한 7월 이전에 만들어진 것인지, 아니면 그 이후의 順宗·宣宗 때에 제정된 것인지는 알 수 없다.

·『태종실록』 권7, 4년 3월 庚午29日, "命禮曹, 詳定各品及庶人墳墓禁限步數. …. 用前朝文王三十七年定制也"

9) 原文에는 "時宣宗爲國原公, 文爲其府錄事. 及卽位, 擢直翰林院兼四門助教"로 되어 있다.

10) 이는 「任懿墓誌銘」에 의거하였다.

11) 이는 다음의 자료에 의거하였다.

·「金堤金山寺慧德王師眞應塔碑」, "… 大康九年, 又」加首座. 是歲, 文宗昇遐, 順宗嗣位, 未幾而王崩, 卽宣宗承纂之元年也. 上以端拱無爲, 坐見中興者, 豈非師福利之功也. 下批署爲僧統, 其時師年四十七也. … 又其年, 王命師移住玄化寺, …".

12) 여기에서 九山門參學僧徒는 禪宗 9山에서 出家, 修行하던 新進僧侶를 指稱하는 것 같다. 또 이들에게 조선시대의 式年試처럼 정해진 시기에 選拔해 달라는 請願이 허락된 점을 보아 이 考試는 國子監試, 鄉貢試처럼 各地의 大刹에서 행해진 佛法과 그 수행방법을 토론하던 僧科[選佛場]의 예비고시를 가리키는 것 같다[宗選, 成福選].

13) 이는 「開城靈通寺大覺國師塔碑」에 의거하였는데, 이 탑비는 북한의 국보유적 제155호이다. 또 이와 같은 내용으로 다음이 있다.

·「仁同僊鳳寺大覺國師塔碑」, "故嘗請入宋求法, 文祖心許, 未降指揮, 洎宣祖卽位, 屢請不已, 宣祖難定, 議於群臣, 咸以爲太弟之重, 不宜越海".

[二月庚午朔大盡,建丁卯, 戊戌29日, 東路金壤縣管內觀海戍·高城縣管內衾猳戍·扞城縣杆城縣管內竹島戍灾, 責罷軍官見任. 設道場于各縣, 禳之:五行1火災轉載].

三月庚子朔大盡,建戊辰, 東女眞將軍分那老等二十人來, 獻馬.

夏四月庚午朔小盡,建己巳, [某日], 遼遣勑祭使·益州管內觀察使耶律信, 慰問使·廣州管內觀察使耶律彥等來.

甲戌5日, 祭文宗曰, "惟靈, 性極禮義之端, 體涵中和之粹. 王爵馭貴, 早襲靑社之封, 木神則仁, 全賦東方之氣. 躬懷忠款以力行, 職述貢儀而歲至. 一匡致主, 朝廷賴其勳, 千里于蕃, 生民受其賜. 方當拱手以仰成, 何意上天之不遺. 聞訃悼懷, 輟朝增欷. 嗚呼, 歲陰不留, 人生如寄, 一千年時運之逢, 五十載君臣之義, 遽藏夜壑之舟, 難秘東園之器. 宜遄遣於軺音, 俾往申於奠禮. 魂兮有知, 歆此至意".

丁丑8日, 祭順宗曰, "惟靈, 辰象純精, 嶽瀆秀氣, 慶發世國, 才爲王臣. 甫從英妙之年, 爰被寵嘉之命, 撫封日域, 述職天朝. 翊戴輸勤, 開庇底乂, 方茂稱藩之績, 遽纏陟岵之憂. 議以奪情, 俾其襲爵, 指軺騑之旣駕, 聞驛訃之云來. 復嗟殲良, 益用震悼. 何舟壑之不息, 乃人琴之俱亡. 言念忠圖, 想見風矩, 臨遣輪馭, 往陳奠觴, 冥神有知, 諒我遐意".

[是月, 棟樑某等鑄成開京北山法海寺飯子一口, 入重二十五斤:追加].[14]

五月己亥朔大盡,建庚午, 壬戌24日, 賜高旻翼等及第.[15]

六月己巳朔小盡,建辛未, 壬午14日, 東女眞寇興海郡母山津農場, 戍卒擊敗之, 擒五人.

---

14) 이는 法海寺 반자[鉡子]의 銘文에 의거하였다(京都市 伊藤庄兵衛 所藏, 坪井良平 1974年b ; 許興植 1984년 517面). 飯子는 우리말을 漢字로 表記한 것이어서 같은 音의 여러 漢字가 사용되어 왔다. 또 이를 禁口라고도 하는데, 이 역시 여러 한자로 표기되어 왔는데, 이는 中原의 작은 金鼓[小金鼓]에서 유래된 것 같다. 당시 金鼓는 城樓에 걸어 놓고 城門의 開閉를 알리는 開金鼓, 閉金鼓와 관련이 있는 것 같고, 한반도에서는 주로 寺院에서 小金鼓(飯子, 禁口)를 마루에 걸어놓고 때때로 加擊하여 각종 情報를 전달하였던 것 같다.

15) 이와 관련된 기사로 다음이 있다. 이때 進士高旻翼·李公著(李公著墓誌銘)·崔淪(丙科, 沃溝郡夫人宋氏準戶口) 등이 급제하였다(朴龍雲 1990년·許興植 2005년).
· 지27, 선거1, 科目1, 選場, "宣宗元年五月, 同知中樞院事崔思諒知貢擧, 吏部侍郎金上琦同知貢擧, 取進士, 下詔賜乙科高旻翼等三人·丙科七人·同進士六人·明經四人及第".

戊子[20日], 日本國筑前州商客信通等□[來], 獻水銀二百五十斤.[16)]

乙未[27日], 王子□[昱]生於延和宮.[17)]

[秋七月[戊戌朔大盡,建壬申], 某日, 以崔駰爲東南海都部署使:慶尙道營主題名記].

秋八月[戊辰朔大盡,建癸酉], 壬申[5日], 制, "顯宗南幸時, □[故]門下侍中朴成傑扈從有功, 於三韓後壁上功臣楊規等錄券, 並錄施行".

甲申[17日], 宋遣祭奠使·左諫議大夫楊景略, 副使·禮賓使王舜封, 弔慰使·右諫議大夫錢勰, 副使·西上閤門副使宋球等來.

辛卯[24日], 祭奠使聚僧徒, 設道場於文宗魂殿三晝夜.

壬辰[25日], 又設於順宗魂堂.

癸巳[26日], 祭文宗祝曰, "惟王紹承慶緖, 撫有侯封, 道民師俗, 禮義是宗. 壹意朝廷, 倦倦者忠, 百名修貢, 既久益恭. 重溟萬里, 一葦以通, 精誠所兆, 風濤順從. 維此中國, 四海會同, 較功悼德, 孰與王宗. 謂宜壽考, 藩屛于東, 遽玆淪謝, 傷恒何窮. 遣使陳奠, 以寓予哀". ○詔曰, "父兄之喪, 人倫之大慼, 贈賻之禮, 朝廷之至恩. 輿言恭順之蕃, 宜被哀榮之典. 特馳使指, 往致奠儀, 以示眷存, 以慰號慕". ○其弔慰書曰, "不意閔凶, 奄失所怙, 復聞同產, 相繼淪亡, 痛毒荐仍, 何以勝處. 達於予聽, 良用惻傷. 卿紹承父兄, 素有孝友, 覬能抑割, 以副眷存. 今遣使弔慰, 兼賜卿弔慰物色, 具如別祿, 至可領也".

[□□□□□□[~~宣宗元年八月~~], 文宗之喪, 宋遣祭奠使左諫議大夫楊景略, 副使禮賓使王舜封, 弔慰使右諫議大夫錢勰, 副使西上閤門副使宋球來. 祭奠使設奠于魂殿, 使·副就位. 執事告陳設畢, 使·副卽席, 再拜. 使搢笏, 焚香酹酒, 讀祝文. 本國上陪官, 捧祝文, 俛伏興, 使·副再拜. 訖, 嗣王向闕立. 使稱有勅, 嗣王再拜. 使口傳宣, 訖, 嗣王再拜. 使搢笏, 捧贈賻詔書, 嗣王跪受, 俛伏興. 祭奠禮畢, 弔慰使·副少進, 嗣王向闕立. 使宣有勅, 嗣王再拜. 口宣及授弔慰詔書, 並如祭奠使儀. 訖, 與祭奠使·副, 展慰陳狀, 如常儀:禮6上國使祭奠贈賻弔慰儀轉載].[18)]

---

16) □에 來字가 탈락되었을 것이다.

17) ~~添字~~는 『고려사절요』 권6에 의거하였다.

18) 이 기사는 原文에서 ~~添字~~가 추가되어야 옳게 될 것이다.

甲午[27日], 祭順宗曰, "惟王資質茂美, 孝友夙成, 履信思順, 休有德聲. 營營服喪, 得禮之經, 撫綏一國, 良恊[協]民情. 謂膺遐福, 保此安榮, 爲屛爲翰, 翼戴朝廷, 如何不淑, 沈痾遽嬰. 惟天報施, 稱物平衡, 孰云積善, 而夭厥齡. 飭我使指, 爰棘其行, 庶陳薄奠, 以寫斯誠".

○以王生日爲天元節.

九月[戊戌朔小盡,建甲戌], 己亥[2日], 宴宋使于會慶殿.

壬寅[5日], 又如之[宴宋使于會慶殿].

甲辰[7日], 餞宴, 附表以謝.

[冬十月丁卯朔[大盡,建乙亥]:追加].

[冬十一月[丁酉朔小盡,建丙子], 某日, 風雪寒甚, 王念戍邊士卒, 銜冒苦寒, 以乾明庫平布一千餘匹, 命征袍都監, 製衣袴, 分賜:兵1五軍轉載].[19]

[是月, 判[卌], "三禮·三傳業, 亦前代取人之典,[20] 不可停廢. 三禮業, 以禮記二十卷, 爲徧業大經, 貼經十處, 通六以上, 插籌十處, 破文通, 口問口對, 義理, 通六以上. 以周禮·儀禮, 爲小經, 一經插籌十處, 破文, 通義理, 通六以上, 一經破文讀二机. 三傳業, 以左傳爲肄業大經, 貼經十處, 通六以上, 插籌十處, 破文通義理, 通六以上. 以公羊·穀梁傳, 爲小經, 一傳插籌十處, 破文通義理, 通六以上, 一傳只讀二机":選擧1科目轉載].

[十二月丙寅朔[大盡,建丁丑]:追加].

---

19) 이 기사는 『고려사절요』 권6에 축약되어 있다("命征袍都監, 以乾明庫平布一千餘匹, 製衣袴, 分賜戍邊士卒). 또 지31, 百官2, 征袍都監에는 "宣宗元年, 見"으로 되어 있으나 1064년(문종18) 12월 某日에 征袍庫가 찾아진다. 1064년 12월 이후의 어느 시기에 征袍庫가 征袍都監으로 昇格되었던 것 같다.

20) 唐代의 取人制度에 대한 설명으로 다음이 있다.

· 『자치통감』 권201, 唐紀17, 高宗總章 2년(669) 12월, "… 大略唐之選法, 取人以身言書判[胡三省注, 唐擇人之法有四, 一曰身, 取其體貌豊偉, 二曰言, 取其言辭辯正, 三曰書, 取其楷法遒美, 四曰判, 取其文理優長], 計資量勞而擬官. 始集而試, 觀其書判, 已試而銓, 察其身言, 已銓而注, 詢其便利, 已注而唱, 集衆告之. 然後類以爲甲, 先簡僕射, 乃上門下, 給事中讀, 侍郎省, 侍中審之, 不當者駁下. 旣審, 然後上聞, 主者受旨奉行, 各給以符, 謂之告身. 兵部武選亦然. …".

[是年, 以首座韶顯爲僧統:追加].[21]

[○僧學一赴廣明寺選佛場, 捷獲選:追加].[22]

[○海內旱, 民無聊生, 轉於溝壑者, 往往有之, 永淸縣令鄭穆, 下車旣不數月, 縣之西有德池原, 火燎幾許里. 民始懼焉, 會麥禾登熟, 有稗不種, 離離厥原. 穆因使人刈獲, 得實五千餘石, 以爲軍儲, 或爲民所獲者, 又不知其幾:追加].[23]

乙丑[宣宗]二年, 契丹大安元年, [宋元豊八年], [西曆1085年]

1085년 1월 29일(Gre2월 4일)에서 1086년 1월 17일(Gre1월 23일)까지, 354일

[春正月丙申朔小盡,戊寅, 某日, 以李順元爲東南海都部署使:慶尙道營主題名記].

[是月丙申朔, 遼改元大安:追加].

春二月乙丑朔小盡,己卯, 丁卯3日, 設天帝釋道場于文德殿.

辛未7日, 設金剛經道場于乾德殿七日.

癸酉9日, 遼報改元大安, 王命有司, 告于大廟太廟·六陵.[24]

乙亥11日, 始令駕幸時, 奉仁王般若經, 前道. 遵宋制也.[25]

丁丑13日, 對馬島勾當官遣使□來, 進柑橘.

丁亥23日, 幸歸法寺, 飯僧. [自是, 屢幸寺院:節要轉載].

[是月, 某等造成梁州通度寺拜禮石:追加].[26]

---

21) 이는 「金堤金山寺慧德王師眞應塔碑」에 의거하였다.

22) 이는 「淸道雲門寺圓應國師塔碑」에 의거하였다.

23) 이는 다음의 자료에 의거하였다.

· 「鄭穆墓誌銘」, "甲子, 出莅永淸縣, 其年, 海內旱, 民無聊生, 轉於溝壑者, 往往有之, 公下車旣不數月, 縣之西有德池原, 火燎幾許里. 民始懼焉, 會麥禾登熟, 有稗不種, 離離厥原. 公因使人刈獲, 得實五千餘石, 以爲軍儲, 或爲民所獲者, 又不知其幾".

24) 契丹은 前年 12월에 明年의 年號를 大安으로 바꾸었다(『요사』 권24, 본기24, 道宗4, 大康 10년 12월).

25) 『仁王般若經』은 『仁王護國般若波羅蜜經』(혹은 『仁王般若波羅蜜經』)이며, 略稱하여 『仁王經』이라고 한다.

26) 이는 「梁山通度寺拜禮石銘」, "太康十一年乙丑二月 日造"에 의거하였다(보물 제1471호, 許興植 1984년 528面). 여기에서 太康十一年을 사용한 것이 주목되는데, 王京에서 멀리 떨어진 지역에

三月[甲午朔大盡,庚辰], 丙申[3日], 王欲詣文考返魂堂, 行寒食兼上巳祭,[27)] 有司以無哭位, 難之. 王曰, 禮當從宜, 遂減法從而往.

[史臣曰, "爲臣之道, 當匡其惡而順其美, 王未終制, 與宋使宴樂. 有司不以爲言, 至於返魂堂, 乃朝夕所臨, 有司獨以爲難, 何哉?":節要轉載].

戊戌[5日], [淸明]. 宋密州報,[28)] 帝[神宗]崩, 皇太子卽位[哲宗].[29)]

서는 改元의 消息을 듣지 못했던 것 같다.

27) 寒食은 太陽이 黃道에서 15°의 位置에 到達하는 날, 곧 冬至 이후 105일째의 날에 해당하는 淸明 前 1,2日에 해당한다. 이해[是年]의 淸明(太陰太陽歷으로 5일)은 율리우스曆으로 1085년 4월 1일(그레고리曆 4월 7일)에 해당하므로 寒食은 3월 30,31일(4월 3,4일)에 해당한다. 또 上巳는 3월 첫 巳日을 가리키지만, 魏晋時代 이후에 3월 3일으로 날짜를 固定시킨 봄철[春季]의 節日이 되었다. 또 中原에서 이날에는 祥瑞롭지 못한 것을 떨쳐버리기 위해 지내는 禊祭祀인 上巳祭를 거행하기도 하였는데, 고려에서는 이날을 俗節로 삼았기에 어떠한 행사를 거행하였을 것이지만 구체적인 모습을 알 수 없고, 公的으로는 刑의 執行이 中止[禁刑]되었다고 한다(→ 성종 1년 3월 18일, 禁刑).

· 『태종실록』 권26, 13년 11월 丁亥[16日], "議政府啓禁刑日法, 啓曰, 蒙下旨, 令刑曹考禁刑日不治事古制. 刑曹報, '初八日十五日二十三日, 爲禁刑日不治事, 然無明文, 止於律文, 有禁刑日, 而決罰罪人者笞四十'. 又令禮曹稽'文獻通考'云, '宋太祖開寶九年, 旬休日不視事. 太宗卽位, 旬休日復視事'. 其後又詔, '自今內外百司, 除舊制給暇外, 每月旬休·上巳·重午·重陽, 並休務一日, 三司·開封府, 事關急速, 不在此限', 又云, '齊戒日, 不判署刑殺文書'. 又云, '每歲立春至秋分及朔望, 上·下弦·二十四氣雨及夜未明·暇日, 皆停死刑'. 本府以此考之, 前朝以來, 三暇日與宋旬休日同然云, 事關急速, 不在此限, 則三暇日, 似不必强用, 自今許令決事. 出納官三暇及六衙日朝會後, 皆赴本司治事, 唯刑曹·漢城府·巡禁司, 於齊戒日暇日, 不得行考訊決罰. 除在前禁刑日外, 上項上·下弦二十四氣雨及夜未明, 不得行死刑".

· 『영조실록』 권108, 43년 1월 丁亥[22日], "領議政徐志修獻議, 略曰, 若欲用樂, 則妓樂旣命勿用, 矇瞍只爲管絃, 而不習鐘磬, 樂生則我朝家法甚嚴, 雖庭外行之, 猶爲未安. 若不用樂, 則祀典先蠶, 在中祀, 中祀必有樂章, 惟小祀無樂. 先蠶壇上巳祭, 元有樂章用雅樂, 而坤殿親祭時, 乃用小祀無樂, 儀文未備. 我朝三聖行親蠶, 而實錄皆無親祭之擧. 且'周禮'·'禮記', 皆言親采桑, 而后祭先蠶, 無所載見. 今若遵三聖舊禮, 先蠶祭命有司攝行, 坤殿親采桑, 出還大次時, 使矇瞍奏此樂章, 則恐似合宜".

28) 密州(現 山東省 諸城市)는 山東半島의 동남쪽에 있었고, 이곳의 板橋鎭(現 天津市 寧河縣)에서 선박으로 고려와 연결되었다. 1083년(宣宗 卽位年, 元豊6) 11월 8일(己酉)에 高麗 國信使가 파견될 海道를 준비[排辦]하라고 명을 받은 入內供奉官勾當·龍圖天章寶文閣 馮景이 登州(現 山東省 蓬萊市)·密州 두 지역의 海道가 明州(現 浙江省 寧波市)에 비해 편리하다고 보고하자, 馮景에게 密州官과 더불어 商人을 모아 해도를 試探하고 보고하게 하였다. 또 같은 달 23일(甲子) 京東路轉運司가 해도를 알고 있는 泉州(現 福建省 泉州市) 商人의 말에 따라 兩番 使臣團이 楚州(現 江蘇省 淮安市)에서 배를 타면 불과 2~3일 만에 密州 板橋鎭에 도착할 수 있다고 보고하였다(『속자치통감장편』 권341, 元豊 6년 11월).

29) 이때 송에서는 3월 4일(丁酉) 神宗이 붕어하고 5일(戊戌)에 哲宗 趙煦가 즉위하였다. 그래서 위의 기사와 같이 5일(戊戌)에 密州가 고려에 新皇帝의 卽位를 通報할 형편은 아니었을 것이

戊申[15日], 設佛頂道場于文德殿.

甲寅[21日], 王如興王寺, 飯僧.

[是月戊戌[5日], 宋神宗卒, 趙煦卽位, 是爲哲宗, 不改元:追加].

夏四月[甲子朔小盡,辛巳], 庚午[7日], 王弟釋煦, 逃入宋.[30)] [初, 煦欲求法於宋, 文宗不許. 及王卽位, 屢請, 會羣臣議, 皆以爲不可. 至是, 率門徒二人, 潛隨宋商林寧船而去. 王遣禮賓丞鄭僅等, 問過海安否:節要轉載], [又命僧樂眞·慧宣·道隣等追之:追加].[31)]

○賜金晙等及第.[32)]

戊寅[15日], 幸外帝釋院.

甲申[21日], 親醮于毬庭.[33)]

庚寅[27日], 以旱, 命有司, 講雲雨經於臨海院七日, 又禱于山嶽.

壬辰[29日], 命近臣, 錄囚, 放輕繫.

[是月, 判[冊], "同父異母姊妹犯嫁所產, 仕路禁錮":選擧3限職轉載].

五月[癸巳朔大盡,壬午], 甲寅[22日], 設金剛明經道場于乾德殿七日, 禱雨.

[增補].[34)]

다. 또 4월 7일 이후 密州에 도착하였을 祐世僧統 煦도 避諱하여 이름을 字인 義天으로 사용하였을 것이다. 이후 철종의 재위 연간(1085~1100)에는 『고려사』에 기록되어 있는 煦字는 그대로 두고, 筆者가 추가한 事實은 모두 義天으로 表記하기로 한다.

30) 이때 祐世僧統 義天은 佛法을 구하기 위하여 弟子 壽介·良辯 등과 함께 貞州에서 宋商 林寧의 선박을 타고 中原에 들어갔다. 宣宗이 소식을 듣고 禮賓丞 鄭僅·僧侶 樂眞·慧宣·道隣 등으로 하여금 追從하게 하였다(靈通寺大覺國師塔碑 ; 興王寺大覺國師墓誌銘 ; 僊鳳寺大覺國師塔碑 ; 般若寺元景王師塔碑銘 ;『大覺國師文集』 권5, 請入大宋求法表). 이들은 4월 8일(辛未) 바다를 건넜다고 하였고, 5월 2일 이후 의천의 송에서의 14개월에 걸친 구법 활동의 대략적인 모습은 해당 月次의 增補에서 정리하였다.

· 「仁同僊鳳寺大覺國師塔碑」, "… 於是浩然決乘桴之計, 四月八日, 絶海洋, 初抵密州界, …".

31) 이는 「仁同僊鳳寺大覺國師塔碑」; 「陜川般若寺元景王師塔碑」에 의거하였다.

32) 이와 관련된 기사로 다음이 있다. 이때 [進士]金晙·金緣(改仁存) 등이 급제하였다(『登科錄』, 朴龍雲 1990년 ; 許興植 2005년).

· 지27, 선거1, 科目1, 選場, "[宣宗]二年四月, 中樞院使盧旦知貢擧, 尙書禮部侍郞李預同知貢擧, 取進士, 下詔賜乙科金晙等三人·丙科七人·同進士十二人·明經三人·恩賜二人及第".

33) 이 기사는 지17, 禮5, 雜祀에도 수록되어 있다.

34) 5월 宋에서 이루어진 祐世僧統 義天의 求法은 다음과 같다.

· 2일(甲午), 祐世僧統 義天의 一行이 密州(現 山東省 諸城市) 板橋鎭에 도착하자, 朝奉郞·知

六月癸亥朔大盡,癸未, 丁丑15日, 王受菩薩戒於乾德殿.

[某日, 制, "異國投化官吏, 父母在本國身死, 自聞喪日, 依制給暇":禮6五服制度轉載].

[增補].[35]

秋七月癸巳朔小盡,甲申, 壬寅10日, 饗年八十以上男女于毬庭, 賜衣帶·例物, 有差.

壬子20日, 以文宗大祥, 幸興王寺, 行香.[36]

[某日, 以南宮藺爲東南海都部署使:慶尙道營主題名記].

[○黃利縣戶長·仁勇副尉閔某等, 鑄成靑銅半子一口:追加].[37]

[增補].[38]

密州 范鍔이 영접하고 조정에 보고하였다(靈通寺大覺國師塔碑). 이후 海路로 四明郡에 도착하자 明智中立과 慧照法隣(法鄰)으로 하여금 館伴으로 삼아 접대하게 하였다(『佛祖統紀』 권14, 諸師列傳6-4, 慈辯諫法師法嗣高麗義天僧統·神智文法師法嗣明智中立法師, 권15, 諸師列傳6-5, 明智立法師法嗣慧照法隣法師 ; 『嵩山文集』 권20, 宋故明州延慶明智法師塔碑銘 ; 『釋門正統』 권6, 中興第三世十三傳中立·7中興第四世十五傳法鄰, 권8, 護法外傳義天 ; 『大覺國師文集』外集권7, 大宋沙門法隣書 ; 『釋氏稽古略』 권4, 乙丑義天僧統).

· 8일(庚子), 主客郎中 蘇軾을 高麗國 祐世僧統 求法沙門 義天의 引伴으로 삼았다(『속자치통감장편』 권358, 元豊 8년 7월 21일 ; 영통사대각국사비).

35) 宋은 6월 22일(甲申) 中書舍人 范百祿·禮部郎中 蘇軾을 祐世僧統 義天의 館伴으로 삼았다(『속자치통감장편』 권358, 元豊 8년 7월 21일 ; 『佛祖統紀』 권14, 諸師列傳6-4, 慈辯諫法師法嗣高麗義天僧統 ; 『佛祖歷代通載』 권19, 宋哲宗丁卯, 僧統義天 ; 영통사대각국사비).

36) 文宗의 忌日은 7월 18일이므로 이날은 大祥이 경과한 이후이다.

37) 이는 1966년 현재의 驪州市[黃利縣]과 접경한 강원도 原州市 富論面 法泉里에서 출토된 飯子(前面直徑 32.9cm, 後面直徑 35.6cm, 厚 8.3cm, 重量 6,279g, 보물 제1810호) 側面의 刻字에 의거하였다(東亞大學 博物館 2014년).

· 銘文, "大安元年乙丑七月日, 黃利縣戶長·仁勇副尉閔,棟梁等同心鑄成半子一口".

38) 7월에 이루어진 祐世僧統 義天의 행적은 다음과 같다.

· 中旬, 祐世僧統 義天의 一行이 開封府 啓聖寺에 들어갔다(영통사대각국사비).

· 21일(癸丑), 高麗國 祐世僧統 求法沙門 義天 등이 垂拱殿에서 哲宗을 拜謁하고 佛像·經文을 바치자 物品을 差等이 있게 下賜하였다(『속자치통감장편』 권358 ; 『송사』 권487, 高麗 ; 『고려사』 권90, 文宗, 大覺國師 ; 영통사대각국사비 ; 興王寺大覺國師墓誌銘 ; 般若寺元景王師塔碑銘).

· 22일(甲寅), 의천이 표를 올려 受業할 스승을 소개해 줄 것을 요청하자 조서를 내려 허락하였다. 곧 화엄종의 有誠法師를 만났다(영통사대각국사비 ; 『대각국사문집』외 집권10, 大宋, 沙門有誠詩). 이때 의천이 賢首法藏의 天台宗旨를 배우려 하자 神宗이 兩街僧錄司로 하여금 적임자를 추천케 하여 東京[開封府] 覺嚴寺의 有誠法師가 천거되었으나, 그가 자신을 대신하여 杭州 慧因院의 淨源을 추천하였다(『林間錄』 권上 ; 『佛祖統紀』 권14, 諸師列傳6-4, 慈辯諫法師

八月[壬戌朔大盡,乙酉]，辛未[10日]，遣戶部尙書金上琦·禮部侍郞崔思文如宋，弔慰，工部尙書林槩·兵部侍郞李資仁，賀登極.[39)]

[丙子[15日]，月食，密雲不見：天文1轉載].[40)]

丁丑[16日]，奉安文宗神御于景靈殿，親行奠禮.

戊寅[17日]，御宣政殿，聽斷刑部所奏死囚，停音樂，進素膳.

[是月，建原州法泉寺智光國師海麟塔碑，秘書省陪戎校尉李英輔·大匠張子春等奉宣刻字：追加].[41)]

[增補].[42)]

法嗣高麗義天僧統 ；『釋門正統』 권8, 護法外傳, 義天 ；『佛祖歷代通載』 권19, 宋哲宗丁卯, 僧統義天).

· 28일(庚申), 相國寺 慧林院에서 圓照宗本을 만났다(『慧林宗本禪師別錄』, 元豊 8년 7월 28일 ；『咸淳臨安志』 권70, 人物11, 方外, 僧宗本 ；『禪林僧寶傳慧林圓照本禪師』; 『불조통기』 권14, 諸師列傳6-4, 慈辯諫法師法嗣高麗義天僧統 ； 선봉사대각국사비 ；『釋氏稽古略』 권4, 乙丑, 義天僧統 ；『佛祖歷代通載』 권19, 宋哲宗丁卯, 僧統義天·戊寅平江瑞光宗本禪師).

39) 이해의 3월 5일 神宗이 崩御하고(38歲), 皇太子(哲宗)가 즉위하였다. 또 金上琦는 같은 해 11월 15일 諫議大夫(정4품)임을 보아 이때 그가 띠고 있는 戶部尙書(정3품)는 借職일 것이다.

40) 이날 宋과 日本에서는 개기월식이 행해졌다(『송사』 권52, 지5, 천문5, 月食). 이날은 율리우스력의 1085년 9월 6일이고, 월식 현상이 심했던 때의 世界時[標準時]는 13시 28분, 食分은 1.76이었다(渡邊敏夫 1979年 473面).

· 『後二條師通記』, 應德 2년 8월, "十五日丙子, 天晴, 月蝕也".

· 『扶桑略記』 권30, 應德 2년, "八月十五日丙子亥時, 月蝕皆旣, 月色似紅, 无光天暗".

41) 이는 「原州法泉寺智光國師玄妙塔碑」에 의거하였다. 여기에서 帝王의 命令[宣命]을 받아 刻字한 李英輔는 그의 職責을 통해 볼 때, 秘書省의 胥吏[吏屬] 중 書藝 또는 書手로 추측된다.

· 지76, 백관1, 典校寺, "… 吏屬, 文宗置主事一人·令史一人·書藝十人·記官二人·書手十五人".

42) 8월 이후에 이루어진 祐世僧統 義天의 행적은 다음과 같다.

· 8월 이후, 興國寺에서 印度僧 天吉祥·紹德을 만나 1개월 정도 滯在하였다(영통사대각국사비 ； 선봉사대각국사비). 또 표를 올려 晋水淨源을 만날 수 있도록 요청하여(선봉사대각국사비), 조칙을 받아 主客員外郞 楊傑과 함께 京師를 출발하여 江南으로 향하였다(영통사대각국사비 ； 선봉사대각국사비 ；『釋門正統』 권8, 護法外傳, 義天 ；『佛祖歷代通載』 권19, 宋哲宗丁卯, 僧統義天).

· 潤州 金山寺에서 佛印了元을 만났다(선봉사대각국사비 ；『寶慶四明志』 권6, 敍賦下, 市舶 ；『禪林僧寶傳』 권29, 雲居佛印元禪師 ；『佛祖統紀』 권14, 諸師列傳6-4, 慈辯諫法師法嗣高麗義天僧統 ；『嘉定鎭江志』 권22, 雜錄拾遺 ；『釋門正統』 권8, 護法外傳, 義天 ；『釋氏稽古略』 권4, 乙丑, 義天僧統 ；『佛祖歷代通載』 권19, 宋哲宗丁卯, 僧統義天·戊寅金山佛印了元 ；『禪林蒙求拾遺』, 元[了元]接僧統).

· 杭州 大中祥符寺에서 晋水淨源을 만났다(영통사대각국사비 ； 선봉사대각국사비 ；『釋氏稽古略』 권4乙丑, 義天僧統 ；『佛祖歷代通載』 권19, 宋哲宗丁卯, 僧統義天·19戊辰華嚴晋水淨源禪師).

· 晋水淨源이 知杭州 蒲宗孟의 招請으로 南山 慧因院으로 옮겨 화엄경을 開講하고 賢首法藏의

九月壬辰朔大盡,丙戌, 己酉18日, 放輕繫.

壬子21日, 親奠于順宗魂殿.[43]

○遼遣御史中丞李可及來, 賀生辰. 不及期, 人嘲之日, "使名可及, 何不及耶?".

冬十月壬戌朔小盡,丁亥, 癸酉12日, 祔文宗于大廟~~太廟~~.

乙亥14日, 設百高座道場於會慶殿, 講仁王經三日, 飯僧三萬.

[增補].[44]

十一月辛卯朔大盡,戊子, 丁酉7日, 祔順宗于大廟~~太廟~~.

[癸卯13日, 夜, 震安定坊人家栗樹:五行1雷震轉載].

丙午16日, 遼遣落起復使·高州管內觀察使耶律盛來.

[辛亥21日, 楊州三角山石頹:五行3轉載].

癸丑23日, 遼遣保靜軍節度使蕭璋·崇祿卿溫嶠等來, 冊王爲特進·檢校太師兼中書令·上柱國·食邑一萬戶·食實封一千戶, 兼賜冠冕·車馬·圭印·衣帶·綵叚綵段等物.

己未29日, 王受冊于南郊.[45]

[是月, 遼封冊使副一行人來歸本朝, 次宿永淸縣之東迎德驛. 縣令鄭穆率縣寨吏迎將焉, 禮文尤縟, 庖供舘候, 又可佳者. 遼人有云, "縣非永淸卽榮城也". 接伴邵台輔褒薦于朝:追加].[46]

敎藏을 봉안하려 하자 의천이 出捐하여 도와주었다(영통사대각국사비 ; 『佛祖統紀』 권14, 諸師列傳6-4, 慈辯諫法師法嗣高麗義天僧統 ; 『釋氏稽古略』 권4, 戊辰淨源).

43) 이 기사는 지18, 禮6, 國恤에도 수록되어 있다.

44) 겨울[冬] 某月에 의천은 양걸과 함께 龍山 覺圓精舍의 관음상을 참배하였다(『대각국사문집』외집권11, 龍山泛海觀音詩幷序).

45) 중국 측의 자료에 의하면 책봉사의 파견이 11월 26일(丙辰)로 되어 있다. 현재 『고려사』와 『요사』의 어느 쪽이 옳은지를 판가름하기가 어렵지만, 『고려사』는 시기 편성[繫年]에서 고려 초기(太祖~穆宗)의 기사를 제외하고 『요사』에 비해 더욱 정확할 것이다.

· 『요사』 권24, 본기24, 道宗4, 大安 1년 11월, "丙辰26日, 遣使册三韓國公勳弟運爲高麗國王".

46) 이는 다음의 자료에 의거하였다.

· 「鄭穆墓誌銘」, "逮二年冬, 大遼國封册使副一行人來歸本朝, 次宿永淸縣之東迎德驛. 公鄭穆率縣寨吏迎將焉, 禮文尤縟, 庖供舘候, 又可佳者. 遼人有云, 縣非永淸卽榮城也. 其時接伴前相國邵公褒薦于朝, 召拜直史舘".

[十二月辛酉朔小盡,己丑:追加].

[是月, 以據尙書戶部乙丑五月日牒, 立梁州通度寺·密城郡武安里·蔚州郡象川里等處長生石標:追加].[47]

[增補].[48]

丙寅[宣宗]三年, 契丹大安二年, [宋元祐元年], [西曆1086年]

1086년 1월 18일(Gre1월 24일)에서 1087년 2월 5일(Gre2월 11일)까지, 13개월 384일

春正月庚寅朔大盡,庚寅, 己未30日, 以外戚·禮部侍郎李預妻王氏等, 授尙宮以下內職, 爲王太后宮官, 賜俸有差.

[某日, 以金禹廷爲東南海都部署使:慶尙道營主題名記].

[是月庚寅朔, 宋改元元祐:追加].

[增補].[49]

二月庚申朔小盡,辛卯, 以守太師兼中書令崔冲, 守太尉·門下侍中金元冲, 配享靖宗廟, 守太尉·門下侍中崔齊顔, 守太師兼中書令李子淵, 檢校太師·門下侍中王寵之, 守太尉·中書令崔惟善, 配享文宗廟.

丙寅7日, 王上册于王太后, 御乾德殿, 受中外賀, 賜群臣宴. [自祖宗以來, 册禮多廢, 至是復之:禮7册太后儀轉載]. ○毛羅游擊將軍加於乃等來賀, 獻方物.

[→册封爲太后, 諸道皆表賀, 州縣, 並獻布, 無慮十萬餘匹. ○毛羅亦來賀, 獻

47) 이는 各地에 散在한 長生標의 漢字와 吏讀로 이루어진 銘文에 의거하였다(通度寺 所有는 보물 제74호, 金石總覽 291面 ; 李丞宰 1992년 229面).

48) 祐世僧統 義天은 12월 28일(戊子) 靈芝寺의 大智律師 元照를 만나 佛法을 배웠다(『芝苑遺編』 권下, 爲義天僧統開講要義 ; 『釋氏稽古略4乙丑, 義天僧統). 이때 의천이 李子淵의 시집으로 추측되는 『樂道集』을 가지고 가자, 이를 읽은 元照가 이의 서문을 찬하였다(『芝園集』 권下, 高麗李相公樂道集序).

49) 1월 무렵에 고려 선종이 표를 올려 祐世僧統 義天의 귀국을 요청하자, 哲宗이 의천을 上京하도록 하였다(영통사대각국사비 ; 선봉사대각국사비).
이때 義天 杭州 天竺寺에서 慈辯從諫을 만나 天台敎觀을 들었다(선봉사대각국사비 ; 『불조통기』 권14, 諸師列傳6-4, 慈辯諫法師法嗣高麗義天僧統 ; 『석문정통』 권6, 中興第二世十傳從諫·8護法外傳義天 ; 『석씨계고략』 권4, 乙丑義天僧統 ; 『불조역대통재』 권19, 宋哲宗丁卯, 僧統義天).

方物:列傳1文宗妃仁睿順德太后李氏轉載].

丁卯[8日], □□[~~王妹~~]積慶宮主適[王弟]扶餘侯㸂.[50)]

[先是, 王弟金官侯丕·卞韓侯愔·辰韓侯愉等, 諫以同姓, 不從:節要轉載].

[→扶餘公㸂, 嘗娶積慶宮主, [金官侯]丕與[卞韓侯]愔·[辰韓侯]愉等, 諫以爲不可娶同姓, 王不從:列傳3文宗王子金官侯丕轉載].

戊辰[9日], 御神鳳樓, 大赦.

庚辰[21日], 以朝鮮公燾·雞林公熙△[爲]守太保, 常安侯琇·扶餘侯㸂·金官侯丕·卞韓侯愔△[爲]守司徒, 辰韓侯愉△[爲]守司空.

[→加□□□□[~~朝鮮公燾~~]·□□□□□[~~雞林公熙爲~~]守太保·食邑三千戶, □□□□□[~~常安侯琇爲~~]守司徒·食邑二千戶, 進封常安公, □□□□□[~~金官侯丕爲~~]檢校尙書令·守司徒·食邑二千戶, □□□□□[~~卞韓侯愔爲~~]檢校尙書令·守司徒·食邑二千戶, □□□□□[~~扶餘侯㸂爲~~]守司徒·食邑二千戶, □□□□□[~~辰韓侯愉爲~~]檢校太尉·守司空:列傳3文宗王子常安公琇·金官侯丕·卞韓侯愔·朝鮮公燾·扶餘侯㸂·辰韓侯愉轉載].

[某日, 判[刪], "新除外官, 身病請暇者, 常參以上, 令大醫監, 胗視給暇, 久未痊愈, 啓達遞差, 妄告病者, 科罪":刑法1官吏給暇轉載].

閏[二]月[己丑朔小盡,辛卯], 甲寅[26日], 遣衛尉少卿崔思說如遼, 賀天安節, 殿中少監郭尙, 獻方物, 戶部侍郎金士珍, 謝賀生辰.

[增補][51)]

三月[戊午朔大盡,壬辰], 辛酉[4日], 避先王[文宗]諱, 改侍中崔肅諡仁孝, 爲忠懿.

己卯[22日], 對馬島勾當官遣使□[來], 獻方物.

[庚辰[23日], 市廛火:五行1火災轉載].

乙酉[28日], 禱雨于山川.[52)]

---

50) ~~添字~~는 『고려사절요』 권6에 의거하였다. 또 이와 같은 기사로 다음이 있다.
· 열전4, 文宗公主, 積慶宮主, "積慶宮主, 仁睿太后李氏所生, 宣宗三年, 適扶餘公燧".

51) 의천은 閏2월 13일(辛丑) 入京하여 21일 垂拱殿에서 哲宗을 배알하고 5일을 머문 후 下直人事를 하였다(영통사대각국사비 ; 선봉사대각국사비).

52) 송에서도 이해의 1월부터 4월까지 가물었다고 한다(『송사』 권66, 지19, 오행4·권17, 본기17, 哲宗1, 元祐 1년 1월 丙辰, 4월 辛卯, 壬辰).

[增補][53)]

夏四月戊子朔小盡,癸巳, 癸巳6日, 又禱.

甲午7日, 以盧神烈爲戶部尙書, 文幹△爲攝兵部尙書, 王國髦爲衛尉卿.

辛丑14日, 有司, 以久旱, [→請造土龍. 又於民家, 畵龍禱雨, 王從之. 是日:五行2轉載], 徙市.

庚戌23日, 親禘大廟太廟, 加上太祖以下先王·先后尊號.[54)]

癸丑26日, 以門下侍郞平章事李靖恭爲門下侍中·判尙書吏部事, 中書侍郞平章事崔奭·金良鑑△並爲門下侍郞平章事, 柳洪·王錫△並爲中書侍郞平章□事, 盧旦爲尙書左僕射·參知政事, 崔思諒爲中樞院使, 文晃△爲知中樞院事.

甲寅27日, 以禘饗, 曲赦.

[增補][55)]

五月丁巳朔大盡,甲午, 戊午2日, 御乹德殿覆試, 賜朴景伯等及第.[56)]

丙子20日, 遣尙書禮部侍郞崔洪嗣崔弘嗣如遼,[57)] 謝落起復, 禮賓卿李資智, 賀正, □

53) 의천은 3월 1일(戊午) 開封府 慧林寺[相國寺] 圓照宗本을 방문하여 佛法을 논하였다(『慧林宗本禪師別錄』, 元祐 1년 3월 1일 ; 『釋門正統』 권8, 護法外傳, 義天). 이후 양걸과 함께 秀州(現 上海市) 眞如寺에 이르러 長水子璿의 浮圖를 참견하고 補修를 위해 出捐하였다(영통사대각국사비).

54) 이때 덧붙인[加上] 尊號는 『고려사』에 반영되어 있지 않다.

55) 의천은 4월 某日, 杭州 慧因院에 도착하여 晋水淨源으로부터 華嚴經의 大義를 배우고 經書·香爐·拂子 등을 받고 하직인사를 드렸다(영통사대각국사비 ; 선봉사대각국사비).
또 이후 天台山의 智顗大師의 浮圖를 참견하고 고려에서 天台宗旨를 전파하겠다는 발원문을 지어 바쳤다(영통사대각국사비 ; 선봉사대각국사비 ; 『불조통기』 권14, 諸師列傳6-4, 慈辯諫法師法嗣高麗義天僧統 ; 『석씨계고략』 권4, 乙丑義天僧統 ; 『불조역대통재』 권19, 宋哲宗丁卯, 僧統義天 ; 『대각국사문집』 권14, 大宋天台塔下親參發願疏). 또 明州 阿育王山 廣利寺에서 大覺懷璉을 만났다(仁同僊鳳寺大覺國師塔碑」; 『釋門正統』 권8, 護法外傳, 義天).
이때 義天은 前年(宣宗2) 5월부터 密州(現 山東省 諸城市), 開封府, 그리고 江南의 여러 지역에 왕래하면서 만난 高僧이 50餘名에 달하였는데, 그중에서 晋水淨源과 함께 보낸 날이 59日이었다고 한다(영통사대각국사비).

56) 이와 관련된 기사로 다음이 있다. 이때 進士朴景伯·李壽(改公壽, 李公壽墓誌銘)·衛尉主簿 柳仁著(→예종 3년 6월 7일의 脚注) 등이 급제하였다(朴龍雲 1990년·許興植 2005년).
· 지27, 선거1, 科目1, 選場, "宣宗三年五月, 中樞院副使李子威知貢擧, 禮部侍郞金覲同知貢擧, 取進士, 覆試, 下詔賜乙科朴景伯等四人·丙科八人·同進士十八人·明經三人及第".

57) 崔洪嗣는 여타의 기사에는 모두 崔弘嗣로 기록되어 있으나 『고려사절요』와 그의 아들 崔時允의

[同]知中樞院事李子威·尙書左丞黃宗慤,[58] 謝册命.[59] 又遣告奏使·尙書右丞韓瑩. 時遼欲於鴨綠江, 將起榷場, 故請罷之.[60]

○太白晝見.

[乙酉[29日], 王弟義天還自宋:追加].[61]

[是月, 西京龍德部南街, 地鏡見. 凡七十餘步, 如水有影, 月餘乃滅:五行1地境轉載].[62]

[增補][63]

묘지명에는 前者로 되어 있다. 그렇지만 後者로 기록된 자료도 있으므로(王侾廟誌銘 ; 『신증동국여지승람』 권14, 忠州牧, 人物 ; 권41, 平山都護府, 名宦), 正否의 判別은 잠시 보류하기로 한다.

58) 이때 李子威는 知中樞院事가 아니라 同知中樞院事일 것이다. 그는 이달의 5월 2일(戊午) 이전에 中樞院副使로서 知貢擧가 되었고, 明年(선종4) 12월 12일(庚寅)에도 同知中樞院事에 임명되었다.

59) 이들 謝册命使는 같은 해 11월 24일(戊寅) 契丹에서 사례하였다고 한다.
- 『요사』 권24, 본기24, 道宗4, 大安 2년 11월, "戊寅, 高麗遣使謝封册".

60) 榷場은 1344년(至正4) 11월 편찬된 『금사』에도 대등한 관계[敵對關係]에 있던 국가 사이의 互市였다고 한다. 이들 기사에서 厲禁은 出入을 制限하거나 禁止시킨다는 뜻이다.
- 『금사』 권50, 지31, 식화5, 榷場, "榷場, 與敵國互市之所也. 皆設場官, 嚴厲禁, 廣屋宇以通二國之貨, 歲之所獲亦大有助於經用焉".
- 『周禮注疏』 권9, 秋官司寇第5, 司隷, "執其邦之兵, 守王宮與野舍之厲禁, 野舍, 王所行止舍也, 厲, 遮例也". 여기에서 '止舍'는 行次[行軍]을 中止시켜 幕舍에서 休息시키는 것을 指稱하는 것 같다.
- 『자치통감』 권10, 漢紀2, 高帝 3년(BC204) 10월, "韓信使人間視, 知其不用廣武君[李左車]策, 則大喜, 乃敢引兵遂下, 未至井陘口三十里, 止舍[胡三省注, 止軍而舍息也]".

61) 이는 「영통사대각국사비」 ; 「般若寺元景王師塔碑銘」에 의거하였다. 그런데 『고려사절요』 권6에는 6월로 되어 있는데, 이는 祐世僧統 義天이 開京에 도착한 날짜인 것으로 추측된다.

62) 地鏡은 地面에 물이 고인 現象[積水]이라고도 하는데, 현재의 신기루(蜃氣樓, 海市, 野市, 慶雲)를 指稱하는 것 같다.
- 『初學記』 권8, 州郡部, 河南道第2, 天齊地鏡, "[南朝. 陳]顧野王, 輿述志曰, 宋文帝時, 青州城南地, 遠望倒影如水, 謂之地鏡".
- 『兩山墨談』 권11, 冒頭, "少聞之古老, 劉基伯溫初亡命吳中, 久游杭與客飮西湖, 會有紫雲起西北, 照湖水中. 衆以慶雲見, 將賦詩, 劉候望良久, 謂衆曰, 此天子氣也, 淮楚之分, 當有眞主出. …".
- 『私淑齋集』 권2, "墟落煙籠射日光, 遙看百里變滄浪, 林梢影倒銀波上, 人物形分玉鏡傍, 山斷蜂腰騰碧漢, 風搖地軸振崇岡, 須臾變態曾千萬, 問着鄕人亦未詳" 右公樂野市, "僕[姜希孟]行至公樂, 朝日初昇, 遙見海門, 波光焜燿, 樹木倒影, 人物形於洲渚, 宛然如畫, 未數里, 路轉變向, 則忽失所在, 視其處, 乃墟落也. 又見遠山, 狀如側置腰鼓, 俄而腰斷, 騰躍不定, 大風忽起, 聲振天地. 僕怪而未詳其故, 東還, 梁南原 諴之偶說是事, 與僕所見同而且云, 遼東志, 遼瀋間有野市類海市, 噫, 野市之見亦罕矣, 吾適然遇之, 豈亦天慳地祕, 以待吾好奇之志歟, 工部儻或見之, 歸來當與商確云".

63) 5월 20일(丙子) 義天은 고려 사신단과 함께 귀국을 위해 乘船하였고(靈通寺大覺國師塔碑), 5월

六月丁亥朔[小盡,乙未], 王如奉恩寺.[64]

[某日, 釋煦, 還自宋. 初, 煦至宋, 帝[哲宗]引見于垂拱殿, 待以客禮, 寵數渥縟. 煦請遊方問法, 詔以主客員外郞楊傑爲館伴, 至吳中諸寺, 皆迎餞, 如王臣禮. 王上表, 乞令還國, 詔許東還. 煦至禮成江, 王奉太后, 出奉恩寺以待, 其迎迓導儀之盛, 前古無比. 煦獻釋典及經書一千卷, 又於興王寺, 奏置敎藏都監[~~又奏置敎藏都監~~, ~~於興王寺~~][65], 購書於遼·宋·日本, 多至四千卷, 悉皆刊行:節要轉載].[66]

[辛卯[5日], 流星出文昌, 貫危·哭□[壘], 長十餘尺, 曲如環東缺, 色赤, 俄變爲白, 良久乃滅:天文1轉載].

癸卯[17日], 詔曰, "朕承遺命, 叨居大位, 近來, 變怪屢作, 旱魃爲灾. 庶賴佛神之陰護, 群臣匡輔之力, 而使陰陽順序, 上下咸和. 省躬責己, 屢示恩宥, 尙不得雨, 此蓋凉德所致, 然恐群下所行, 或不合義, 命世賢材, 棄不見用. 惟爾文武常參官·致政舊德及散任三品以上員, 限今月二十六日[壬子], 各上封事. 朕之過失, 刑政之得失, 民庶之弊瘼, 直言不諱. 又擧忠直·淸廉·有才德者各一人, 男女僧道·篤行·孝順及不孝悌者, 在官, 不守公道·擾亂法度·侵害小民者, 具錄以聞".

秋七月[丙辰朔大盡,丙申], 丙寅[11日], 詔曰, "朕覽群臣所上封事, 多言世俗尙侈靡, 莫有禁制. 其令所司, 與宰臣·諸學士·風憲長官, 據先王典禮, 凡衣服·車馬品制, 斟酌詳定, 以聞".

戊寅[23日], 德宗后金氏薨.[67] [諡曰敬成, 陵曰質□[陵]:節要·列傳1德宗妃敬成王后

29일(乙酉) 귀국하였다.

64) 이 기사에서 帝王의 幸次를 如로 표기한 것이 주목된다. 곧 『고려사』의 편찬과정에서 幸을 如로 바꿀 때 王如로 改書한 것으로 추측되기도 하지만, 이 기사로 부터 歷代의 帝王이 太祖의 御眞이 봉안된 眞殿(奉恩寺)을 위시하여, 考妣의 眞殿이 봉안된 여러 사찰에 가서 각종 儀禮를 행할 때, 幸으로 기록하지 않고 如로 기록한 것이 일반적이다. 한편 帝王의 幸次에서 幸은 이미 到着한 것을, 如는 幸次하였으나 도착하지 못한 것을 指稱하는 槪念을 『고려사』의 撰者가 認知하였는지는 알 수 없다.

· 『신오대사』 권2, 梁本紀2, 太祖下, 開平 2년 3월의 注, "幸, 已至也. 如, 往而未至之辭. 書如, 則在道. 有事, 可以書".

65) 字句를 顚倒시켜야 옳게 될 것이다.

66) 이 기사는 열전3, 文宗王子, 大覺國師에도 수록되어 있다.

· 『삼국유사』 권3, 塔像4, 前後所將舍利, "大安二年, 本朝宣宗代, 祐世僧統義天入宋多將天台敎觀而來, 此外方册所不載高僧信士往來所齎, 不可詳記. 大敎東漸洋洋乎, 慶矣哉".

67) 이날은 율리우스曆으로 1086년 9월 3일(그레고리曆 9월 9일)에 해당한다.

金氏轉載].[68]

八月丙戌朔[大盡,丁酉], 以刑部尙書邵台輔爲西北面兵馬使, 工部尙書柳奭爲東北面兵馬使, [洪錫民爲東南海都部署使:慶尙道營主題名記].

癸卯[18日], 宣慰國老, 賜宴於閤門, 駕幸毬庭, 親饗庶老男女, 賜物有差, 篤疾·廢疾者, 別給酒食.

[甲辰[19日], 流星出婁, 抵王良, 大如木瓜:天文1轉載].

九月[丙辰朔小盡,戊戌], 戊午[3日], 召兩京武官, 閱射于東亭, 數月而罷.[69]

甲子[9日], 遼遣守殿中監史洵直來, 賀生辰.

丁卯[12日], 卞韓侯愔卒.[70] [謚[諡]章順, 依浮屠法, 燒骨以散:列傳3文宗王子卞韓侯愔·金官侯丕轉載].

冬十月[乙酉朔大盡,己亥], 甲辰[20日], 命內外官, 表賀太后生辰, 且於正[正旦]·至[夏至·冬至]·八關, 亦如之, 永爲定制.

己酉[25日], 祈雪.[71]

十一月[乙卯朔大盡,庚子], 壬戌[8日], 親醮祈雪.[72]

戊辰[14日], 設八關會, 幸法王寺, 遂幸神衆院.

己巳[15日], 大會, 雪, 侍宴群臣皆霑服, 及夕將還, 天霽月明, 王駐輦昌德門外, 命諸王, 奉觴獻壽, □□[左·右]諫議□□[大夫]金上琦·李資仁·□[左]補闕魏繼廷諫, 乃止.

[→王以八關會, 幸神衆院, 雨雪, 侍宴群臣皆霑服. 及夕將還, 天霽月明, 駐輦昌德門外, 命宗親奉觴爲壽. 資仁與左諫議□□[大夫]金上琦·□[左]補闕魏繼廷等諫止之:列傳8李資仁轉載].

---

68) 質陵은 失傳되어 현재 어디에 있는지를 알 수 없다.

69) 이 기사는 지35, 兵1, 五軍에도 수록되어 있다.

70) 이날은 율리우스曆으로 1086년 10월 22일(그레고리曆 10월 28일)에 해당한다.

71) 宋에서도 이해의 겨울에 旱魃이 있었다고 한다(『송사』 권66, 지19, 오행4).

72) 이 기사는 지17, 禮5, 雜祀에도 수록되어 있다.

十二月乙酉朔小盡,辛丑, 戊戌14日, 召兩京文官, 閱射于東亭.[73)]
[是月某日, 長生寺主□漢造成銅鍾一口, 入重五十斤:追加].[74)]

[□□是年, 以淸·全二州, 水潦損穀, 發倉賑之:節要轉載].
[→以淸·全二州, 水潦損穀, 遣禮部員外郞庾晳, 發倉賑之:食貨3水旱疫癘賑貸之制轉載].[75)]

丁卯[宣宗]四年, 契丹大安三年, [宋元祐二年], [西曆1087年]

1087년 2월 6일(Gre2월 12일)에서 1088년 1월 26일(Gre2월 1일)까지, 355일

春正月甲寅朔大盡,壬寅, 放朝賀.
乙丑12日, 遣告奏使·秘書監林昌槩如遼.[76)]
己巳16日, 命有司, 祭山川·廟社, 以祈神兵助戰.[77)]
甲戌21日, 親醮于會慶殿.[78)]
戊寅25日, [鷲蟄]. 東女眞將軍阿盧漢等十九人來, 獻土物.
己卯26日, 以邵台輔爲吏部尙書.
庚辰27日, 遣密進使·閤門引進使金漢忠如遼.[79)]

---

73) 이 기사는 지35, 兵1, 五軍에도 수록되어 있다.

74) 이는 全羅南道 麗川市 雙鳳面 麗山里에서 출토된 「長生寺銅鍾銘」에 의거하였다(國立光州博物館 所藏, 李永樂 1971년 ; 文明大 1994년 3책 268面 ; 정선종 2001년 ; 蔡雄錫 2012년).
· 銘文, "聖壽天長", "長生寺金鍾重五十斤,」棟樑寺主重職□□得?漢,」京戊□正春元施納」十六斤, 大安二年十二月日」".

75) 지34, 食貨3, 水旱疫癘賑貸之制에 수록된 이 기사의 冒頭에 '宣宗三年十二月'이 있으나 사실이 아닐 것이다.

76) 秘書監 林昌槩 또는 이달 27일(庚辰)에 파견된 密進使 金漢忠이 3월 3일(乙卯) 契丹에서 貢物을 바쳤다고 한다.
·『요사』 권25, 본기25, 道宗5, 大安 3년 3월, "乙卯, 高麗遣使來貢".

77) 이와 같은 기사로 다음이 있다.
· 지13, 禮1, 吉禮大祀, "宣宗四年正月己巳, 祭社稷, 以祈神兵助戰".

78) 이 기사는 지17, 禮5, 雜祀에도 수록되어 있다.

79) 이때 金漢忠의 官爵은 閤門引進使·上輕車都尉였다(열전8, 金漢忠).

[某日, 以崔惟謹爲東南海都部署使:慶尙道營主題名記].

二月甲申朔小盡,癸卯, 庚寅7日, 以工部尙書林槩爲御史大夫, 高景爲御史雜端, 崔思說爲侍御史.

甲午11日, 幸開國寺, 慶成大藏經.

丁酉14日, 燃燈, 王如奉恩寺.

○東女眞將軍怪八等十九人來, 獻馬.

癸卯20日, 太白晝見.

三月癸丑朔小盡,甲辰, 丙辰4日, 幸龜山寺, 飯僧.

己未7日, 王如興王寺, 慶成大藏殿.

辛酉9日, 西女眞酋長所隱豆等十三人來, 獻土物, 賜爵.

[○暴風:五行3轉載].[80)]

癸亥11日, [穀雨]. 以門下侍郞平章事崔奭△爲權判尙書吏部事.

壬申20日, 日本商重元·親宗等三十二人來, 獻方物.

甲戌22日, 宋商徐戩等二十人來, 獻新註華嚴經板.

丙子24日, 親醮太一於文德殿, 以祈風雨調順.[81)]

[丁丑25日, 大風拔木:五行3轉載].

戊寅26日, 放輕繫.

庚辰28日, 御宣政殿視事, 門下侍郞平章事崔奭·門下侍郞平章事金良鑑·中書侍郞平章事柳洪, 陳時政得失.

夏四月壬午朔大盡,乙巳, 丙戌5日, 宋商傅高等二十人來, 獻土物.

戊子7日, 中書侍郞平章事王錫卒, 輟朝三日.[82)]

---

80) 이날 일본의 교토[京都]에서 비가 계속 내렸다고 한다(『中右記』, 寬治 1년 3월, "九日辛酉, 終日雨下").

81) 이 기사는 지17, 禮5, 雜祀에도 수록되어 있다.

82) 王錫은 그의 外孫인 李軾의 묘지명에 의하면 門下侍郞平章事로 되어 있는데, 이는 追贈職일 가능성이 있다. 또 그의 딸의 封君號가 江陵郡大夫人임을 보아 그는 國初의 江陵 출신의 豪族이었던 王順式(金順式) 또는 그의 部下[小將] 官景의 後裔로 추측된다(『江陵金氏族譜』, 1565년에 의하면 王錫은 王寵之의 아들이라고 한다. 李樹健 1984년 191面). 또 이날은 율리우스曆

庚子19日, 幸歸法寺, 慶成大藏經.[83]

乙巳24日, 設金剛經道場于乹德殿七日, 禱雨.[84]

戊申27日, 又禱于普濟寺.

五月壬子朔小盡,丙午, 丁巳6日, 再雩.

丁卯16日, 王服素襴, 謁顯陵太祖, 上竹册.[85]

戊辰17日, 設仁王道場於文德殿.

庚午19日, 謁景陵文宗.

壬申21日, 謁昌陵世祖, 皆上竹册, 册曰, "饗祖之嚴, 羲易式崇乎殷薦, 感神之理, 虞書, 盖貴乎至誠, 興言孝思, 合蕆毖祀. 伏念臣謬將冲昧, 獲襲燕貽, 感時, 軫怵惕之心, 撰日, 擧拜虔之禮. 命百辟之執, 俾贊盛儀, 殫九州之宜, 用備馨奠. 仰冀亶聰之鑑, 曲容克敬之懷. 在天競耀於靈威, 俯覃純嘏, 歷世寖宣於景化, 致保昌期".

甲戌23日, 以門下侍郎平章事崔奭△爲修國史, 門下侍郎平章事金良鑑△爲判尙書戶部事, 崔思諒△爲參知政事兼西京留守使.

乙亥24日, 以金行瓊爲門下侍郎同中書平章事.

己卯28日, [小暑]. 親醮于會慶殿, 禱雨.[86]

六月辛巳朔小盡,丁未, 壬午2日, 王如奉恩寺.

乙酉5日, 設消灾道場于會慶殿七日.

[甲午14日, 地鏡, 又見於西京龍德部南街:五行1地境轉載].

[乙未15日, 大暑. 月食:天文1轉載].[87]

으로 1087년 5월 11일(그레고리曆 5월 17일)에 해당한다.

83) 이 기사에 의거하여 符仁寺大藏經(從來의 初雕大藏經)의 板刻이 1011년(현종2)에 시작되어 76년이 경과한 是年(1087)에 완성되었다고 이해되고 있다.

84) 宋에서도 이해의 여름에 旱魃이 있었다고 하지만(『송사』 권17, 본기17, 철종1, 元祐 2년 4월 辛卯), 일본의 교토에서는 15일(丙申) 終日 많은 비가 내렸다고 한다.

· 『中右記』, 寬治 1년 4월, "十五日, 終日大雨".

85) 『고려사절요』 권6에는 五月이 탈락되어서 丁卯이하의 기사가 4월에 있었던 사실인 것 같이 되어 있다.

86) 이 기사는 지17, 禮5, 雜祀에도 수록되어 있다. 또 이에 비해 일본의 京都에서는 12일(癸亥) 많은 비가 내렸다고 한다

· 『中右記』, 寬治 1년 5월, "十二日, … 大雨".

丙申[16日], 幸法王寺.

辛丑[21日], 放輕繫.

秋七月[庚戌朔大盡,戊申], 癸丑[4日], 以[知中樞院事]文晃爲西北路兵馬使兼知中軍兵馬事, [同知中樞院事]李子威爲東北面兵馬使兼知行營兵馬使, [以柳庄爲東南海都部署使:慶尙道營主題名記].

丙辰[7日], 醮于<u>內庭</u>.[88]

[辛酉[12日], 流星出天囷, 抵天苑, 大如木瓜:天文1轉載].

己巳[20日], 王如興王寺.

庚午[21日], 東南道都部署奏, "日本國對馬島元平等四十人來, 獻眞珠·水銀·寶刀·牛馬".

壬申[23日], 御宣政殿視事, [門下侍郞平章事]崔奭·[門下侍郞平章事]金良鑑·[中書侍郞平章事]柳洪·[參知政事]崔思諒奏, 陳時政得失.

[是月, 造廣州牧官春秋般若道場鈒:追加].[89]

八月[庚辰朔大盡,己酉], 癸未[4日], 御宣政殿, 聽斷死刑.

乙酉[6日], 幸王輪寺.

[戊戌[19日], 流星出婁, 抵王良, 大如木瓜:天文1轉載].

---

87) 이날 일본의 교토에서는 6월 16일(丙申) 월식이 예측되었으나 관측되지 않았다고 한다(高麗曆과 同一, 日本史料3-1册 138面). 이날은 율리우스력의 1087년 7월 17일인데, 월식에 관련된 각종의 정보가 없다(渡邊敏夫 1979年 472面).

·『中右記』, 寬治 1년 6월, "十六日, 月蝕[朱書, 月蝕不見], 十五分之四, 酉二剋, 戌初復末, 雖天晴, 不正現".

·『爲房卿記』, 寬治 1년 6월, "十六日丙申, 今日, 可有月蝕之由, 陰陽道勘申. 然而不正現, 能算申, 無蝕之由, 頗有服膺之氣色"[筆者 未確認]. 이 기사는 藤原爲房의 『大記』(寬治 5년 7월~12월의 기록), 『歷代殘闕日記』 권18(第7册, 臨川書店)에 수록된 『爲房卿記』(嘉承 2년 기록)에는 내용이 없다.

88) 이 기사는 지17, 禮5, 雜祀에도 수록되어 있다. 또 교토에서도 이달(7월)에 비가 내리지 않아 祈雨를 위한 讀經이 행해졌다.

·『本朝世紀』第21, 寬治 1년 7월, 8월, "[七月]廿八日丁丑, …午後, 又上卿參入, 被定神泉孔雀經御讀經僧名廿口, 日時來廿九日, 廿九日戊寅, 自今三ケ日, 於神泉苑, 被行孔雀經御讀經, 依祈雨也, … 八月一日庚辰, 被定神泉御讀經, 依雨澤不降也, 三日壬午, 雨, 經王之驗也".

89) 이는 廣州牧 般若道場 鈒羅의 銘文에 의거하였다(許興植 1984년 530面).

己亥[20日], 改崇慶宮曰保寧, 慶興院曰元禧宮.

丙午[27日], 幸西京.

丁未[28日], 以御史大夫林槩爲西北路兵馬使, 司宰卿尹翼商△[爲]知東北路兵馬事.

[○以柳庄爲東南海都部署使:慶尙道營主題名記].

九月庚戌朔[小盡,庚戌], 王次懷蛟驛[廻郊驛], 夜, 扈衛軍營火.[90]

[→庚戌朔, 王幸西京, 次懷蛟驛[廻郊驛], 夜, 扈衛軍營火:五行1火災轉載].

辛亥[2日], [寒露]. 宴侍臣于大同江樓船.

癸丑[4日], 御長樂殿視事.

戊午[9日], 遼遣高州管內觀察使高惠來, 賀生辰.

甲子[15日], 以[門下侍郞平章事]崔奭爲檢校太保, [參知政事]崔思諒△[爲]檢校太子太師, [知中樞院事]文晃△[爲]檢校太子太傅,[同知中樞院事]李子威△[爲]檢校司空.

癸酉[24日], 幸興福寺.

丙子[27日], 放輕繫.

戊寅[29日], 設燃燈道場于興國寺, 又點燈于宮城內外街衢.

冬十月己卯朔[大盡,辛亥], 幸興國寺.

癸未[5日], 幸重興寺.

乙酉[7日], 親醮于內殿.[91]

丁亥[9日], 王, 游覽觀風亭及九梯宮, 遂幸永明寺, 行香, 御龍船, 至大同江, 入夜乃還.

壬辰[14日], 設八關會, 御靈鳳樓·浮堦, 觀樂, 遂幸興國寺.

○遣告奏使·禮賓少卿柳伸如遼.

癸巳[15日], 宴親王侍臣于浮堦.

乙未[17日], 幸興福·金剛二寺.

丙申[18日], [小雪]. 幸弘福·仁王二寺, 遂幸梯淵, 御樓船置酒, 沿流至大同江, 觀射.

---

90) 懷蛟驛은 西海道(現 黃海道)에 위치한 岊嶺道의 11個驛 중의 하나인 廻郊驛의 오자로 추측된다(지36, 兵2, 站驛 ; 東亞大學 2008년 3책 315面).

91) 이 기사는 지17, 禮5, 雜祀에도 수록되어 있으나 內殿이 內庭으로 달리 표기되었다.

○設百座道場於上京會慶殿, 飯僧三萬于毬庭.

戊戌[20日], 宴群臣于長樂殿.

十一月[己酉朔大盡,壬子], 乙卯[7日], 至自西京.

丙辰[8日], 遣衛尉少卿庾晳如遼, 謝賀生辰.

壬戌[14日], 設八關會, 幸法王寺.

己巳[21日], 遣殿中少監金德均如遼, 獻方物.

辛未[23日], 以維旦爲分司兵部尙書·知西京留守事, 黃宗慤爲衛尉卿·西京副留守.

丁丑[29日], 尙書右僕射任禧悅卒, 輟朝一日.[92)]

十二月己卯朔[大盡,癸丑], 遣出推使[黜陟使?]·侍御史崔思說于全·晋·羅州道, 尙書兵部員外郞李瑋于慶·尙州道, 閤門祗候尹瓘于廣·忠·淸州道.[93)]

[→宣宗聞郡縣守多非其人, 選[李]瑋及尹瓘·崔思悅等, 分遣諸道, 撫民疾苦. 瑋不稱旨免:列傳11李瑋轉載].

己丑[11日], 遣刑部侍郞崔翥如遼, 賀天安節.

庚寅[12日], 以[門下侍郞平章事]崔奭△[爲]守太尉·判尙書吏部事·監修國史, [門下侍郞平章事]金良鑑△[爲]守太尉, [中書侍郞平章事]柳洪△[爲]守司空, [參知政事]崔思諒△[爲]修國史, 文晃△[爲]知中樞院事, 李子威△[爲]同知中樞院事, 金忠義爲戶部尙書, 朴寅亮爲翰林學士承旨, 李預爲翰林學士.

甲午[16日], 放輕繫.

[是年, 改安東府任內加耶鄕爲春陽縣:追加].[94)]

[增補].[95)]

---

92) 이날은 율리우스曆으로 1087년 12월 26일(그레고리曆 1088년 1월 1일)에 해당한다.

93) 出推使는 어떠한 性格의 관료였는지는 알 수 없고, 黜陟使의 잘못된 표기로 추측된다.

94) 이는 다음의 자료에 의거하였다.

· 『경상도지리지』, 安東道, 安東大都護府, 春陽縣, "古之加耶鄕, 高麗宣宗代, 大安三年, 改爲春陽縣".

95) 이해[是年]에 의천은 金書大藏經三譯本 180卷을 慧因院에 보내 哲宗의 聖壽를 빌었다고 한다(영통사대각국사비 ; 『咸淳臨安志』 권78, 寺觀4, 寺院惠因院 ; 『楊公筆錄』; 『불조역대통재』 권19, 宋哲宗丁卯, 僧統義天·19戊辰, 華嚴晋水淨源禪師 ; 『석씨계고략』 권4, 戊辰, 淨源).

戊辰[宣宗]五年, 契丹大安三年, [宋元祐三年], [西曆1088年]

1088년 1월 27일(Gre2월 2일)에서 1089년 2월 12일(Gre2월 18일)까지, 13개월 383일

春正月己酉朔[小盡,甲寅], 放朝賀.

戊午[10日], 遼遣橫宣使·御史大夫耶律延壽來.

[某日, 以宋德先爲東南海都部署使:慶尙道營主題名記].

二月[戊寅朔大盡,乙卯], 甲午[17日], 以遼議置榷場於鴨江岸, 遣中樞院副使李顔, 托爲藏經燒香使, 往龜州, 密備邊事.

[戊戌[21日], 春分. 太白犯昴星:天文1轉載].

三月[戊申朔小盡,丙辰], 己酉[2日], 命中書侍郎平章事柳洪·右承宣高景, 設醮于[鹽州]氈城, 修舊禮也.

[→己酉, 遣使, 醮于氈城, 在鹽州東, 古祭天壇也:禮5雜祀轉載].[96]

甲子[17日], 賜金富弼等及第.[97]

戊辰[21日], 以崔思齊爲中樞院使.

[是月乙丑[18日], 契丹免高麗歲貢:追加].[98]

夏四月[丁丑朔小盡,丁巳], 丙申[20日], 以旱甚, [備法駕:節要轉載],[99] 王率百寮, 如南郊,

---

96) 이 氈城은 조선시대에는 黃海道 배천군[白川郡]의 管轄이었던 것 같다. 氈城[zahan cheng]은 원래 氈帳(혹은 牙帳·穹廬·天幕)이 密集해 있는 遊牧民의 聚落 또는 君王의 居處[行宮]를 가리키는데, 이것이 어떻게 특정지역의 地名이 되었는지는 알 수 없다(→충렬왕 4년 7월 4일의 脚注).

· 『세종실록』 권152, 지리지, 延安都護府, 白川郡, "氈城[注, '宣宗實錄', 氈城在鹽州東, 古之祭天壇□[世]]".

97) 이와 관련된 기사로 다음이 있다. 이때 金富弼·尹諧(改誧, 尹誧墓誌銘) 등이 급제하였다(朴龍雲 1990년 ; 許興植 2005년).

· 지27, 선거1, 科目1, 選場, "[宣宗]五年三月, [門下侍郎平章事·]判尙書吏部事崔奭知貢擧, 禮賓少卿崔思諏同知貢擧, 取進士, 賜乙科金富弼等五人·丙科七人·同進士十一人·明經三人·恩賜一人及第".

· 「尹誧墓誌銘」, "至宣宗大安四年戊辰, 相國崔公思諏·崔公奭下登進士第. 屬內侍".

98) 이는 다음의 자료에 의거하였다.

· 『요사』 권25, 본기25, 道宗5, 大安 4년 3월, "乙丑, 免高麗歲貢".

再雩. 以六事自責曰, "政不一歟, 民失職歟, 宮室崇歟, 婦謁盛歟,[100] 苞苴行歟, 讒夫昌歟", 使童男·童女各八人, 且舞而呼雩, 避正殿, 減常膳, 徹樂撤樂,[101] 露坐聽政. [巷市, 禁人戴帽·揮扇":節要·五行2轉載].[102]

壬寅26日, 又禱于宗廟·社稷·山川.

五月丙午朔大盡,戊午, 辛亥6日, 宋明州歸我羅州飄風人楊福等男女二十三人.

己未14日, 遼東京回禮使·檢校右散騎常侍高德信來.[103]

癸酉16日, 詔曰, "朕不明于德, 皇天示譴, 三月不雨, 慄慄危懼, 豈中外囹圄, 有眚災乎? 其輕囚薄罪, 並原之".

[甲戌29日, 夜, 風雨暴作, 海水漲溢, 緣江居民, 廬舍舟楫, 漂溺覆敗者, 不可勝計, 禮成江尤甚:五行1水潦轉載].

[六月丙子朔小盡,己未, 庚寅15日, 月食:天文1轉載].[104]

[癸卯28日, 大倉太倉南廊自壞, 壓死者數人:五行2轉載].[105]

---

99) 法駕는 大駕보다 行幸의 規模가 적은 것 같다.

· 『자치통감』 권13, 漢紀5, 高后 8년(BC108) 後九月, "… 少帝曰, '欲將我安之乎?', 滕公曰, '出就舍', 舍小府. 乃奉天子法駕, 迎代王於邸[胡三省注, '漢官儀', 天子鹵簿有大駕, 法駕, 小駕. 大駕, 公卿奉引, 大將軍驂乘, 屬車八十一乘, 法駕, 公卿不在鹵簿中, 惟京兆尹, 執金吾, 長安令奉引, 侍中驂乘, 屬車三十六乘]".

100) 婦는 延世大學本과 東亞大學本에는 媂로 되어 있으나, 『고려사절요』 권6에 婦로 되어 있음을 보아 오자일 것이다(東亞大學 2008년 3책 499面).

101) 여러 판본의 『고려사』에서 徹로 되어 있으나 撤의 오자일 것이다. 공민왕 7년 4월 某日에는 옳게 되어 있다.

· 『신당서』 권3, 본기3, 高宗, 總章 1년 4월, "丙辰2日, 有彗星出于五車, 避正殿, 減膳, 撤樂, 詔內外官言事".

102) 이해에 일본에서도 旱魃이 심하였고, 7월 9일 大雷 現狀이, 같은 달 24일 큰 지진이 일어나 40餘日間 계속 이어졌다고 한다. 이 때문에 人民들의 餓死가 헤아릴 수 없었다고 한다(中央氣象臺 1941年 2册 530面 ; 權藤成卿 1984年 371面).

· 『立川寺年代記』, 寬治 2년, "此月此年七月, 一點不雨". 이에서 此月은 此年의 誤字일 것이다.

103) 『고려사절요』 권6에는 辛亥(6日)와 己未(14日)의 記事 順序가 바뀌어 있다.

104) 이날 송에서는 皆既月食이 행해졌고(『송사』 권52, 지5, 천문5, 月食), 일본의 교토에서도 개기월식이 있었다(高麗曆과 同一, 日本史料3-1册 442面). 이날은 율리우스력의 1088년 7월 6일이고, 월식 현상이 심했던 때의 世界時는 16시 16분, 食分은 1.17이었다(渡邊敏夫 1979年 473面).

· 『中右記』, 寬治 2년 6월, "十五日, 丑剋, 月蝕, 皆既, 天晴".

· 『本朝統曆』 권8, 寬治 2년, "六小, 十五望, 子三, 月蝕, 皆既, 亥一, 丑六".

秋七月乙巳朔小盡,庚申, [某日], 宋明州歸我耽羅飄風人用叶等十人.

[己巳25日, 流星出天津, 抵東壁東壁, 大如木瓜:天文1轉載].

[○赤氣如火:五行1轉載].[106]

[某日, 以金鼎雲爲東南海都部署使:慶尙道營主題名記].

[某日, 定雜稅, 栗·栢, 大木三升, 中木二升, 小木一升. 漆木一升. 麻田一結, 生麻十一兩八刀, 白麻五兩二目四刀:食貨1貢賦轉載].

[癸酉29日晦, 追封檢校軍器監鄭僅卒:追加].[107]

[八月甲戌朔大盡,辛酉, 己亥26日, 太白犯軒轅:天文1轉載].

[□□~~是月~~,霖雨, 傷禾:節要·五行2轉載].

[史臣曰, "洪範曰, '狂恒雨若'.[108] 王多作佛寺, 百姓勞怨, 天人相與之際, 可不畏哉?":節要轉載].

九月甲辰朔小盡,壬戌, [某日], 遣太僕少卿金先錫如遼, 乞罷□□□~~鴨綠江~~榷場,[109] 表曰,[110] "三瀆靡從, 雖懼冒煩之非禮, 一方所願, 豈當緘默以不言? 況昔者, 投匭上

105) 이때 일본의 교토에서는 전날(27일, 壬寅) 갑자기 가랑비가 촉촉하게 내렸다고 한다(『中右記』, 寬治 2년 5월, "廿七日 … 今日已雨脚濛々").

106) 赤氣[極光]는 血祥 곧 兵災를 가리키는데, 宋에서는 이달 24일(戊辰, 율리우스曆 8월 13일) 서북쪽에 白氣가 있었다고 한다(高麗曆과 同一). 이때 開封府(現 河南省 開封市)에서 測量한 極光은 대체로 오늘날의 類型으로 HA(Homogeneous guiet arcs)에, 빛깔[色彩]는 白色에, 方位와 方向은 EN-WN에, 光度는 v[大火와 類似]에해당하고, 開城府(율리우스曆 8월 14일)에서는 D(Draperies)에, 빛깔[色彩]는 紅色에, 光度는 b(上弦, 滿月과 類似)에 해당한다고 한다(劉君燦 1987年 487面).

· 『송사』 권60, 지60, 天文13, 運氣, "哲宗元祐三年七月戊辰夜, 東北方近濁, 天明照地, 如月將出, 偏西北有白氣經天".

· 『송사』 권64, 지17, 五行2下, 火, "建炎元年八月庚午, 東北方有赤氣, 占曰'血祥'. 四年五月, 洞庭湖夜赤光如火, 見東北, 亘天, 俄轉東南, 此血祥也".

107) 이는 「鄭僅妻金氏墓誌銘」에 의거하였는데, 이날은 율리우스曆으로 1088년 8월 18일(그레고리曆 8월 24일)에 해당한다.

108) 이는 다음의 자료에서 따온 말이다

· 『書經』, 洪範, 庶徵의 "曰咎徵, 曰狂恒雨若, [鄭注, 狂倨慢也, 恒常也, 若順也. 五事不得, 則咎氣順之]".

109) ~~添字~~는 『고려사절요』 권6에 의거하였다.

110) 이 表는 朴寅亮이 지은 狀啓인 入遼乞罷榷場狀을 전재한 것인데(『동인지문사륙』 권3 ; 『동문선』 권48 所收), ~~添字~~와 같이 兩者 사이에 자구의 차이가 있음으로 비교, 검토할 필요성이 있다.

書, 萬姓悉通於窮告, 叫閽檛鼓, 四聰勿閡於登聞. 幸遭宸鑑之至公, 盍寫民情而更達? 臣伏審承天皇太后[聖宗母承天皇太后]臨朝稱制,[111] 賜履劃封, 舞干俾格於舜文, 執玉甫參於禹會. 獎憐臣節, 霑被睿恩, 自天皇鶴柱之城, 西收彼岸, 限日子鼈橋之水, 東割我疆. 統和十二甲午年[成宗13年], 入朝□[使]·正位高良,[112] 賫到天輔皇帝[聖宗]詔書. '勑高麗國王王治, 省東京留守遜寧奏, 卿欲取九月初, 發丁夫修築城砦, 至十月上旬已畢. 卿才惟天縱, 智達時機, 樂輸事大之誠, 遠奉來庭之禮. 適因農隙, 遠集丁夫, 用防曠野之寇攘, 先築要津之城壘, 雅符朝旨, 深叶時情. 況彼女眞, 早歸皇化, 服我威信, 不敢非違, 但速務於完修, 固永期於通泰'. 其於眷注, 豈捨寐興? 于時, 陪臣徐熙, 掌界而管臨, 留守遜寧, 奉宣而商議, 各當兩境, 分築諸城. 是故, 遣河拱辰於鴈門, 爲勾當使於鴨綠, 晝則出監於東涘, 夜則入宿於內城. 遂仗天威, 漸祛草竊, 後來無備, 邊候益閑. 聖宗之勑墨未乾, 太后之慈言如昨, 甲寅年[顯宗5年], 河梁造舟而通路, 乙卯歲[顯宗6年], 州城入境以置軍, 乙未[~~歲~~文宗9年] 設弓口而創亭. 丙申[~~歲~~文宗10年] 允需頭而毁舍, 詔曰, '自餘瑣事, 俾守恒規'. 又壬寅年[文宗16年], 欲設買賣院於義宣軍[~~宣義軍~~]南,[113] 論申則葺修設罷. 甲寅歲[文宗28年], 始排探守庵於定戎城北, 回報曰, 起盖年深, 當國代代忠勤, 年年貢覲, 幾遣乎軺車章奏, 未蠲乎庵守城橋, 矧及茲辰, 欲營新市, 似負先朝之遺旨, 弗矜小國之竭誠. 數千里之輪蹄, 往來忘倦, 九十年之苞篚, 輸獻無功, 百舌咨嗟, 群心怨望. 今臣, 肇承先閥, 恪守外蕃, 纔寸悰更切於激昻, 何片利將興於締構? 界連大楚, 懽和誓效於灌瓜, 地狹長沙, 忭舞尙難於回袖. 屢飛縑奏, 莫奉綸兪, 上蹋蓋高, 下慙有衆. 伏望皇帝陛下, 排闔臣之橫議, 念邊府之殷憂, 任耕鑿於田原, 復安舊業, 禁榷酤之場屋, 無使新成, 儻免驚騷, 永圖報效".

---

111) 太后臨朝稱制는 皇帝가 幼弱할 때 그의 母后인 太后가 朝廷[外朝]에 나아가 皇帝의 行事를 집행하는 것을 가리킨다. 고려왕조에서 太后稱制는 獻宗의 母后인 思肅太后 李氏(宣宗妃)가 잠시 행한 적이 있지만, 雞林公 熙의 叛亂으로 인해 곧 顚覆되었다(→헌종 즉위년 6월 1일).
· 『자치통감』 권12, 漢紀4, 惠帝 7년(BC188) 秋, "八月戊寅, [惠]帝崩于未央宮. 大赦天下. 九月辛丑, 葬安陵. 初, 呂太后命張皇后取他人子養之, 而殺其母, 以爲太子. 既葬, 太子卽皇帝位, 年幼, 太后臨朝稱制[胡三省注, 師古曰, 天子之言, 一曰制書, 二曰詔書. 制書者, 謂制度之命也, 非皇后所得稱. 今太后臨朝, 行天子事, 故稱制]".

112) 여기에서 ~~添字~~[使]가 脫落되었을 것이다.

113) 義宣軍은 保州(現 平安北道 義州郡)의 軍名인 宣義軍의 오류일 것이다(『요사』 권38, 지8, 지리2, 東京道, 保州宣義軍 ; 『동인지문사륙』 권3 : 『동문선』 권48, 入遼乞罷榷場狀). 또 買賣院은 國境에 설치된 互市(혹은 榷場)를 관할하기 위한 官署로 추측된다.

冬十月[癸酉朔大盡,癸亥], 丁丑[5日], 遼遣大常少卿~~太常少卿~~鄭碩來, 賀生辰.

十一月[癸卯朔大盡,甲子], 癸亥[21日], 賜延和宮元子名昱, 賜銀器·匹叚~~匹段~~·布穀·鞍轡·奴婢, 王奉太后, 宴于壽春宮, 朝鮮·雞林·常安三公, 扶餘·金官二侯侍宴, 竟夜而罷.

壬申[30日], [冬至]. [太僕少卿]金先錫還自遼, 回詔曰, "屢抗封章, 請停榷易~~榷場~~,"[114] 諒惟細故, 詎假繁辭. 邇然議於便宜, 況未期於創置, 務從安帖,[115] 以盡傾輸, 釋乃深疑, 體予至意".

十二月[癸酉朔大盡,乙丑], [丁亥[15日], 小寒. 月食:天文1轉載].[116]

庚子[28日], 以李顔爲刑部尙書·參知政事, 李資仁爲殿中監·中樞院副使.

[閏十二月[癸卯朔小盡,乙丑], 某日, 判[卌], "文武百官, 三月前, 差, 六月前, 出官人, 全祿, 六月後, 出官, 半祿. 三月後·六月前, 差, 十月前, 出官, 半祿, 十月後, 出官, 除祿":食貨3祿俸轉載].

[是月頃, 遣使如契丹, 獻貢物:追加].[117]

是歲, 遼遣使□[來], 賜羊二千口·車二十三兩·馬三匹.

[○判[卌], "病親浴溫井者, 計程途遠近, 給暇":刑法1官吏給暇轉載].

[○以金義元爲成佛都監判官:追加].[118]

---

114) 榷易은 榷場의 오자인데, 『고려사절요』 권6에는 옳게 되어 있다.

115) 帖(첩)은 怗(호)의 오자일 것이고, 『고려사절요』 권6에는 怗[帖]으로 되어 있으나 怗가 잘못 인쇄되었을 것이다.

116) 이날 송에서는 월식이 예측되었으나 陰雲으로 볼 수 없었고(『송사』 권52, 지5, 천문5, 月食), 일본의 京都에서는 皆既月食이 있었다(日本曆의 11월 15일, 日本史料3-1册 526面). 이해는 高麗曆은 閏12월이었으나 日本曆은 閏10월이었다. 이날은 율리우스력의 1088년 12월 30일이고, 월식 현상이 심했던 때의 世界時는 10시 0분, 食分은 1.65이었다(渡邊敏夫 1979年 473面).
· 『中右記』, 寬治 2년 11월, "十五日, 月蝕, 皆既, 丑剋, 天晴也".
· 『後二條師通記』, 寬治 2년 11월, "十五日, 丁亥, 重複, 月蝕, 皆既".
· 『本朝統曆』 권8, 寬治 2년, "十二大, 十五望, 子二, 月蝕, 皆既, 亥一, 丑二".

117) 이는 다음의 자료에 의거하였다.
· 『요사』 권25, 본기25, 道宗5, 大安 5년 1월, "甲午[25日], 高麗遣使來貢".

118) 이는 「金義元墓誌銘」에 의거하였다.

己巳[宣宗]六年, 契丹大安五年, [宋元祐四年], [西曆1089年]

1089년 2월 13일(Gre2월 19일)에서 1090년 2월 2일(Gre2월 8일)까지, 355일

春正月壬申朔[大盡,丙寅], 放朝賀.

乙亥[4日], 發新興倉粟, 施京城諸佛寺, 設齋祈福.

戊戌[27日], 設消災道場于會慶殿五日.

[某日, 以崔楊訓爲東南海都部署使:慶尙道營主題名記].

二月[壬寅朔大盡,丁卯], 辛酉[20日], 親祀天地·山川于毬庭, 以祈福.[119)]

[辛未[30日], 玄化寺住持·廣祐僧統韶顯撰'阿彌陀經通贊疏'題記:追加].[120)]

[是月, 僧某重刻諦觀'天台四敎儀'於海印寺:追加].[121)]

三月[壬申朔小盡,戊辰], 庚寅[19日], 設楞嚴道場于乾德殿七日.

[甲午[23日], 有鳥, 如烏而白翼者, 集于乾德殿門前:五行1轉載].

[是月, 普濟寺僧紹忠, 重大師翼宗, 文宗妃·崇化宮主金氏等開板'永嘉眞覺大師證道歌':追加].[122)]

---

119) 이 구절은 지17, 禮5, 雜祀에도 수록되어 있다.

120) 이는 다음의 자료에 의거하였다(叡山文庫 慈眼堂 所藏, 池內 宏 1923年 ; 大屋德城 1937年 59面 ;『平安遺文』題跋編, 1968年 124面 ; 張東翼 2004년 406面).
· 『阿彌陀經通贊疏』卷下, 刊記, "此慈恩 所撰 '阿彌陀經通贊'一卷者,祐世僧統於元豊·元祐之間,入手于中華求得,將到流通之本也,予助洪願, 付於廣敎院,命工重刻,自戊辰十月十九日起首,至十二月十日畢乎矣.所有功德,自利利他,此世來生,福慧圓滿,普與含識,同會樂方,時大安五年己巳二月晦日記,」海東大慈恩玄化寺住持」廣祐僧統 釋 韶顯題」". 以下 日本에서의 題記는 생략한다.

121) 이는 다음의 자료에 의거하였다(高麗大學所藏, 李丙燾 1961년 320面 寫眞). 또 題記의 餘白에 悟幻이 毛筆로 追記되어 있는데, 이 책을 간행한 僧某의 名號[銜字]일 가능성이 있다.
· 『天台四敎儀』題記, "大安五年歲次己巳二月 日, 海印寺重刻".

122) 이는『永嘉眞覺大師證道歌』의 題記에 의거하였다(黃壽永 編 1985년 60面 ; 閔泳珪 1988년 409面 ; 金承鎬 1993년 ; 南權熙 2002년 27面).
· 題記, "高麗國普濟寺了悟沙門紹忠·俗善慶, 共發」心及募緣刻板印施, 祝延」聖上萬歲, 睿體千秋, 凡有含靈了悟, 自心」 同行法施, 具入緣尊命錄如後尒,」 重大師翼宗·慶淑·胤周·全妙·崇炤」·成益·崇化宮主金氏·善男李均·康亮」·金幸·善女謙富·占物·大內·用交,」 大安五年己巳三月日 記,」 己亥二月日, 文林郞·司宰少卿李時茂募工重彫」". 여기에서 己亥年은 中原의 年號를 사용하지 않고 干支를 사용했던 1239년(고종26, 江華京 8年)일 가능성이 있다.

夏四月辛丑朔[小盡,己巳], 隕霜.

[→辛丑朔, 隕霜. 太史奏, "天之垂變, 必因民怨. 宜以法天行化, 審政教之得失, 寬刑宥罪, 不使下民有怨". 嘉納之:五行1霜轉載].

[是月, 寒風大起. 太史奏, "當有兵革·旱灾, 請修德以禳之":五行3轉載].

[五月[庚午朔大盡,庚午], 乙亥[6日], 夏至. 以旱, 命有司, 晝龍禱雨, 巷市, 掩骼:五行2·節要轉載].[123)]

[乙酉~~甲申15日~~, 月隱食:天文1轉載].[124)]

六月[庚子朔小盡,辛未], 辛丑[2日], 禱雨于宗廟·七陵.

[壬子[13日], 震會賓門:五行1雷震轉載].

庚申[21日], [立秋]. 以崔思齊△[爲]參知政事, 朴寅亮△[爲]同知中樞院事, 徐靖爲三司使, 金上琦爲右散騎常侍.

[秋七月[己巳朔小盡,壬申], 某日, 以文景臣爲東南海都部署使:慶尙道營主題名記].

秋八月[戊戌朔大盡,癸酉], 甲辰[7日], 東女眞歸德將軍西害等十四人來, 獻馬.

---

123) 일본의 교토[京都]에서도 이달에 旱魃이 있어 祈雨를 위한 社寺에의 奉弊가 있었다(高麗曆과 同一, 日本史料3-1册 712面).
- 『中右記』, 寛治 3년 5월, "十三日, 寂勝講始, 早旦先有廿二社奉弊定, 依祈雨也. … 十九日, 有奉弊廿二社, 於太極殿被立使, 依祈雨也. 申刻以後, 天陰大雨, 是神之助也. 人々信也".
- 『後二條師通記』, 寛治 3년 5월, "十九日戊子, 天晴, 奉弊諸社使被立, 刻限午時許, … 未剋發雷聲, 卽大雨降云々, 酉剋晴了".
- 『祈雨日記』, 寛治 3년 5월, "十九日戊子, 依炎旱, 七月中旬以後不降, 奉幣廿二社之後, 暴雨滂沱".

124) 隱食은 관측되지 않는 월식을 가리키는 것으로 추측된다. 宋에서는 甲申(15일)에 월식이 예측되었지만, 구름으로 인해 보이지 않았다고 한다(『송사』 권52, 지5, 천문5, 월식). 일본의 교토에서도 5월 15일(甲申) 월식이 있었다(日本史料3-1册 712面). 이날(15日甲申)은 율리우스력의 1089년 6월 25일이고, 월식 현상이 심했던 때의 世界時는 17시 0분, 食分은 1.11이었다(渡邊敏夫 1979年 473面).

그렇다면 『고려사』의 이날은 乙酉(16日)가 아니라 甲申(15日)의 오류일 것이고, 『고려사』의 편찬과정에서 시기의 정리에 실패한 사례의 하나일 것이다[繫年錯誤].
- 『中右記』, 寛治 3년 5월, "十五日, 有月蝕, 子一剋十三分, 如皆既, 天晴正現".
- 『後二條師通記』, 寛治 3년 5월, "十五日甲申, 朝間小雨, 卽天晴了, 有月蝕事".
- 『本朝統曆』 권8, 寛治 3년, "五大, 十五夜望, 丑一, 月蝕, 十三分强, 亥八, 寅二".

庚戌[13日], 宋明州歸我飄風人李勤甫等二十四人.

癸丑[16日], 以修葺國學, 備儀仗, 移安文宣王于順天館.

丙辰[19日], 斷死刑.

○日本國大宰府商客來, 獻水銀·眞珠·弓箭·刀劒.

九月[戊辰朔小盡,甲戌], 乙亥[8日], 遼遣永州管內觀察使楊璘來, 賀生辰.

丁丑[10日], 以天元節, 宴遼使于乾德殿, 王製賀聖朝詞曰, "露冷風高秋, 夜淸月華明. 披香殿裏欲三更, 沸歌聲擾擾. 人生都似幻, 莫貪榮. 好將美醁滿金觥, 暢懽情".[125)]

冬十月[丁酉朔大盡,乙亥], 己亥[3日], 宋商楊註等四十人來, 獻土物.

己酉[13日], 宋商徐成等五十九人來, 獻土物.

辛亥[15日], 講仁王經于會慶殿三日, 飯僧三萬.

戊午[22日], 寘新鑄十三層黃金塔于會慶殿, 設慶讚會.

○宋商李珠·楊甫[~~楊保?~~]·楊俊等一百二十七人來, 獻土物.[126)]

辛酉[25日], 王太后始創國淸寺[於西郊:節要轉載]..

十一月丁卯朔[大盡,丙子], 日食.[127)]

○東女眞酋長高舍等二十一人來, 獻馬.

十二月[丁酉朔大盡,丁丑], [某日], [中書侍郎平章事·]守司空柳洪新第成, 王命大僕卿[~~太僕卿~~]李資

---

125) 이 御製詞에 대한 문학적인 검토도 이루어졌다(金性彦 2012년).

126) 楊甫는 이보다 5년 후인 1094년(헌종 즉위년) 8월 5일 楊保의 다른 표기[同音異字]로 추측된다(朴玉杰 1997년).

127) 이날 일본의 京都에서도 일식이 관측되지 않았으나 近江國(오우미노쿠니, 現 滋賀縣地域)에서는 일식이 있었다고 한다(高麗曆과 同一, 日本史料3-1冊 759面). 또 이날(율리우스력의 1089년 12월 5일)의 일식은 북동아시아 3국이 中心食帶에서 벗어나 있었기에 관측될 수 없었다(渡邊敏夫 1979年 305面).

· 『中右記』, 寬治 3년 11월, "一日, 天晴, 可有日蝕之由, 道言能算共勘申. 而雖天晴, 無其蝕. 但廢朝, 不警蹕, 垂御廉. 又曉更供忌火御飯, 是依恐日蝕也".

· 『後二條師通記』, 寬治 3년 10월, 11월, "卅日丙寅, 天晴, 明日爲日蝕, 大般若經令請六口, 三箇日奉讀云々, 發願申刻被初云々, …. 十一月一日丁卯, 天晴, □[日]蝕不見, 日出以前有日蝕, 違刻限云々. 件事蝕者, 近江國中有日蝕見云々, 京中不見云々, 可尋".

義, 賫詔, 賜銀器·匹叚[~~匹段~~]·鞍馬.

[某日, 制□[日], "嫁母之服, 前制只給百日暇, 其餘心喪, 嫁母自有區別, 其大祥祭, 外任之子勿許上京":禮6五服制度轉載].

[是年, 宋泉州人劉載來投, 爲監門衛參軍事:追加].[128]

[○玄化寺住持詔顯, 欲修繕同寺諸殿宇頹廢, 具狀上聞, 上可其奏, 仍置修理司. 顯乃起工其役事:追加].[129]

[○僧敎雄受具足戒於佛日寺戒壇:追加].[130]

[○大樂署令李資玄, 棄官爲處士, 入春州清平山葺文殊院以居之. 尤嗜禪說, 學者至則輒與之入幽室, 竟日危坐忘言, 時時擧古德宗旨商論:追加].[131]

庚午[宣宗]七年, 契丹大安六年, [宋元祐五年], [西曆1090年]

1090년 2월 3일(Gre2월 9일)에서 1091년 1월 22일(Gre1월 28일)까지, 354일

春正月丁卯朔[小盡,戊寅], 放朝賀.

[辛未[5日], 橫川郡倉廩火:五行1火災轉載].

---

128) 이는 「劉載墓誌銘」에 의거하였다.

129) 이는 다음의 자료에 의거하였다.

- 「金堤金山寺慧德王師眞應塔碑」, "… 師居玄化寺時, □□□□」, 完補爲急務, 尋具狀聞, 上可其奏, 仍置修理宮, 大安四年肇其役, 壽昌二年締, 葺宏模. 雖因舊址, 莊嚴勝槩, 完若新成".

130) 이는 「國清寺住持敎雄墓誌銘」에 의거하였다(金龍善 2006년 76面).

131) 이는 다음의 자료에 의거하였는데, 時期整理[繫年]는 1125년(인종3) 4월 某日에 65세로 逝去한 李資玄(李資謙의 從兄)의 卒記를 통해 계산하였다.

- 『파한집』 권중, "眞樂公[李]資玄, 起自相門, … 年二十七, 仕至大樂署令, 忽致叩盆之患, 拂衣長往, 入清平山葺文殊院以居之. 尤嗜禪說, 學者至則輒與之入幽室, 竟日危坐忘言, 時時擧古德宗旨商論. 由是心法流布於海東, 惠照·大鑑兩國師, 皆遊其門. 迺於洞中幽絶處作息庵, 團圓如鵠卵, 只得盤兩膝, 而默坐其中數日猶不出".
- 『동문선』 권64, 清平山文殊院記(金富轍 撰), "春州清平山者, 古之慶雲山, 而文殊院者, 古之普賢院也. … 至元祐四年[宣宗6年], [~~李資玄,~~]以大樂署丞, 棄官逃世, 行至臨津, 過江自誓曰, '此去不復入京城矣'. 其學盖無所不窺, 然深究佛理, 而偏愛禪寂, 自稱嘗讀雪峯語錄云. 盡乾坤是箇眼, 汝向甚處蹲坐, 於此言下豁然自悟. 從此以後, 於佛祖言敎, 更無疑滯, 旣而遍遊海東名山, 尋訪古聖賢遺迹".

[某日, 左僕射·參知政事崔思諒, 以疾乞退. 制, 以致仕例, 給半俸. 有司駁奏, "人臣年至七十而致仕者, 給半祿, 所以養國老也. 未聞病廢而家食者". 王曰, "思諒, 累代元臣, 文章器識, 有異常倫, 豈拘恒例". 竟不從:節要·列傳8崔思諒轉載].

己丑[23日], 禮賓省據乇羅勾當使申狀奏, "星主游擊將軍加良仍死, 母弟·陪戎副尉高福令繼之, 賵賻之物, 宜準舊例支送", 制可.

[○乙丑[己丑], 有紫氣, 散如火焰, 至曉乃滅:五行1轉載].

壬辰[26日], 普濟寺水陸堂火. 先是, 嬖人攝戶部郎中·知太史局事崔士謙, 入宋求得水陸儀文, 請王作此堂, 功未畢而火.

[史臣曰, "天其或者, 警嬖倖媚君徼寵乎, 昔梁武帝, 營同泰寺浮屠, 甫畢而災, 天人感應, 古今一也. 世之惑浮屠禍福之說者, 見此, 亦可鑒矣":節要轉載].

[某日, 以崔公翊[崔公詡]爲東南海都部署使:慶尙道營主題名記].[132)]

二月[丙申朔大盡,己卯], 甲寅[19日], 東女眞都領也沙等十七人來, 獻馬, 賜物有差.

丙辰[21日], 以柳洪爲門下侍郎平章事·判兵部事, 崔思齊爲中書侍郎同中書門下平章事, [同知中樞院事?]李子威爲尙書右僕射·參知政事·修國史.

己未[24日], 東女眞都領裊於乃等二十二人來, 獻馬.

壬戌[27日], 東女眞禿達等三十四人來朝.

三月[丙寅朔大盡,庚辰], 己巳[4日], 宋商徐成等一百五十人來, 獻土物.

戊子[23日], 夜, 大震電, 新興倉災. [囷廩鉅萬, 都盡, 飛焰蔽空,[133)] 朝野大驚, 而民屋無損者. 御史臺詰日官曰, "火災之發, 其必有兆, 爾何不言". 太史丞吳相曰, "去年, 火星守天囷, 具以報本局, 知事崔士謙抑不奏". 於是, 黜士謙, 相等亦坐. 禮部奏, "魏明帝靑龍二年四月, 有火災, 帝問高堂隆, 此何咎也? 於禮亦[寧]有祈禳之義乎?". 對曰, "夫災變之發, 所以垂[明]敎誡也, 惟率禮修德可以勝之. 又按舊占, 火災, 皆以臺榭·□□[宮室]爲誡, 宜罷作役, 務從節儉."[134)] 且命有司, 修設齋醮", 王從之,

132) 崔公翊은 『고려사』에서 崔公詡로도 표기되어 있는데, 어느 것이 오자인지를 판가름하기가 어려워서 兩者를 並記하였다.

133) 이 句節까지는 지7, 五行1, 火, 火災에도 수록되어 있다.

134) 이는 다음의 자료를 인용하여 축약한 것이다

· 『삼국지』 권25, 魏書25, 高堂隆, "… 遷侍中, 猶領太史令. 崇華殿災, 詔問隆, 此何咎? 於禮,

郎:節要轉載]罷弘圓·國淸兩寺之役.

[某日, 僧□□造成原州立石社磨崖坐佛像:追加].135)

[夏四月丙申朔小盡,辛巳:追加].

夏五月乙丑朔小盡,壬午, 丙寅2日, 御乾德殿覆試, 賜李景泌等及第.136)

○時以景泌程文不合格, 譏謗主司.

六月甲午朔大盡,癸未, [丁酉4日, 金剛山石額:五行3轉載].

庚子7日, 御史臺奏, "寧遠兵馬錄事禹汝維, 侵擾邊民, 聚斂斂財賄, 請付廷尉論斷", 制可137).

甲辰11日, 制□曰, "災變屢作, 時雨愆期, 放內外公徒·私杖以下罪, 官吏犯法罷職者, 理無私曲, 量敍本品".138)

寧有祈禳之義乎? 融對曰, 夫災變之發, 皆所以明敎誡也, 惟率禮脩德, 可以勝之. … 又案舊占, 火災之發, 皆以臺榭宮室爲誡".

· 『晋書』 권27, 지17, 五行上, "傳曰, '棄法律, 逐功臣, 殺太子, 以妾爲妻, 則火不炎上', … 魏明帝青龍二年四月, 崇華殿火, 延於南閣, 繕復之. 至三年七月, 此殿又災. 帝問高堂隆, '此何咎也? 於禮寧有祈禳之義乎?'. 對曰, '夫災變之發, 皆所以明敎誡也, 惟率禮修德可以勝之. 易傳曰, 上不儉, 下不節, 孽火燒其室'. 又曰, '君高其臺, 天火爲災'. 此人君苟飾宮室, 不知百姓空竭, 故天應之以旱, 火從高殿起也. 案舊占曰, 災火之發, 皆以臺榭·宮室爲誡'. 今宜罷散作役, 務從節約, 淸掃所災之處, 不敢於此有所營造, 萐莆嘉禾必生此地, 以報陛下虔恭之德'. 帝不從,. 遂復崇華殿, 改曰九龍, 以郡國前後言龍見者九, 故以爲名. 多棄法度, 疲衆逞欲, 以妾爲妻之應也".

135) 이는 「原州立石寺磨崖坐佛」, "元祐五年庚午三月日"에 의거하였다. 이 좌상은 江原道 原州市 所草面 興陽里 立石寺에 봉안되어 있다(林玲愛 2001년).

136) 이와 관련된 기사로 다음이 있다. 이때 進士李景泌·進士崔濡(열전11, 崔濡) 등이 급제하였다(朴龍雲 1990년 ; 許興植 2005년).

· 지27, 선거1, 科目1, 選場, "宣宗七年四月, 門下侍郎平章事金良鑑知貢擧, □右諫議大夫孫冠同知貢擧, 取進士, 覆試, 下詔賜乙科李景泌等三人·丙科九人·同進士十四人·明經二人·恩賜三人及第".

· 열전8, 孫冠, "宣宗時, 爲右諫議□□大夫, 與門下侍郎平章事金良鑑掌試. 取進士李景泌等, 景泌程文不合格, 時議譏其主司不明".

137) 廷尉는 中原에서 刑獄을 담당하던 官職으로 王朝에 따라 大理로 改稱하기도 하였다. 해당 官署는 大理寺인데, 이를 고려시대에는 典獄署라고도 하였다. 이 기사에서는 廷尉가 刑部 또는 御史臺를 指稱하는 것 같다.

138) 이 기사는 『고려사』의 편찬자가 『선종실록』의 내용을 적절히 압축하지 못하고, 문장의 핵심적인 내용을 탈락시킨 대표적인 사례의 하나가 될 것이다. 또 『선종실록』1권을 鄭穆이 편찬하여 史典에 추가하고, 그 遺稿를 家藏하였다고 한다.

[→制曰, "今年以來, 災變屢作, 時雨愆期, 朕甚懼焉. 其放內外公徒·私杖以下輕罪, 悉令放除, 諸官吏犯法罷職者, 理無私曲, 量敍本品. 吏民於丁卯年[宣宗4年], 借貸新興倉穀米未還者, 咸使蠲免":節要轉載].

[→制曰, "今年以來, 災變屢作, 時雨愆期, 朕甚懼焉. 其內外公徒·私杖以下輕罪, 悉令放除, 吏民於丁卯年, 借貸新興倉穀米未還者, 咸使蠲免":食貨3災免之制轉載].[139)]

秋七月[甲子朔小盡,甲申], 癸未[20日], 遣戶部尙書李資義·禮部侍郞魏繼廷如宋, 謝恩兼進奉.[140)]

[某日, 以李繼應[李繼膺]爲東南海都部署使:慶尙道營主題名記].

[是月, 引見新及第, 賜酒食, 仍賜公服各一襲:選擧2崇奬轉載].

[八月[癸巳朔小盡,乙酉], 辛亥[19日], 秋分. 雨雹, 震市西巷人馬, 又震乾陵[安宗]松木·都城東北山松木.[141)] 太史奏, "瑞祥志曰, 雷電殺人, 傷六畜, 破丘陵樹木者, 人君刑斬, 不以道理, 受讒而枉誅, 不救則必有刧盜之憂, 救之之法, 退讒臣, 治驕暴, 審文書, 則災消矣". 王懼, 遍告諸陵, 又命禳之:節要轉載].[142)]

[是月庚子[8日], 僧義天撰'新編諸宗敎藏總錄序':追加].[143)]

· 「鄭穆墓誌銘」, "公修宣宗實錄一卷, 附于史典, 其遺藁家有傳焉".

139) 이때 일본의 교토[京都]에서 5월 6일(庚午) 무렵에 비가 내리지 않아 寺社에 祈雨하였고, 明日(7일)에 비가 내렸다고 한다

· 『中右記』, 寬治 4년 5월, "六日, 近日頗炎旱, 仍今日有祈雨奉幣也, 七日, … 今日雨降, 神之助也".

140) 이때의 謝恩表를 右僕射·參知政事·修國史 李子威가 校閱[監校]하다가 契丹의 年號를 잘못 記入하여 宋에 接受되지 못하였고, 이로 인해 李資義가 歸還했던 1091년(선종8) 6월 18일 이후 李子威는 일시 파면되었다고 한다(→선종 9년 8월 15일).

141) 이와 같은 기사가 지7, 五行1, 水, 雷震에도 수록되어 있다.

142) 이날 교토에서 흐리다가 오전 7시에서 9시 무렵[辰剋, 辰時]에 비가 내렸다고 한다. 또 이 구절은 『天地瑞祥志』에만 수록되어 있는 것 같고, 여타의 자료에는 『京房易傳』에 수록되어 있는 "五星占云, 雷電殺人, 何雷天拒難折衝之臣也, 君承用節度, 卽雷以節, 暴人威福, 則雷電殺人"을 引用하고 있다(『庾開府集箋注』 권8, 周柱國·大將軍長孫儉神道碑 ; 『北堂書鈔』 권153, 天部4, 雷23 ; 『太平御覽』 권13, 天部13).

· 『後二條師通記』, 寬治 4년 8월, "十九日辛亥, 天陰, 辰剋雨降".

143) 이는 다음의 자료에 의거하였다.

· 『新編諸宗敎藏總錄』序, "… 則吾願畢矣.時後高麗十三葉,在宥八年歲」次庚午初八日,海東傳華嚴大敎沙門義」天敍」".

九月[壬戌朔大盡,丙戌], 辛未[10日], 遼遣利州管內觀察使張師說等三十一人來, 賀生辰.[144)]

[甲戌[13日], 流星如火, 出鬼入大微[太微]:天文1轉載].

庚辰[19日], 再宴遼使于乾德殿, 令三節人, 坐殿內左右. 有司奏, "再宴使者, 古無此例, 三節就坐殿內, 亦所未聞". 王曰, "使者, 賫御製天慶寺碑文, 以來, 宜加殊禮". 不從.[145)]

戊子[27日], 東女眞懷化將軍阿於大等十五人來, 獻馬.

[庚寅[29日], 流星出上台, 犯中台下星, 大如日:天文1轉載].

冬十月[壬辰朔[小盡,丁亥], 流星出軒轅入大微[太微], 大如木瓜:天文1轉載].

[辛丑[10日], 大雨:五行2轉載].[146)]

丙午[15日], 王奉太后, 幸[楊州]三角山.

庚戌[19日], 幸僧伽窟, 遂幸藏義寺.

癸丑[22日], 幸仁壽寺, 行香.

甲寅[23日], 駕次山路, 民年百歲者一人·八十者三人, 謁于路, 各賜物存問.

戊午[27日], 幸神穴寺, 設五百羅漢齋.

[是時, 詣神穴寺僧伽窟, 修齋, 施納寶物, 以致敬焉. 又命龜山寺住持·禪師領賢, 權住神穴寺, 專掌重修之務:追加].[147)]

[是月頃, 遣使如契丹, 獻貢物:追加].[148)]

---

144) 이와 같은 기사로 다음이 있다. 여기에서 張師說은 張思說로 달리 표기되어 있지만, 兩者가 『요사』에서 확인되지 않는다.

· 지19, 禮7, 賓禮, "遼遣利州管內觀察使張思說來, 賀生辰".

145) 이와 같은 기사로 다음이 있다. 또 三節은 사신단의 正使·副使·書狀官, 그리고 都轄 등의 上節, 그 이하의 中節, 下節을 가리키는 것 같다(→신종 2년 4월 24일 ; 『宋會要輯稿』, 職官51, 國信使. 紹興 3년 5월 17일, 2014年 4,423面). 이들은 '三節官屬'으로 불리며, 이들에 대한 待遇는 1210년(嘉定4) 9월 契丹에 파견된 程卓(程大昌의 子)의 『使金錄』에 보인다.

· 지19, 禮7, 賓禮, "庚辰, 再宴遼使于乾德殿, 令三節人, 坐殿內左右, 有司奏, 再宴使臣, 古無此例, 三節人坐殿內, 亦所未聞. 王曰, 使臣, 賫御製天慶寺碑文來, 宜加殊禮, 不從".

146) 이날 일본의 교토[京都]에서는 夕陽 무렵[入日之程]에 비가 내렸다고 한다.

·『後二條師通記』, 寛治 4년 10월, "十日辛丑, 天晴, 入日之程, 降雨之".

147) 이는 『동문선』 권64, 三角山重修僧伽崛[窟]記에 의거하였는데, 여기에서 ~~添字~~와 같이 고쳐야 옳게 될 것이다.

148) 이는 다음의 자료에 의거하였다.

·『요사』 권25, 본기25, 道宗5, 大安 6년 11월, "壬戌[2日], 高麗遣使來貢".

十一月辛酉朔[大盡,戊子], □[壬]至自三角山, 赦.

十二月[辛卯朔[大盡,己丑], 大雨:五行2轉載].[149)]
壬辰[2日], 祈雪.[150)]
庚子[10日], 再祈于諸神廟[151)].
壬寅[12日], 又祈.[152)]
○遼遣橫宣使·益州管內觀察使耶律利稱來.

[□□[是歲]],[153)] 宋賜'文苑英華集'.
[○以[內侍]尹諧爲秘書省校書郞:追加].[154)]
[○以朴景山爲掌醴署令同正:追加].[155)]
[○歸法寺僧敎雄受具足戒於同寺戒壇, 年十二:追加].[156)]]

辛未[宣宗]八年, 契丹大安七年, [宋元祐六年], [西曆1091年]

1091년 1월 23일(Gre1월 29일)에서 1092년 2월 9일(Gre2월 15일)까지, 13개월 354일

春正月[辛酉朔小盡,庚寅], [某日, [門下侍郞平章事·]西北面兵馬使兼中軍兵馬使柳洪, 請造兵車, 藏之龜州, 以備不虞, 從之[制可]:節要·兵1五軍轉載].[157)]
丁卯[7日], 宴群臣於乾德殿, 各賜廐馬.
[某日, 以宋公甫爲東南海都部署使:慶尙道營主題名記].

149) 이날 교토에서 아침부터 흐렸다고 한다(『後二條師通記』, 寬治 4년 12월, "一日辛卯, 今朝天陰").
150) 이와 같은 기사가 지7, 五行1, 火, 無雪에도 수록되어 있다.
151) 위와 같다.
152) 위와 같다.
153) 이 위치에서 是歲가 탈락되었을 것이다.
154) 이는 「尹諧墓誌銘」에 의거하였다.
155) 이는 「朴景山墓誌銘」에 의거하였다.
156) 이는 다음의 자료에 의거하였다(金龍善 2006년 136面).
· 「洪圓寺住持·僧統敎雄墓誌銘」, "… 年十二投歸法寺大師戒明祝髮, 於其年受具足戒, …".
157) 添字는 지35, 兵1, 五軍에서 달리 표기된 글자이다.

二月[庚寅朔大盡,辛卯], 癸丑[24日], 遼東京持禮回謝使·禮賓副使烏耶呂來.

三月[庚申朔大盡,壬辰], 丙子[17日], 東女眞寧塞將軍皆多漢等四十人來, 獻槖駝及馬.
[壬午[23日], 流星, 出織女, 抵天津:天文1轉載].
[是月, 禮部郎中李頫, □□□□□[掌國子監試], 取金藎等九十一人:選擧2國子試額轉載].

[春某月, 祐世僧統義天南遊搜索敎藏, 所得書籍, 無慮四千卷, 皆塵昏蟫斷, 編簡壞舛, 俱收並拾, 包匭以歸, 請置敎藏司於興王寺, 召名流校定謬缺, 使上之鋟槧, 不幾稔閒, 文籍大備, 學者忻賴. 先是, 重購佛典於宋, 以及契丹·日本:追加].[158]

夏四月[庚寅朔[小盡,癸巳], 熒惑入羽林:天文1轉載].[159]
[辛卯[2日], 亦如之[熒惑入羽林]:天文1轉載].
[辛丑[12日], 雨土三日:五行3轉載].[160]
丁未[18日], [殿中監·]中樞院副使李資仁卒.[161]
[○松岳石頹:五行3轉載].
癸丑[24日], 門下侍郎平章事[~~門下侍郎同中書門下平章事致仕~~]鄭惟產卒, 謚貞順.[162]
[丁巳[28日], 流星或靑或赤, 尾長十餘尺, 出房星, 入軒轅, 有聲如雷:天文1轉載].

五月己未朔[大盡,甲午], 日食.[163] 太白晝見, 經天七十日.

---

158) 이는 「開城靈通寺大覺國師塔碑」에 의거하였다.

159) 庚寅에 朔이 탈락되었다.

160) 이때 교토[京都]에서는 12일(辛丑)의 氣象은 기록되어 있지 않고, 13일(壬寅)과 14일(癸卯)은 계속 흐렸던 것 같다
· 『後二條師通記』, 寬治 5년 4월, "十二日辛丑, … 十三日壬寅, 陰, 十四日癸卯, 陰, 未刻許小雨, 卽止之".

161) 이날은 율리우스曆으로 1091년 5월 9일(그레고리曆 5월 15일)에 해당한다.

162) 『고려사절요』 권6에도 門下侍郎平章事致仕로 되어 있다. 이날은 율리우스曆으로 1091년 5월 15일(그레고리曆 5월 21일)에 해당한다.

163) 이날 宋·契丹에서도 일식이 있었다(『송사』 권52, 지5, 천문5, 日食 ; 『요사』 권25, 본기25, 道宗5, 大安 7년 5월 己未朔). 또 일본의 京都에서도 일식이 있었다(高麗曆과 同一, 日本史料 3-2冊 179面). 이날은 율리우스력의 1091년 5월 21일이고, 개경에서 일식 현상이 심했던 시간은 15시 52분, 食分은 0.22이었다(渡邊敏夫 1979年 306面).
· 『中右記』, 寬治 5년 5월, "一日, 々蝕六分, 申剋, 天晴正見".

[→太白, 赤色搖光, 晝見經天, 至十七日, 乃滅:天文1轉載].

乙丑7日, 祈雨于社稷.[164)]

○王如興王寺.

丁卯9日, 祈雨于大廟太廟·七陵.

[是月, 僧貞妙·次如造成金仁寺飯子一口, 入重二十斤:追加].[165)]

六月己丑朔小盡,乙未, 甲午6日 再祈于社稷.

丁酉9日, 又祈于大廟太廟·七陵.

甲辰16日, 都兵馬使奏, "往年□□七月, 蕃賊寇昌州, 兵馬錄事安先俊等領卒, 出屯德寧戍, 遣郎將高猛等, 追捕奮擊, 賊大潰, 校尉崇儉·隊正邊鶴等, 突入賊中, 士卒增氣, 俘斬有功, 乞加職賞, 以勸將來", 制可.

丙午18日, 戶部尙書李資義等還自宋, 奏云, "帝聞我國書籍多好本, 命館伴, 書所求書目錄, 授之, 乃曰, '雖有卷第, 不足者, 亦須傳寫, 附來'. 百篇尙書·荀爽周易十卷·京房易十卷·鄭康成周易九卷·陸績注周易十四卷·虞飜注周易九卷·東觀漢記一百二十七卷·謝承後漢書一百三十卷·韓詩二十二卷·業遵毛詩二十卷·呂悅字林七卷·古王篇三十卷·括地志五百卷·輿地志三十卷·新序三卷·說苑二十卷·劉向七錄二十卷·劉歆七毗七略七卷·王方慶園亭草木二十七卷·古今錄驗方五十卷·張仲景方十五卷·元白唱和詩一卷·深師方黃帝鍼經九卷·九墟經九卷·小品方十二卷·陶隱居效驗方六卷·尸子二十卷·淮南子二十一卷·公孫羅文選·水經四十卷·羊祐羊祜老子二卷·羅什老子二卷·鍾會老子二卷·孝緖七錄·孫盛晋陽秋三十三卷·孫盛魏氏春秋二十卷·于寶晋記二十二卷, 十六國春秋一百二卷·魏澹後魏書一百卷·魚魏略·劉梁典三十卷·吳均齊春秋三十卷·元行魏典六十卷·沈孫齊紀二十卷·楊雄集五卷·班固集十四卷·崔集十卷·汲紀年一十四卷·謝靈運集二十卷·顏延年集四十一卷·三敎珠英一千卷·孔文苑一百卷·類文三百七十卷·文館詞林一千卷·仲長統昌言·社恕體論·諸

·『本朝統曆』 권8, 寬治 5년, "五大, 朔己未, 未一, 日蝕, 五分强, 午七, 未五".

164) 이때 교토에서도 비가 내리지 않아 祈雨를 위한 여러 행사가 이루어진 결과로 5월 20일(戊寅) 많은 비가 내렸다고 한다(高麗曆과 同一).

·『中右記』, 寬治 5년 5월, "廿日戊寅, 有千僧御讀經, 雖可有總禮, 俄以大雨, 仍無比事也".

165) 이는 金仁寺鈑子銘에 의거하였다(옛 慶尙南道 梁山市 下北面 龍淵里 千聖山 內院寺 所藏, 梁山內院寺金銅金鼓, 現 通度寺 聖寶博物館 保管, 보물 제1734호, 鄭永鎬 1962년a ; 許興植 1984년 530面).

葛亮集二十四卷·王羲之小學篇一卷·周處風土紀一卷·張揖廣雅四卷·管紘志四卷·王詳撰音樂志，　蔡邕月令章句十二卷·信都芳撰樂書九卷·古今樂錄十三卷·公羊黑守[~~公羊墨守~~]十五卷·穀梁廢疾三卷·孝經劉邵注一卷·孝經韋昭注一卷·鄭志九卷·爾雅圖二卷·三蒼三卷·蒼三卷·宏宮書一卷·通俗文二卷·凡將篇一卷·在昔篇一卷·飛龍篇一卷·聖皇章一卷·勸學篇一卷·晋中興書八十卷·古史考二十五卷·伏侯古今注八卷·三輔黃圖一卷·漢官解三卷·三輔決錄七卷·益部耆舊傳十四卷·襄陽耆舊傳五卷·稽康高士傳三卷·玄晏春秋三卷·于寶搜神記三十卷·魏名臣奏三十一卷·漢名臣奏二十九卷·今書七志十卷·世本四卷·申子二卷·隋巢子一卷·胡非子一卷·何承天性苑□□[一卷?]·高士廉氏族志一百卷·十三州志十四卷·高麗風俗紀一卷·高麗志七卷·子思子八卷·公孫尼子一卷·愼子十卷·晁氏新書三卷·風俗通義三十卷·氾勝之書三卷·靈憲圖一卷·大衍曆·兵書接要七卷·司馬法漢圖一卷·桐君藥錄二卷·黃帝大素三十卷·名醫別錄三卷·曹植集三十卷·司馬相卯集二卷·桓譚新論十卷·劉琨集十五卷·盧諶集二十一卷·山公啓事三卷·書集八十卷·應百一詩八卷·古今詩苑英華集二十卷·集林二十卷·計然子十五卷".[166]

秋七月[戊午朔大盡,丙申]，壬戌[5日]，尙書左僕射[·參知政事]致仕盧旦卒．諡[謚]匡獻.[167]
丁丑[20日]，以金上琦爲戶部尙書·政堂文學，柳奭△[爲]同知中樞院事.
[某日，以權暢爲東南海都部署使:慶尙道營主題名記].

八月[戊子朔小盡,丁酉]，[某日，都兵馬使奏，"安不忘危，有國之急務，請於民部[~~戶部~~]南廊閑地,[168] 置射場一所．諸領軍卒及凡學射者，皆令肄習，若有中鵠者，賞以銀楪一

---

166) 이들 典籍 중에서『黃帝鍼經』을 위시한 一部는 고려에서 成册되어 1093년(元祐8, 선종10) 以前에 中原으로 보내진 것 같다(張東翼 200년 432面). 또 이 求書目錄에 대한 검토가 이루어진 적이 있다(屈萬里 1975년).
·『皇朝類苑』 권31, 詞翰書籍, 藏書之府20, "哲宗朝臣寮言, '竊見高麗獻到書內, 有黃帝鍼經九卷, 據素問序, 稱漢文書藝文志, 黃帝內經十八篇, 素問與此書各九卷, 乃合本. 數此書幾經兵火, 散失幾盡, 偏存於東夷, 今此來獻篇帙具存, 不可不宣布海內, 使學者誦習. 伏望朝廷詳酌, 下尙書工部雕刻印板, 送國子監依例摹印施行, 所貴濟衆之功, 溥及天下'. 有旨令秘書省選奏通曉醫書官三兩員校對, 及令本省詳定, 訖依所奏施行".
·『宋會要輯稿』56册, 崇儒5, 續會要, "[元祐]八年正月二十二日, 工部侍郞兼權秘書監王欽臣言, 高麗獻到書內, 有'黃帝鍼經篇'秩俱存, 不可不宣布海內, 使學者誦習, 依所請".
167) 이날은 율리우스曆으로 1091년 7월 23일(그레고리曆 7월 29일)에 해당한다.

事", 從之[~~制可~~]:節要·兵1五軍轉載].[169)]

丁卯[某日], 中書侍郎平章事崔思齊卒, [謚良平:列傳8崔思齊轉載].[170)]

○制曰, "宋人田盛善書札, 陳養有武藝, 敦請留止, 且加職秩, 以勸來者".[171)]

閏[八]月[丁巳朔小盡,丁酉], 己未[3日], 王避正殿, 素膳, 丹筆定罪.

甲子[8日], 設藏經道場于會慶殿, 王行香, 且製詩, 以示歸崇之意.

九月[丙戌朔大盡,戊戌], 庚寅[5日], 御賞春亭, 召雞林公熙·扶餘公燧·門下侍郎平章事柳洪·左僕射邵台輔·兵部尙書徐靖·上將軍王國髦·直門下省□[事]高景·翰林學士孫冠等, 置酒, 從容問以邊事.

癸巳[8日], 遼遣永州管內觀察使高崇來, 賀生辰.

[庚戌[25日], 禮部奏, "國學壁上, 圖畫七十二賢, 其位次, 依宋國子監所讚名目次第, 其章服, 皆倣十哲", 從之:禮4文宣王廟轉載].

[某日, 都兵馬使奏, "安邊都護府境內霜陰縣, 最爲邊地要害, 乞築城壘, 以防外寇", 從之[~~制可~~]:節要·兵2城堡轉載].[172)]

[冬十月丙辰朔[小盡,己亥]:追加].

---

168) 民部는 戶部의 誤字일 것이다. 1071년(문종25) 3월 이래 宋과 國交를 再開한 후 宋의 戶部를 避하기 위해 사신으로 파견된 인물의 職銜인 戶部侍郎을 民官侍郎으로 바꾼 적이 있으나 명칭의 변경은 아니었다. 또 이 시기에는 戶部를 民部라고 呼稱한 적은 없고, 大元蒙古國의 壓制下에서 民部라고 改稱한 적은 있다. 그리고 民部는 649년(貞觀23) 5월 唐太宗 李世民이 逝去한 후 그의 이름 중의 一字를 避하여[避諱]하여 戶部로 改書하였지만, 後世의 史家들이 그 以前의 事實도 民字를 回避한 事例도 있었다고 한다.

· 『자치통감』 권185, 唐紀1, 高祖武德 1년(618), " 六月甲戌朔, 以趙公世民爲尙書令, 黃臺公瑗爲刑部侍郞, … 以隋民部尙書蕭瑀爲內史令, 禮部尙書竇璡爲戶部尙書[[注, 胡三省按'六典', 貞觀二十三年避太宗諱, 始開民部尙書爲戶部尙書, 史家以後來官名書之也], … 瑗, 上[高祖]之從者, …".

169) ~~添字~~는 兵志1, 五軍에서 달리 표기된 글자이다.

170) 8월에는 丁卯가 없고, 丁酉(10일), 丁未(20일)만이 있다. 또 崔思齊는 그의 열전에 의하면, "守司空·門下侍郎同中書門下平章事·監修國史·判吏部事·上柱國"로 逝去하였다고 한다(열전8, 崔冲, 思齊).

171) 陳養은 延世大學本과 東亞大學本에는 東養으로 되어 있으나 오자일 것이다(→예종 1년 7월 24일, 『고려사절요』 권6, 崔永好 2007년).

172) 지36, 兵2, 城堡에는 都兵馬使에서 都字가 탈락되어 있고, ~~添字~~는 이에서 달리 표기된 것이다.

冬十一月乙酉朔大盡,庚子, 丙午22日, 門下侍郎平章事柳洪卒. [贈門下侍中, 諡匡肅:追加].[173] [洪, 武人, 精於'春秋左氏傳'及兵家秘訣. 每國家有虞疑, 寤寐精思, 引古決策, 多有中者. 時議重之:節要轉載].

[→柳仁著, 貞州人. 父洪, 以武略進, 宣宗時, 拜□□檢校?侍中. 通'春秋左傳'及兵家秘訣, 每國有虞疑, 引古決策, 多中, 時議重之. 卒諡匡肅:列傳10柳仁著轉載].

庚戌26日, 祈雪于社稷.[174]

十二月乙卯朔小盡,辛丑, 癸亥9日, 門下侍郎平章事李顏卒. 諡謚襄愼.[175]

[是月, 判𠕋, 內侍人吏行卷, 依披籃赴擧例, 試前爲限納之. 又進士, 遭父母喪者, 其業未選前, 服闋, 則行卷家狀, 修送貢院, 雖限內姓名未錄, 許令赴試. 諸業擧人, 亦依此例:選擧1科目轉載].

壬申[宣宗]九年, 契丹大安八年, [宋元祐七年], [西曆1092年]

1092년 2월 10일(Gre2월 16일)에서 1093년 1월 29일(Gre2월 4일)까지, 355일

春正月甲申朔大盡,壬寅, 以雨雪, 放朝賀.[176]

己丑6日, [雨水]. 中樞院使·刑部尙書致仕朴揚旦卒, 輟朝三日.[177]

[辛卯8日 有氣如烟, 生于奉恩寺太祖眞殿:五行2轉載].

丁酉14日, 以政堂文學金上琦爲吏部尙書, 林槩△爲同知中樞院事.

---

173) 이는 「尹彦榮妻柳氏墓誌銘」에 의거하였다. 또 이날은 율리우스曆으로 1092년 1월 3일(그레고리曆 1월 9일)에 해당한다.

174) 이와 같은 기사가 지7, 五行1, 火, 無雪에도 수록되어 있다.

175) 이날은 율리우스曆으로 1092년 1월 20일(그레고리曆 1월 26일)에 해당한다.

176) 이날 일본의 교토[京都]에서는 아침에 맑았다가 오전 아홉시(巳時)에 이르러 흐려졌고 明日 오후에 개였다고 한다.

- 『中右記』, 寬治 6년 1월, "一日甲申, 朝間得晴, 漸及巳時天陰, … 二日乙酉, 天陰無行幸, … 午後得晴".
- 『後二條師通記』, 寬治 6년 1월, "一日甲申, 朝且日脚光爽, 巳剋許天陰, … 二日乙酉, 今朝天陰, … ".

177) 이날은 율리우스曆으로 1092년 2월 15일(그레고리曆 2월 26일)에 해당한다.

庚子17日，東女眞阿盧漢等二十人來，獻土物.

[某日，以柳庄爲東南海都部署使:慶尙道營主題名記].

二月甲寅朔大盡,癸卯，[戊午5日，流星出大微太微，北抵七星南:天文1轉載].

己卯26日，東女眞懷化將軍三彬等來，獻馬.

○耽羅星主懿仁來，獻土物，加定遠將軍，賜衣帶.

壬午29日，宣麻，以邵台輔△爲參知政事.

三月甲申朔小盡,甲辰，丙辰某日，市巷民家六百四十戶火.

[→丙辰某日，祭器都監·藥店，兩司樓門及市巷民家六百四十戶火:五行1火災轉載].

[丙辰某日，月犯歲星:天文1轉載].[178]

是月，王憂勞萬機，頗覺不豫，移御文德殿，命內醫進養性方藥. 忽有感，作古風長篇，其末云，“藥效得否何敢慮，浮生有始豈無終，唯應愿切修諸善，淨域超昇禮梵雄”.[179] 王春秋鼎盛，而有此作，見者驚怪.

夏四月癸丑朔大盡,乙巳，乙卯3日，以參知政事邵台輔△爲權判西北面兵馬事兼中軍兵馬使，中樞院使徐靖爲西北面兵馬使兼中軍兵馬使，政堂文學金上琦△爲權判東北面兵馬事兼行營兵馬使，同知中樞院事林槩爲東北面兵馬使兼行營兵馬使.

戊午6日，册宮人李氏爲王妃.

○制，“加金官侯丕，守太尉兼中書令[·食邑三千戶·食實封五百戶”:列傳3文宗王子金官侯丕轉載].[180]

丙寅14日，金官侯丕卒.[181] [王曰，“曩者，章順侯十韓侯愔，無嗣而卒，依浮屠法，燒

178) 3월에는 丙辰이 없고, 丙戌(3일), 丙申(13일), 丙午(23일)가 있다. 또 이들 3種의 기사에서 모두 誤字인 丙辰으로 되어 있는 점으로 보아 이 오자는 『고려사』에 의한 것이 아니라 『宣宗實錄』에서 발생하였던 것 같다.

179) 이 御製詩에 대한 문학적인 검토도 이루어졌다(金性彦 2012년).

180) 이와 같은 기사로 다음이 있지만, 그에 대한 贈職은 本文의 記事와 같이 逝去하기 전에 임명된 實職으로 보는 것이 옳을 것이다. 이날은 율리우스曆으로 1092년 5월 22일(그레고리曆 5월 28일)에 해당한다.

· 열전3, 文宗王子, 金官侯丕, “靖宗九年卒, 贈守太尉兼中書令·食邑三千戶·食實封五百戶”.

181) 이날은 율리우스曆으로 1092년 5월 22일(그레고리曆 5월 28일)에 해당한다.

骨以散. 今丕無後, 宜準章順例, 然散骨之法, 出於釋氏, 不足依據, 卜地厚葬, 以永春秋之饗". 有司竟奏, 不行:節要轉載].

[→王曰, "曩者, 章順侯, 無<u>後</u>而卒, 依浮屠法散骨. 今金官侯無嗣, 宜準章順例. 然此法出於釋氏, 不足依據. 宜卜地厚葬, 以永春秋之饗". 有司竟奏, 不行. 諡莊憲:列傳3文宗王子金官侯丕轉載].

戊辰16日, 遼東京持禮使高良慶來.

辛巳29日, 御文德殿覆試, 賜金誠等<u>及第</u>.[182]

[五月癸未朔大盡,丙午, 乙未13日, 熒惑無光芒:天文1轉載].

六月癸丑朔小盡,丁未, [戊午6日, 月犯歲星:天文1轉載].

己未7日, 以柳奭△爲知中樞院事, 李預△爲同知中樞院事.

庚申8日, 詔曰, "朕嘗聽日者崔士謙之奏, 修補景陵文宗虛缺, 近覽司天少監黃忠現等封事, □□~~惟此~~士謙修補, 反爲壓禳, 將使先靈, 不安□於玄寢.[183] 其令刑部, 囚士謙, 鞫問".

乙丑13日, 以政堂文學金上琦△爲修國史.

丙寅14日, 王受菩薩戒于乾德殿.

壬申20日, 王太后設天台宗禮懺法于白州見佛寺, 約一萬日.

乙亥23日, 以徐靖△爲參知政事.

秋七月壬午朔大盡,戊申, 乙酉4日, 參知政事崔思諒卒, [年<u>五十九</u>, 王聞訃悼甚, 賜子洙等弔書, 官庀葬事. 諡康敬:列傳8崔思諒轉載]. [思諒, 儀表端雅, 沈靜寡言, 秉國鈞, 主文柄, 名重一時:節要轉載].[184]

[某日, 以崔方俊爲東南海都部署使:慶尙道營主題名記].

---

182) 이와 관련된 기사로 다음이 있다.

· 지27, 선거1, 科目1, 選場, "宣宗九年四月, 政堂文學·吏部尙書<u>金上琦</u>知貢擧, 禮部侍郎<u>伍咸庶</u>同知貢擧, 取進士, 覆試, 下詔賜乙科<u>金成</u>等五人·丙科十人·同進士十八人·明經三人·恩賜二人及第".

183) ~~添字~~는 『고려사절요』 권6에 의거하였다.

184) 崔思諒의 年齡은 그가 1051년(문종5) 18세로 製述業에 급제하였다는 것에 의거하여 계산하였다(열전8, 崔思諒). 이날은 율리우스曆으로 1092년 8월 9일(그레고리曆 8월 15일)에 해당한다.

[是月乙巳[24日], 玄化寺住持·僧統韶顯撰'仁王護國般若經疏法衡鈔'題記:追加].[185]

八月[壬子朔小盡,己酉], 乙丑[14日], 以[前尙書右僕射·參知政事·修國史]李子威爲尙書右僕射·權知門下省事兼西京留守使. 初, 子威以宰相, 監校入宋表奏, 誤書遼年號, 宋朝却其表, 由是責罷. 不數月, 干謁內嬖, 得拜是職, 時人譏之.

戊辰[17日], 幸西京.

己巳[18日], 放[日官]崔士謙于[耽津縣]仙山島.

[丙子[25日], 雨雹:五行1雨雹轉載].[186]

九月[辛巳朔小盡,庚戌], 壬午[2日], 王太后[文宗妃仁睿順德太后]薨于西京. [歸葬戴陵, 謚曰仁睿:節要·禮6國恤轉載].[187] [后性好佛, 創國淸寺, 又願銀書瑜伽顯揚論, 至肅宗[七年五月], 乃成:文宗妃仁睿順德太后李氏轉載].[188]

乙酉[5日], 遼遣王鼎來, 賀生辰.[189]

[○有司奏, "古典天子·諸侯, 三年之喪, 旣葬釋服, 心喪終制, 不與士大夫同禮. 今賀節使已至, 伏望以日易月, 二十七日後, 釋服迎命", 從之:節要·禮6國恤轉載].[190]

冬十月[庚戌朔大盡,辛亥], [戊午[9日], 雷:五行1轉載].[191]

---

185) 이는 다음의 자료에 의거하였다(松廣寺 所藏, 보물 제1468호, 郭丞勳 2021년 74面).
- 『仁王護國般若經疏法衡鈔』 卷6, 卷末刊記, "海東金山寺廣敎院重彫汴京印本榮公[遇榮]所」撰'法衡鈔'六卷一部,自辛未[宣宗8年]閏八月六日」至壬申六月十日手畢,流通願意者,窮尋」撰疏之鈔文,大悟釋經之疏旨,能護之法,已」具所護之邦,必興,時大安紀曆八年首秋月」二十四日,於保慶院記」功德主靈鷲山大慈恩玄化寺住持·普利了眞精進融慧廣祐僧統 韶顯 題」".

186) 이날 일본의 京都에서는 맑다가 오후 9시부터 11시 무렵에 비가 심하게 내렸다고 한다.
- 『後二條師通記』, 寬治 6년 8월, "廿五日丙子, 晴, … 亥時許, 甚雨, 密術".

187) 戴陵은 失傳되어 현재 어디에 있는지를 알 수 없다.

188) 이날은 율리우스曆으로 1092년 10월 5일(그레고리曆 10월 11일)에 해당한다.

189) 王鼎(?~1106)은 1059년(淸寧5, 문종13) 혹은 1062년(淸寧8, 문종16) 6월에 시행된 殿試에서 狀元으로 급제하였던 것 같다.
- 『요사』 권22, 본기22, 道宗2, 淸寧 8년 6월, "是月, 於淸涼殿, 放進士王鼎等九十三人".
- 『요사』 권104, 열전34, 王鼎, "淸寧五年, 擢進士第, … 累遷翰林學士, 當代典章多出其手".

190) 이 고전을 인용한 구절은 中原의 어떤 典籍에도 찾아지지 않는 것으로 漢의 孝文帝가 遺詔를 내려 短喪을 행할 것을 命한 여러 기록을 高麗人이 취합하여 만든 句節인 것으로 추측된다.

191) 이와 같은 기사가 지7, 五行1, 水, 雷震에도 수록되어 있다.

丙子[27日], □[王]至自西京.

[→□□[先是], 拜[以]□□□□[崔思諏爲]殿中少監·知尙書戶部事, 出爲西京副留守. 駕幸西京, 時遼使王鼎來, 思諏爲館伴, 聞鼎每夜獨坐爲文, 以計取其書奏之. 乃諫䟽也, 其䟽極言, 遼, 大平日久, 武修不備. 又言大宋伐南夏事. 王嘉其擯接之能, 手詔褒之, 令從駕:列傳9崔思諏轉載].

十一月[庚辰朔小盡,壬子], 庚子[21日], 太白晝見, 經天.

[→太白晝見, 經天, 犯壘壁陣. 太史奏曰, "太白晝見, 三年必有大喪":天文1轉載].

[某日, 定五服相避式:節要轉載].

十二月[己酉朔大盡,癸丑], [壬子[4日], 月入羽林:天文1轉載].

癸亥[15日], [大寒]. 東女眞餘羅弗等二十人來, 獻土物.

壬申[24日], 地震.

[是年, 大興王寺奉宣彫造'華嚴宗主賢首國師傳':追加].[192)]

癸酉[宣宗]十年, 契丹大安九年, [宋元祐八年], [西曆1093年]

1093년 1월 30일(Gre2월 5일)에서 1094년 1월 18일(Gre1월 24일)까지, 354일

春正月己卯朔[小盡,丙寅], [立春]. 放朝賀.

[某日, 以尹繼衡爲東南海都部署使:慶尙道營主題名記].

192) 이는 다음의 자료에 의거하였다(宋版本法藏和尙傳, 京都市 高山寺 所藏, 大屋德城 1937年 86面 ; 京都國立博物館 1981年 161面 圖123 ; 張東翼 2004년 421面).

· 『華嚴宗主賢首國師傳』(法藏和尙傳)刊記, "大安八年壬申歲高麗國大興王寺」奉宣彫造,本寂居士梁璋施本鏤板,」紹興十五年四月,伏奉」指揮,許與編華嚴宗敎文字入藏流通,莫不慶幸,」唯侍講崔公所撰,」吾祖賢首國師傳缺如,徧搜雖得,而傳寫訛舛,攷」證不行,遂獲 高麗善本,復得,秘書少監閻公石」刻,乃頓釋疑誤,,有士人孫霌,見且敬喜而爲書之,」坐夏門人旋積嚫施,命工鏤版,以廣其傳,冀學者」勉旃, 上酬 法乳」(以下8行刻板參與者名單),」紹興十九年孟冬日,平江府吳江縣華嚴寶塔敎院詞講住持圓證大師義和謹題」".

二月戊申朔大盡,乙卯, 甲寅7日, 宋明州報信使黃仲來.

[戊辰21日, 月犯心大星:天文1轉載].

三月戊寅□朔小盡,丙辰, 命元子昱, 入居壽春宮, 以同知中樞院事~~知中樞院事~~柳爽·左諫議大夫孫冠爲太子左·右詹事.[193]

壬午5日, 西北路兵馬使奏, "北蕃三人, 慕化來投". 賜衣及田宅.

[庚寅13日, 流星出造父, 抵王良, 色赤, 大如木瓜, 尾長七尺許:天文1轉載].

夏四月丁未朔大盡,丁巳, 己酉3日, 守太尉·門下侍中致仕文正卒, [謚貞獻:列傳8文正轉載].[194]

[某日, 制, "東路州鎭, 去年, 禾稼不登, 民多阻飢, 言念黎元, 豈忘救恤. 宜遣刑部員外郞井潤民, 發義倉米鹽, 賑之":食貨3水旱疫癘賑貸之制轉載].[195]

[是時,以鄭穆爲春夏番東北面兵馬判官·甲仗別監兼宣撫于高·和·長平·寧仁·興元·現德·靜邊凡七州, 以穀□一千八百七十餘石·醬鹽三百一十餘石, 以濟窮:追加].[196]

癸丑7日, 設藏經道場于會慶殿六日, 王親製'三寶詩'.

乙卯9日, 遼遣高州管內觀察使馮行宗來, 命王起復.

五月丁丑朔大盡,戊午, 戊戌22日, 以邵台輔爲中書侍郞平章事·判刑兵部事, 徐靖爲尙書左僕射·參知政事[·判三司事:節要轉載], 金上琦爲吏部尙書·參知政事[·判尙書戶部事:節要轉載]·修國史, 柳爽爲禮部尙書·參知政事, 林槩爲中樞院使·刑部尙書, 李預△爲知中樞院事·翰林學士承旨.

庚子24日, 創弘護寺于城東.

[→王欲創寺, 命太史相地于城東. 又親往觀之, 遂創大寺, 賜名弘護:節要轉載].

---

193) 戊寅에 朔이 탈락되었다. 또 同知中樞院事는 知中樞院事의 오류이다. 柳爽은 선종 8년 7월 20일(丁丑) 同知中樞院事에, 9년 6월 7일(己未) 知中樞院事에 각각 임명되었다.

194) 이날은 율리우스曆으로 1093년 4월 30일(그레고리曆 5월 6일)에 해당한다.

195) 이 기사는『고려사절요』권6에 축약되어 있다("制, 東路州鎭, 去年, 禾稼不登, 民多阻飢, 言念黎元, 豈忘救恤, 宜發義倉米塩, 賑之").

196) 이는 다음의 자료에 의거하였다.

·「鄭穆墓誌銘」, "其年春夏, 東民飢歉, 宣宗命公鄭穆授爲春夏番東北面兵馬判官·甲仗別監兼宣撫于高·和·長平·寧仁·興元·現德·靜邊凡七州, 以穀□一千八百七十餘石·醬鹽三百一十餘石, 以濟窮, 無告者凡九千九百九人, 公鄭穆言余雖給以公儲, 實亦惠于斯民, 不少焉".

六月[丁未朔小盡,己未], 甲子[18日], 親醮于內殿, 以祈農事.[197)]

[某日, [中書侍郎平章事]邵台輔奏, “北路邊城將士, 多自山南州郡選補, 丁田在遠, 資產貧乏, 若有兵事, 並爲先鋒. 請自今, 令入遼使臣, 揀取其壯健者, 以爲傔從, 因使覘察疆域事體, 且有互市之利, 人必競勸”, 從之:節要轉載].[198)]

[某日, 都兵馬使奏, “□[冊]少監朴元綽所造千鈞弩, 實爲有利. 故每令於郊原習射, 今已廢久. 乞自今年, 更依舊法行之”, 從之[~~冊可~~]÷節要·兵1五軍轉載].[199)]

[某日, 定大小官吏與臺官, 路上相遇禮:節要轉載].

[→判[冊], “文武官, 職事四品以下, 散官三品以下, 於中丞, 職事五品以下·散官四品以下, 於雜端·侍御, 職事六品以下常參以上·散官五品以下, 於殿中侍御·監察御史, 皆避馬. 若吏部侍郎·尙書左右丞·給舍, 旣准諸曹三品, 且以侍臣, 在公侯之上, 與中丞, 馬上相揖, 知製誥, 亦非常例, 一從官品, 馬上相揖, 郞舍·增補, 勿論官品, 與雜端以上, 幷馬上相揖, 若大夫則除宰臣·樞密·左右僕射·近臣外, 幷皆避馬”:刑法1避馬式轉載].

秋七月[丙子朔大盡,庚申], 癸未[8日], 西海道按察使奏, “安西都護府轄下延平島巡檢軍, 捕海船一, 所載宋人十二·倭人十九, 有弓箭·刀劒·甲冑幷水銀·眞珠·硫黃·法螺等物, 必是兩國海賊, 共欲侵我邊鄙者也. 其兵仗等物, 請收納官, 所捕海賊, 並配嶺外, 賞其巡捕軍士”, 從之.[200)]

壬辰[17日], 遣兵部尙書黃宗慤·工部侍郞柳伸如宋, 謝恩.

[某日, 制曰, “先王·先后, 忌辰追福之事, 漸至陵夷. 其於廣仁館, 構倉庫一所,

---

197) 이와 같은 기사로 다음이 있다.
· 지17, 禮5, 雜祀에는 “甲子, 親醮于內殿, 祈穀”.

198) 이와 같은 기사가 열전8, 邵台輔에도 수록되어 있으나 자구에 출입이 있다.

199) ~~添字~~는 지35, 兵1, 五軍에서 달리 표기된 글자이다. 또 少監朴元綽은 前少監朴元綽으로 읽어야 옳게 될 것이다. 곧 그는 1032년(덕종1) 3월, 10월에 尙舍奉御(정6품)으로, 1040년(靖宗6) 10월에 西面都監使'(職事 3品以上) 또는 西北面兵馬判官(5, 6품)으로 在職하였을 것으로 추측되므로, 이때(1093년)까지 재직 또는 生存하지 못했을 것이다.

200) 이 기사를 『신증동국여지승람』 권43, 海州牧, 山川, 延平島에는 ‘宣德 10年(1435, 세종17)’의 사건으로 서술하였으나, ‘宣宗 10年’의 잘못이다. 또 이 船舶은 일본에서 宋으로 가던 貿易船 또는 海賊船으로 추측되며, 搭載된 硫黃은 日本產으로 火藥의 원료가 된다. 당시 고려에서는 유황을 어떻게 구득했는지를 알 수 없으나 고려에 출입하던 일본상인을 통해 소량이나마 확보할 수 있었을 것이다.

號奉先庫. 蓄儲穀米, 以備供辦, 置吏, 主之":節要轉載].

[○羅州戶長羅在堅造成西門內八角石龕:追加].[201]

八月[丙午朔大盡,辛酉], [丁巳[12日], 制曰, "我國舊制, 生辰·元正·冬至, 百官賀禮, 唯宰相入直者, 一員押班, 其餘宰相, 並不就班. 近聞宋朝儀制, 凡放賀日,[202] 其禮, 與坐殿日不殊, 自今, 一依宋朝儀式":禮9元正冬至節日朝賀儀·節要轉載].

[某日, 都兵馬使奏, "兵書云, 急行軍者, 著縛絡, 今縫衣是也. 乞以大盈庫籌布, 付征袍都監, 製三四千領, 分送東北兩界, 藏於營庫, 有急, 許著之", 從之[~~制可~~]:節要·兵1五軍轉載].[203]

壬申[27日], 免內外死罪, 流海島.

[是月頃, 契丹遣使來, 賜羊:追加].[204]

九月[丙子朔小盡,壬戌], 丁丑[2日], 王詣仁睿太后返魂殿, 行小祥祭, [從晋制, 奉安神主於本殿:禮6國恤轉載].[205]

壬午[7日], [寒露]. 遼遣永州管內觀察使大歸仁來, 賀生辰.

[冬十月[乙巳朔大盡,癸亥], 某日, 宋明州持牒使王廓來, 報太皇太后崩:節要轉載].[206]

[十一月乙亥朔[小盡,甲子]:追加].

---

201) 이는 다음의 자료에 의거하였는데 八角形 石燈(石龕, 높이 3.27m, 폭 1.44m)의 竿石에 1行씩 刻字하였다(朝鮮總督府 博物館 1939年 ; 鄭永鎬 等編 2013년 79面).
· 「羅州西門內石燈」, "南贍州高麗國羅州」中興里□[戶]長羅在堅,應」迪□[孫]"□[?]□□[先月?]□心光□□心,」聖壽天長,百穀豊登,」錦邑安泰,富貴恒存,」願以燈龕一座石造排立,」三世諸佛聖永獻供養,」大安九年癸酉七月日謹記". 여기에서 以字는 吏讀式 表記라고 한다(李丞宰 1992년 229面).

202) 여기에서 放賀日은 '賀禮를 免除하는 일'로 읽은 것이 좋을 것이다(→靖宗 1년 1월 1일 放朝賀의 脚注).

203) 添字는 지35, 兵1, 五軍에서 달리 표기된 글자이다. 또 이 구절은 中原의 어떠한 병서를 인용한 것인지를 알 수 없다.

204) 이는 다음의 자료에 의거하였다.
· 『요사』 권25, 본기25, 道宗5, 大安 9년 7월, "壬寅[27日], 遣使, 賜高麗羊".

205) 仁睿太后는 前年(선종9) 9월 2일에 崩御하였기에 이날 小祥祭가 擧行된 것은 날짜가 부합된다.

206) 宋의 英宗妃 宣仁聖烈高皇后는 9월 3일(戊寅) 崩御하였다(『송사』 권17, 본기17, 哲宗1, 元祐 8년 9월 戊寅).

十二月[甲辰朔小盡,乙丑], 甲子[21日], 遼遣橫宣使·安州管內觀察使耶律括來.

[是年, 置奉先庫于廣仁館, 畜穀米, 以備先王先后忌晨[忌辰]供辦.[207] 使一人, 副使一人, 判官二人, 乙科權務:百官2奉先庫轉載].

[○判[制], "請暇, 滿百日者, 解官":刑法1職制轉載].

[○興王寺奉宣彫造'大乘阿毘達磨雜集論疏'·'圓覺經大疏釋義鈔'·'金剛般若波羅蜜多經疏':追加].[208]

甲戌[宣宗]十一年, 契丹大安十年, [宋元祐九年→4月, 紹聖元年], [西曆1094年]

1094년 1월 19일(Gre1월 25일)에서 1095년 2월 7일(Gre2월 13일)까지, 13개월 385일

春正月癸酉朔[大盡,丙寅], 放朝賀.

[丙子[4日], 日冠左右珥:天文1轉載].

壬辰[20日], 日傍有彗.

[→日傍東西有彗, 白虹衝日:節要·天文1轉載].

[戊戌[26日], 亦如之[日傍有彗]:節要·天文1轉載].

[某日, 以朴尙夫爲東南海都部署使:慶尙道營主題名記].

---

207) 忌晨은 忌辰[忌日]의 오자로 추측되지만, 『고려사』에서 간혹 찾아지고, 『조선왕조실록』에서는 並用되었다.

· 『구오대사』 권8, 梁書8, 末帝本紀上, 乾化 3년 5월 壬子[11日], … 詔曰, "太祖皇帝六月二日大忌, 朕聞姬周已還, 並用通喪之禮, … 朕頃遘家寃, 近平內難, 條臨祥制, 俯迫忌辰, 音容永遠而莫追, 號感彌深而難抑".

208) 이는 다음의 자료에 의거하였다.

· 『大乘阿毘達磨雜集論疏』 권13, 14末尾刊記, "大安九年癸酉歲高麗國大興王寺奉」宣雕造」"(송광사 소장, 보물 제205호, 尹炳泰 1969年).

· 『圓覺經大疏釋義鈔』 권13末尾刊記, "大安九年癸酉歲高麗國大興王寺奉」宣雕造」"(松廣寺 所藏, 郭丞勳 2021년 76面).

· 『般若波羅蜜多經疏』(飜刻本)末尾刊記, "大安九年癸酉歲高麗國大興王寺奉」宣雕造,」翰林書藝待詔臣裵簡書」, "天順六年壬午歲朝鮮國刊經都監奉」敎重修」"(淸州古印刷博物館 所藏, 南權熙 2002년 153面 ; 淸州古印刷博物館 2010년 41面).

二月[癸卯朔小盡,丁卯], 丙午[4日], 以屢有天變, 赦.

戊申[6日], 王將閱兵, 御史臺奏, "兵金也, 克木, 方春盛德在木, 而閱兵, 逆生氣也". 不聽.

[某日, 以東路高·和·文·湧·定·長·登·交等八州, 宣德·元興·寧仁·長平·永興·龍津等六鎭, 往因水旱~~因往年水旱~~, 民多飢餓. 遣東路監倉使·員外郎金義璿, 朔方道監倉使·閤門祗候蘇忠, 監察御史林衍等, 宣撫賑濟:節要·食貨3水旱疫癘賑貸之制轉載].[209]

[是月初, 祐世僧統義天移去洪圓寺, 其敎學如故居興王寺:追加].[210]

三月[壬申朔大盡,戊辰], 甲戌[3日], 王祭仁睿太后於返魂殿.[211]

甲申[13日], 國子祭酒韓儉三上表, 請老, 許之.

丙戌[15日], 東女眞將軍仍于等來, 獻馬九匹.

丁亥[16日], 醮于毬庭.[212]

[庚寅[19日], 月犯心前星:天文1轉載].

甲午[23日], 賜鄭克恭等及第.[213]

[戊戌[27日], 熒惑犯鬼質:天文1轉載].

[夏四月壬寅朔[小盡,己巳]:追加].

[是月癸丑[12日], 宋改元元祐九年爲紹聖元年:追加].[214]

夏閏四月[辛未朔大盡,己巳], 壬辰[22日], 王不豫.

甲午[24日], 宰臣·樞密及宗室, 詣延英殿北門, □[闕]起居.

---

209) ~~添字~~는 지34, 食貨3, 水旱疫癘賑貸之制에서 달리 표기된 글자인데, 『고려사절요』를 편찬하면서 4字로 潤文하였을 것이다.

210) 이는 「開城靈通寺大覺國師塔碑」에 의거하였다.

211) 文宗妃 仁睿太后의 忌日은 9월 2일이다.

212) 이 기사는 지17, 禮5, 雜祀에도 수록되어 있다.

213) 이와 관련된 기사로 다음이 있다.

· 지27, 선거1, 科目1, 選場, "[宣宗]十一年三月, 知中樞院事·[翰林學士]李預知貢擧, 禮部侍郎魏繼廷同知貢擧, 取進士, 下詔賜乙科鄭克恭等二人·丙科九人·同進士十七人·明經四人·恩賜四人及第". 여기에서 鄭克恭은 후일 鄭克永으로 改名하였다.

214) 이는 다음의 자료에 의거하였다.

·『송사』 권18, 본기18, 哲宗2, 元祐 8년(紹聖元年) 4월, "癸丑, 改元".

[是月頃, 以祐世僧統義天爲洪圓寺住持:追加].[215]

五月[辛丑朔小盡,庚午], 壬寅[2日], 王薨于延英殿內寢, 卽日遷殯于宣德殿, 壽四十六, 在位十一年, 謚曰思孝, 廟號宣宗,[216] [甲寅[14日]:節要轉載], 葬于城東, 陵曰仁陵,[217] 仁宗十八年加謚寬仁, 高宗四十年加顯順.

李齊賢贊曰, "詩者, 志之所之, 在心爲志, 發言爲詩, 觀宣宗[宣王]文德殿餌藥詩,[218] 有類於趙孟, 視蔭惕日之詩[語],[219] 何哉? 趙孟列國之卿, 其語偸, 君子尙譏之, 况王者乎? 以宣宗[宣王]聰明好學, 不讀非聖之書, 而無苟且之意, 明良賡載之歌, 則尙矣, 大風慷慨之作, 何遽不若乎? 不及三年, 遂棄群臣, 嗚呼".

---

215) 이는 「開城靈通寺大覺國師塔碑」에 의거하였다.

216) 이날은 율리우스曆으로 1094년 6월 17일(그레고리曆 6월 23일)에 해당한다.

217) 仁陵은 失傳되어 현재 어디에 있는지를 알 수 없다.

218) 宣宗은 『익재난고』 권9하, 史贊, 宣王에는 宣王으로 되어 있다.

219) 詩는 『익재난고』에는 語로 되어 있고, 『고려사절요』 권6에도 語로 되어 있다. 또 春秋時代 晋의 公卿이었던 趙孟(?~BC476)의 詩는 다음의 자료에서 보인다.
- 『춘추좌씨전』傳, 昭公 1년, 夏4월, "… 趙孟視蔭曰, 朝夕不相及, 誰能待五, 后子[鍼]出, 而告人曰, 趙孟將死矣. 主民, 翫歲而愒日, 其與幾何".
- 『周書』 권41, 열전33, 王褒, "初, 褒與梁處士汝南周弘讓相善, … 褒贈弘讓詩幷致書曰, … 視陰愒日, 猶趙孟之徂年, 負杖行吟, 同劉琨之積慘, …".

獻宗

獻宗·恭殤·□□[定比]大王,[1] 諱昱, 宣宗元子, 母曰思肅太后李氏, 宣宗元年六月乙未[27日]生, 性聰慧, 九歲好書, 凡所見聞, 未嘗遺忘.

十一年五月壬寅[2日], 宣宗薨, 奉遺命, 卽位於重光殿.

[某日, 遣使如契丹, 告哀:追加].[2]

甲寅[14日], 葬宣宗于仁陵.

[是月, 祐世僧統義天爲退去海印寺, 逍遙溪山, 有終焉之志. 獻宗再次招致, 辭而不應:追加].[3]

六月庚午朔[人盡,辛未], 尊母爲太后.

[→尊母李氏爲太后, 殿曰中和. 百官表賀:節要轉載].

[→獻宗嗣位, 尊爲太后, 殿號中和, 置府曰永寧. 王幼弱, 不能聽決機務, 太后稱制, 凡軍國大小事, 咸取決焉:列傳1宣宗妃思肅太后李氏轉載].

甲申[15日], 以邵台輔·李子威並爲門下侍郎平章事·上柱國, [參知政事]柳爽爲尙書左僕射·柱國, 林槩△[爲]參知政事, 李資義△[爲]知中樞院事, 崔思諏△[爲]同知中樞院事·左散騎常侍, [吏部郎中·御史雜端·知制誥任懿爲右副承宣:追加].[4]

乙酉[16日], 文宗妃崇化宮主金氏[故門下侍中金元冲之女]卒. [諡仁穆:列傳1文宗妃仁穆德妃金氏轉載].[5]

---

1) 獻宗은 叔父인 鷄林公 熙에 의해 폐위되어 幽閉되어 있다가 1097년 閏②월 甲辰(19일)에 崩御하였고, 같은 해 3월 庚申(6일)에 隱陵에 묻혔다. 이때 廟號를 받지 못하고 懷殤이라는 諡號만 받았는데, 1105년(예종 즉위년) 11월 묘호를 獻宗으로 받고, 시호인 懷殤은 恭殤으로 改稱되었다. 그런데 헌종은 1253년(고종40) 10월 3일(戊申) 定比라는 시호가 덧붙여졌으나, 이 기사에 반영되어 있지 않다.

2) 이는 다음의 자료에 의거하였다.

· 『요사』 권25, 본기25, 道宗5, 大安 10년, "是夏, 高麗國王運薨, 子昱遣使來告, 卽遣使賻贈".

3) 이는 「開城靈通寺大覺國師塔碑」에 의거하였다.

4) 이는 「任懿墓誌銘」에 의거하였다.

5) 이는 后妃列傳에 "宣宗十一年六月卒"이라고 하여 편년체의 『고려사』를, 기전체의 『고려사』로 전

戊子[19日], 御神鳳樓, 大赦.

○宋都綱徐祐等六十九人, 乇<u>羅</u>[耽羅]高的等一百九十四人來, 賀卽位, 獻土物.[6]

己亥[30日], 以朝鮮公<u>燾</u>·<u>雞林公</u>熙△[爲]守太師,[7] 常安公<u>琇</u>·扶餘公<u>㴒</u>△[爲]守太保,[8] 辰韓侯<u>愉</u>·漢山侯昀·樂浪伯<u>瑛</u>△[爲]守司徒.[9]

秋七月[庚子朔大盡,壬申], 丁卯[28日], 宋都綱徐義等來, 獻土物.

[某日, 以崔守臣爲東南海都部署使:慶尙道營主題名記].

八月庚午朔[小盡,癸酉], 詔曰, "[東界]定州宣德鎭境內蝗虫爲災, 其令群臣, 各上封事".

甲戌[5日], 宋都綱歐保·劉及·<u>楊保</u>[~~楊甫?~~]等六十四人來.

[九月[己亥朔大盡,甲戌], 戊午[20日], <u>立冬</u>. 雷:五行1雷震轉載].

[壬戌[24日], 月犯鎭星:天文1轉載].

[冬十月[己巳朔大盡,乙亥], 丙子[8日], 有靑赤氣, 去日二十餘尺:五行2轉載].

冬十一月[己亥朔小盡,丙子], [戊申[10日], 月犯昴星:天文1轉載].

壬子[14日], 饗年八十以上者于毬庭, 賜物有差.

[丙辰[18日], 月犯鎭星:天文1轉載].

[辛酉[23日], □[月]又犯心星:天文1轉載].

十二月[戊辰朔大盡,丁丑], [某日], 遼勅祭使蕭遵烈·副使梁祖述·慰問使蕭褫·起復使郭

환시킬 때 獻宗 卽位年으로 改書하지 못하였다. 이날은 율리우스曆으로 1094년 7월 30일(그레고리曆 8월 5일)에 해당한다.

6) 乇羅(탁라)는 耽羅(現 濟州道)의 다른 표기이다.

7) 延世大學本과 東亞大學에는 雞가 錐로 되어 있으나, 雞의 오자이다(東亞大學 2008년 3책 518面). 『고려사절요』 권6에는 옳게 되어 있다. 또 常安公 琇와 朝鮮公 燾에 관한 기사는 열전3, 文宗王子, 朝鮮公燾에도 수록되어 있다.

8) 扶餘公 㴒의 기사는 열전3, 文宗王子, 扶餘公㴒에도 수록되어 있다.

9) 辰韓侯 愉의 기사는 열전3, 文宗王子 辰韓侯愉에도, 漢山侯昀의 기사는 열전3, 宣宗王子에도, 瑛의 기사는 열전3, 顯宗王子, 平壤公基에도 수록되어 있다.

人文等來.

乙酉[18日], 勑祭使詣返魂堂, 祭宣宗, 王迎詔, 助祭. ○詔曰, “朕言念先臣, 保全亮節, 將被便蕃之寵, 遽從汗漫之遊. 靈魄未遙, 渥恩宜及, 遣陳祭酹, 庸表眷懷. 今差永州管內觀察使蕭遵烈·衛尉少卿梁祖述, 充勑祭使副, 祭所諸物, 具如別錄.” ○祭文曰, “惟靈, 器範淵英, 姿神秀邁. 慶遇風雲之會, 恭依日月之華, 承祖業之貽休, 纘王藩之嗣理. 表海遵修於舊服, 朝天奉達於勤誠. 寔稟義方, 克全忠節, 將加寵懋, 奄至淪亡. 聞訃奏以玆來, 痛恩褒之莫及. 特遣騑傳, 往陳奠觴, 凝想貞魂, 固諒深意”. ○祭訖, 王還宮. 慰問使傳詔於乾德殿. 詔曰, “省所奏高麗國王薨逝事, 具悉. 朕以先臣, 表是東海, 方賴匡扶之績, 遽聆隕越之災. 顧爾幼冲, 遘斯凶閔, 當永思於纘襲, 用少節於哀摧, 順以禮文, 副予遐念. 今差廣州防禦使蕭褫, 賫詔, 往彼慰問, 兼賜賻贈, 具如別錄”.

丙戌[19日], 起復使傳詔於乾德殿, 詔曰, “王適遘家艱, 爰膺世嗣. 塊苫在制, 然孺慕以鍾情, 金革從權, 固牽復而就政, 諒極哀榮之至, 勉符眷委之深. 今差崇祿卿郭人文, 往彼, 賜卿起復告勑, 各一道”. 官告曰, “立孝惟親, 在苴痲則禮當終慼, 移忠於國, 順金革則義貴從權. 故襄子, 繇發命以卽戎, 伯禽, 因有爲而攝事, 朕若稽古典, 誕撫庶邦, 眷靑社之名封, 迺皇家之鉅屏. 上帝不憖, 列侯云薨, 屬令嗣以有成, 宜舊服以與繼. 式涓剛吉之旦, 載考牽復之文, 僉議允諧, 寵章攸擧. 高麗國王嗣子王昱, 慶隆世嫡, 才茂人英. 龍星騰七宿之精,10) 夙鍾其智, 木神冠五行之秀, 生富于仁. 爰在妙齡, 早推俊器, 方幹承家之蠱, 遽罹陟岵之艱, 訃奏云來, 盡傷攸至. 然痛纏苫塊, 三年未忍奪其情, 而任重蕃垣, 一日不可虛其守. 是用特降出綸之命, 俾從始墨之經[絰],11) 付駝鈕之崇權, 升鳳池之峻秩. 檢階優錫, 勳邑兼新, 與襲國封,

---

10) 龍星(龍星座, 蒼龍宿)은 28宿 중의 角亢으로 4월[孟夏]의 黃昏 무렵 東方에 출현하는 별[星]이라고 한다.

· 『爾雅注疏』 권5, 釋天, 大辰, 房·心·尾也[注, 龍星明者, 以爲時候, 故曰大辰].

· 『春秋左傳注疏』 권5, 桓公, 傳五年, “秋, 大雩, 書不時也. 凡祀, 啓蟄而郊, 龍見而雩[注, … 龍, 角亢也, 謂四月昏龍星體見, 萬物始盛, 待雨而大, 故雩祭以求雨也], 始殺而嘗, 閉蟄而烝. 過則書(四庫全書本17右1行에서 始作)”.

11) 여러 판본의 『고려사』에서 經으로 되어 있으나, 絰의 잘못일 것이다(東亞大學 2008년 3책 519面). 이와 관련된 자료로 다음이 있다.

· 『춘추좌씨전』傳, 僖公 33년 春 末尾, “… 先軫曰, 秦不哀吾喪, 而伐吾同姓, 秦則無禮, 何施之爲. 吾聞之, 一日縱敵, 數世之患也. 謀及子孫, 可謂死君乎? 遂發命, 遽興姜戎, 子墨衰絰, (先軫이 말하기를 秦은 우리나라의 喪[文公의 卒]을 슬퍼하지 않고, 우리의 同姓인 國을 征伐하

用慰人望. 於戱, 肇爾烈祖, 臣於我朝, 誓著泰山, 表玆東海. 尊主庇民而有裕, 貽孫翼子以承休 顧惟八世之莫京, 皆獲一卣之所賜, 汝其祗蹈先訓, 永懷令圖, 勤儉可以保民, 信義可以行政, 服是炯戒, 往惟欽哉. 可起復驃騎大將軍·檢校太尉兼中書令·上柱國·高麗國王·食邑七千戶·食實封七百戶, 仍令所司擇日, 備禮册命, 主者施行".

[是月頃, 遣使如契丹 獻方物:節要轉載].[12]

[是年, 以李軾爲尙書戶部書令史:追加].[13]

[○興王寺奉宣彫造'大方廣佛華嚴經髓疏演義鈔':追加].[14]

[是年頃, 定製述·明經諸業監試, 隔一年試選:選擧1科目轉載].[15]

乙亥[獻宗]元年, 契丹壽昌元年[←7月高麗大安十一年], [宋紹聖二年], [西曆1095年]

1095년 2월 8일(Gre2월 14일)에서 1096년 1월 27일(Gre2월 2일)까지, 354일

春正月戊戌朔[小盡,戊寅], 放朝賀. 日傍有彗.

[→日有暈, 兩傍有彗. 太史奏, "日有彗, 近臣亂, 諸侯有欲反者":天文1轉載].[16]

였다. 秦은 無禮하니 이를 어떻게 할까? 내가 듣건대 하루라도 敵을 풀어놓으면 數年의 후에도 禍亂이 된다고 한다. 子孫을 보호하기 위해 어찌 君主[文公]의 죽음이 핑계될 수 있겠는가?라고 하면서, 命令을 發하여 급히 姜戎을 動員하였다. 喪中에 있던 世子[襄公]는 흰색의 喪服을 墨染하고 흰색의 띠[絰, 帶]를 매고서 出陣하였다)".

12) 이는 다음의 자료에 의거하였다.
 ·『요사』 권26, 본기26, 道宗6, 壽昌 1년 2월, "癸酉[7日], 高麗遣使來貢".

13) 이는 「李軾墓誌銘」에 의거하였다.

14) 이는 다음의 자료에 의거하였다(東大寺圖書館 所藏, 堀池春峰 1980年 363面 ; 張東翼 2004년 410面).
 ·『大方廣佛華嚴經髓疏演義鈔』 권5下末尾題記, "大安十年甲戌歲高麗國大興王寺奉 宣彫造」, 長治元年三月十七日辰時了」"(筆寫本).

15) 이는 지27, 選擧1, 科目, "獻宗, 定製述·明經諸業監試, 隔一年試選"을 전재하였다. 이 시기는 1094년(헌종 즉위년), 1095년(헌종1) 중의 하나일 것이다.

16) 지1, 天文1에는 戊戌에 朔이 탈락되었다.

○王幼冲, 不知修省, 只引內醫三四人, 討問方書, 或習書畫.

[→戊戌朔, 風從乾來, 日有暈, 兩傍有彗. 太史奏, "元日風從乾來, 當有憂. 日有彗, 近臣亂, 諸侯欲有反者". 王幼, 不知修省, 只引內醫三四人, 討問方書, 或時習書畫而已:節要轉載].

庚戌13日, 以上將軍王國髦△爲權尙書兵部事. [王室微弱, 而權歸武將, 識者嘆之:節要轉載].

[→獻宗卽位, 王國髦權尙書兵部事, 議者以爲, 王室微弱, 權歸武將, 政將柰何:列傳8王國髦轉載].

[某日, 以石崇現爲東南海都部署使:慶尙道營主題名記].

[是月戊戌朔, 遼改元壽昌:追加].

二月丁卯朔小盡,己卯, [庚午4日, 月入昴星:天文1轉載].

庚辰14日, 燃燈, 王如奉恩寺.

甲申18日, 東女眞懷化將軍所羅等二十八人來, 獻馬.

丁亥21日, 東女眞奉國將軍豆門等四十八人來, 獻馬, 王御宣政殿, 賜見, 命近臣左承宣崔弘嗣, 問邊宜, 賜酒食·衣帶·布帛.

辛卯25日, 宋商黃冲等三十一人, 與慈恩宗僧惠珍來. 王命近臣文翼, 備軒盖迎珍, 置于普濟寺. 珍常曰, "爲欲見普陁落山聖窟而來, 請往觀之". 朝議竟不許.[17]

三月丙申朔大盡,庚辰, 辛丑6日, 常安公琇卒. [謚英良:列傳3文宗王子常安公琇轉載].[18]

[戊午23日, 歲星犯牛:天文1轉載].

夏四月丙寅朔小盡,辛巳, [壬申7日, 月犯鎭星:天文1轉載].

己卯14日, 賜兪進等及第.[19]

---

17) 普陁落山聖窟은 襄州(襄陽縣, 現 江原道 襄陽郡) 洛山寺의 觀音窟을 指稱하는 것으로 추측된다(李丙燾 1961년 285面).

18) 이날은 율리우스曆으로 1096년 4월 12일(그레고리曆 4월 18일)에 해당한다.

19) 이와 관련된 기사로 다음이 있다.

· 지27, 선거1, 科目1, 選場, "獻宗元年四月, 參知政事柳奭知貢擧, 左承宣崔弘嗣同知貢擧, 取進士, 下詔賜乙科兪進等三人·丙科九人·同進士十四人·明經三人·恩賜三人及第".

五月[乙未朔大盡,壬午], 丙申[2日], 太后如玄化寺, 設宣宗小祥齋.

己酉[15日], 以[參知政事]柳奭△[爲]判三司事, 李預爲政堂文學·刑部尙書, [知中樞院事]李資義爲中樞院使,[20)] 孫冠△[爲]知中樞院事·翰林學士承旨.

癸丑[19日], 遼東京回禮使高遂來. 遂私獻綾羅·彩叚[段]甚多, 王御乾德殿, 引見, 命近臣問留守安否, 賜酒食·衣對[衣襨].[21)]

六月[乙丑朔小盡,癸未], [戊寅[14日], 東京皇龍寺塔灾:五行1火災轉載].[22)]

己卯[15日], 王受木叉戒于乾德殿.

[乙酉[21日], 流星大如木瓜, 色赤, 尾長九尺許, 出室西, 入南斗魁, 亦有衆小星, 南流:天文1轉載].

[己丑[25日], 月犯五車:天文1轉載].

[辛卯[27日], 震人于龍華院:五行1雷電轉載].

[○以王生日爲天成節:追加].[23)]

---

20) 이때 李資義가 中樞院使에 임명된 것은 그의 열전에도 수록되어 있다(열전40, 叛逆1, 李資義).

21) 衣對는 衣襨로 해야 옳게 될 것이다(東亞大學 2008년 3책 520面). 또 契丹의 東京[遼陽府]에서 파견한 使臣인 高遂가 私的으로 物品을 많이 가져와서[夾帶] 獻納[私獻, 私進]하였다고 하는데, 이러한 行爲는 高遂에 한정된 것이 아니고, 고려시대에 中原에 파견되는 사신단의 慣行이었던 것 같다.

· 『游宦紀聞』 권6, 原文引用은 인종 2년 9월 是月의 脚注 참조.

· 『금사』 권38, 지19, 예11, 朝辭儀, "舊高麗使至闕, 皆有私進禮. 大定五年, 上以宋·夏使皆無此禮, 而小國獨有之, 不可, 遂命罷之".

· 『금사』 권208, 열전95, 外夷1, 高麗, "[大定五年]初, 高麗使者別有私進禮物, 以爲常. 是歲, 萬春節, 上以使者私進, 不應典禮, 詔罷之".

22) 『삼국유사』에 의하면 이때 여섯 번째로 벼락[霹靂]을 맞았고, 明年(숙종1, 丙子)에 再建되었다고 한다(권3, 塔像第4, 黃龍寺九層塔)

· 『삼국유사』 권3, 탑상4, 黃龍寺九層塔, "… 又憲宗[獻宗]末年乙亥第五霹靂, …".

· 『동도역세제자기』, "壽昌元年乙亥十月[六月]十四日, 皇龍寺塔霹靂火, 燒亡". 여기에서 '十月十四日'에 벼락을 맞았다고 되어 있으나 한반도에서 霹靂이 일어나는 季節을 감안하면, '六月十四日'의 誤字일 것이다. 그렇게 고쳐야 『고려사』의 기록과 合致[合意]될 것이다.

· 『國語』 권5, 魯語下, "公父文伯之母, 欲室文伯, 饗其宗老, 而爲賦綠衣之三章, … 詩所以合意, 歌所以咏詩也. 今詩以合室, 歌以詠之, 度於法矣[韋昭注, 合, 成也]".

23) 이는 『동문선』 권110, 天成節祝壽齋疏(義天 作)에 의거하였다. 獻宗의 誕日은 6월 27일이고, 이 시기에 義天에 의해 祝壽疏가 設行될 수 있었던 聖節은 文宗(成平節), 宣宗(天元節), 肅宗(大元節)의 誕日이 있고, 順宗은 誕日의 設行을 보지 못하고 崩御하였기에 天成節은 獻宗의 誕日일 것이다.

[癸巳[29日晦], 奉恩寺眞殿御榻, 自動:五行2轉載].

秋七月[甲午朔大盡,甲申], 戊戌[5日], 行遼壽昌年號.[24)]

丙午[13日], 饗于大廟~~太廟~~, 王居亮陰, 圜丘·方澤·宗廟·社稷及凡載祀典者, 無不擧.

癸丑[20日], 乇羅高勿等八十人來, 獻土物.

庚申[27日], [中樞院使]李資義謀亂, 伏誅.[25)]

[→初, 宣宗納[工部]尙書李碩之女, 爲后, 生王. 又納侍中李頲之女元信宮主, 生漢山侯昀. 王幼弱有疾, 不能聽決萬機. 母后專國事, 左右依違其間. 中樞院使李資義, 元信宮主之兄也, 貪富貨財, 集無賴驍勇士, 以騎射爲事. 常曰, "今主上有疾, 朝夕難保, 外邸有窺覦者, 汝輩~~宜盡~~力, 奉漢山[侯], 勿令神器, 歸于他人". 至是, 聚兵禁中, 將擧事~~欲擧大事~~, 雞林公熙在明福宮, 密知之, 諭[門下侍郎~~平章事~~]邵台輔曰, "國家安危, 繫宰相, 今事急, 公其圖之". 台輔使上將軍王國髦, 率[領]兵入衛, ~~國髦先~~令壯士[隊正]高義和, 斬資義~~於宣政門內,~~ 及[誅]其黨閤門祗候張仲·中樞院堂後官崔忠伯[等]于宣政門[外]. 分~~遣兵士,~~ 捕資義子主薄綽及~~·興王寺大師智炤~~·將軍崇列·澤春~~·中郞將郭希·別將成甫·成國 校尉盧占·隊正裴信~~等十七人, 皆殺之. 流門下侍郎平章事李子威·少卿金義英·司天少監黃忠現·~~奉御黃榮·少監徐晃·侍御史王台紹·祗候李資訓·錄事李景泌·崔淵·注簿全寵·王績·判官李滋令·金彪·司辰黃玩·殿前承旨康正·將軍李甫·吳昌·郎將仇賢·良玠·別將安鱗·珍奇·散員惟寵·崔幸·林自成·侯善·金錢·李玄孟·康希白·鄭貞佐~~等五十餘人于南裔, 賊黨妻子, 沒爲兩界州鎭奴婢. 子威交結資義, 專權用事, 故及. 時人譏宣宗, 有寵弟五人, 而傳位孺子, 致此亂也:節要轉載].[26)]

---

24) 壽昌은 『遼史』에서 壽隆으로 되어 있으나(권26, 본기26, 道宗6, 壽隆元年) 錢大昕(1728~1804)에 의해 壽昌의 오류임이 지적되었고, 宋代의 자료와 당시의 金石文에서도 확인된다. 또 '壽昌元寶'라는 錢貨도 찾아진다(『貨泉彙攷』 권9, 遼正品).
- 『十駕齋養新錄附餘錄』 권8, 壽隆年號誤, "… 予[錢大昕]家所藏遼石刻作壽昌者多矣, 文字完好灼然可信, 且遼人謹於避諱, 道宗爲聖宗之孫, 斷無取聖宗諱紀元之理, 此遼史之誤, 不可不改正".
- 『全遼文』 권10, 道宗哀册, "維壽昌七年, 歲次辛巳, 正月壬戌朔, 十三日甲戌, 大行天佑皇帝崩于韶陽川行在所".
- 「蔡志順墓誌銘」, "… 壽昌元年, 授千牛衛大將軍·知□州軍州事, 無幾, 遷□州觀察使. 三年十二月, 拜天成軍節度使"(劉鳳翥 等編 2009年 ; 浙江大學, 中國歷代墓誌數據庫).

25) 이 사건은 雞林公 熙가 궁궐 앞에서 上將軍 王國髦로 하여금 李資義를 살해하게 한 것이고, 이때 王國髦의 妹壻인 王字之는 宮門을 지키고 있었다고 한다(열전5, 王儒, 字之). 또 이날은 율리우스曆으로 1095년 8월 7일(그레고리曆 8월 13일)에 해당한다.

26) 添字는 열전40, 李資義에 의거하였는데, 『고려사절요』 권6의 기사와 비교할 때 자구에 출입이 있다. 또 李資訓(李顥의 2子, 資謙의 弟)은 후일 李資諒으로 改名하였다(열전8, 李子淵, 資諒).

[□□~~是時~~, 罷政堂文學·刑部尙書李預:列傳8李預轉載].

癸亥30日, 以門下侍郞平章事邵台輔△爲權判吏部事, 上將軍王國髦△爲權判兵部事, [隊正高義和爲散員:列傳8高義和轉載], [賞功也:節要轉載].

[某日, 以李繼應~~李繼膺~~爲東南海都部署使:慶尙道營主題名記].

八月甲子朔小盡,乙酉, 以黃仲寶爲尙書右僕射.

乙丑2日, 以大叔雞林公熙爲中書令, 百官就邸陳賀.

甲戌11日, 宋商陳義·黃宜等六十二人來, 獻土物.

癸未20日, 以孫冠爲樞密院使, 崔思諏爲吏部尙書·知樞密院事.

[是時, 改稱中樞院爲樞密院:百官1密直司轉載].

甲申21日, 命修東京皇龍寺塔.

九月癸巳朔大盡,丙戌, 乙未3日, 以門下侍郞平章事邵台輔△爲特進·守司徒·判吏部事, 金上琦·柳奭△並爲中書侍郞同中書門下平章事, 林槩△爲守司空·尙書左僕射·判戶部事, 王國髦爲右僕射·參知政事·判兵部事·柱國, 黃宗慤△爲同知樞密院事.

丙申4日, 放李資義黨兵部員外郞金德忠于遠地.

戊戌6日, 詔曰, "昨者, 權姦謀亂, □□~~事覺~~伏誅, 此實將相宣力之效, 雖已拔亂, 益勤修省, 凡諸寃獄, 悉令寬宥, 內外贖銅小罪, 皆許免除".[27]

庚子8日, 以同知中樞院事?金先錫爲刑部尙書, 參知政事王國髦△爲判都兵馬事. [國髦, 以病, 不能視事, 而威振朝廷:節要·列傳8王國髦轉載].

[某日, 詔, "自今宰相·樞密, 隨駕者, 許令張傘, 以爲恒式":節要轉載].[28]

冬十月癸亥朔大盡,丁亥, 己巳7日, 制曰, "朕承先考遺業, 謬卽大位, 年當幼冲, 體亦病羸, 不能撫邦國之權, 塞士民之望. 陰謀橫議, 交起於權門, 逆賊亂臣, 屢干于內寢, 斯皆凉德所致, 常念爲君之難, 竊見大叔雞林公, 曆數在躬, 神人假手. 咨爾有衆, 奉纂丕圖. 朕當退居後宮, 獲全殘命". 乃命近臣金德鈞等, 迎雞林公熙于宗邸, 禪位, 遂退居後宮.

---

27) ~~添字~~는 『고려사절요』 권6에 의거하였다.

28) 이와 같은 기사가 지26, 輿服, 鹵簿, 百官儀從에도 수록되어 있다.

肅宗二年閏二月甲辰19日, 薨于興盛宮, 壽十四, 在位一年.[29] 謚曰懷殤, 葬于城東, 陵曰隱陵,[30] 睿宗卽位, 改謚恭殤, 廟號獻宗, 高宗四十年加謚定比.

李齊賢贊曰, "禹之傳子, 爲慮後世, 植遺腹朝委裘, 而天下不動者, 分素定也, 顯之三子, 兄弟相傳, 以及於順, 順以居喪過哀, 夭折無嗣, 而傳於宣, 宣薨而太子嗣, 是爲獻宗獻王,[31] 國人習熟見聞, 乃謂'宣有五弟, 而立孺子', 以是歸非, 何不思之甚也? 唯不得周公於親, 博陸博陸侯霍光於臣, 委任而輔政, 其危且亂, 可翹足而待也. 後世, 有不幸而遺大投艱于襁褓之中者, 可以此爲誡哉".[32]

[仁同人 張東翼 校注, 增補].

29) 이날은 율리우스曆으로 1097년 4월 4일(그레고리曆 4월 10일)에 해당한다.

30) 隱陵은 失傳되어 현재 어디에 있는지를 알 수 없다.

31) 獻宗은 『익재난고』 권9하, 史贊, 獻王에는 獻王으로 되어 있다.

32) 여기에서 遺大投艱(重大하고 어려운 責任을 附與함)은 다음의 자료에서 따온 것 같다.
· 『서경』, 周書, 大誥(眞古文), 冒頭, "… 哀哉, 予成王造天役, 遺大役艱于朕身". 이 句節은 원래 '予造天役艱于朕身'이었을 것이라는 見解도 있다(加藤常賢 1993年 181面).

『高麗史』 卷十一 世家卷十一

[輔國崇祿大夫·議政府左贊成·知集賢殿經筵春秋館成均事·世子賓客·臣金宗瑞奉敎撰]

正憲大夫·工曹判書·集賢殿大提學·知經筵春秋館事兼成均大司成·臣鄭麟趾奉敎修

肅宗 一

肅宗·明孝大王·□□[~~文惠~~]·□□[~~康正~~];[1] 諱顒, 字天常, 古諱熙, 文宗第三子,[2] 順宗母

1) 여기에서 肅宗은 묘호이고, 明孝大王은 시호인데, 이는 1105년(睿宗 즉위년) 10월에 肅宗의 陵[英陵]이 松林縣에 마련될 때 붙여진 것이다. 그런데 숙종은 1140년(인종18) 4월에 文惠가, 1253년(고종40) 10월 3일(戊申) 康正이 각각 덧붙여졌으나, 이 기사에 반영되어 있지 않다.

2) 여기에서 肅宗(雞林公, 雞林侯) 熙는 文宗의 第三子로 되어 있고, 그의 同母第인 祐世僧統 義天은 文宗의 第四子로 되어 있다(靈通寺大覺國師塔碑, 僊鳳寺大覺國師塔碑, 以上 順德太后李氏 所生). 그런데 다음의 자료에 의하면, 이들에게는 異腹兄인 朝鮮公 燾(仁敬賢妃李氏 所生)가 있었는데, 雞林侯 熙가 쿠데타로 즉위하기 이전까지는 燾가 熙보다 年齡이 많아 第3子로 待遇 받았을 가능성이 크다(金昌鉉 2016년). 그리고 帝室[宮中]에서도 兄弟는 君臣의 關係가 아니라 年齡[齒列]에 의해 着席이 정해졌던 것 같다.

- 열전1, 后妃1, 文宗, "~~仁睿順德太后李氏~~, 仁州人, 中書令子淵之長女. 號延德宮主, 文宗六年二月, 封爲王妃. … 后生順宗·宣宗·肅宗·大覺國師煦·常安公琇·普應僧統規[竀]·金官侯丕·卞韓侯愔·樂浪侯忱·聽慧首座璟, 積慶·保寧二宮主. ~~仁敬賢妃李氏~~, 亦子淵之女, 號壽寧宮主, 文宗三十六年正月, 封淑妃. 生朝鮮公燾·扶餘公邃·辰韓公愉".
- 열전3, 宗室1, "文宗十三子, ~~仁睿太后李氏~~, 生順宗·宣宗·肅宗·大覺國師煦·常安公琇·道生僧統竀·金官侯丕·卞韓侯愔·樂浪侯忱·聽惠首座璟. ~~仁敬賢妃李氏~~, 生朝鮮公燾·扶餘侯邃[~~扶餘公邃~~]·辰韓侯愉".
- 세가8, 문종 16년 2월, "己亥[21日], 册子燾爲檢校尙書令·守司徒[~~·朝鮮侯~~]".
- 세가8, 문종 19년 2월, "甲寅[24日], 册子熙, 爲守仁·保義功臣·開府儀同三司·守司空兼尙書令·上柱國·雞林侯·食邑一千戶".
- 세가9, 문종 31년 3월, "乙卯[5日], 以子朝鮮侯燾·雞林侯熙, 進爵爲公, 丕[~~·爲特進·~~]檢校司空·金官侯, 愔[~~爲特進~~]·檢校司空·卞韓侯".
- 세가10, 선종 3년 2월, "庚辰[21日], 以朝鮮公燾·雞林公熙[~~爲~~]守太保, 常安侯琇·扶餘侯邃·金官侯丕·卞韓侯愔[~~爲~~]守司徒, 辰韓侯愉[~~爲~~]守司空".
- 세가10, 선종 5년 11월, "癸亥[21日], 賜延和宮元子名昱[獻宗], 賜銀器·匹段[段]·布穀·鞍轡·奴婢, 王奉太后, 宴于壽春宮, 朝鮮·雞林·常安三公, 扶餘·金官二侯侍宴, 竟夜而罷".
- 세가10, 헌종 즉위년 6월, "己亥[30日], 以朝鮮公燾·雞林公熙[~~爲~~]守太師, 常安公琇·扶餘公邃[~~爲~~]守太保".
- 『자치통감』 권12, 漢紀4, 惠帝 1년(BC194), "冬十月, 齊悼惠王來朝[胡三省注, 高祖庶長子肥也], 飮於太后前, 帝以齊王, 兄也, 置之上坐[注, 蓋於宮中以兄弟齒列爲序, 非外朝君臣之禮].

弟, 文宗八年甲午七月己丑[28日]生, 幼而聰慧, 及長, 孝敬勤儉, 雄毅果斷, 五經子史, 無不該覽. 文宗愛之, 嘗曰,[3] 後之復興王室者, 其在爾乎. 十九年二月, 册爲雞林侯, 三十一年三月, 進封爲公, 宣宗三年二月, 加守太保, 九年, 扈駕西京, 有紫雲騰幕上,[4] 望氣者, 以爲王者之符. 獻宗卽位, 進守太師兼尙書令.

明年[獻宗1年]八月, 爲中書令.

十月己巳[7日], 獻宗下制禪位, 王謙讓再三.

庚午[8日], 卽位于重光殿.[5] 是日, 流元信宮主李氏[宣宗妃]及子漢山侯兄弟二人于慶源郡.[6]

辛未[9日], 遣左司郞中尹瓘·刑部侍郞任懿[中書舍人任懿·左司郞中尹瓘]如遼.[7] 前王表曰, "伏以, 爲君之道, 有事必陳, 敢具封章, 仰干負扆. 伏念, 臣記齡幼弱, 稙性戇愚, 不違乃父之遺言, 謬承家業, 庶效維藩之劇務, 永竭忠勤, 緣痟渴之夙嬰, 歷歲時而漸極. 其奈醫乏十全之妙, 莫究診詳, 藥虧百品之靈, 猶微瞑眩. 匪朝伊夕, 有加無瘳, 肺膽焦熬, 形骸枯槁, 兩膝于以緩懦, 雙睛于以暗昏. 行之惟艱, 何以攢戴經杖履, 視之不見, 何以辨師冕席階. 徒僵臥於衾床, 阻監臨於軍國, 微軀是揣, 殆危尤甚於玆

太后怒, 酌酖酒置前, 賜齊王爲壽. 齊王起, 帝亦起取卮, 太后恐, 自起泛帝卮. …".

3) 嘗은 『고려사절요』 권6에는 常으로 되어 있다(東亞大學 2008년 4책 339面).

4) 紫雲은 『고려사절요』 권6에는 紫氣로 되어 있다(東亞大學 2008년 4책 339面).

5) 이날[是日]이 아라비아 숫자로 8일임은 다음의 자료에서도 확인된다.

· 「開城靈通寺大覺國師塔碑」"乙亥冬十月八日, 肅祖卽位, 數遣近臣, ~~於海印寺詰世僧統義天處~~ 賫書迎之, 固辭, …". 여기에서 ~~添字~~는 解讀을 위해 筆者가 추가하였다.

6) 이와 관련된 기사로 다음이 있다.

· 열전1, 宣宗妃, 元信宮主李氏, "仁州人, 平章事頲之女. 號元禧宮妃, 生漢山侯昀. 獻宗立, 妃兄中樞使資義欲奉昀爲王, 事覺誅. 肅宗卽位, 流宮主及昀于慶源郡".

· 열전3, 宣宗王子, 漢山侯昀, "獻宗卽位, 拜守司徒. 李資義欲奉昀爲王, 伏誅, 肅宗流元信宮主及昀兄弟于慶源郡".

· 「任懿墓誌銘」, "肅宗之立, 有逆黨捕討狼藉, 朝廷皆寒懼重足, 時公[任懿]以中書舍人爲右承宣, 出入禁中, 言色自若. 人有以宿憾, 誣毁公[任懿]者, 肅宗雅知公醇正無它, 不聽".

7) 이때 任懿는 中書舍人·右承宣으로 契丹에 파견되었다가 귀국 후 朝散大夫·刑部侍郞·充史館修撰에 임명되었다고 한다(任懿墓誌銘). 또 官職으로 볼 때 中書舍人(종4품)이 郞中(정5품)보다 上位이므로 임의가 正使, 尹瓘이 副使였던 것 같은데, 이는 같은 해 12월 28일(庚寅)의 '任懿還自遼'를 통해 證憑할 수 있다. 그러므로 '左司郞中尹瓘·刑部侍郞[中書舍人]任懿'는 組版할 때의 오류로서 '中書舍人任懿·左司郞中尹瓘'으로 고쳐야 옳게 될 것이다. 그리고 이들 使臣은 같은 해 11월 28일(庚申) 이전에 契丹에 도착하여 表를 올렸던 것 같다.

· 『요사』 권26, 본기26, 道宗6, 壽昌 1년 11월, "庚申, 高麗王昱疾, 命其叔顒[熙]權知國事". 여기에서 肅宗의 이름이 顒으로 되어 있지만 初名인 熙를 改名한 것은 이보다 6年 이후이다(→숙종 6년 3월 18일).

辰, 分寄非輕, 管守難虛於頃刻. 乃於今月八日, 以臣父先臣之弟熙, 令權守藩務, 特馳陪肄, 聊達宸庭".

○王表曰, "竊以, 皐鳴所切, 天耳可通, 敢陳臣子之誠, 仰黷君親之鑒, 伏念, 臣侯藩末胤, 聖域濱臣, 生逢有道之時, 坐樂無爲之化. 昨, 國王臣昱, 早嬰微瘵, 近至沈痾, 雖經服餌多方, 未見痊瘳一效. 於今月八日, 令臣權守藩務, 臣顧玆付托, 擬欲升聞, 奈恨邈於闕庭, 未卽申於懇款. 輒將孱劣, 假守宗祊, 爰啓處以不遑, 積戰兢而尤甚. 尋馳封奏, 上告宸嚴".

戊寅16日, [小雪]. 以門下侍郎平章事邵台輔△爲守太尉·門下侍中, 中書侍郎同中書門下平章事金上琦△爲守司徒·門下侍郎同中書門下平章事[·監修國史:節要轉載], 中書侍郎同中書門下平章事柳奭△爲守司空, 守司空·尙書左僕射·判戶部事林槩爲中書侍郎平章事·判刑部事, 參知政事王國髦△爲守司徒, 孫冠爲尙書右僕射·參知政事·判戶部事, 崔思諏△爲守司空·樞密院使·翰林學士承旨, 同知中樞院事?·刑部尙書金先錫△爲知樞密院事.

庚辰18日, 制加朝鮮國公燾, 食邑五千戶·食實封五百戶,[8] 扶餘公邃△爲守太傅 [·食邑三千戶·食實封三百戶:節要·列傳3文宗王子扶餘侯邃轉載], 辰韓侯愉爲尙書令 [·食邑六千戶·食實封四百戶:列傳3文宗王子辰韓侯愉轉載], 樂浪伯瑛爲[開府儀同三司·:節要轉載]樂浪侯, 黃仲寶爲尙書左僕射, 尹莘傑爲龍虎軍上將軍·兵部尙書, 黃兪顯爲□□軍上將軍·工部尙書, 崔迪爲金吾衛上將軍·攝刑部尙書, 其餘躐等遷官者, 數百人, 工商·皂隷亦有超授顯職者, 有司莫敢言.[9]

丙戌24日, 參知政事王國髦卒, [諡景烈:追加].[10]

[→□□□王國髦卒, 子幼, 妻弟王字之服喪. 王弔慰, 贈諡景烈. 國髦, 惟事弓劒, 教書詔書有資兼文武之語, 時議譏之:列傳8王國髦轉載].

十一月癸巳朔大盡,戊子, 癸卯11日, 御神鳳樓, 赦斬·絞以下罪, 名山·大川, 皆加德號. □⁻. 民年八十以上及篤·癈疾者·義夫·節婦·孝子·順孫·鰥寡·孤獨, 賜設·分物有差.

---

8) 朝鮮公 燾의 기사는 열전3, 文宗王子, 朝鮮公燾에도 수록되어 있다.

9) 樂浪伯 瑛의 기사는 열전3, 顯宗王子, 平壤公基에 "獻宗時肅宗時, 拜開府儀同三司, 進爲侯"로 되어 있으나 獻宗時는 肅宗時로 고쳐야 옳게 될 것이다.

10) 이는 열전8, 邵台輔, 王國髦에 의거하였다. 이날은 율리우스曆으로 1095년 11월 23일(그레고리曆 11월 29일)에 해당한다.

[□¯. 職事四品以上及致仕員戶, 爵一子:選擧3蔭敍轉載]. [散官四品·職事常參以上, 爵其父母妻. 散官五品·職事七品以上, 爵其父母:選擧3封贈轉載].

[□¯. 太祖代及三韓功臣內外孫, 無職者戶, 許一人入仕. 太祖苗裔, 在軍籍者免, 無職者, 許入仕. 文武員吏, 賜一級, 進士·明經十擧不第者, 脫麻. 顯廟功臣河拱辰·將軍宋國華及庚戌年[顯宗1年]如契丹, 見留使·副, 許其子孫一人, 入仕:節要轉載].[11)]

□¯. 諸色軍人, 賜米布亦有差.

[□¯. 免州縣今年租稅, 其徭貢未納者, 限癸酉年[宣宗10年], 蠲免:節要·恩免之制轉載].

丙午[14日], 設八關會, 御神鳳門, 受中外賀, 遂幸法王寺.

癸丑[21日], 遣崔惟擧如遼, 進奉.

甲寅[22日], 遣崔用圭, 賀正, 董彭載, 賀天安節.

己未[27日], 遼遣劉直來, 賀前王生辰, 王代迎於乾德殿. 其勑曰, "卿襲封日域, 述職天朝, 適當授鉞之初, 載屬玄弧之旦, 宜申慶錫, 用示眷懷, 今差泰州管內觀察使劉直, 往彼, 賜卿衣對[~~衣襨~~]·匹段[~~匹段~~]·鞍馬·弓箭諸物等, 具如別錄, 至可領也".

十二月[癸亥朔小盡,己丑], 己巳[7日], □□[~~遼使~~]劉直還,[12)] 附表以送. 前王表曰, "眷出嚴宸, 思流殘喘, 寵靈越分, 喜懼交幷. 臣素以尫姿, 謬叨重寄, 因非福之所速, 致厥疾之漸深, 視聽惟難, 擧動不遂. 推骨親而權守藩務, 馳家隷而仰告天聰, 豈意今者, 猥借睿慈. 特紆使指, 芝綸之旨, 慰誨曲敦, 寶幣之資, 匪頒益厚, 奈羸虛而未起, 俾代受以彌兢. 誓至百生, 少酬大賚".

○王表曰, "國王臣昱, 久處沈痾, 無由祗立, 屬遽霑於寵澤, 奈莫遂於躬迎, 臣權守維藩, 代承丕錫, 其所受詔錄諸物, 並已傳付".

丙戌[24日], 以崔思諏爲吏部尙書·參知政事, [知樞密院事]金先錫爲樞密院使, 黃宗慤△[爲]知樞密院事, 黃瑩爲禮部尙書·同知樞密院事.

○是日, 以黃州牧副使李瑋爲尙書右司員外郎, 王嘉瑋淸勤恤民, 秩未滿召還, 授是職.[13)]

---

11) 이들 구절의 일부는 지29, 選擧3, 祖宗苗裔·功臣子孫에도 수록되어 있다.

12) ~~添字~~는 『고려사절요』 권6에 의거하였다.

13) 고려시대의 官人들은 일반적으로 初級官僚(7品以下), 中級官僚(5品以下)의 2回에 걸쳐 각기 30個月前後[3年]동안 外官으로 재직하게 되어 있었고, 이것을 秩滿으로 표기하였다(朴龍雲 1995년b).

庚寅[28日], [中書舍人]任懿還自遼, 回詔曰, "眷言靑社, 祗奉紫宸, 世竭忠圖, 時修貢品. 嚮者, 昱已附陳於章表, 謂染沈痾, 卿復申奏於闕庭, 權知重務, 勉思勤順, 姑用允從".

[→□□[任懿], 使還, 拜朝散大夫·刑部侍郎, 充史館編修官:追加].[14)]

[是年, 改東京留守官, 降稱知東京留守官:追加].[15)]

[○以[潛邸府僚]許慶爲承宣:列傳10許慶轉載].

[○召僧統韶顯, 赴內殿, 講仁王經, 爲法主, 祈天祚業:追加].[16)]

[○興王寺奉宣彫造'妙法蓮華經贊述'·'大方廣佛華嚴經隨疏演義鈔'·'貞元新譯華嚴經疏'·'大毗盧遮那成佛神變加持經義釋'·'金剛般若經略疏'·'淨名經集解關中疏'·'金剛般若經':追加].[17)]

---

14) 이는 「任懿墓誌銘」에 의거하였다.

15) 이는 다음의 자료에 의거하였다. 이는 東京留守官의 職制가 改編된 것이 아니라 東京留守(3品以上)를 知留守事(副使, 3品以下)로 임명한 것을 指稱하는 것으로 추측된다. 또 『東都歷世諸子記』에는 "乙未年東京知官判下"로 되어 있는데, 乙未年은 1115년(예종10)에 해당된다. 그런데 위의 직제 개편은 1118년(戊戌, 예종13)에 還元되었기에, 이 기사는 "乙亥年東京知官判下"로 고쳐야 전후의 사실이 整合的으로 설명될 수 있을 것이다[首尾相應].
- 『경상도지리지』, 慶州道, 慶州府, "肅宗時, 壽昌乙亥, 降稱東京知官".

16) 이는 다음의 자료에 의거하였다.
- 「金堤金山寺慧德王師眞應塔碑」, "壽昌元年乙亥冬十月, 聖考肅宗, □襲宗祊, 必歸佛法, □□□□□□□, 召師爲法主, 講仁王經者, 祈天祚業故也"

17) 이는 다음의 자료에 의거하였는데(和田幹男 1920年 68圖 ; 張東翼 2004년 408, 417, 418面), 『金剛般若經』은 筆者가 典據를 확인하지 못했다(尹炳泰 1969年).
- 『妙法蓮華經贊述』 권1,2, 末尾刊記,"壽昌元年乙亥歲高麗國大興王寺奉」宣彫造,」秘書省楷書同正臣南宮禮書,」寫經院書者臣柳候樹書"(松廣寺 所藏, 寶物 第206號, 刊本).
- 『大方廣佛華嚴經隨疏演義鈔』 권8上末尾題記, "壽昌元年乙亥歲高麗國大興王寺奉 宣彫造.」康和五年二月十一日, 於性海寺書了,」 一校了」(東大寺圖書館 所藏, 筆寫本). 이와 같은 제기가 권12상, 권13下에도 수록되어 있다.
- 『貞元新譯華嚴經疏』 권8末尾題記, "壽昌元年乙亥歲高麗國大興王寺奉 宣彫造.」一校了,」重校了」"(金澤文庫 所藏, 筆寫本).
- 『大毗盧遮那成佛神變加持經義釋』末尾題記, "壽昌元年乙亥歲高麗國大興王寺奉」宣彫造,」長承三年甲寅四月十三日以中川經孤本移點,」佛子玄信」"(大東急記念文庫 所藏, 筆寫本).
- 『金剛般若經略疏』末尾題記, "一交畢,」以東大寺尊勝院御經藏本,令書寫畢,」于時正和二年壬丑九月三日,於戒壇院敬書之,」高山寺經藏有高麗印本,有人以彼印本傳」寫一本,再三校證云云,今曆應四年壬午十月,以此寫」本重校合之,彼印本奧書云」,壽昌元年甲戌歲[乙亥歲]高麗國太興王寺奉」宣雕造,」秘書省楷書臣魯榮 書,」講華嚴經興王寺大師·賜紫臣 則諭 校勘,」講華嚴經興王寺大師·賜紫臣德詵 校勘,」金剛般若經著疏申明者,惟圭嶺新羅風行二浙,獨至相」略疏浪匿三韓,衆慕其本無復得焉.圓證講主銳意搜尋,」遠附海船,竟獲眞文,其旨淵玄切爲簡當,然到今及古諸」師講授,僻說祖意,浪判經

[是年, 海印寺居住祐世僧統義天還都, 復居興王寺, 教學如故:追加].[18]

[是年頃, 以[三重大師]樂眞爲首座, 賜磨衲·蔭脊:追加].[19]

丙子[肅宗]元年, 契丹壽昌二年, [宋紹聖三年], [西曆1096年]

1096년 1월 28일(Gre2월 3일)에서 1097년 1월 15일(Gre1월 21일)까지, 355일[20]

春正月[壬辰朔大盡,庚寅], 戊戌[7日], 東女眞阿夫漢·高闌昆·豆門等一百七十九人來, 獻土物.

己酉[18日], 以工部尙書·三司使庾晳爲西北面兵馬使, 尙書左丞崔翥爲東北面兵馬使,[以宋德先爲東南海都部署使:慶尙道營主題名記].

甲寅[23日], 敎曰[~~詔曰~~],[21] "朕仰法先王, 欲行儉德, 減省飮食, 不縱[~~不縱~~]嗜欲.[22] 近聞內外時俗, 好行奢侈, 無有紀極. 飮食之際, 杯盤過多, 傷風敗俗, 甚可痛心, 自今以後, 宜定等級". 仍令御史臺, 糾察[~~糾察~~].[23]

丁巳[26日], 以黃兪顯爲鷹揚軍上將軍·戶部尙書, 崔迪爲神虎衛上將軍·刑部尙書, 王惟烈爲金吾衛上將軍·工部尙書, 吳猛爲殿中監.

戊午[27日], 以生辰爲大元節.[24]

文,誑惑後人,謬爲師說,今窮玆」要,良可龜鑑,則使章記駕說之徒,俯伏而自媿焉.今將方」板用廣流通,冀諸來學力行弘贊,旹乾道歲次己丑重陽」日,寶幢敎院住持傳賢首宗敎比丘 如寶 謹題」"(金澤文庫所藏, 筆寫本, 大屋德城 1937年 88面 ; 高山寺典籍文書綜合調查團 編 1975年 242面 ; 張東翼 2004년 421, 429面). 여기에서 年代는 ~~添字~~와 같이 고쳐야 옳게 될 것이다.

· 『淨名經集解關中疏』 권3,4 卷末刊記, "壽昌元年乙亥歲高麗國大興王寺奉」宣彫造,」"(延世大學所藏, 보물, 제736호, 郭丞勳 2021년 90面).

18) 이는 「大覺國師王煦墓誌銘」에 의거하였다.

19) 이는 「陜川般若寺元景王師塔碑」, "… 肅王卽政, 制可首座, 賜□[磨]衲□[蔭]脊"에 의거하였다.

20) 이해[是年]의 高麗曆에는 약간의 문제가 있었던 것 같고, 이로 인해 筆者가 추정한 朔日과 大盡, 小盡에도 문제가 있을 것이다. 後日 시간적인 여유가 있을 때 再檢定하여 補完하겠다.

21) 敎曰은 『고려사절요』 권6에는 詔曰로 되어 있다(東亞大學 2008년 4책 342面). 이 글자는 『숙종실록』에서 후자로 되어 있었을 것인데, 朝鮮初期에 『고려사』의 편찬과정에서 전자로 改書하였다가 후자로 還元하는 과정에서 제대로 고쳐지지 못한 채 남겨진 것이다.

22) ~~添字~~와 같이 고쳐야 옳게 될 것이다.

23) ~~添字~~와 같이 고쳐야 옳게 될 것이다.

24) 肅宗의 生辰은 1월 28일이므로 이날은 1日前에 해당한다.

二月壬戌朔大盡,辛卯, 甲子3日, 遣謝恩兼告奏使禹元齡如遼, 表云, "去年十一月, 泰州管內觀察使劉直至, 奉傳詔書·別錄各一道, 以前王生日, 特賜衣對衣襨·銀器·匹叚匹段·弓箭·鞍馬等, 因前王有疾, 令臣代受者. 眷出中宸, 澤霑遐域, 承傳之次, 兢懼弁增. 伏惟, 皇帝陛下, 道正執中, 化包無外, 記藩臣之生日, 遣使華以頒恩.[25] 寵命旣臨, 理固當於拜受, 病身彌弱, 終莫遂於親迎. 臣權守一方, 代承大賚, 所受詔書·別錄, 已曾傳付".

○前王表云, "浩蒼之道, 罔阻聽卑, 窘迫之誠, 必須訴上, 爰憑削牘, 輒叩嚴閽, 臣早染瘵痾,[26] 難圖療愈, 蕃宣劇任, 固不可以暫虛, 貢獻常程, 或不可以致闕, 敢推延於叔父, 乃附屬於國權, 抛棄世緣, 退居別第. 尫羸之質, 自長臥於漳濱, 怳惚之魂, 但伃遊佇遊於岱嶽.[27] 已深危殆, 何計痊瘳. 近者, 聞公牒之俄臨, 認帝言之垂下. 落起復之特禮, 行封冊之盛儀, 並悉蠲除, 致諧願望. 且生日之命, 橫賜之恩, 欲有頒流, 預先諭示, 揣殘喘而殊無片効, 玆辰而曷受厚私. 伏乞, 曲借仁憐, 俯詳懇告, 旋紆兪旨, 寢遣降於使華, 遂俾病臣, 永免居於重寄".

乙丑4日, [驚蟄]. 前王請出居興盛宮, 王從之. 宣宗潛邸也.

[戊辰7日, 月犯五車:天文1轉載].

[癸酉12日, □月又犯輿鬼:天文1轉載].

乙亥14日, 燃燈, 王如奉恩寺.

庚辰19日, [春分]. 西女眞阿羅火等四十八人來朝.

[辛巳20日, 太白入昴星:天文1轉載].

[乙酉24日, □□太白又入昴, 光芒甚大:天文1轉載].

[是月, 判制, "嫁小功親所產, 依大功親例, 禁仕路":選擧3限職轉載].

三月壬辰朔小盡,壬辰, [己亥8日, 太白晝見:天文1轉載].[28]

---

25) 使華는 『고려사절요』 권6에는 華使로 되어 있으나(東亞大學 2008년 4책 342面), 전자가 옳을 것이다.

26) 早는 『고려사절요』 권6에는 蚤로 되어 있는데, 같은 글자이다(東亞大學 2008년 4책 342面).
· 『자치통감』 권3, 周紀3, 赧王 17년(BC298), "或謂秦王曰, '孟嘗君相秦, 必先齊而後秦, 秦其危哉'. … 孟嘗君至關, 關法, 雞鳴而出客, 時尙蚤[胡三省注, 蚤, 古早字通], 追者將至, 客有善爲雞鳴者, 野雞聞之皆鳴, 孟嘗君乃得脫歸".

27) 伃遊(여유)는 『고려사절요』 권6에는 佇遊(저유)로 되어 있는데, 後者가 옳을 것이다(東亞大學 2008년 4책 342面).

辛丑[10日], 西女眞下夫奐等來朝.

[癸卯[12日], 太白又晝見, 夜入昴星, 月犯心大星:天文1轉載].

[某日, 御史臺奏, "姦臣[賊臣]李資義等, 私蓄米穀, 數至鉅萬, 此[是]皆剝民所聚, 請並沒官", 從之:節要轉載].[29)]

[丙午[15日], 京西雨雹:五行1雨雹轉載].[30)]

己酉[18日], 遣持禮使高民翼, 如遼東京.

戊午[27日], 御乾德殿覆試, 賜金輔臣等及第.[31)]

夏四月壬戌朔[辛酉朔,大盡,癸巳 32)], 霜.[33)]

癸亥[3日], 又霜雹.[34)]

癸酉[13日], 御宣政殿聽朝, 至日昃. 中書省奏, "時當長養萬物, 三月以來, 時令舛違, 水結爲冰, 降霜殺物, 夜雹暴至. 洪範五行傳曰, '雹, 陰, 脅陽之象也'.[35)] 京房

---

28) 지1, 天文1에는 三月이 탈락되었다.

29) 添字는 열전40, 李資義에 의거하였다.

30) 이날 日本曆은 宋曆과 함께 16일(丙午, 宋曆도 同一)이며, 교토[京都]에서 비가 내렸다고 한다.
· 『中右記』, 永長 1년 3월, "十六日丙午, 天陰雨下".

31) 이와 관련된 기사로 다음이 있다. 이때 [進士]金輔臣·金富軾(『경상도지리지』, 慶州府) 등이 급제하였다(朴龍雲 1990년).
· 지27, 선거1, 科目1, 選場, "肅宗元年三月, 參知政事崔思諏知貢擧, 禮部侍郎林成槩同知貢擧, 取進士, 覆試, 下詔賜乙科金輔臣等五人·丙科十人·同進士十五人·明經四人·恩賜四人及第".

32) 이해[是年]의 宋曆과 日本曆은 모든 朔日이 同一하며, 4월은 庚申朔이므로 上記의 壬戌朔은 3일에 해당한다. 아래의 기사와 같이 이해의 4월, 5월, 7월, 8월, 9월에 朔日이 나타나는데, 모두 宋曆·日本曆과 차이를 보이고 있다. 다음 해(숙종2)의 10월에 삭일(辛巳)이 나타나는데, 이는 宋曆·日本曆과 일치하므로, 이해의 高麗曆에서 어떤 오류가 있었던 것 같다. 곧 2월 乙亥(14일)에 燃燈會를 開催한 것으로 보아 2월까지는 宋曆과 일치하고, 3월은 朔日이 없어 알 수 없으나, 4월부터는 宋曆·日本曆과 차이가 있었던 것 같다. 이로 인해 4년 후인 1100년(숙종5) 3월 乙酉(18일) 中書省이 現行의 曆日에 錯誤가 있음으로 曆書撰者의 削職을 건의하여 허락을 받았다고 한다.
그런데 고려가 수용했던 宋曆에서 3월은 小盡(29일)이기에 4월(大盡)은 庚申朔이 되고, 고려력도 이와 같아야 할 것이다. 그렇지만 朔望의 設定[推步]에 따라 1일의 차이를 보일 수 있기에 고려력의 3월이 大盡이라고 假定하더라도 4월은 辛酉朔(송력의 2일)이 되어야 하고 上記記事와 같이 壬戌朔(송력의 3일)은 이루어질 수 없다. 그래서 下記의 '五月辛卯朔'을 존중하여 4월은 '辛酉朔'으로 修正하여 이달의 日辰을 아라비아 숫자로 환산하였다.

33) 이와 같은 기사가 지7, 五行1, 水, 霜에도 수록되어 있다.

34) 이와 같은 기사가 지7, 五行1, 水, 霜에도 수록되어 있다.

35) 여기에서 洪範五行傳은 『書經』의 注釋書 중의 '洪範, 五行' 項을 指稱하는 것 같지만, 어떠한

易傳曰,[36] '誅罰絶理, 厥灾隕霜'.[37] 又□□[漢書]云, '□[言]上偏聽□□[不聽], 下情隔塞, 不能謀慮利害, 失在嚴急, 其罰常寒'.[38] 又云, '興兵妄誅, 玆謂亡法, 厥灾降霜, 夏殺五穀'.[39] 頃者, 幼君寢疾, 聽斷不明, 母后攝政, 湎惑失度, 致使凶人, 乘閒謀亂. 由是, 大行誅戮, 不遺黨頪[黨類],[40] 而事不原情, 囚繫之中, 必有非罪, 怨氣塞于天地, 和氣變爲灾沴, 伏惟, 聖上應命繼統, 揔正萬機. 乞令御史臺·尙書刑部, 凡疑獄, 是非未定者, 促令決正, 使無寃濫. 其所告非實,[41] 悉令反坐, 以答天戒, 則人情胥悅, 灾變爲福矣". 王納之.

己卯[19日], 謁顯陵[太祖].

乙酉[25日], 謁景陵[文宗].

五月[辛卯朔[小盡,甲午], 日暈三重:天文1轉載][42]

책인지는 알 수 없으나『隋書』권22, 지17, 五行上, 지18, 五行下에 洪範五行傳의 내용이 많이 引用되어 있다. 또 '雹, 陰, 脅陽之象也'는 다음의 자료를 인용한 것 같다.

·『수서』권22, 지17, 五行上, "梁大通元年四月, 大雨雹, 洪範五行傳曰, 雹, 陰, 脅陽之象也".

·『문헌통고』권305, 物異考11, 恒寒, "春秋桓公八年十月雨雪 … 凡雨陰也, 雪又雨之陰也. 出非其時, 迫近象也. 董仲舒以爲象夫人專恣, 陰气盛也. … 僖公二年十月, 隕霜不殺草, 爲嗣君微, 夫秉事之象也. … ; 雹, … 唐太宗貞觀四年秋, 丹延·北永等州雹, … 先儒以爲雹者, 陰脅陽也 …".

36) 京房易傳은 前漢 京房(BC77~37BC, 李京房, 字는 君明)이 저술한 自然의 灾害를 卦象으로 해석하여 人間事를 예측한 책이다(『한서』권75, 京房傳第45 ;『자치통감』권29, 漢紀21, 元帝建昭 2년 6월).

37) 이 구절은 다음의 자료를 적절히 변조한 것이다. 이 기사는『후한서』권155, 五行志第15, 오행3, 大水 ;『宋書』권33, 지23, 오행4 ;『晋書』권27, 지17, 五行上에도 수록되어 있다.

·『한서』권27上, 五行志第7上, "傳曰, 簡宗廟, … 京房易傳曰, 顯事有知, 誅罰絶理, 厥災水. 其水也, 雨殺人以隕霜, 大風天黃, 饑而不損玆謂泰, 厥災水, 水殺人".

38) 이 구절은 다음의 자료에서 따 온 것이다. 여기에서 탈락이 심한데, 적어도 添字만은 추가되어야 어느 정도 뜻이 통할 수 있을 것이다.

·『한서』권27中之下, 五行志第7中之下, "傳曰, 聽之不聰, 是謂不謀, 厥咎急, 厥罰恒寒, 厥極貧. … 聽之不聰, 是謂不謀, 言上偏聽不聰, 下情隔塞, 則不能謀慮利害, 失在嚴急, 故其咎急也. 盛冬日短, 寒以殺物, 政促迫, 故其罰常寒也"

39) 이 구절은 다음의 자료에서 따 온 것이다.

·『한서』권27中之下, 五行志第7中之下, "武帝元光四年, 隕霜殺草木, … 京房易傳曰, 興兵妄誅, 玆謂亡法, 厥災降霜, 夏殺五穀, 冬殺麥".

40) 黨頪와 黨類는 같은 글자인 것 같다.

41) 所는『고려사절요』권6에는 訴로 되어 있는데(東亞大學 2008년 4책 343面), 前者가 옳을 것이다.

42) 宋曆·日本曆에서 5월은 庚寅朔으로 辛卯는 2일에 해당한다.

丙申[6日], [芒種]. 醮于會慶殿.[43]

己亥[9日], 太白晝見.

癸卯[13日], [太白]又晝見.

甲辰[14日], 御乾德殿聽政, 至日昃.

丁未[17日], 放輕繫.

戊申[18日], 設金剛經道場于乾德殿, 禱雨.[44]

戊午[28日], 遼東京持禮使·禮賓副使高良定來.

六月[~~庚申朔~~大盡,乙未], [45] 辛酉[2日], 遷景宗神主於榮陵[景宗], 祔宣宗于大廟[~~太廟~~], 又迎景成[~~敬成~~]王后[德宗妃]金氏主於質陵[敬成王后], 祔德宗室.[46]

[□□[~~是時~~], 以守太尉·門下侍中致仕文正, 配享宣宗廟庭:列傳8文正轉載].

甲戌[15日], 鎭溟都部署使·文州防禦判官李順蹊等, 與海賊戰, 敗之, 斬首十七級.

[○大雨, 水湧[開城]北山, 漂流木石. 又九龍山東嶺六處, 一時泉湧山崩:五行1水潦轉載].[47]

丁丑[18日], 東女眞榮孫等十七人來朝.[48]

癸未[24日], 王與延德宮主柳氏及元子, 泛舟東池, 置酒. 召侍中邵台輔, □[左]僕射黃仲寶, 知樞密院事黃瑩, 刑部尙書崔迪, 知奏事·殿中監崔弘嗣·直門下省□[事]李頫,

---

43) 이 기사는 지17, 禮5, 雜祀에도 수록되어 있다.

44) 이때 일본의 京都에서 4일(癸巳, 高麗曆은 3일), 5일(甲午), 9일(戊戌), 15일(甲辰)에 비가 내렸다.

· 『中右記』, 永長 1년 5월, “十五日甲辰, 天陰雨降”.

· 『後二條師通記』, 永長 1년 5월, “十五日甲辰, 陰, 雨脚蜜降, …”.

45) 위의 기사와 같이 5월이 辛卯朔이면 6월은 庚申朔이 되어야 할 것이다.

46) 景成王后는 그의 열전에는 敬成王后로 달리 표기되어 있고(열전1, 후비1, 德宗), 『고려사절요』 권6, 선종 3년 7월에도 敬成王后로 되어 있음을 보아 景成은 오자일 것이다. 또 이와 유사한 기사가 열전1, 德宗妃, 敬成王后金氏에도 수록되어 있다.

47) 이때 일본에서는 5월 15일부터 6월 7일까지 京都에서 비가 내리지 않았다고 한다(中央氣象臺 1941年 2册 530面).

· 『中右記』, 永長 1년 6월, “七日, … 今日, 於陣被立奉幣使, 上卿江中納, 行事藏人辨, 是從去月十□[五]日以後不雨, 近日, 民戶頗有炎氣旱憂云々, 仍被立也”. 여기에서 五가 탈락되었던 것 같은데, 이는 5월 15일은 비가 내렸다고 되어 있는 기록을 통해 알 수 있다(→是年 5월 18일의 脚注).

48) 榮孫은 『고려사절요』 권6에는 英孫으로 되어 있다(東亞大學 2008년 4책 344面).

右承宣·給事中柳伸, 侍宴, 相與賦詩, 至夜分, 雷雨乃罷.

[某日, 申禁功親, 婚嫁:節要轉載].[49)]

秋七月庚寅朔大盡,丙申,[50)] 御文德殿, 覽歷代秘藏文書, 擇部秩完全者, 分藏于文德·長齡殿·御書房·秘書閣, 餘賜兩府宰臣及誥院·史翰·內侍文臣, 有差.

丁未18日, 以文宗忌辰道場,[51)] 如興王寺, 行香.

○設消灾道場于會慶殿七日.

[某日, 以崔公翊爲東南海都部署使:慶尙道營主題名記].

[是月, 判冊, "注膳·幕士·所由·門僕·電吏·杖首等雜類, 雖高祖以上三韓功臣, 只許正路南班, 限內殿崇班, 加轉":選擧3限職轉載].

八月庚申朔大盡,丁酉,[52)] 饗國老於東閣, 庶老於左右同樂亭, 王率百官, 親侑, 仍賜衣服·幣帛·絲綿, 有差.[53)]

丙子17日, 東女眞臥突乙·古馬要等來, 引見于重光殿, 訪問蕃事, 賜酒食·錦絹.

[某日, 御龜齡閣, 親閱武班將軍以下射御, 至十一月而罷:節要轉載].

[→御龜齡閣, 親閱武班將軍以下, 隊正以上射御, 四月而罷:兵1五軍轉載].

[某日, 衛尉丞同正金謂磾上書, 請遷都南京. 略曰, 道詵記云, '高麗之地, 有三京, 松嶽爲中京, 木覓壤爲南京, 平壤爲西京, 十一·十二·正·二月, 住中京, 三·四·五·六月, 住南京, 七·八·九·十月, 住西京, 則三十六國朝天'. 又云, '開國後百六十餘年, 都木覓壤'. 臣謂今時, 正是巡駐新京之期, 今國家, 有中京·西京, 而南京闕焉. 伏望, 於楊州三角山南木覓北平,[54)] 建立都城, 以時巡駐. 於是, 日者文象, 從而

49) 이 기사는 지38, 刑法1, 奸非에는 "禁功親婚嫁"로 되어 있다.

50) 이달(7월)부터 8월, 9월의 3개월은 모두 朔日이 기록되어 있으나 宋曆과 日本曆(兩者는 同一함)의 삭일과 差異를 보이고 있어 검토가 요청된다. 먼저 7월은 宋曆·日本曆에서 7월은 戊子朔으로 庚寅은 3일에 해당하여 2日의 차이가 있다.
·『中右記目錄』, 嘉保 3년 7월, "一日, 日蝕, 依雨不正現".

51) 文宗의 忌日은 7월 18일이다.

52) 宋曆·日本曆에서 8월은 戊午朔으로 庚申은 3일에 해당하여 2日의 차이가 있다.

53) 東閣은『고려사절요』권6에는 東閣으로 되어 있다(東亞大學 2008년 4책 344面).

54) 여기에서 北平은 北面平原, 또는 北方平地를 가리키는 것으로 理解하면 좋을 것이다. 또 三角山(現 北漢山)이 위치한 楊州는 高句麗 때부터 重視되었고, 이의 繼承을 標榜했던 고려 때에도 平壤 또는 南平壤으로 불리면서 軍事的 側面에서 要地로 인식되었던 것 같다(李道學 2020년).

和之:節要轉載].[55]

[→金謂磾, 肅宗元年, 爲衛尉丞同正. 新羅末, 有僧道詵, 入唐學一行地理之法而還, 作秘記以傳. 謂磾學其術, 上書請遷都南京曰, "道詵記云, 高麗之地, 有三京, 松嶽爲中京, 木覓壤爲南京, 平壤爲西京. 十一·十二·正·二月, 住中京, 三·四·五·六月, 住南京, 七·八·九·十月, 住西京, 則三十六國朝天. 又云, 開國後百六十餘年, 都木覓壤. 臣謂今時, 正是巡駐新京之期. ○臣又竊觀道詵踏山歌曰, 松城落後向何處, 三冬日出有平壤. 後代賢士開大井, 漢江魚龍四海通. 三冬日出者, 仲冬節日出巽方, 木覓在松京東南, 故云然也. 又曰, 松嶽山爲辰·馬主, 嗚呼誰代知始終. 花根細劣枝葉然, 纔百年期何不罷. 爾後欲覓新花勢, 出渡陽江空往還. 四海神魚朝漢江, 國泰人安致大平. 故漢江之陽, 基業長遠, 四海朝來, 王族昌盛, 實爲大明堂之地也. 又曰, 後代賢士認人壽, 不越漢江萬代風. 若渡其江作帝京, 一席中裂隔漢江. ○又三角山明堂記曰, 擧目回頭審山貌, 背壬向丙是仙鼇. 陰陽花發三四重, 親袒負山臨守護. 案前朝山五六重, 姑叔父母山聳聳. 內外門犬各三爾, 常侍龍顔勿餘心. 靑白相登勿是非, 內外商客各獻珍. 賣名隣客如子來, 輔國匡君皆一心. 壬子年中若開土, 丁巳之歲得聖子. 憑三角山作帝京, 第九之年四海朝. 故此明王盛德之地也. ○又神誌秘詞曰, 如秤錘·極器·秤幹·扶疎·樑錘者五德地, 極器百牙岡. 朝降七十國, 賴德護神. 精首尾, 均平位, 興邦保太平, 若廢三諭地, 王業有衰傾. 此以秤諭三京也. 極器者首也, 錘者尾也, 秤幹者提綱之處也. 松嶽爲扶踈, 以諭秤幹, 西京爲白牙岡, 以諭秤首, 三角山南爲五德丘, 以諭秤錘. 五德者, 中有面嶽爲圓形, 土德也, 北有紺嶽爲曲形, 水德也, 南有冠嶽尖銳, 火德也, 東有楊州南行山直形, 木德也, 西有樹州北嶽方形, 金德也. 此亦合於道詵三京之意也. 今國家有中京·西京, 而南京闕焉. 伏望, 於三角山南木覓北平, 建立都城, 以時巡駐. 此實關社稷興衰, 臣干冒忌諱, 謹錄申奏". 於是, 日者文象從而和之:列傳35金謂磾轉載].[56]

· 『삼국사기』 권35, 雜志第4, 지리2, 漢州, "漢陽郡, 本高句麗北漢山郡[注, 一云平壤], 眞興王爲州, 置軍主. 景德王改名, 今楊州舊墟. 領縣二".

· 『고려사』 권56, 지10, 지리1, 楊廣道, 南京留守官楊州, "本高句麗北漢山郡[注, 一云南平壤城], 百濟近肖古王, 取之, … 景德王十四年, 改爲漢陽郡. 高麗初, 又改爲楊州".

55) 이와 같은 기사가 지10, 地理1, 南京留守官楊州에도 수록되어 있다.

56) 이와 관련된 자료로 다음이 있다.

· 『세종실록』 권148, 지리지, 京都漢城府, "… 高麗初, 改爲楊州. 肅宗時, 有術士·司儀令金謂磾者, 據玉龍禪師道詵密記上言, 楊州有木覓壤, 可立城. 日者·少府監文象, 從而和之. 四年己卯九

壬午[23日], 知樞密院事·戶部尙書黃宗慤卒.[57)] 賜弔慰敎[冊]及誄書, 謚[諡]凱肅.

九月己丑朔[小盡,戊戌],[58)] 右僕射·參知政事朴寅亮卒.[59)] [寅亮, 文詞雅麗, 宋熙寧中[元豐3年], 與[書狀官?]金覲使宋,[60)] 所著尺牘·表狀及題咏, 宋人稱之, 至刊二公詩文, 號'小華集', 遼, 嘗欲過鴨綠江爲界. 寅亮修陳情表曰, '普天之下, 旣莫非王土王臣, 尺地之餘, 何必曰, 我疆我理'. 又曰, '歸汶陽之舊田, 撫綏弊邑, 回長沙之拙袖, 抃舞昌辰'. 遼帝覽之, 寢其議. 卒, 謚文烈:節要轉載].[61)]

庚寅[2日], 王以仁睿太后忌辰道場, 如國淸寺, 行香, 兼祭眞殿, 以爲恒式.[62)]

[戊戌[10日], 月犯歲星:天文1轉載].

庚子[12日], 壬羅星主遣人來, 賀卽位.

[甲辰[16日], □[月]犯昴星:天文1轉載].

丁未[19日], 御宣政殿, 引見宋僧惠珍, 賜食於翰林院.

[○太白犯鎭星:天文1轉載].

戊申[20日], 以宋僧省聰·惠珍, 各爲明悟三重大師.

[○月犯鬼星:天文1轉載].

癸丑[25日], [霜降]. 講仁王般若經于會慶殿三日, 親飯僧一萬.

[是月頃, 遣使如契丹, 獻方物:追加].[63)]

日, 王親幸相地, 命平章事崔思諏·知奏事尹瓘董其役, 經始于五年辛巳, 訖功于九年甲申, 卽宋徽宗崇寧三年也. 八月, 王來遠觀, 陞爲南京留守官. 自是仁宗·毅宗·忠烈王·恭愍王·恭讓王, 皆巡駐于此".

57) 이날은 율리우스曆으로 1096년 9월 14일(그레고리曆 9월 20일)에 해당한다.

58) 宋曆·日本曆에서 9월은 丁亥朔으로 己丑은 3일에 해당하여 2日의 차이가 있다.

59) 이날은 율리우스曆으로 1096년 9월 21일(그레고리曆 9월 27일)에 해당한다.

60) 熙寧中은 元豊 3年이며, 이때 正使는 戶部尙書 柳洪, 副使는 禮部侍郞 朴寅亮이고, 書狀官은 金覲(金富軾의 父)으로 추측된다(→문종 33년 11월 8일 ; 34년 3월 9일).

61) 이와 관련된 기사로 다음이 있다.

· 지18, 禮6, 諸臣喪, "肅宗九年[元年]九月, 參知政事朴寅亮卒, 賜弔慰敎及誄書, 賻贈以禮, 謚文烈". 여기에서 九年은 元年의 誤字일 것이다.

· 열전8, 朴寅亮, "謚文烈. 寅亮, 文詞雅麗, 南·北朝告奏·表狀, 皆出其手. 嘗撰'古今錄'十卷, 藏秘府".여기에서 秘府는 秘閣, 곧 秘書省 또는 후일의 寶文閣과 같은 宮闕의 圖書를 관리하던 機關을 指稱할 것이다.

62) 文宗妃 仁睿太后의 忌日은 9월 2일이어서 날짜가 일치한다.

63) 이는 다음의 자료에 의거하였다.

冬十月[~~戊午朔~~小盡,己亥], [64] [某日, 降使, 賜侍中邵台輔, 官誥兼賜金銀器皿·衣對·錦闕·綾羅·布帛·鞍馬及樂部·花酒, 宴于<u>其家</u>:節要轉載].[65]

[某日, 御東池射亭, 召左僕射黃仲寶等及近仗·六衛上·大將軍·侍臣·中禁·都知, 賜弓矢, 令射侯. 御史中丞金景庸, 先中鵠心, 賜銀楪五事·廏馬一匹, 其餘中者, 皆<u>有賜</u>:兵1五軍轉載].[66]

[辛未[14日], 大雨, <u>雷震</u>:五行2轉載].[67]

丁丑[20日], 設道場于乾德殿三日, 轉仁睿太后[文宗妃]願成華嚴經.

戊寅[21日], 宋商<u>洪輔</u>[~~洪保?~~]等三十人來, 獻土物.[68]

乙酉[28日], 遣吳延寵如遼, 賀天安節.

十一月[~~丁亥朔~~大盡,庚子], [69] 辛丑[15日], 設八關會, 幸法王寺.

丁未[21日], 遣蘇忠如遼, 進奉.

戊申[22日], 遣白可臣□□[~~如遼~~], 賀正.[70]

[是月頃, 金山寺居僧·華人明悟三重大師<u>惠珍</u>[慧珍]入寂. 丙子年[肅宗1年], <u>珍</u>與<u>省聰</u>渡來, 上引見於宣政殿, 賜食於翰林院, 尋各爲明悟三重大師:追加].[71]

· 『요사』 권26, 본기26, 道宗6, 壽昌 2년 10월, "庚辰[24日], 高麗遣使來貢".

64) 10월(小盡)은 戊午朔으로 宋曆·日本曆의 丁巳朔과 1일의 차이가 있다.

65) 이와 같은 기사가 열전8, 邵台輔에도 수록되어 있으나 자구에 출입이 있다.

66) 이 기사의 冒頭에 十月이 탈락되었다. 이 기사는 『고려사절요』 권6에 축약되어 있다.
· "御東池射亭, 召左僕射<u>黃仲寶</u>等, 賜弓矢, 令射侯. 御史中丞<u>金景庸</u>, 先中鵠, 賜銀楪五事·廏馬一匹, 其餘中者, 皆有賜".
· 열전10, 金景庸, "累遷御史中丞, 肅宗御東池觀射, <u>景庸</u>先中鵠心, 賜銀器·廏馬".

67) 이날(辛未, 宋曆·日本曆으로 15日) 宋의 西南方에서 雷聲과 雨雹이 있었고, 일본의 京都에서는 맑았다.
· 『송사』 권18, 본기18, 哲宗2, 紹聖 3년 10월, "辛未[15日], 西南方雷聲, 雨雹".
· 『송사』 권62, 지15, 오행1下, "紹聖<u>二年</u>[三年]十月辛未, 西南方有雷聲, 次大雨雹". 여기에서 二年은 三年의 오자일 것이다.
· 『後二條師通記』, 永長 1년 10월, "十五日辛未, 天晴, …".

68) 洪輔는 이보다 2년 후인 1098년(숙종3) 11월 6일 洪保의 다른 표기[同音異字]로 추측된다(朴玉杰 1997년).

69) 11월(大盡)은 丁亥朔으로 송력·일본력의 丁亥朔과 일치한다. 이렇게 하면 八關會를 개최하였던 辛丑은 15일에 해당하는데, 통상적으로 15일에 행해진 팔관회의 大會와 일치하게 된다.

70) ~~添字~~는 前日의 내용에 연결된 기사를 독립시켰기에 추가하였다.

71) 이는 다음의 자료에 의거하였는데, 宋의 僧侶 惠珍(慧珍)과 省聰은 1096년(숙종1) 9월 肅宗을

十二月丁巳□朔小盡,辛丑, 遼遣李惟信來, 賀前王生辰.[72)]

[某日, 詔曰, "舊制, 凡官吏決訟, 小事五日, 中事十日, 大事二十日, 徒罪以上獄按, 三十日, 已有定限. 其令內外所司, 申明擧行":節要·刑法1職制轉載].[73)]

[某日, 以金克儉爲典獄署丞:追加].[74)]

[某日, 金山寺住持·僧統韶顯入寂, 年五十九, 臘四十八. 上聞震悼, 遣入內寺·奉御王蝦, 弔慰之, 翌日, 命右街僧錄繼通, 攝司天監·知太史局事文象等, 監護葬事. 二十七日, 遣使尙書右僕射陳譚, 使副尙書左丞·左諫議大夫金統等, 賫持璽書, 奉爲王師, 謚曰慧德, 塔號眞應, 併證紫地繡袈裟, 洎諸衣襯·器玩·香茶等物. 顯, 以大安初, 手校唯識開發, 著四卷爲秩. 初失其本, 積有年矣, 旣得之, 尊尙者衆矣. 又選勝地又金山寺南, 武六十許步, 創成一院, 額號廣敎, 仍筆刻雕經板, 置于院. 院之中, 別造金堂一所, 併繪盧舍那, 及玄奘·窺基二師像. 其堂自大康九年, 至顯之末年, 搜訪慈恩所撰'法華玄贊'·'唯識述記'等章疏三十二部, 共計三百五十卷. 考正其本, 募工開板, 備具紙墨, 印布流通, 以廣法施焉:追加].[75)]

[是年, 第六次重成黃龍寺九層塔:追加].[76)]

[○以攝司宰卿任懿爲全州牧使:追加].[77)]

알현하고 僧職을 하사받았다(19일, 20일).

· 「金山寺慧德王師眞應塔碑」, "… 道人華僧□□省聰·大師慧珍, 渡海而來, 屬于師之講下. 珍之於師師也, 欣然如舊相識, 居兩年矣, 無何先於師二旬而滅. 其滅也, 結跏印手而坐化, 盖出於尋常焉, 其爲遠人依慕也".

72) 12월의 朔日을 추정하기에 어려움이 있으나, 9월과 11월 팔관회(辛丑, 15일)를 감안하여 丁巳朔으로 비정하였다. 만일 기왕의 업적과 같이 11월을 小盡(29일)으로 편성하여 12월을 丙辰朔으로 편성하면(安英淑 2009년 71面), 8月에서 11월까지의 4개월이 모두 小盡이 되어 적절하지 않을 것이다.

73) 詔曰은 지38, 刑法1, 職制에는 敎曰로 되어 있으나 前者가 原形이었을 것이다. 또 上記의 制命은 다음의 令에 의거한 것 같다(蔡雄錫 2020년).

· 『唐令拾遺』, 公式令38, "… 諸內外百司, 所受之事, 皆印其發日, 爲之定限, … 小事五日定[注, 謂不須檢覆者], 中事十日定[注, 謂須檢覆前案及有所勘問者], 大事二十日定[注, 謂計算大簿帳及須諮詢者], 獄案三十日定[注, 謂徒已上辨定須斷結者].

74) 이는 「金克儉墓誌銘」에 의거하였다(金龍善 2012년).

75) 이는 「金山寺慧德王師眞應塔碑」에 의거하였다(許興植 1984년 540面 ; 李智冠 2004년 3冊 36面).

76) 이는 『삼국유사』 권3, 탑상4, 黃龍寺九層塔에 의거하여 추가하였다("… 肅宗丙子1年, 第六重成"). 또 이 시기 이후의 肅宗 在位年間에 皇龍寺의 新鍾을 鑄成하였던 것 같다.

· 『삼국유사』 권3, 탑상4, 黃龍寺鍾, "… 肅宗朝, 重成新鍾, 長六尺八寸".

[○僧德謙受具足戒於佛日寺戒壇, 謙年十四:追加].[78)]

[○玄化寺修建工畢, 葺宏模 雖因舊址, 莊嚴勝槩, 完若新成:追加].[79)]

[○興王寺奉宣彫造'大方廣佛華嚴經隨疏演義鈔'·'大方廣佛華嚴經談玄決擇': 追加].[80)]

丁丑[肅宗]二年, 契丹壽昌三年, [宋紹聖四年], [西曆1097年]

1097년 1월 16일(Gre1월 22일)에서 1098년 2월 3일(Gre2월 9일)까지, 13개월 384일

春正月丙戌朔大盡,壬寅[81)], [癸巳8日, 飛星大如燭, 出鬼·柳間, 抵軒轅:天文1轉載].

壬寅17日, 遼遣橫宣使·海州防禦使耶律括來, 賜前王勑曰, "卿夙撫藩封, 恭修職貢. 屬嬰疾恙, 請遂調頤, 有司爰考於典彝, 間世用頒於恩賚, 示優存念, 當體眷懷, 今賜卿衣對衣襯·匹叚匹段·鞍馬·弓箭等物, 具如別錄, 至可領也".

[某日, 以楊儒間爲東南海都部署使:慶尙道營主題名記].

---

77) 이는「任懿墓誌銘」에 의거하였다.

78) 이는「玄化寺住持圓證僧統德謙墓誌銘」에 의거하였다(金龍善 2006년 116面).

79) 이는 선종 6년 是年條의 脚注에 의거하였다.

80) 이는 다음의 자료에 의거하였고(筆寫本), 이때 書名未詳의 佛典斷片도 간행되었던 것 같다.
- 『大方廣佛華嚴經隨疏演義鈔』 권11上, 16上下, 17, 18, 19上下, 20上, 末尾題記, "壽昌二年丙子歲高麗國大興王寺奉」宣彫造」康和五年四月二十六日, 性海寺僧兼心書了,」 重交了觀意三交念尊」四交了」 五交了最妙」"(東大寺圖書館 所藏, 堀池春峰 1980年 363面 ; 張東翼 2004년 408面).
- 『大方廣佛華嚴經隨疏演義鈔』 권16末尾題記, "壽昌二年丙子歲高麗國大興王寺奉宣彫造,」文永第五曆仲呂十五日,巳刻書寫了」"(金澤文庫 所藏, 『金澤文庫古文書』10 ; 張東翼 2004년 422面).
- 『大方廣佛華嚴經談玄決擇』 권1末尾題記,"寫本記云,」高麗國大興王寺,壽昌二年歲次丙子,奉宣雕造,」大宋國崇吳古寺,宣和五年癸卯歲,釋安仁傳寫,」淳熙歲次己酉,吳門釋祖燈科點重看,時年七十二歲也,」…」弘安八年九月十九日,於高山寺令書寫了,」沙門,」"(金澤文庫 所藏, 『金澤文庫古文書』10 ; 張東翼 2004년 423面).
- 「佛典斷片」卷末刊記, "海東傳敎沙門 義天 校勘」壽昌二年丙子歲高麗國大興王寺奉」宣彫造」翰林書藝待詔臣裴簡 寫」"(修德寺 所藏, 郭丞勳 2021년 95面).

81) 1월의 朔日은 前年度의 餘波로 인해 추정하기에 어려움이 있으나 이해의 10월 朔日(辛巳)이 宋曆·日本曆과 동일하므로 이들 역일에 의거하여 비정하였다. 그 결과 閏②월 甲辰(19일)에 獻宗이 崩御하였는데, 이를 契丹의 東京[遼陽府] 兵馬都部署에 移牒한 내용에도 閏月十九日로 되어 있어 날짜[日辰]가 同一하다.

二月丙辰朔大盡,癸卯, 己巳[14日], 燃燈, 王如奉恩寺.

壬申[17日], 東女眞臥突等來朝.

○國淸寺成.

戊寅[23日], 親設慶讚道場, 召門下侍中致仕李靖恭及兩府宰臣宴, 賜對賞賚, 宣示御製慶讚詩, 令儒臣和進.

閏[二]月丙戌朔小盡,癸卯, 甲辰[19日], 前王獻宗薨.

己巳乙巳20日,[82] 東女眞臥英等七人來朝.

[是月頃, 有司奏, "罷永寧府及中和殿號": 列傳1宣宗妃思肅太后李氏轉載].[83]

三月乙卯朔小盡,甲辰, 庚申[6日], 葬前王于隱陵, 移牒遼東京兵馬都部署, "前王, 自退居別邸以來, 病勢日增, 於閏月十九日甲辰薨逝, 今已葬訖. 前王遺命云, 昨乞解機務, 幸蒙詔允, 退養殘骸. 近來疾劇, 決無生理, 飾終諸事, 宜從儉約, 不須告奏, 煩瀆大朝. 肆遵前王遺命, 不敢遣使告哀".[84]

癸亥[9日], 以崔思諏爲中書侍郞平章事·判刑部事兼西京留守使, 參知政事金先錫爲左僕射·判戶部事, 黃瑩△爲參知政事, 林幹△爲知樞密院事·判三司事, 同知樞密院事?魏繼廷爲禮部尙書·翰林學士承旨,[85] 李頫爲禮賓卿·樞密院副使, [殿中侍御史鄭穆爲起居郞: 追加].[86]

夏四月甲申朔大盡,乙巳, 丙戌[3日], [小滿]. 御賞春亭, 宣示御製禁亭賞花詩, 令館閣近侍文臣和進, 親第高下, 賞絹有差.

甲辰[21日], 御文德殿覆試, 賜林元通等及第.

[→賜林元通等三十三人·明經四人·恩賜四人及第. 是科, 金富轍中第五名, 其兄

---

82) 己巳는 乙巳(20일)의 오자일 것이다.

83) 永寧府는 獻宗의 母后인 思肅太后 李氏가 垂簾聽政[稱制]을 하던 政廳이고, 中和殿은 그녀의 居所이다.

84) 이 移牒은 즉시 契丹의 朝廷에 보고되었던 것 같다.
- 『요사』 권26, 본기26, 道宗6, 壽昌 2년, "是春, 高麗王昱薨".
- 『요사』 권115, 열전45, 二國外記, 高麗, "壽昌三年三月, 王昱薨".

85) 이때 魏繼廷은 樞密院副使에 임명된 李頫보다 上位序列에 있고, 이보다 먼저 樞密院 承宣職을 역임하였음을(열전8, 魏繼廷) 통해 볼 때 同知樞密院事로서 吏部尙書에 임명되었던 것 같다.

86) 鄭穆은 그의 墓誌銘에 의거하였다.

富弼·富佾·富軾, 並先登科, 舊制, 三子登科, 歲給母大倉米三十石. 至是, 制, 加十石, 遂以爲常:節要轉載].[87)]

五月甲寅朔小盡,丙午, 丁卯14日, 醮于會慶殿.[88)]

[某日, 定內外員吏拜禮:節要轉載].

[→判𠁣, 凡內外衙門員以上, 坐床治事. 大朝會日, 進步起居, 平時, 揖而不拜. 宰樞廳, 參上廳內, 參外階上, 人吏·掌固沒階行禮. 參上廳, 參外廳內, 人吏·掌固沒階行禮. 參外廳, 人吏階上, 掌固沒階行禮. 外官廳, 長典·記官, 並沒階行禮. 西班, 則攝郎將以上, 准參上, 散員以上, 准參外, 校尉·隊正, 准人吏, 旗頭·都典, 准掌固. 庶人, 見常參以上, 起身, 唱喏經過:禮10參上參外人吏掌固謁宰樞及人吏掌固謁參上參外儀轉載].

[是月, 以興王寺居祐世僧統義天, 爲國淸寺住持. 始講天台敎, 是敎舊已東漸, 而中廢, 天自問道於錢塘從諫, 立盟於智顗塔前, 思有以振起之, 未曾一日忘於心:追加].[89)]

六月癸未朔小盡,丁未, 甲申2日, 王如奉恩寺.

戊子6日, 門下侍中□□致仕李靖恭奉宣, 撰進興王寺碑文. 王賜詔奬諭, 兼賜匹段匹段·銀器·茶布·鞍馬等物.

○宋商愼奐等三十六人來.

甲午12日, 宋歸我漂風人子信等三人. 初, 耽羅民二十人乘舟, 漂入躶國, 皆被殺, 唯此三人得脫, 投于宋, 至是乃還.

---

87) 이와 관련된 기사로 다음이 있다. 이때 進士林元通·金富轍(改富儀, 乙科5人) ; 『동국통감』 권18, 숙종 2년 4월) 등이 급제하였다(朴龍雲 1990년 ; 許興植 2005년).

· 지27, 선거1, 科目1, 選場, "肅宗二年四月, 參知政事黃瑩知貢擧, 吏部尙書庾哲同知貢擧, 取進士, 覆試, 下詔賜乙科林元通等五人·丙科十人·同進士十八人·明經四人·恩賜四人及第".

· 지28, 選擧2, 崇奬, "是年, 賜金富轍母, 米四十石. 舊制, 三子登科, 歲給母大倉米三十石, 以富轍兄弟四人登科, 加賜十石, 遂以爲常".

· 열전10, 金富儀, "肅宗二年, 登第. 舊制, 三子登科, 歲廩母三十石. 富儀兄三人, 並先登科, 至是, 制, 加一十石, 遂以爲常".

88) 이 기사는 지17, 禮5, 雜祀에도 수록되어 있다.

89) 이는「大覺國師王煦墓誌銘」;「仁同僊鳳寺大覺國師塔碑」에 의거하였다.

秋七月[壬子朔大盡,戊申], [庚午[19日], 熒惑犯輿鬼:天文1轉載].

辛未[20日], 王如興王寺.

壬申[21日], 東女眞賊船十艘, 寇鎭溟縣. 東北面兵馬使金漢忠, 遣判官姜拯[康拯], 與戰克之, 獲船三艘, 斬首四十八級. [賜漢忠·拯, 銀絹·茶藥:節要轉載].[90)]

[○月犯昴星:天文1轉載].

[某日, 以高令臣爲東南海都部署使:慶尙道營主題名記].

八月[壬午朔小盡,己酉], [癸未[2日], 流星出織女, 抵王良:天文1轉載].

丁亥[6日], 以金先錫爲中書侍郎平章事, 林幹爲樞密院事[樞密院使]·尙書左僕射.[91)]

庚寅[9日], 東女眞未應等二十四人來朝.

戊戌[17日], 幸弘護寺.

丁未[26日], 彗星見氐·房間, 光芒, 射天市垣.[92)]

九月[辛亥朔大盡,庚戌], 甲寅[4日], 王如國淸寺.

乙卯[5日], 東女眞沙好羅等二十三人來朝.

[己未[9日], 宮城北大石頹:五行3轉載].

[丁卯[17日], 月犯昴星:天文1轉載].

乙亥[25日], 設百高座於會慶殿, 講仁王經, 飯僧一萬.

[是月, 引見新及第林元通等, 賜酒食衣服:選擧2崇奬轉載].

[秋某月, 王御宣政殿, 親定海內罪名, 命宰相近輔進侍焉, 起居郎鄭穆獨昻然秉筆墀上, 直書君言:追加].[93)]

---

90) 姜拯은 『고려사절요』 권6에는 康拯으로 되어 있는데(東亞大學 2008년 4책 346面), 후자가 옳을 것이다. 그의 열전에 같은 내용의 기사가 수록되어 있다.
  · 열전10, 康拯, "後爲東北面兵馬判官, 又與女眞, 戰于菱島, 獻四十八級, 賜絹十匹".

91) 樞密院事는 樞密院使의 오자인데, 『고려사절요』 권6에는 옳게 되어 있다.

92) 이때 일본의 교토에서 9월 초에 彗星의 出現을 관측하였던 것 같다(高麗曆과 同一).
  · 『中右記』, 承德 1년 9월, "四日, … 此四五日間, 有奇星, 見西方, 其體細長, 一丈餘許, 頗有光曜, 若是彗星歟, 人爲大怪, 但司天臺所奏未知何星".
  · 『中右記』, 長承 1년 9월 6일, "延喜以後彗星見年々, … 永長二年九月一日, …".

93) 이는 다음의 자료에 의거하였다.

冬十月辛巳朔[大盡,辛亥], 東女眞令波等二十五人來朝.

壬寅[22日], 東女眞阿夫等二十五人來朝.

甲辰[24日], [大雪]. 遣安仁鑑如遼, 賀天安節.

丁未[27日], 遣柳澤□□[~~如遼~~], 謝橫宣.

十一月[辛亥朔大盡,壬子], 己未[9日], [冬至]. 遣庾惟祐如遼, 謝賀前王生辰.

甲子[14日], 設八關會, 幸法王寺.

戊辰[18日], 遣畢公贊△△[~~如遼~~], 進方物, 又遣林有文, 賀正[校正:順序 再整理].[94]

十二月[辛巳朔小盡,癸丑], 癸巳[13日], 遼遣耶律思齊·李湘來, 賜玉册·圭印·冠冕·車輅·章服·鞍馬·匹叚[~~匹段~~]等物.[95] 册曰, "朕以昊蒼眷祐, 祖宗貽範, 統臨天下, 四十有三載矣. 外康百姓, 內撫諸侯, 咸底于道. 而海隅立社, 北抵龍泉, 西極鴨綠, 祗稟正朔, 奉輸琛賮. 乃者, 先臣告謝, 嫡嗣銜哀, 既卽苦塊, 俾襲茅土. 疊抏章[~~抗章~~]奏,[96] 懇稱

· 「鄭穆墓誌銘」, "其年秋, 今主上御宣政殿, 親定海內罪名, 命宰相近輔進侍焉, 公[起居郞鄭穆]獨昂然秉筆墀上, 直書君言, 是亦古小謂左史謹識之分也".

94) 11월의 기사는 己未(9일), 戊辰(18일), 甲子(14일)로 구성되어 순서가 바뀌었는데, 이는 거란에 사신을 파견한 것을 일괄 정리하기 위해서 改書하였던 것으로 추측된다. 이를 날짜[日辰]에 따라 재정리하였는데, 이때 如遼가 追記되어야 한다[校正事由].

95) 이때 御史中丞 耶律思齊는 道宗 洪基(天祐帝, 查剌, 涅隣)의 命을 받아 祐世僧統 義天에게 『摩訶衍論記文』1部와 『御義』5卷 등을 전달하였다고 한다. 또 이 시기에 의천은 華嚴學僧으로 이름이 높았던 開龍寺의 僧侶인 鮮演(1047~1118)에게 精誠을 드려 안부를 물었던 것 같다(武田和哉 2006年 151面 ; 藤原崇人 2015年).

· 『대각국사문집』外集권8, 大遼御史中丞耶律思齊書三首, 第三, "前錄內, 欲令鮮演大師撰集章疏, 前回到闕尋與大仁惠提點同共奏訖 聖旨 … 又將到前慶錄大師集到'摩訶行論記文[~~摩訶衍論記文~~]'一部及'御義'五卷, 幷小可土物外, 有些小行貨, 取法尊准備密獻, 爲復別做買賣, 特乞垂慈方便, 照察早賜端的".

· 「靈通寺大覺國師塔碑」, "當時, 北遼天祐帝聞其名, 送大藏及諸宗疏鈔六百餘卷, 其餘文書·藥物·金帛, 至不可勝計".

· 「鮮演大師墓碑文」, "… 復承聖渥, 改充大開龍寺暨黃龍府講主, 凡敷究之暇, 述作爲心, 撰'仁王護國經融通疏'·'菩薩戒纂要疏'·'唯識論掇奇提異鈔'·'花嚴經玄談決擇記'·'摩訶衍論顯王疏'·'菩提心戒[發菩提心戒本]', 暨諸經戒本, 卷秩頗多. 唯三寶六師外護文一十五卷, 可謂筌蹄乎, 萬行之深, 筆削乎, 千經之奧. 通因明大義, 則途中暴雨, 而不濡其服, 刊楞嚴鈔文 則山內涸井, 而自湧其泉. 由是, 高麗外方, 僧統傾心, 大遼中國, 師徒翹首. 故我道宗, 聖人之極也, 常以冬夏, 召赴庭闕, 詢隨玄妙, 謀議便宜. …". 이 자료는 1986년 6월 上京附近의 城址에서 출토되었다고 한다(劉鳳翥 2009年 136面).

96) 여러 판본의 『고려사』에서 抏章으로 되어 있으나, 抗章의 잘못일 것이다(東亞大學 2008년 4책

疾恙, 願歸諸父, 庸荷崇構. 尋依虔請, 適委權莅, 而能竭節事大, 瀝誠恭上. 矧念一方之位, 旣崇千乘之名, 所宜必正. 爰行典禮, 特行册命. 咨爾權知高麗國王事熙, 肖二儀之閒氣, 含五行之淳烈. 九流藝術, 通乎默識, 七雄勢數, 斷乎雅論. 暨持政柄, 專裁時務, 楨斡^楨幹^立而宗室安,[97] 帷幄深而伯圖定. 雖兄弟猶芝蘭, 叢生子卞圃, 子孫如騏驥, 競馳乎辰野, 主其祀者, 非爾而誰. 爰從龜筴, 講求憲物, 鐵劵丹書,[98] 約堅帶勵, 金印紫綬, 榮配車服. 是用, 遣使臨海軍節度使·檢校太傅兼御史中丞耶律思齊, 使副·大僕卿^太僕卿^·昭文館直學士李湘, 持節備禮, 册命爾特進·檢校太尉兼中書令·上柱國·高麗國王·食邑一千戶·食實封七百戶. 於戱, 肇我太祖, 嗣及冲人, 積功累德, 剖符錫壤. 于蕃于宣, 家世有遺法, 曰朝曰會, 歲時有常制. 永表東夏, 與遼無極, 其惟敬哉".

○王受册于南郊.

[某日, 詔曰, "自昔我邦, 風俗朴略, 迄于文宗, 文物·禮樂, 於斯爲盛. 朕承先王之業, 將欲興民間大利, 其立鑄錢官, 使百姓通用":節要·食貨2貨幣轉載].[99]

[是年, 判^冊^, 被差充丁夫·雜匠, 稽留不赴, 一日, 笞四十, 四日, 五十, 七日, 杖六十, 十日, 八十, 十三日, 九十, 十九日, 一百, 二十三日, 徒一年, 將領·主司, 各加一等:刑法1職制轉載].[100]

[○^王后^延德宮主柳氏生子, 王遣使下敎^詔^, 賜銀器·匹段·布縠·鞍馬:列傳1肅宗明懿太后柳氏轉載].

347面).

97) 楨斡은 楨幹으로 고쳐야 옳게 될 것이다(東亞大學 2008년 4책 347面).

98) 鐵劵丹書는 帝王이 功臣을 책봉하고 天地神明에게 祭祀를 올려 會盟하고서, 이를 丹朱로 기록하여 鐵契로 成册하여 金櫃와 石室에 2重으로 密封한 후 宗廟에 보관했던 것, 곧 '確固한 約束'을 指稱하는 것 같다.

· 『자치통감』 권12, 漢紀4, 高帝 12년(BC195), "五月, 葬高帝於長陵. … 又與功臣剖符作誓, 丹書, 鐵契, 金櫃, 石室, 藏之宗廟[胡三省注, 剖符作書, 謂剖符封功臣, 刑白馬與爲山河帶厲之盟也. 丹書·鐵劵者, 以鐵爲契, 以丹書之. 如淳曰, 金櫃, 猶金縢也. 師古曰, 以金爲櫃, 以石爲室, 重緘封之, 重愼之義. 蓋謂以丹書盟誓之言於鐵劵, 盛之以金櫃·石室而藏之宗廟也]".

99) 지33, 食貨2, 貨幣에서는 詔曰을 敎曰로 바꾸어 놓았다. 또 이 시기에 大覺國師 義天이 鑄錢을 건의하였던 것 같다(『대각국사문집』 권12, 鑄錢論, 李正守 2002년).

100) 이 법령은 고려가 唐律을 수용하였던 것을 보여주는 좋은 사례이다.

· 『唐律疏議』 권16, 擅興律, "諸被差充丁夫·雜匠, 而稽留不赴者, 一日, 笞三十, 三日, 加一等, 罪止杖一百, 將領主司, 加一等. …".

[○第三王子澄佶如興王寺, 侍奉興王寺祐世僧統義天, 時佶年八, 後改名, 是圓明國師澄儼也:追加].[101)]

[→王子□佶出家, 以興王寺祐世僧統義天爲師:列傳3肅宗王子圓明國師澄儼·圓明國師墓誌銘轉載].

[○興王寺奉宣彫造'圓覺禮懺略本'·'地持論義記':追加].[102)]

戊寅[肅宗]三年, 契丹壽昌四年, [宋紹聖五年→6月, 元符元年], [西曆1098年]

1098년 2월 4일(Gre2월 10일)에서 1099년 1월 23일(Gre1월 29일)까지, 354일

春正月庚戌朔大盡,甲寅, 丙寅17日, 詔曰, "寡人, 纂承祖構, 方宅丕圖, 大遼遣使, 特示封崇, 宜頒慶賚, 上答休命. 其受册日, 接詔以下, 升壇執禮, 內外諸色員僚及客使接伴官, 賜爵一級. 有違犯當坐者, 免之, 指揮軍人, 賜物有差".

甲戌25日, 幸外帝釋院, 設羅漢齋.

[某日, 以李堅守爲東南海都部署使:慶尙道營主題名記].

二月庚辰朔大盡,乙卯, 甲申5日, 親醮于毬庭.[103)]

---

101) 이는 「圓明國師墓誌銘」; 「開城靈通寺大覺國師碑銘」에 의거하였는데, 前者에는 第四王子로, 후자에는 第五王子로 각각 기재되어 있다. 그런데 『고려사』에는 肅宗과 明懿太后 柳氏와 사이에 다음과 같이 第三子로 되어 있다.
- 열전1, 후비1, 肅宗 明懿太后 柳氏, "… 后生睿宗及上黨侯佖·圓明國師澄儼·帶方公俌·大原公侾·齊安公偦·通義侯僑, 大寧·興壽·安壽·福寧四宮主".
- 열전3, 宗室, 肅宗七子, "明懿太后柳氏, 生睿宗·上黨侯泌·圓明國師澄儼·帶方公俌·大原公侾·齊安公偦·通義侯僑".

102) 이는 다음의 자료에 의거하였고(尹炳泰 1969年 ; 淸州古印刷博物館 2010년 36面 ; 南權熙 2002년 160面 ; 郭丞勳 2021년 96·97面).
- 『圓覺禮懺略本』 권3, 末尾刊記, "壽昌三年丁丑歲高麗國大興王寺奉」宣彫造」, 將仕郞·諸陵令同正臣金俊爽書」". 여기에서 諸陵令은 諸陵署令(從5品)의 略稱일 것이다.
- 『圓覺禮懺略本』 권4, 刊記, "壽昌三年丁丑歲高麗國大興王寺奉」宣彫造,」 明書業及第宋幹 書,」講華嚴經興王寺大師·賜紫臣聰敏校勘,」 講華嚴經洪圓寺大師·賜紫臣顯雄校勘,」 講華嚴經興王寺大師·賜紫臣性英校勘」".
- 『地持論義記』刊記, "壽昌三年丁丑歲高麗國大興王寺奉」宣彫造,」 將仕郞·尙舍直長同正臣蔣髦書,」 講瑜伽論崇教寺大師·賜紫沙門臣 玄湛 校勘」 講瑜伽論玄化寺大師·賜紫沙門臣 會凡 校勘」 講瑜伽論玄化寺大師·賜紫沙門臣 覺樞 校勘」".

己丑[10日], 幸王輪寺.

甲午[15日], 燃燈, 王如奉恩寺.

壬寅[23日], 東女眞昌昆等來朝.

[癸卯[24日], 軍人景延家, 猪生子, 三足, 前二後一:五行1豕禍轉載].

丁未[28日], 幸妙通寺.

三月[庚戌朔小盡,丙辰], 甲寅[5日], 謁昌陵[世祖].

辛酉[12日], 謁戴陵[文宗妃仁睿太后].

癸亥[14日], 敎曰[~~詔曰~~],[104] "寡人謬以凉德. 而有元良, 宜升震位. 特命有司, 立太子, 備詹事府·左春坊·延慶宮司等官, 皀隷·采邑皆屬焉".

○以[門下侍中]邵台輔爲太師, [門下侍郎平章事]金上琦爲太傅, [中書侍郎平章事]崔思諏爲太保, [中書侍郎平章事]金先錫爲少師, 黃瑩爲少傅, 林榦[~~林幹~~]爲小保[~~少保~~],[105] [同知樞密院事?·禮部尙書]魏繼廷·[樞密院副使]李頫·趙蘭忠·郭尙並爲賓客, 金漢忠·洪起爲左·右庶子, [右承宣?]柳伸·金景庸爲左·右諭德, 尹瓘爲東宮侍講學士, [李壽爲主簿:追加],[106] 崔公詡[~~崔公翊~~]爲家令, 文翼·高令臣爲左·右贊善大夫, 禹元齡爲中舍人, 李瑋爲典內, 蔣寧爲洗馬, [起居舍人兼知制誥]劉載爲侍讀,[107] 康拯爲中允, 柳仁茂爲司議郞, 張景爲藥藏郞, 崔寅弼爲宮門郞, 李侯爲率更, [鷹揚軍上將軍?]黃兪顯爲侍衛, 吳孫慶·崔惟正爲左·右淸道率府率, 羅俊·弓濟爲左·右監門□[率], 崔挺爲右衛□[率], 崔現爲旅賁中郞將.

[→立太子, 備宮僚, 依文宗之制:百官2東宮官轉載].

乙丑[16日], 百官上表, 賀立太子府.

丙寅[17日], 東女眞要眞等來朝.

---

103) 이 기사는 지17, 禮5, 雜祀에도 수록되어 있다.

104) 敎曰은 원래는 詔曰이었으나 『고려사』의 편찬과정에서 改書되었다가 다시 原狀대로 還元할 때 빠뜨려진 글자일 것이다.

105) 林榦은 林幹의, 小保는 少保의 誤字일 것이다(東亞大學 2008년 4책 348面).

106) 이때 李壽(李公壽)는 試太學博士·直翰林院으로 詹事府主簿(從7品)에 임명되었다가 곧 試司直(正7品)으로 승진하였다고 한다(李公壽墓誌銘).

107) 劉載의 墓誌銘에는 右史兼三字로 되어 있는데, 이는 起居舍人兼知制誥의 雅稱이다.
· 『通典』 권21, 職官3, 門下省, 起居, "… 大唐貞觀二年, 省起居舍人, 移其職於門下, 置起居郞二人, 顯慶中, 復於中書省, 置起居舍人, 遂與起居郞, 分掌左右, 龍朔二年, 改左右史, 郞爲左史, 舍人爲右史. …".

[是月, 海印寺僧成軒開板'晋譯華嚴經':追加].[108)]

夏四月己卯朔小盡,丁巳, [某日], 東女眞古豆等來朝.

己丑11日, 賜李德允等及第.[109)]

[庚寅12日, 祐世僧統義天, 祝髮其門下僧王子澄佶於明仁殿. 佶尋受具足戒於佛日寺戒壇:追加].[110)]

丁酉19日, 王如興王寺, 飯僧三千.

己亥21日, 祈雨于五海神.[111)]

五月戊申朔大盡,戊午, 壬子5日, 雨雹.[112)]

辛酉14日, 醮于會慶殿.[113)]

[是月, 陝州戶長同正李必先開板'晋譯華嚴經'第三十七卷:追加].[114)]

---

108) 이는 다음의 자료에 의거하였는데(海印寺 所藏, 國寶 第206-16號, 千惠鳳 1977년 ; 林基榮 2009년 ; 崔永好 2012년·2015년), 依止僧은 依存하여 머물러 居州하는 僧侶[依存而止住]로 읽으면[讀] 좋을 것이다.

· 『大方廣佛華嚴經』卷45末尾題記, "… 伽倻山海印寺依止僧成軒, 特爲」天長地久之願,施財開此卷普施,」壽昌四年戊寅三月 日謹記」".

109) 이와 관련된 기사로 다음이 있다.

· 지27, 선거1, 科目1, 選場, "肅宗三年四月, 同知樞密院事?·禮部尙書魏繼廷知貢擧, 國子祭酒洪器同知貢擧, 取進士, 下詔賜乙科李德允等三人·丙科八人·同進士十六人·明經三人·恩賜五人及第".

110) 이는 「開城靈通寺大覺國師碑銘」; 「圓明國師墓誌銘」에 의거하였다.

111) 이때 일본의 교토[京都]에서 21일, 22일, 25일에 비가 많이 비가 내렸던 것 같다(『中右記』, 承德 2년 4월. 高麗曆과 同一).

112) 이와 같은 기사가 지7, 五行1, 水, 雨雹에도 수록되어 있다. 이때 교토에서 10여 일에 걸쳐 장마가 계속되었던 것 같다.

· 『中右記』, 承德 2년 5월, "十日, 此十餘日霖雨, 下水泛溢也".

113) 이 기사는 지17, 禮5, 雜祀에도 수록되어 있다. 또 이날 會慶殿에서 醮祭를 실시한 사유를 알 수 없으나 일본에서는 明日(15일)에 월식이 豫測되었으나 실현되지 않았다고 한다.

· 『中右記』, 承德 2년 5월, "十五日, 天晴, 亥時月蝕, 六分云々, 已不正現, 算山計之吳歟, 將亦感帝德不示其徵歟".

114) 이는 다음의 자료에 의거하였다(雅丹文庫 所藏, 국보 제202호, 千惠鳳 1977년 ; 崔永好 2002년a ; 2009년 135面).

· 『華嚴經』 卷37, 刊記, "高麗國陝州戶長同正李必先,上報」四恩,下滋三有之願,施財雕版花嚴經」第三十七卷, 時壽昌四年五月日記".

六月戊寅朔[小盡,己未], 王如奉恩寺.

[乙巳[28日], 流星色赤, 前大後小, 出螣蛇, 抵營室:天文1轉載].

[是月戊寅朔, 宋改紹聖五年爲元符元年:追加].[115)]

秋七月[丁未朔小盡,庚申], 戊申[2日], 祈晴于松嶽神祠.

[→祈晴于松岳:五行2轉載].

己未[13日], 遣[中書舍人]尹瓘·趙珪如宋,[116)] 告嗣位, 進方物. 表曰, "君親之慈洽幽荒, 旣形汎愛, 臣子之心存忠孝, 焉可安陳. 敢露款誠, 輒干旒冕. 臣竊念, 當國惟祖惟考, 乃子乃孫, 咸繼世以襲封, 緬嚮風而述職. 頃者, 臣兄運, 紹居侯服, 逮事皇朝, 遵累葉之貽謀, 益堅志節, 管遠方之分寄, 誓效傾輸. 況自先后之忽謝母儀, 亡兄則方深孩慕, 尋差使价, 欲奉慰章, 奈不享於永年, 致奄辭於明代. 臣兄子先臣昱, 嗣權弊邑, 續染沈痾, 終救療以不痊, 漸尫羸而斯極. 乃於乙亥年[獻宗1年]十月八日, 懇推藩務, 令臣主持, 顧其付托之勤, 未敢遜辭而避, 謬將孤貌, 假守宗祊. 屬以基構惟新, 纂承伊始, 一方多故, 數載于玆, 不獲早遣陪僚, 仰申封奏. 雖宸聰廣達, 曲詳遐外之情, 而家難沓臻, 遂致因循之咎, 禮實有闕, 罪何敢逃. 今則具緩告之事由, 黷至明之鑑炤, 霆威匪遠, 冰履增深".

丙寅[20日], 王如興王寺.

[某日, 以文冠爲東南海都部署使:慶尙道營主題名記].

八月[丙子朔大盡,辛酉], 丙申[21日], 命有司, 減刑獄.

九月[丙午朔小盡,壬戌], 己酉[4日], 王如國淸寺.

壬子[7日], 設仁王道場于會慶殿七日.

冬十月[乙亥朔大盡,癸亥], [庚辰[6日], 雷雨:五行2轉載].[117)]

---

115) 이는 다음의 자료에 의거하였다.
· 『송사』 권18, 본기18, 哲宗2, 元符 1년, "六月戊寅朔, 改元".

116) 이때 國子監試의 合格者 安稷崇(初名은 安稷諝)이 隨從하였는데(安稷崇墓誌銘), 添字는 이 자료에 의거하였다.

117) 이때 일본의 교토에서 8일에 비가 심하게 내렸던 것 같다.

甲申[10日], 王率百官, 祫享于大廟[太廟], 還御神鳳門, 赦二罪以下, 當斬·絞者配島, 前配島者出陸, 出陸者歸鄕, 歸鄕者上京, 上京者通朝見, 已朝見者敍用, 加名山·大川諸神祇[神祇]號, 又加贈配享功臣□[號]. [賜祖宗苗裔無職者, 爵一級:節要·選擧3祖宗苗裔轉載]. 賜助祭諸執事, 大廟[太廟]·九陵侍衛員將等,[118] 爵一級. 廟庭樂部工人, 賜物有差. [諸州府郡縣, 減今年租稅之半:節要轉載],[119] 進士·明經, 落在軍伍者免.

戊子[14日], 遣知樞密院事金庸·禮部侍郎曹楊休如遼, 謝封册.[120]

辛丑[27日], 尙書刑部奏, "獄空". 宰相[門下侍中]邵台輔等表賀. 王下敎[詔], 答諭曰, "朕謬承先業, 思理下民, 日覽萬機, 但積勤勞之念, 時淸庶獄, 實由挾贊之能. 何歸美以盡心, 遽刻章而展賀. 載惟誠懇, 良切歎嘉". 宰輔又表謝.

壬寅[28日], 遣金若冲如遼, 賀天安節.

[是月, 靈光郡及管內郡縣, 稻一種再熟:五行3轉載].

十一月[乙巳朔大盡,甲子], [戊申[4日], 流星色赤, 前大後小, 出南河, 抵天囷:天文1轉載].

庚戌[6日], 宋商洪保[洪甫?]等二十人來.

戊午[14日], 設八關會, 幸法王寺.

乙丑[21日], 遣王嘏·尹繼衡如遼, 進方物, 蔣寧, 賀正.

十二月[乙亥朔小盡,乙丑], [丁丑[3日], 太白·熒惑會于危:天文1轉載].

丙戌[12日], 遼遣左諫議大夫來告符來, 賀生辰.

辛卯[17日], 封子佖爲檢校太保·守太尉兼尙書令[·上黨侯:節要轉載].

[→册□□[子佖]爲守仁輔德佐理功臣·開府儀同三司·檢校太保·守太尉兼尙書令·上柱國·上黨侯·食邑二千戶·食實封三百戶:列傳3肅宗王子上黨侯佖轉載].

癸巳[19日], [遼使]來告符還, 王附表, 以謝.

丙申[22日], 賜禮部宋朝"開寶正禮"一部.[121]

· 『中右記』, 承德 2년 10월, "八日, … 今日, 天陰甚雨".

118) 員將은 『고려사절요』 권6에는 員吏로 되어 있다(東亞大學 2008년 4책 349面).

119) 이와 같은 기사로 다음이 있다.

· 지34, 食貨3, 恩免之制, "祫享于太廟, 諸州·府·郡·縣·部曲, 減今年租稅之半".

120) 曹楊休는 『고려사절요』 권6에는 曹揚休로 되어 있다(東亞大學 2008년 4책 349面).

庚子[26日], 以金景庸爲尙書吏部侍郎·知御史臺事, 李繼膺爲尙書刑部侍郎·右諫議大夫, 文翼爲給事中, 高令臣爲吏部郎中·樞密院右承宣, 吳延寵爲起居郎, 王嘏爲兵部員外郎·樞密院右副承宣[校正:順序再整理].[122)]

[是年, 復掌醞署, 爲良醞署:百官2司醞署轉載].

[○祐世僧統義天設圓覺會於弘圓寺, 招學一爲副講師, 一辭曰, "禪講交濫, 不敢當之", 但參法席, 聽講而已:追加].[123)]

[○興王寺奉宣彫造'金剛般若經義記'·'金剛般若經疏開玄鈔':追加].[124)]

---

121) 여기에서의 『開寶正禮』는 宋代 劉溫叟(909~971)가 편찬한 『開寶通禮』200권을 가리키는 것 같다(이민기 2017년).

· 『속자치통감장편』 권365, 元祐 1년 2월 庚申, "館伴高麗使言, 高麗人乞'開寶正禮'·'文苑英華'·'太平御覽', 詔許賜文苑英華"(張東翼 2000년 159面).

· 『송사』 권467, 열전246, 外國3, 高麗, "哲宗立, 遣使金上琦奉慰, 林槩致賀, 請市刑法之書·'太平御覽'·'開寶通禮'·'文苑英華', 詔惟賜'文苑英華'一書. 以名馬·錦綺·金帛報其禮".

122) 庚子(26일), 丙申(22일)은 順序가 바뀌었으므로 바로 잡았다[校正事由].

123) 이는 「淸道雲門寺圓應國師塔碑」에 의거하였다(李智冠 2004년 3册 262面).

124) 이는 다음의 자료에 의거하였는데(淸州古印刷博物館 2010년 38, 39面 ; 南權熙 2002년 166面 ; 郭丞勳 2021년 100面).

· 『金剛般若經義記』 권上, 刊記, "壽昌四年戊寅歲高麗國大興王寺奉」宣彫造」御書院書者臣御室賢書」」. 여기에서 御室은 中原의 複姓 중에 찾아지지 않음은 보아 高麗王室의 苗裔[宗室]를 달리 표기한 것으로 추측된다[王氏].

· 『金剛般若經義記』 권下, 刊記 "壽昌四年戊寅歲高麗國大興王寺奉」宣彫造」秘書省楷書同正臣吳代公書」講華嚴經佛日寺大師·賜紫沙門臣覺之校勘」講華嚴經佛日寺大師·賜紫沙門臣滋顯校勘」講華嚴經興王寺大師·賜紫沙門臣德延校勘"」.

· 『金剛般若經疏開玄鈔』 권4, 권말간기, "壽昌四年戊寅歲高麗國大興王寺奉」宣彫造」將仕郎·尙衣直長同正臣王鼎書」".

· 『金剛般若經疏開玄鈔』 권5, 권말간기, "壽昌四年戊寅歲高麗國大興王寺奉」宣彫造」將仕郎·尙舍直長同正臣李衍書」

· 『金剛般若經疏開玄鈔』 권6, 권말간기, "壽昌四年戊寅歲高麗國大興王寺奉」宣彫造」將仕郎·司宰主簿同正臣李彪書」講華嚴經興王寺通奧大師·賜紫沙門臣尙源校勘」講華嚴經佛日寺慈應大師·賜紫沙門臣融觀校勘」講華嚴經佛日寺慧炤大師·賜紫沙門臣滋顯校勘"(송광사 소장, 보물 제207호).

己卯[肅宗]四年, 契丹壽昌五年, [宋元符二年], [西曆1099年]

1099년 1월 24일(Gre1월 30일)에서 1100년 2월 11일(Gre2월 17일)까지, 13개월 384일

春正月[甲辰朔大盡,丙寅], 丙辰[13日], 設天帝釋道場于文德殿七日.

○幸神衆院, 設羅漢齋.

乙丑[22日], [雨水]. 朝鮮公燾卒.[125)] [贈謚[謚]襄憲, 爵其子滋檢校太保·上柱國, 源檢校司空·柱國, 溫檢校工部尙書·柱國:列傳3文宗王子朝鮮公燾轉載].

[某日, 以楊顒爲東南海都部署使:慶尙道營主題名記].

二月[甲戌朔大盡,丁卯], 丁亥[14日], 燃燈, 王如奉恩寺.[126)]

己亥[26日], 以[門下侍郞平章事]金上琦△[爲]守太傅, 黃瑩爲中書侍郎同中書門下平章事, 趙蘭忠△[爲]守司空·尙書左僕射, [同知樞密院事]魏繼廷爲吏部尙書, [樞密院副使]李顗爲禮部尙書.

[某日, 東北面定州民家, 牛生犢, 一身兩頭三耳:五行3轉載].

[□□[是月]],[127)] 宋帝詔, 許擧子賓貢.

三月[甲辰朔小盡,戊辰], 乙巳[2日], 冊延德宮主柳氏爲妃. [冊曰, "殷聘有莘而作配, 周徽太任以爲妃, 而皆致王業之勃興, 載史編而彪煥, 合遵舊制, 特擧寵章. 咨爾延德宮主李氏[柳氏], 霽月儲精, 曾沙協慶. 結褵外邸, 行婦道以有聞, 鳴珮中闈, 贊皇猷而匪懈, 旋被神明之福祐, 得譜胤嗣之蕃昌. 今遣某官某, 持節備禮, 冊命爲王妃. 於戲, 絲綸降命, 俾正位於璇宮, 褕翟加儀, 永流芳於彤管. 敎訓斯在, 敬愼勿忘":列傳1肅宗明懿太后柳氏轉載].[128)]

壬子[9日], 幸王輪寺, 設羅漢齋.

---

125) 이날은 율리우스曆으로 1099년 2월 14일(그레고리曆 2월 20일)에 해당한다.

126) 이날 일본의 京都에서 날씨가 맑았던 것 같으나 15일(戊子)에 눈과 비[雨雪]가 내렸던 것 같다(『時範記』, 承德 3년[康和]1 2월, "十五日戊子, 雨雪, …").

127) 이 위치에 是月이 탈락되었을 것이다. 이 기사는 高麗에서 일어난 일이 아니고, 이달 2월 6일(己卯) 宋에서 일어난 일이다(『속자치통감장편』 권506, 元符 2년 2월 己卯 ; 『송사』 권18, 本紀18, 哲宗2, 元符 2년 2월 己卯).

128) 李氏는 柳氏의 오자일 것이다.

夏四月癸酉朔大盡,己巳, [庚辰8日, 松岳大石頹:五行3轉載].[129]

辛巳9日, [立夏]. 御紗樓, 召集詞臣, 賦重光殿玉花詩, 分第, 賜絹有差.

[壬午10日, 白氣貫心星:五行2轉載].

[癸未11日, □□白氣經天:五行2轉載].

丁亥15日, 遼遣橫宣使·寧州管內觀察使蕭朗來, 兼賜藏經.

[○月犯心大星:天文1轉載].

庚寅18日, 幸普濟寺. 設五百羅漢齋.

壬辰20日, 御延英殿, 檢閱御藏文書.

戊戌26日, 幸妙通寺. 以林成槩爲工部尙書, 董彭載△爲知尙書兵部事.

庚子28日, 以任懿爲[太僕卿:追加]·左諫議大夫,[130] 尹瓘爲右諫議大夫·翰林侍講學士. 中書省奏, "瓘與懿連姻, 不宜同在諫院, 請解瓘職", 從之.[131]

[某日, 許令州府郡縣, 各耕屯田五結:食貨2農桑轉載].

五月癸卯朔小盡,庚午, 乙巳3日, 禱雨于諸神祠.[132]

乙丑23日, 門下侍中致仕李靖恭卒.[133] 賜弔慰敎及誄書, [諡文忠:列傳11李璹轉載].

六月壬申朔大盡,辛未, 癸酉2日, 王如奉恩寺.

[甲戌3日, 大雨, 九龍山頹, 長三百尺·廣五十尺:五行1水潦轉載].[134]

---

129) 이날 일본의 교토에서 비가 내렸다고 한다(『後二條師通記』, 康和 1년 4월, "八日庚辰, 雨降").

130) 이는 「任懿墓誌銘」에 의거하였다.

131) 이보다 먼저 任懿의 次子 元敱(改元厚, 任懿列傳에는 순서가 바뀌어 長子처럼 되어 있음)와 尹瓘의 女가 婚姻하였던 것 같다(任忠贇墓誌銘).

132) 일본에서는 2월과 3월에 거쳐 교토[京都]에서 旱魃이 있었다고 한다(中央氣象臺 1941年 2册 530面).
- 『本朝世紀』第21, 康和 1년 2월, 3월, "二月卅癸卯, … 今月下旬以後, 京中井水, 皆以涸渴, 旬日以來, 無雨之所致也. … 三月廿七日庚子, … 今夜, 被厚免輕犯囚左右九十人, 依疾疫·旱災也".
- 『後二條師通記』, 康和 1년 3월, "六日己酉, 陰, □□□□二社被立奉幣使, 神祇官人也, 春間不降雨, 仍被立奉幣使者, 依件例所被行也".
- 『時範記』, 康和 1년 3월, "六日己酉, … 依祈雨有二社奉幣云々" ; 5월, "六日戊申, 今日, 公家被發遣廿二社奉幣使, 依天下病事也".

133) 이날은 율리우스曆으로 1099년 6월 14일(그레고리曆 6월 20일)에 해당한다.

134) 이때 교토에서는 6월 2일(癸酉), 3일(甲戌), 4일(乙亥), 5일(丙子), 6일(丁丑)의 5일간 계속 내렸다고 한다(『後二條師通記』, 康和 1년 6월).

辛巳[10日], 大雨雹.[135]

癸未[12日], 尹瓘等還自宋. 帝[哲宗]附勅曰, "省所上表, 具悉, 卿世撫三韓, 地雄五部. 克念先猷之繼, 有虔臣節之修, 遣浮海之使航, 奉充庭之贄寶. 式是守邦之始, 載輸拱極之忠, 詳披奏封, 申味詞意, 敍傳嗣之綏告, 述奉慰之後時. 眷惟勤誠, 玆已具亮. 方新纘紹, 宜厚撫循. 善布寬條, 以綏雅俗. 輔我中國, 永爲東藩".

戊戌[27日], 禱雨于諸神祠及朴淵川上.

秋七月[壬寅朔小盡,壬申], 辛亥[10日], 曲宴于宴親殿.

辛酉[20日], 王如興王寺.

○宋歸我乇羅失船人趙暹等六人.

[某日, 以李載爲東南海都部署使:慶尙道營主題名記].

八月[辛未朔小盡,癸酉], 丙子[6日], 祈晴.[136]

[→祈晴于松岳·東神·川上·諸神廟·朴淵等五所:五行2轉載].

[壬辰[22日], 太白·歲星, 晝見:天文1轉載].

九月[庚子朔大盡,甲戌], [某日], 令宰臣·日官等, 議建南京于楊州.

癸卯[4日], 王如國淸寺.

乙巳[6日], □[遣]持禮使邵師奭如遼東京.[137]

壬子[13日], 幸普濟寺, 設五百羅漢齋.

丁卯[28日], 王率王妃·元子·兩府群僚及祐世僧統, 幸[楊州]三角山.

閏[九]月[庚午朔小盡,甲戌], 壬申[3日], 次常慈寺.

甲戌[5日], 幸僧伽窟, 設齋, 仍施□[白]銀香椀·手爐各一事, 金剛子·水精念珠各一貫, [純]金~~[束]~~帶一腰, 幷[倂]金花果繡幡·茶香·衣對[衣襨]·金[吟]綺等, ~~用仲歸敬之禮~~.[138]

---

135) 이와 같은 기사가 지7, 五行1, 水, 雨雹에도 수록되어 있다.

136) 이때 교토에서 비가 내리지 않아 祈雨가 행해졌다고 한다.
· 『本朝世紀』 第22, 康和 1년 8월, "八日戊寅, 自今日於神泉苑, 被始行孔雀經御讀經, 依祈雨也, …".

137) ~~添字~~가 탈락되었다.

乙亥[6日], 次楊州, 相宅都之地.
庚辰[11日], 幸仁壽寺.
甲申[15日], [立冬]. 王子上黨侯佖卒. [諡順殤:列傳3肅宗王子上黨侯佖轉載].[139)]
辛卯[22日], □[遣]遣文冠如遼, 賀天安節.
壬辰[23日], 幸神穴寺.

冬十月[己亥朔大盡,乙亥], 庚子[2日], 遣[右拾遺·知制誥]李壽如遼, 謝賀生辰.[140)]
癸卯[5日], 至自三角山, 次藥師院, 肆赦.
辛亥[13日], 告奏兼密進使文翼如遼, 請賜元子冊命,[141)]
○醮于會慶殿.
[乙卯[17日], 日有暈兩珥:天文1轉載].
丙辰[18日], 東女眞阿老火等二十六人來朝.
○遣韓彝如遼, 進方物, 趙臣浚, 賀正.

十一月[己巳朔小盡,丙子], 辛未[3日], 王弟扶餘公[忄+㷀], 以罪, 流于京山府若木郡.
[→以罪, 流京山府若木郡, 王以儒釋書賜之:列傳3文宗王子扶餘侯[忄+㷀]轉載].
壬申[4日], 辰韓侯愉卒.[142)] [諡[謚]和信. 子沂·演:列傳3文宗王子辰韓侯愉轉載].
癸未[15日], 設八關會, 幸法王寺.
[○流星色白, 前小後大, 出張星, 抵天廟, 大如梡:天文1轉載].

---

138) ~~添字~~는 『동문선』 권64, 三角山重修僧伽崛[僧伽窟]記에 의거하였는데, 이것은 『고려사』를 편찬하면서 字句가 바뀌고 축약된 모습을 보여 주는 한 사례가 될 수 있을 것이다.

139) 이날은 율리우스曆으로 1099년 10월 31일(그레고리曆 11월 6일)에 해당한다.

140) 李壽(後日의 李公壽)는 이해[是年]의 前半에 右拾遺·知制誥에 임명되었다가 겨울에 契丹에 파견되었다고 한다(李公壽墓誌銘). 또 『고려사절요』 권6에는 李壽와 13일(辛亥) 文翼(文公仁의 父)의 派遣이 順序가 바뀌어 기록되어 있다.

141) 중국 측의 자료에 의하면 이해의 10월 1일 고려가 사신을 보내와 책봉을 요청하였다고 한다. 그렇지만 肅宗은 이미 2년 전에 책봉을 받았기에(→숙종 2년 12월 13일, 이때는 太子의 册封을 요청하였을 것이고, 그 시기는 10월이 아니라 고려가 사신을 파견한 10월 13일(辛亥) 이후인 12월 2일(己亥)일 것이다. 그래서 a의 기사는 b와 같이 고쳐야 할 것이다[校正事由].
· a 『요사』 권26, 본기26, 道宗6, 壽昌 5년, "冬十月己亥朔, 高麗王顒[熙], 遣使乞封册".
· b 『요사』 권26, 본기26, 道宗6, 壽昌 5년 12월, "己亥, 高麗王顒[熙], 遣使乞太子封册"[校正].

142) 이날은 율리우스曆으로 1099년 12월 18일(그레고리曆 12월 24일)에 해당한다.

[壬辰[24日], 無雲而雷:五行1雷震轉載].

[乙未[27日], 熒惑守氐:天文1轉載].

十二月[戊戌朔大盡,丁丑], 壬寅[5日], 遼遣大淑來, 賀生辰.

辛亥[14日], 遼東京持禮回謝使大義來.

癸亥[26日], 以庾哲爲尙書右僕射兼太子賓客, 吳壽增爲刑部尙書, 韓瑩爲兵部尙書, 趙公善爲戶部尙書, 金沆·庾祿崇爲左·右散騎常侍.

[○夜, 白氣, 自西射昴:五行2轉載].

[是年, 門下侍郞同中書門下平章事致仕崔奭卒, 輟朝三日, 諡譽肅:追加].[143)]

[○以[秘書省校書郞]尹諧爲權直翰林院:追加].[144)]

[○興王寺奉宣彫造'大般涅槃經疏'·'妙法蓮華經觀世音菩薩普門品三玄圓贊科文'·'釋摩訶衍論通玄鈔'·'釋摩訶衍論贊玄疏':追加].[145)]

143) 崔奭의 逝去日은 알 수 없으나 그의 아들 崔惟淸(1093~1174)이 7歲가 될 때 逝去하였음을 통해 計算하였다.

144) 이는 「尹誧墓誌銘」에 의거하였다.

145) 이는 다음의 자료에 의거하였다.

· 『大般涅槃經疏』(涅槃經疏) 권9, 권10末尾, "海東傳敎沙門 義天 校勘,」壽昌五年己卯歲高麗國大興王寺奉」宣彫造,」將仕郞·司宰丞同正臣蔣髦 書,」"(松廣寺 所藏, 池內 宏 1922年 ; 朝鮮總督府 1924年 ; 李丙燾 1961년 321面 寫眞 ; 淸州古印刷博物館 2010년 136面).

· 『妙法蓮華經觀世音菩薩普門品三玄圓贊科文』, 卷末刊記, "妙法蓮華經觀世音菩薩普門品三玄圓贊科文一卷」壽昌五年己卯歲,高麗國大興王寺奉」宣彫造」"(송광사 소장, 보물 제204호, 南權熙 2015년 ; 郭丞勳 2021년 101面).

· 『釋摩訶衍論通玄鈔』 題記, "壽昌五年己卯歲, 高麗國大興王寺奉 宣雕造,」正二位·行權中納言兼太宰帥藤原朝臣季仲, 依」仁和寺禪定二品親王[覺行] 仰, 遣使高麗國請來, 卽」長治二年乙酉五月仲旬, 從太宰府差專使奉請之,」…"(名古屋市 眞福寺 所藏, 筆寫本, 黑板勝美 編 1936年 494面 ; 張東翼 2004년 411面).

· 『釋摩訶衍論贊玄疏』 권5, "壽昌五年己卯歲, 高麗國大興王寺奉」宣彫造"(筆者未見, 高野山大學圖書館 所藏, 筆寫本, 郭丞勳 2021년 102面).

庚辰[肅宗]五年, 契丹壽昌六年, [宋元符三年], [西曆1100年]

1100년 2월 12일(Gre2월 18일)에서 1101년 1월 30일(Gre2월 6일)까지, 354일

春正月[戊辰朔大盡,戊寅], [丁丑[10日], 日旁有珥, 色白. ○熒惑入氐:天文1轉載].

庚辰[13日], 遼使蕭朗還, 王附表, 以謝.

甲申[17日], 東女眞將軍表於乃等六十人來朝.

癸巳[26日], 親醮于毬庭.[146)]

乙未[28日], 册長子俁爲王太子.

[某日, 以許景爲東南海都部署使:慶尙道營主題名記].

[是月己卯[12日], 宋哲宗卒, 趙佶即位, 是爲徽宗, 不改元:追加].

二月[戊戌朔大盡,己卯], 乙巳[8日], 御神鳳樓, 赦二罪以下, 加名山·大川神號.

□⁻. 兩京文武百官爵一級, 詹事府春坊員二級, 散官七品升朝二十年者, 賜服, 東·西蕃長, 加武散階, 鰥寡·老病·孝子·順孫, 賜物有差.

[□⁻. 四品以上, 封父母爵:選擧3封贈轉載].

[□⁻. □[賜]太祖內玄孫之孫·外玄孫之子及太祖同胞昆弟玄孫之子及外玄孫, 後代正統君王玄孫之子及外玄孫各戶, 爵一人:選擧3祖宗苗裔轉載].

[□⁻. 兩京文武顯職[現職]四品及給舍·中丞·諸曹郎中·致仕見存者, 許一子蔭職:選擧3蔭敍轉載].[147)]

[□⁻. 州·府·郡·縣, 免今年稅布半:節要轉載].[148)]

辛亥[14日], 燃燈, 王如奉恩寺.

戊午[21日], 幸長源亭.

[某日, 以崔弘正[崔弘宰]爲西面都監判官:追加].[149)]

---

146) 이 기사는 지17, 禮5, 雜祀에도 수록되어 있다.

147) 이 기사에서 文武顯職四品은 生存한 停年退職者[致仕見存者]에 對應되기 때문에 顯職은 現職의 오자일 것이다.

148) 이와 같은 기사로 다음이 있다.
· 지34, 食貨3, 恩免之制, "免州·府·郡·縣·部曲·雜所, 今年稅布半".

149) 이는 「崔弘宰墓誌銘」에 의거하였다. 崔弘宰의 初名은 崔弘正이고, 개명한 시기는 1113년(예종 8) 11월 17일(甲午) 이전인 것 같다(金龍善 2016년 1面).

三月[戊辰朔小盡,庚辰], 乙酉[18日], 中書省奏, “見行曆, 有乖錯處, 請削撰曆者職”, 從之.

癸巳[26日], 以崔思諏爲門下侍郞平章事.

[是月頃, 行國子監試, 取韓柱等:追加].[150]

夏四月丁酉朔[大盡,辛巳], 日食.[151]

己亥[3日], 還宮.

壬子[16日], 御乾德殿覆試, 賜韓淑旦等及第.[152]

[庚申[24日], 流星出翼, 長三尺許, 隕于西南方:天文1轉載].

五月[丁卯朔小盡,壬午], 辛巳[15日], 宋明州牒, 報哲宗皇帝崩, 皇弟端王佶立. 王爲哲宗, 欲薦福於大安寺, 諫官不可, 乃止.[153]

壬午[16日], 遼遣張臣言來, 諭册命元子, 王備儀仗, 迎于太初門內. 勑曰, “卿宣力侯邦, 輸忠王室. 因飛章而抗奏, 乞延賞以推恩, 載驗乃誠, 宜從所請. 仍圖嚴像, 增飭貢儀, 特示寵頒, 式昭優眷. 已命所司, 擇日, 備禮册命次, 今差秘書少監張臣

---

150) 이해에 韓柱(韓惟忠의 初名, 1080~1146)가 21세로서 國子監試[司成試]에 합격하였다고 한다(韓惟忠墓誌銘).

151) 이날 宋·契丹에서도 일식이 있었고(『송사』 권52, 지5, 천문5, 日食 ; 『요사』 권26, 본기26, 道宗6, 壽昌 6년 4월 丁酉), 일본의 京都에서도 일식이 있었다(日本史料3-5册 659面, 3-25册 51面). 이날은 율리우스력의 1100년 5월 11일이고, 開京에서 일식 현상이 심했던 시간은 10시 10분, 食分은 0.25이었다(渡邊敏夫 1979年 306面).

· 『中右記』目錄, 康和 2년 4월, “一日, 日蝕小分, 不見”.

· 『中右記』, 康和 2년, “四月一日, 々蝕少[小]分不見” ; 保安 1년 10월 1일, “康和二年四月一日, 有日蝕”.

· 『殿曆』, 康和 2년 4월, “一日丁酉, 天晴, 依當日蝕, 不參內云々, 日蝕間不出外, 復末後東面開戸, 雖件日者不當日者也, 雖□[八]分二分許蝕也, 祈尊勝念誦僧六口, 大品經讀經僧五人”.

· 『時範記』, 康和 2년 4월, “一日丁酉, 今日々蝕也, 早旦參大將[藤原忠實]殿. 以六口僧, 被滿尊勝タラ尼, 以五口僧, 被轉讀大品經, 依日蝕御祈也. 巳刻虧初, 十五分之二三, 午刻復未了”.

· 『本朝統曆』 권8, 康和 2년, “四大, 朔丁酉, 巳四, 日蝕, 九分弱, 辰六, 午一”.

152) 이와 관련된 기사로 다음이 있다. 이때 [進士]韓淑旦·張脩(張脩墓誌銘) 등이 급제하였다(朴龍雲 1990년 ; 許興植 2005년).

· 지27, 선거1, 科目1, 選場, “[肅宗]五年四月, 同知樞密院事李頫知貢擧, 知奏事柳伸同知貢擧, 取進士, 覆試, 下詔賜乙科韓淑旦等三人·丙科十一人·同進士二十二人·明經三人·恩賜六人及第”.

153) 이해의 1월 12일(己卯) 哲宗이 崩御하고, 王弟 端王 佶(徽宗)이 즉위하였다. 이후 고려에서 徽宗의 佶을 避諱하여 圓明國師 澄佶은 澄儼으로 改名하였다고 한다(圓明國師墓誌銘, 金龍善 2006년 73面).

言, 往彼報諭, 及別賜卿衣著·匹叚[匹段]·銀絹等物, 具如別錄". 又賜釋經二函.

庚寅[24日], [遼使]張臣言還, 王附表, 以謝.

[是月, 蟲食平州管內白州·兎山松:五行2轉載].

六月[丙申朔大盡,癸未], 丁酉[2日], 王如奉恩寺.

乙卯[20日], 禱雨于大廟[太廟]·八陵及松嶽·東神祠.[154)]

[戊午[23日], 立秋. 祭五溫神於五部, 以禳溫疫:禮5雜祀轉載].[155)]

乙丑[30日], 遣尙書任懿·侍郎白可臣如宋, 弔慰.

秋七月[丙寅朔小盡,甲申], 丁丑[12日], 遣尙書王嘏·侍郎吳延寵如宋, 賀登極.

乙酉[20日], 王如興王寺.

戊子[23日], 設仁王道場於會慶殿五日.

[某日, 以安子公[安子恭?]爲東南海都部署使:慶尙道營主題名記].

[甲午[29日晦], 夜, 天狗墮乾方, 聲如雷:天文1轉載].

八月[乙未朔小盡,乙酉], 丁酉[3日], 幸福靈寺.

庚子[6日], 幸弘護寺.

[丁未[13日], 金身山東岡石頹:五行3轉載].[156)]

---

154) 이때 일본의 京都에서도 6월은 비가 거의 내리지 않았던 것 같다. 是月의 日記에 수록된 12일 중에서 이틀만이 비가 내렸다고 한다.

·『殿曆』, 康和 2년 6월, "六日辛丑, 天陰雨降, … 十一日丙午, 天晴, … 十五日庚戌, 天晴, … 十六日辛亥, 天晴, … 十七日壬子, 天陰, 入夜雨降, … 十八日癸丑, 天陰, … 十九日甲寅, 天陰, … 入夜天晴, … 廿日乙卯, 天晴, … 廿一日丙辰, 天晴, … 廿二日丁巳, 天晴, … 廿三日戊午, 天晴, … 廿四日己未, 天晴, …".

155) 溫은 瘟疫[염병, 疫疾, 장티푸스]을 가리키는데, 이는 細菌·病毒 등과 같은 微生物에 의해 일어난 傳染病으로 자연적인 災害가 일어난 이후 환경위생의 불량에 의해 발생하였던 것 같다. 또 溫神은 瘟神[疫疾神]의 다른 표기인데, 中原의 民間傳說에 의하면 瘟神은 五瘟使者라고 불린다. 곧 春瘟[南方鬼主] 張元伯, 夏瘟[東方鬼主] 劉元達, 秋瘟[西方鬼主] 趙公明, 冬瘟[北方鬼主] 鐘仕貴(혹은 鍾士季), 그리고 總管인 中瘟(中央鬼主] 史文業 등이 있으며, 이들은 瘟疫을 전파시키는 惡神이라고 한다(『女靑鬼律』).

·『자치통감』 권6, 秦紀1, 始皇帝 3년(BC244), "七月, 蝗, 疫[胡三省注,… 疫, 札瘥瘟也]"(→현종 9년 5월 19일의 脚注).

156) 金身山의 위치는 어디인지 알 수 없다.

己未[25日], [寒露]. 宮南樓橋東廊及四店館, 掌牲·司儀二署火, 延燒民戶數百.[157)]

九月[甲子朔大盡,丙戌], 丁卯[4日], 王如國淸寺.

丙戌[23日], 遣[禮部郞中]李載如遼, 謝詔諭.[158)] [初, 遼使王蕚, 見興王寺小鍾, 嘆美曰, "我朝所未有". 釋煦[祐世僧統煦]謂蕚曰, "吾聞, 皇帝崇信佛敎, 請以此鍾, 獻". 蕚曰, "可". 煦上請, 鑄金鍾二簴, 將獻于遼帝, 遂屬載, 孔目官李復, 先奏其意. 遼, 以蕚奉使, 妄有求索, 加峻刑, 令勿獻鍾. 及還, 刑部奏治復罪, 載坐知而不禁, 並免官: 節要轉載].

[→遼使王蕚, 見興王寺小鐘, 歎美曰, "我朝所未有". 煦謂蕚曰, "吾聞, 皇帝崇信佛敎, 以此鐘獻之". 蕚曰, "可". 煦請鑄金鐘二簴, 將獻于遼帝. 遂屬回謝使孔目官李復, 先奏其意. 遼帝, 以蕚奉使妄有求索, 加峻刑, 令勿獻. 及復還, 刑部奏治其罪:列傳3文宗王子大覺國師轉載].

戊子[25日], 宋都綱李琦等三十人來.

冬十月[甲午朔小盡,丁亥], 丙申[3日], 賜中書門下省玄德倉米一百斛.

壬子[19日], 遼遣蕭好古·高士寧來, 冊王太子. 勅曰, "卿嗣膺祖服, 遙臨海表之區, 將建後昆, 虔俟天朝之命. 適從汝請, 旣諭朕言, 特申遣於使華, 俾寵加於公爵, 固昭優異, 庸示眷懷. 今差高州管內觀察使蕭好古等, 持禮往彼, 冊命卿長子俁, 爲三韓國公,[159)] 其印綬·簡冊·車輅·并別賜衣帶·匹叚[疋段]·鞍馬·弓箭諸物, 具如別錄". ○冊

---

157) 이와 같은 기사가 지7, 五行1, 火, 火災에도 수록되어 있다.

158) 李載(李軌)는 그의 열전에 의하면 禮部郞中으로 숙종 6년 契丹[遼]에 파견되었다고 되어 있다. 이해는 『고려사』에 의하면 숙종 5년인데, 이는 『고려사』를 편찬할 때 卽位年稱元法에 의한 『고려실록』을 踰年稱元法으로 改書하면서 발생된 착오의 하나이다. 또 그는 1114년(예종9) 12월 16일(丁巳)에서 1117년(예종12) 2월 20일(戊寅) 사이에 李軌로 改名하였다(열전10, 金黃元, 李軌).
· 열전10, 李軌, "肅宗六年[五年], 以禮部郞中, 奉使如遼, 大覺國師屬孔目官李復, 請獻金鐘, …". 여기에서 ~~添字~~와 같이 고쳐야 옳게 될 것이다.

159) 이와 관련된 중국 측의 자료로 a가 있지만, b와 같이 고쳐야 옳게 될 것이다(『遼史』, 中華書局, 1985年 315面).
· a 『요사』 권26, 본기26, 道宗6, 壽昌 6년, "是歲, 封高麗王爲三韓國公".
· b 『요사』 권26, 본기26, 道宗6, 壽昌 6년, "是歲, 封高麗王□□□[長子俁]爲三韓國公". 여기에서 ~~添字~~가 추가되어야 한다[校正].

曰, "朕荷七聖之丕圖, 紹百王之正統. 眷言日域, 夾輔天朝, 雖纘乃世封, 已臨於舊服, 而寵玆國嗣, 未備於彝儀. 申勑有司, 率修故事, 藏辰順卜, 異數爰頒. 咨爾高麗國王熙長子俁, 生禀元精, 幼成令器. 就學克敏, 究詩書禮樂之源, 率德罔愆, 合父子君臣之義. 祖先而下, 忠烈相承, 永惟尊獎之勞, 固有嗣續之慶. 矧居嫡胄, 載茂嘉聞, 四履之間, 一心所係. 是用, 遣使高州管內觀察使蕭好古, 副使·守衛尉卿高士寧等, 持節備禮, 冊命爾爲順義軍節度□[使]·朔武等州觀察處置等使·崇祿大夫·檢校太傅·同中書門下平章事·使持節朔州諸軍事·行朔州刺史·上柱國·三韓國公·食邑三千戶·食實封五百戶. 於戲, 誓山河而傳信, 汝旣同保其休, 賜弓鉞以撫征, 汝亦共宣其力. 惟孝敬, 可以恊[協]天性, 惟謙和, 可以順物情, 戒哉欽哉, 無替朕之嘉命".

乙卯[22日], 王與太子如南郊, 受册.

[丁巳[24日], 熒惑入壘壁陣:天文1轉載].

己未[26日], 太子宴遼使于門下省.

辛酉[28日], 遣朴浩如遼, 賀天安節.[160)]

[壬戌[29日晦], 流星出羽林, 入虛星, 長五尺許, 色青赤, 甚有光芒, 聲如雷:天文1轉載].

十一月[癸亥朔大盡,戊子], 乙丑[3日], 遼使蕭好古等還, 王附表, 以謝.

○遣金侯善如遼, 謝賀生辰.

[己巳[7日], 太白入羽林:天文1轉載].

丙子[14日], 設八關會, 幸法王寺.

戊寅[16日], 宋商·乇羅·女眞等來, 獻土物.

辛巳[19日], 遣金龜年如遼, 謝恩.

丙戌[24日], 遣赫連挺如遼, 獻方物, 崔善緯, 賀正.

十二月癸巳朔[小盡,己丑], 遼遣大僕卿[太僕卿]王執中來, 賀生辰.

甲辰[12日], [遼使]王執中還, 王附表, 以謝.

丙辰[24日], 以李瑋爲給事中, 李稼爲侍御史, 邵台幹爲殿中侍御史, 劉誼·李德羽爲左·右拾遺, [崔弘正爲守宮署丞:追加].[161)]

---

160) 朴浩는 다음 해인 1101년(숙종6) 10월에서 11월 사이에 朝散大夫·秘書少監·知制誥로 在職하였다(大覺國師王煦墓誌銘).

辛巳[肅宗]六年, 契丹壽昌七年→2月乾統元年, 宋建中靖國元年,[162] [西曆1101年]

1101년 1월 31일(Gre2월 7일)에서 1102년 1월 20일(Gre1월 27일)까지, 355일

春正月[壬戌朔大盡,庚寅, 夜, 赤氣, 自北指西, 紛布漫天, 白氣間作, 良久乃散. 占者曰, "遼·宋, 有兵喪之災": 五行1轉載].

丁卯6日, 制, 以九經子史各一本, 分置臺省·樞密院.

○以太子生辰爲昌寧節.

己巳8日, 設天帝釋道場于文德殿.

庚午9日, 幸神衆院.

癸酉12日, 東女眞余羅弗·沙溫等七十五人來, 獻土物.

丙子15日, [雨水]. 以禮部尙書崔弘嗣爲西北面兵馬使, 尙書左丞金德珍爲東北面兵馬使, [李善英爲東南海都部署使: 慶尙道營主題名記].

○遼東京持禮使·禮賓副使高克少來.

庚辰19日, 宋人邵珪·陸廷俊·劉伋來投, 王召試于文德殿, 並授八品官, 賜廷俊名廷傑.

辛巳20日, 遣兵部尙書韓瑩·大將軍張弘占, 賜中書侍郞□□□平章事金先錫官誥·禮物.

癸未22日, 注簿李景澤妻金氏, 欲殺夫之繼母, 陰使婢, 置毒於食以進. 母知之, 以告御史臺, 金不服. 御史臺請更鞫問. 王曰, "犯狀已白, 宜卽論決. 以金先朝外戚, 減死". 流安山縣, 景澤, 死獄中.[163]

乙酉24日, 刑部奏, "注簿同正趙俊明, 父沒四年, 不養其母, 不友其弟, 使皆失所, 請論如法". 王曰, "朕爲政, 先孝弟, 乃有若人耶, 可其奏".

[己丑28日, 日暈: 天文1轉載].

辛卯30日, [驚蟄]. 設消災道場于乾德殿四日.

[是月壬戌朔, 宋改元建中靖國: 追加].

[○甲戌13日, 遼道宗卒, 耶律延禧卽位, 是爲天祚帝: 追加].

---

161) 이는 「崔弘宰墓誌銘」에 의거하였다.

162) 이해에 거란과 송의 年號를 함께 사용한 사례가 찾아진다(大覺國師王煦墓誌銘).

163) 이 기사는 지38, 刑法1, 大惡에도 수록되어 있다. 여기에서 犯人인 金氏는 先代의 外戚[先朝外戚]이라는 점에서 감형되어 安山縣에 유배되었다는 점을 보아 金殷傅의 後孫인 것 같다.

二月壬辰朔[大盡,辛卯], 貶詔諭回謝使孔目官李復, 并免回謝使李載.

癸巳[2日], 錄囚.

甲午[3日], 遣使, 望秩于山川.

[→甲午, 遣使, 秩祭于山川:禮5雜祀轉載].

[丙申[5日], 祭溫神于五部, 以禳溫疫:禮5雜祀轉載].[164]

癸卯[12日], 東女眞乃巴只村歸德將軍甫馬·弓漢伊忽村都領麻浦·廣灘村將軍骨夫等五十五人請入朝, 許之.

乙巳[14日], 東女眞伊位村都領怪夫等三十人來朝.

丙午[15日], [春分]. 燃燈, 王如奉恩寺.

○參知政事致仕愼脩卒, 遣使弔祭, 謚恭獻. 脩, 宋~~開封府~~人也, 頗有學識, 尤精於醫.[165]

己酉[18日], 檢校太師·守司空滋卒.[166]

壬子[21日], 詔, 逆臣李資義從坐者, 皆量移.

乙卯[24日], 又詔曰, "逆黨罪疑者, 已赦之矣, 其侍御史王台紹·主簿全寵·判官李滋·衛尉少卿金義英妻李氏等, 許令還京".

丙辰[25日], 幸洪圓寺, 落成大藏堂及九祖堂.[167]

[→上以洪圓寺九祖堂成, 請祐世僧統義天, 設重修法會, 而落之:追加].[168]

戊午[27日], 御重光殿, 閱書籍.

[→始藏經籍於宮闕, 其圖書之文, 一曰, "高麗國十四葉辛巳歲, 藏書大宋建中靖國元年, 大遼乾統元年". 一曰, "高麗國御藏書":追加].[169]

---

164) 溫神은 瘟神[疫疾神]의 다른 표기이다(→숙종 5년 6월 23일, 是年 3월 25일).

165) ~~添字~~는 열전10, 愼安之에 의거하였다. 이날은 율리우스曆으로 1101년 3월 19일(그레고리曆 3월 26일)에 해당한다.

166) 이 기사는 열전3, 文宗王子, 朝鮮公燾에도 수록되어 있다. 이날은 율리우스曆으로 1101년 3월 16일(그레고리曆 3월 23일)에 해당한다.

167) 洪圓寺는 弘圓寺의 다른 표기인데(『고려사』世家篇), 『고려사절요』에는 後者로 통일되어 있으나 당시의 金石文에는 並用되었다.

168) 이는 「大覺國師王煦墓誌銘」에 의거하였으나 筆者가 改書하였다.

169) 이는 다음의 자료에 의거하였는데, 이와 같은 자료가 『신증동국여지승람』 권2, 京都下, 弘文館 ; 『訥齋集』 권5, 弘文館序에도 수록되어 있다. 이때 숙종이 宮中에 經籍을 貯藏하면서 "高麗國十四葉辛巳歲」藏書」大宋建中靖國」元年」大遼乾統元年", "高麗國御藏書"의 2個의 印章[圖書]을 만들어 찍었던 것으로 추측된다. 이의 實物은 『重廣會史』, 『新雕入篆說文正字』, 『姓解』, 『杜氏通典』, 『荀氏』등에 찍혀 있으며, 印章의 크기는 가로 3.7cm, 세로 6.4cm이고, 글자 크기는 가로×세로 6~7mm이며 3行의 隸書이며, 建字는 太祖 王建을 避諱하기 위해 책받침변의 아래쪽

[某日, 制, 外官吏邑祿, 給公須租:食貨3外官祿·節要轉載].[170)]

[是月壬辰朔, 遼改壽昌七年爲乾統元年:追加].

三月[壬戌朔小盡,壬辰], 戊辰[7日], 幸王輪寺.

庚午[9日], 幸弘護寺, 御製詩, 命內侍儒臣, 和進.

壬申[11日], 制, 以秘書省文籍板本, 委積損毁, 命置書籍鋪于國子監, 移藏之, 以廣摹印.

丙子[15日], 設藏經道場于會慶殿, 御製慶讚詩.

己卯[18日], 王避遼帝[天祚帝]嫌名, 改名顒, 告于大廟[太廟]·八陵, 群臣表賀.

庚辰[19日], 設般若道場于乾德殿.

○遼遣檢校右散騎常侍耶律轂來, 告道宗崩, 皇太孫燕國公[國王]延禧嗣位.[171)]

을 缺畫[缺筆]으로 처리하였다(張東翼 2004년 696面).

그리고 이때의 帝王(肅宗, 後日 15代가 됨)을 14代(十四葉, 葉은 世代를 指稱함)로 표기하고 있는데, 이는 前王인 獻宗을 廢位되어 당시에는 帝王으로 尊崇받지 못했기 때문이다(死后의 諡號는 恭殤君). 獻宗은 1106년(睿宗 즉위년) 11월에 復位되어 廟號를 부여받았다(14代).

· 『세조실록』 권30, 9년 5월 戊午[30日], "… 上問[行僉知中樞院事梁]誠之曰, '書册考校幾何?', 誠之曰, '已畢', 上曰, '在世宗朝書籍散亂, 今雖整齊, 藏之以備考閱'. 誠之遂進書 其書曰, 竊觀歷代書籍, 或藏於名山, 或藏於秘閣, 所以備遺失, 而傳永久也. 前朝肅宗, 始藏經籍, 其圖書之文, 一曰, 高麗國十四葉辛巳歲, 藏書大宋建中靖國元年, 大遼乾統九[元]年. 一曰, 高麗國御藏書. 自肅宗朝, 至今六百六十三年[~~三百六十三年~~], 印文如昨, 文獻可考. 今內藏萬卷書, 多其時所藏, 而傳之者. 乞今藏書後面圖書稱, 朝鮮國第六代癸未歲, 御藏書本朝九年, 大明天順七年, 以眞字書之. 前面圖書稱朝鮮國御藏書, 以篆字書之, 遍着著諸册, 昭示萬世. …". 여기에서 ~~添字~~로 고쳐야 옳게 될 것이다.

· 『嘉梧藁略』册14, 玉磬觚賸記, "世祖朝, 梁誠之奏言, '高麗肅宗, 始藏經籍, 其所印圖書之文二, 其一曰, 高麗國十四葉, 御藏書. 其一曰, 高麗國御藏書. 至今三百六十三年, 印文如昨, 今內藏萬卷書, 多其時所藏. 乞令今藏書後面圖書稱, 朝鮮國第六代癸未歲, 御藏書, 以眞字書之. 前面圖書稱, 朝鮮國御藏書, 以篆字書之'. 按高麗屢經兵亂, 能存近萬卷書. 我世祖利後開刊之書, 亦復不小, 而見存者小, 此何故焉. 畜書之家小, 毁書之人多故也. 宜自朝家設禁, 無敢以册紙, 爲閑雜之用可也".

170) 지34, 食貨3, 外官祿에는 制가 判으로 되어 있는데, 원래 고려의 實錄에서 制였던 것을 『고려사』의 편찬과정에서 判으로 고쳤다가 다시 還元하지 못하고 判字가 그대로 남겨진 결과일 것이다.

171) 이해의 1월 甲戌(13일) 契丹의 道宗 洪基(査剌, 涅隣)가 崩御하고 그의 孫子인 耶律延禧(天祚帝, 阿果)가 卽位하였는데, 宋·西夏·高麗에의 告哀使 派遣은 같은 해(壽昌7 : 乾統1) 2월 4일(乙未)에 결정되었다(『요사』 권26, 본기26, 道宗6, 壽昌 7년 1월 甲戌·권27, 본기27, 天祚皇帝1, 乾統 1년 2월 乙未). 그의 이름인 禧字와 音이 비슷한 肅宗의 이름인 熙를 顒으로 改名한 사실을 가리킨다. 이때 거란에서는 興宗 夷不菫의 연호였던 重熙를 重和로 改書하였다

○廣明寺僧光器·主簿孫弼·進士李震光, 詐造陰陽書. 事覺, 杖流之.

[癸未[22日], 親饗國老於閤門:禮10老人賜設儀轉載].

丙戌[25日], 祭五瘟神.[172)]

庚寅[29日晦], 詔曰, "己卯年[肅宗4年], 幸三角山, 所過名山·大川神號, 各加仁聖二字, 令所在州縣, 祭告".

夏四月辛卯朔[大盡,癸巳], 日食.[173)]

癸巳[3日], 從祀六十一子·二十一賢于文宣王廟.

[→國子監奏, "文宣王殿左右廊, 新畫六十一子·二十一賢, 請從祀于釋奠", 從之:節要·禮4文宣王廟轉載].

○御史臺奏, "遼告哀使傳命後, 以皀衫·烏帽, 赴宴, 非禮也, 請罪迎送員吏". 王曰, "此使者之失, 迎送員吏, 何與焉". 不聽. 又奏, "司天卜正柳綠春,[174)] 誤奏日食分刻, 請論如法", 從之.

○以旱, 禱雨于天地·宗廟·山川.[175)]

[某日, 詔□[曰], "民貧不能自存者, 令濟危鋪,[176)] 限麥熟, 賑恤":節要·食貨3水旱疫癘賑貸之制轉載].

乙未[5日], 以樞密院事[樞密院使?]吳壽增爲西北面兵馬使·知中軍兵馬使事.

丙申[6日], 幸普濟寺.

戊戌[8日], 幸妙通寺, 設摩利支天道場.

(劉俊喜 2001年).

·「高爲裘墓誌銘」, "至重和九年十二月, 授右班殿直·侍衛神武軍指揮使".

172) 이 기사는 지17, 禮5, 雜祀에도 수록되어 있다.

173) 이날 宋에서도 일식이 예측되었으나 구름으로 인해 관측되지 못했다고 한다(『송사』 권52, 지5, 천문5, 日食). 또 이날 일본의 京都에서도 일식이 있었다(日本史料3-5冊 954面). 이날은 율리우스력의 1101년 4월 30일이고, 개경에서 일식 현상이 심했던 시간은 11시 42분, 食分은 0.43이었다(渡邊敏夫 1979年 306面).

·『中右記』目錄, 康和 3년 4월, "一日, 々蝕. 於中殿有御讀經".

·『殿暦』, 康和 3년 4월, "一日辛卯, 天晴, 今日, 日蝕正見, 奈良[覺信]法印·山[仁源]法印被座".

·『長秋記』目錄6, 康和 3년 4월, "一日, 日蝕六十口御讀經猶在".

174) 柳綠春은 『고려사절요』 권6에는 柳祿春으로 달리 표기되어 있다.

175) 契丹에서도 이해의 4월은 가물었다고 한다.

·『요사』 권27, 본기25, 天祚皇帝1, 乾統 1년, "夏四月, 旱".

176) 濟危鋪는 『고려사절요』 권6에는 濟危寶로 되어 있다(盧明鎬 등편 2016년 180面).

庚子[10日], 幸普濟寺.

辛丑[11日], 平州妖僧覺眞, 妄言陰陽, 眩惑衆人. 詔, 流谷州.

[○~~是月~~, 蟲食首押山松. ~~是日~~辛丑, 太史奏, "蟲食松, 此兵徵也, 宜行灌頂·文豆婁·寶星等道場, 老君符法, 以禳之", 從之 : 五行2轉載].[177)]

壬寅[12日], 以洪器爲工部尙書·充史館修撰官.

癸卯[13日], 錄囚.

○遣大府少卿~~太府少卿~~王公胤·閤門使魯作公如遼, 弔慰·會葬.[178)]

○東路州鎭, 雪深一寸.

甲辰[14日], 醮太一, 祈雨.

○幸外帝釋院.

○翰林院奏, "御名同韻字, 請令秘書省, 彫板頒示, 使人知所避諱", 制可.

○改雍和殿爲祥和殿.

[○月貫氐星 : 天文1轉載].

乙巳[15日], 曝巫, 祈雨.

[○吏部火 : 五行1火災轉載].

○群臣上言, "松虫蕃殖, 壓禳無效, 臣等謹按, 京房易飛候云, '食祿不益聖化, 天示之虫~~天視以虫~~,'[179)] 臣等無狀, 以貽上憂, 願進賢退不肖, 以答天譴". 不報.

[丁未[17日] : 五行2轉載], [小滿]. 設龍王道場于臨海院, 祈雨.

[某日, 命於臨津縣普通院, 施食行旅, 三月 : 節要·食貨3水旱疫癘賑貸之制轉載].

戊申[18日], 合祭己卯年[肅宗4年]行幸, 所過名山·大川神祇于開城府及楊州.

[→戊申, 合祭己卯年幸三角山, 所過名山·大川于開城及楊州 : 禮5雜祀轉載].

○幸日月寺, 慶成'金字妙法蓮華經', 旣畢, 與后妃·太子, 登寺後岡, 欲置酒爲樂. 御史臺奏, 時方盛農, 旱魃爲灾, 若樂酒於此, 百姓孰謂殿下[陛下]憂民之憂. 王乃止.[180)]

---

177) 이 기사에서의 ~~添字~~는 필자가 추가한 것이다.

178) 이들 弔慰使는 6월 7일(丙申) 西夏의 使臣과 함께 弔問하였다[慰奠].
 · 『요사』 권27, 본기25, 天祚皇帝1, 乾統 1년 6월, "丙申, 高麗·夏國各遣使慰奠".

179) 이는 다음의 자료에서 인용한 것이다.
 · 『수서』 권23, 지18, 五行下, 蟲妖, "梁大同初, 大蝗, 籬門松栢葉皆盡 … 京房易飛候曰, 食祿不益聖化, 天視以蟲. 蟲無益於人, 而食萬物也".

180) 殿下는 원래 陛下였을 것인데, 『고려사』의 편찬과정에서 改書되었다가 原狀復歸할 때 빠뜨려진 글자일 것이다.

○及還, 有感作詩, 末句云, "蓮宮觀訪酬前願, 兼禱時霖表至心".

己酉19日, 禱雨于天地·宗廟.

辛亥21日, 放輕繫.

甲寅24日, 詔曰, "方今農時, 天久不雨, 恐州郡官吏, 不體予意, 逗撓德音, 所免租稅, 使民不被其澤. 或寃獄滯囚, 久而不決. 餓莩曝骸, 棄而不葬. 又公私收稅甚重, 召民怨, 傷和氣而致然也. 有司, 其布德惠, 禁非法, 平訊具獄, 掩骼埋胔, 亟答天譴".

丙辰26日, 大雩. 設仁王道場于文德殿, 祈雨.[181)]

[○鑄錢都監奏, "國人始知用錢之利, 以爲便, 乞告于宗廟", 從之→7年12月丙辰6日로 옮겨감].[182)]

戊午28日, 女眞氈工古舍毛等六人來投, 賜田廬, 以充編戶.

庚申30日, 割平虜鎭關內楸子田, 與民, 耕之.

五月辛酉朔小盡,甲午, 壬戌2日, [芒種]. 禱雨, 斷扇, 徙市.

[丙寅6日, 遂集僧徒于首押山, 以禳之:五行2轉載].[183)]

[庚午10日, 大雨:五行2轉載].[184)]

[某日, 詔曰, "朕, 以長生庫, 積粟既多, 出糶取息. 今聞歲久, 粟腐, 民或病之. 其令管勾員, 貿銀布, 以除其弊":節要·食貨2借貸轉載].

[某日, 更命有司, 臨津縣普通院, 施食行旅, 至立秋而止:節要轉載].

甲申24日, 尙書任懿·侍郎白可臣等還自宋, 帝徽宗賜'神醫補救方'. 王受詔於宣政殿. [一

181) 이때 일본의 교토[京都]에서도 4월 17일(丁未) 일시 비가 내렸을 뿐이고 나머지는 거의 내리지 않아 30일(庚申) 22寺社에 禮物을 바쳤던 것[奉幣] 같다.
·『殿曆』, 康和 3년 4월, "十七日丁未, 晴天陰, 雨降, … 卅日庚申, 晴, … 依天變廿二社ニ奉幣, 今日件定云々, …".

182) 이때는 是年 6월의 銀甁이 發行되기 이전에 해당하며(→6월 某日), 銅錢의 製造[鑄錢]가 이루어지지 않았다. 또 이와 같은 같은 내용의 기사가 明年(숙종7) 12월 1일(辛亥朔, 食貨志)에, 3일(癸丑) 以後(『고려사절요』 권6)에 각각 있으므로 숙종 7년 12월 丙辰(6일)로 옮겨가야 할 것이다[校正事由, 李丙燾 1961년 320面].

183) 丙寅의 앞에 五月이 탈락되었다. 또 이 기사는 4월 11일(辛丑)의 首押山 松蟲에 대한 太史奏와 연결된 事件을 기록한 것 같다.

184) 이때 교토에서는 5월 1일(辛酉) 때때로 비가 내리다가 2일(壬戌)에서 8일(戊辰)까지 계속 내렸다고 한다(『殿曆』, 康和 3년 5월). 이로 보아 장마전선이 9일(己巳) 혹은 10일(庚午)에 한반도로 北上하였던 것 같다.

行人, 皆貪冒貨利, 懿獨廉謹, 宋人稱之:節要轉載].[185]

○制, 以今秋役夫六千五百人, 脩營弘護寺.

[乙酉[25日], 太白·歲星同舍:天文1轉載].

[丙戌[26日], 命東北州鎭, 設神衆道場, 以禳松蟲:五行2轉載].

六月[庚寅朔大盡,乙未], 辛卯[2日], 王如奉恩寺.

[某日, 詔曰, "金銀, 天地之精, 國家之寶也. 近來姦民, 和銅盜鑄, 自今, 用銀瓶, 皆標印, 以爲永式, 違者重論". 時始用銀瓶爲貨, 其制, 以銀一斤爲之, 像本國地形, 俗名闊口:節要轉載].[186]

[某日, 以長淵縣, 頻年水旱, 免賦役三年:節要·食貨3災免之制轉載].

丙申[7日], [尙書]王嘏·[侍郎]吳延寵還自宋, 帝賜王'大平御覽[太平御覽]'一千卷. [延寵奏, "臣等在宋, 館伴·中書舍人謝文瓘, 謂臣曰, '聞國王好文, 近來海東, 文物大興, 所上表章, 甚佳, 朝廷頗美之'". 王曰, "大平御覽, 文考[文宗]嘗求而不得, 神醫普救方, 濟世要術也, 今朕兩得之, 此使者之能也. 其賀登極及奉慰使副·僚佐, 並加爵賞": 節要轉載].

[→肅宗五年, 與尙書王嘏如宋賀登極, 以朝旨購'大平御覽', 宋人祕不許, 延寵上表懇請, 乃得. 及還, 王曰, "此書文考嘗求之不得, 今朕得之, 使者之能也. 使·副·僚佐, 並加爵賞". 拜延寵中書舍人:列傳9吳延寵轉載].

[→富佾, 少力學登第, 直翰林院, 隨樞密院使王嘏入宋, 爲嘏作表, 辭雅麗, 帝再遣內臣奬諭:列傳10金富佾轉載].

---

185) 이와 관련된 기사로 다음이 있다.

- 열전8, 任懿, "宋哲宗崩, 懿與侍郎白可臣奉使弔慰. 一行人皆黷貨利, 懿獨廉謹, 宋人稱之. 賚帝所賜神醫普救方來, 王曰, 此方, 濟世要術, 其賚來使·副·僚佐, 宜並加爵賞".
- 「任懿墓誌銘」, "[壽昌]六年, 奉使中朝, 爲公副者, 冒貨利, 公笑視之, 不少介意, 擧止中矩, 宋人目敬焉".

186) 이와 관련된 기사로 다음이 있다.

- 지33, 食貨2, 貨幣, "是年, 亦用銀瓶爲貨, 其制, 以銀一斤爲之, 像本國地形, 俗名闊口".
- 지39, 刑法2, 禁令, "[肅宗6年]六月, 詔曰, 金銀, 天地之精, 國家之寶也. 奸民和銅盜鑄, 自今用銀瓶, 皆標印, 違者重論".
- 『鷄林類事』, "… 以稗米定物之價, 而貿易之. 其地皆視此, 爲價之高下, 若其數多, 則以銀鉼. □□[銀瓶], 每重一斤, 工人制造, 用銀十二兩半, 入銅二兩半, 作一斤, 以銅當工匠之直". 여기에서 添字가 탈락되었을 것이다.

己亥[10日], 以任懿爲御史大夫, 尹瓘爲樞密院知奏事.

庚子[11日], 以[中書侍郎平章事?]林幹△[爲]判尙書刑部事, [參知政事?]魏繼廷△[爲]判翰林院事, [樞密院使?]吳壽增△[爲]判三司事, 王嘏爲樞密院左承宣, 趙珪爲右副承宣.

辛丑[12日], <u>定州長</u>□[吏?]今男, 盜官庫鐵甲四部, 賣與東女眞. 事覺, 伏誅.[187)]

甲辰[15日], 王受菩薩戒于乾德殿.

[某日, 禁男女僧尼羣聚, 作萬佛會:節要·刑法2禁令轉載].[188)]

[某日], 詔, 除兩京軍卒不急之役.

[某日, 禁捨家<u>爲寺</u>:節要·刑法2禁令轉載].[189)]

○分內府文書, 藏于樞密院.

戊午[29日], 以<u>大府卿</u>[~~太府卿~~]金漢忠爲西北面兵馬使, 御史中丞高令臣爲東北面兵馬使, [朴現元爲東南海都部署使:慶尙道營主題名記].

秋七月[庚申朔大盡,丙申], 辛酉[2日], 制, 以役夫一千九百人, 修營國淸寺.

己卯[20日], 王如興王寺.

[甲申[25日], 太白·歲星同舍:天文1轉載].

八月[庚寅朔小盡,丁酉], [壬辰[3日], 太白犯軒轅:天文1轉載].

癸巳[4日], 詔曰, "元曉·義相, 東方聖人也, 無碑記·謚號, 厥德不暴, 朕甚悼之, 其贈元曉大聖·和靜國師, 義相大聖·圓教國師, 有司卽所住處, 立石紀德, 以垂無窮".

---

187) 定州長은 定州長吏의 脫字일 가능성이 있다.

188) 萬佛法會[萬佛會]의 어떠한 성격의 행사인지는 알 수 없으나 萬僧會와 같이 수많은 僧侶, 男女俗人들이 모여 개최하는 어떤 法會인 것 같다. 현재 중국에서 행해지는 이 법회는 供天, 放生, 上供의 순서로 행해진다고 하는데, 이는 無遮水陸放生大會와 같은 양상을 보인다.
- 『세종실록』 권94, 23년 윤11월, "壬申[9日], 司憲府上疏曰, 臣等竊謂天下之道二, 是與非而已矣, … 惹孝寧大君以宗室之長, 高明之材, 誤信虛誕之說, 曾於漢江之濱, 辦設無遮之會, 士女雲集, 觀聽歆慕, 舟載飯食, 投之江中, 以施魚鱉. 尊敬無知行乎? 以宗室之尊, 屈膝禮拜, 勸誘宗室, 下至商賈之徒, 俾出財產, 興補亡寺, 煥然一新, 造佛印經, 安居設會等事, 無所不爲. 其無賴僧徒商賈之徒, 歸依趨附, 乃於僧舍板上, 特書曰, '施主孝寧大君', 並列於商賈賤隷之間, 凡在見聞, 寧不愧赧".

189) 이와 관련된 기사로 다음이 있는데, 이는 禁令이 발표된 日辰이 다른 두 기사를 하나로 연결하였던 것 같다.
- 지39, 刑法2, 禁令, "禁男女僧尼群聚萬佛會<u>及</u>舍家爲寺".

[是時頃, 加贈大禪師道詵爲王師之號:追加].[190)]

乙巳[16日], 詔曰, "朕自御神器, 居常小心, 北交大遼, 南事大宋, 又有女眞, 倔强于東. 軍國之務, 安民爲急, 宜罷不急之役, 以安斯民".

○都兵馬使奏, "今遼東京兵馬都部署移文, 請罷靜州關內軍營, 頃在大安中, 遼欲於鴨江, 置亭子及榷場, 我朝遣使請罷, 遼帝聽之, 今亦宜從其請", 制可.

[是月, 以祐世僧統義天遘疾, 上遣中使, 問體安候, 又遣名醫侍患, 令於諸寺 爲之請福疾革:追加].[191)]

九月[己未朔小盡,戊戌], 壬戌[4日], 王如國淸寺.

戊寅[20日], 遣同知樞密院事郭尙·尙書左丞許慶如遼, 賀卽位.[192)]

○西女眞古時毛來投, 賜田宅.

甲申[26日], 幸揔持寺, 問母弟僧煦疾. [未閱旬[10月5日]而卒. 政堂文學李顗言, "煦, 於上周親, 而禮, 出家無服, 然, 才行俱優, 名重遼·宋, 不可不服". 於是, 王與羣臣, 玄冠素服, 輟朝三日, 賜賻甚厚:節要轉載]. 設仁王經道場于會慶殿·毬庭及外山諸寺, 飯僧三萬.[193)]

[→煦病, 王幸揔持寺, 問疾, 尋卒, 王欲諡[謚]大覺. 中書門下省奏, "大覺者佛也, 僭佛號, 非煦意". 王不從. 政堂文學李顗言, "煦於上, 雖周親, 而按禮, 出家無服. 然才行俱優, 名重遼·宋, 欲追贈國師, 不可不服". 於是, 王與群臣, 玄冠素服, 輟朝三日. 賜賻尋厚:列傳3文宗王子大覺國師轉載].

是月, 置南京開創都監. 命門下侍郞平章事崔思諏·御史大夫任懿·知奏事尹瓘·少府監致仕文象·春官正陰德全·秋官正崔資顥, 相之.[194)]

---

190) 이는 다음의 자료에 의거하였는데, 그 시기는 不明이지만 元曉와 義相이 國師로 추증될 때 道詵도 王師로 추증되었을 가능성이 있을 것이다(許興植 2020년 183面).

· 「光陽玉龍寺先覺國師證聖慧燈塔碑」, "… 肅祖加王師之號, …".

· 『동문선』 권27, 官誥(崔應淸 撰), "… 肅廟加王師之貴號, 名傳不朽[不齡], …".

191) 이는 「大覺國師王煦墓誌銘」에 의거하였으나 筆者가 改書하였다.

192) 이들 사신은 12월 11일(丁酉) 西夏의 使臣과 함께 賀禮하였다. 또 이 시기 前後의 北宋에서 거행된 正旦 朝會에 참석한 百官을 위시한 外國使臣의 行列·衣冠의 諸樣相은 『東京夢華錄』 권6, 元旦朝會 ; 『歲時廣記』 권7, 元旦下, 來朝賀에 기록되어 있다.

· 『요사』 권27, 본기25, 天祚皇帝1, 乾統 1년 12월, "丁酉, 高麗·夏國並遣使來賀".

193) 三萬은 延世大學本과 東亞大學本에 王萬으로 되어 있으나 오자이다.

194) 門下侍郞平章事와 御史大夫는 延世大學本과 東亞大學本에는 각각 問下侍郞平章事, 御史太夫

[→國家欲移都南京, 宰相及庶僚, 皆以爲可, 柳伸與左散騎常侍庾祿崇, 獨言其不可:列傳8柳伸轉載].[195)]

冬十月戊子朔大盡,己亥, [庚寅3日, 册祐世僧統義天爲國師:追加].[196)]

[→遂册贈大覺國師, 又賜敎門徒弔慰:列傳3文宗王子大覺國師轉載].

[某日辛卯4日?, 御東池龜齡閣, 閱閱近仗·六衛諸將士射御:兵1五軍轉載].[197)]

壬辰5日, 御史臺奏, "京畿捕賊軍士, 擅掠民戶, 爲害反甚, 請罷之", 制可.

[○國師義天入寂, 年四十七, 臘三十六. 上聞之慟哭, 命有司賻贈, 贈謚大覺:追加].[198)]

乙未8日, 以乇羅新星主·陪戎副尉具代爲遊擊將軍.[199)]

○門下侍郞平章事崔思諏等還奏云, "臣等, 就盧原驛·海村·龍山等處, 審視山水, 不合建都, 唯三角山面嶽之南, 山形水勢, 符合古文, 請於主幹中心大脉, 壬坐丙向, 隨形建都", 制可.[200)]

丙申9日, 以始創南京, 告于宗廟·社稷·山川.

[是月, 判𠕋, 嫁大小功親所產, 並許通:選擧3限職轉載].

十一月戊午朔小盡,庚子, 戊辰11日, 以羅俊爲左右衛上將軍·攝刑部尙書, 崔挺爲金吾衛上將軍·工部尙書.[201)]

로 되어 있으나 오자이다.

195) 이때 柳伸은 右散騎常侍로 재직하였을 가능성이 있다.

196) 이는「大覺國師王煦墓誌銘」에 의거하였다(金龍善 2006년 31面). 또 大覺國師의 影幀은 順天市 昇州邑 竹鶴里 仙巖寺에 소장되어 있다(보물 제1044호).

197) 이 기사는『고려사절요』권6에 축약되어 있다("御東池龜齡閣, 閱將士射御").

198) 이는「大覺國師王煦墓誌銘」;「開城靈通寺大覺國師塔碑」에 의거하였다. 이날은 율리우스曆으로 1101년 10월 28일(그레고리曆 11월 4일)에 해당한다.

199) 新星主는『고려사절요』권6에는 星主로 되어 있다(東亞大學 2008년 4책 362面).

200) 이 기사와 관련된 된 자료로 다음이 있다. 또 여기에서 盧原驛은 현재의 서울시 東大門 밖의 蘆原區, 海村은 道峯山 아래의 道峯區 海村, 龍山은 한강 연안의 龍山區 龍山, 그리고 面嶽의 남쪽[面嶽之南]은 鐘路區 北岳山[白嶽山] 아래의 景福宮 지역으로 추측되고 있다(李丙燾 1961년 264面).

·『동국여지승람』권3, 漢城府, 古跡, "面嶽, 高麗肅宗九年六年, 命崔思諏·尹瓘等相南京之地, 思諏還奏云, '臣等就盧原驛·海村·龍山等處, 審視山水, 不合建都. 唯三角山面嶽之南, 山形水勢, 符合古文. 請於主幹中心, 壬坐丙向. 隨形建都. 從形勢, 東至大峯, 南至沙里, 西至岐峯, 北至面嶽爲界'. ○今按面嶽疑白嶽". 여기에서 添字와 같이 고쳐야 옳게 될 것이다.

辛未[14日], 設八關會, 幸法王寺.

○宋商·耽羅·東北蕃酋長等來, 獻土物.

[某日, 都兵馬使奏, "東京管內郡縣, 旱氣太甚, 民被其災, 乞放長生庫諸倉, 公私逋欠米穀, 俟豊年收納", 從之:節要轉載].

[→都兵馬使奏, "東京管內郡縣, 旱氣太甚, 民被其災, 乞放公私長生庫及諸倉, 逋欠米穀, 俟豊年收納", 制可:食貨3災免之制轉載].

[辛丑[某日], 大雨:五行2轉載].[202]

[是月辛酉[4日], 刻大覺國師墓誌石, 書者宣德郎·秘書郎·賜緋魚袋高世俑:追加].[203]

十二月[丁亥朔大盡,辛丑], [甲午[8日], 熒惑入氐星:天文1轉載].

[○大僕寺庫[~~太僕寺庫~~]火:五行1火災轉載].

[庚子[14日], 鎭星犯鍵閼:天文1轉載].

[癸卯[17日], 虎入城中, 害人:五行2轉載].

[乙巳[19日], 歲星犯軒轅大星:天文1轉載].

丙午[20日], 遼遣高州管內觀察使高德信來, 賀生辰.

○以魏繼廷爲中書侍郞同中書門下平章事·柱國, 李頫△[爲]參知政事·柱國, 吳壽增爲尙書左僕射兼太子賓客, 柳伸爲禮部尙書·同知樞密院事·翰林學士承旨, 金景庸爲兵部尙書·同知樞密院事, 韓瑩爲尙書右僕射, 崔弘嗣爲吏部尙書, 白可臣爲兵部侍郞·左諫議大夫, 高令臣爲刑部侍郞·右諫議大夫, 康拯爲考功郞中·御史雜端, 盧忠謹爲侍御史, 金至和爲右補闕, 金晙·張起爲左·右拾遺.[204]

己酉[23日], 遼遣崇祿卿吳佺來, 致道宗遺留衣帶·匹段[~~疋段~~]等物.

[是年, 祐世僧統義天置教藏都監於興王寺, 刊續藏經. 是時, 首座樂眞校正之:追加].[205]

[○始設天台宗大選, 使祐世僧統義天主盟, 教雄爲學首, 答在上上品, 受大德:追加].[206]

---

201) 延世大學本과 東亞大學本에는 十二月로 되어 있으나 十一月의 오자이다.

202) 이달에는 辛丑이 없고, 다음 달인 12월 15일이 辛丑이다.

203) 이는 「大覺國師王煦墓誌銘」에 의거하였다.

204) 이때 金晙(開州人)은 左拾遺·知制誥에 임명되었다(열전10, 金晙).

205) 이는 「陜川般若寺元景王師塔碑」에 의거하였다.

206) 이는 「國淸寺住持教雄墓誌銘」에 의거하였는데, 이때의 天台宗 僧科는 義天이 入寂한 10월 5일

壬午[肅宗]七年, 契丹乾統二年, [宋崇寧元年], [西曆1102年]

1102년 1월 21일(Gre1월 28일)에서 1103년 2월 8일(Gre2월 15일)까지, 13개월 384일

春正月[丁巳朔小盡,壬寅], 辛未[15日], 以左散騎常侍庾祿崇△[爲]知西北面兵馬事, 少府監李繼膺△[爲]知東北面兵馬事, [金子廷爲東南海都部署使:慶尙道營主題名記].

[是月丁巳朔, 宋改元崇寧:追加].

二月[丙戌朔大盡,癸卯], 丙申[11日], [鶖蟄]. 命太子, 醮三界百神于毬庭.[207)]

丁酉[12日], 西女眞高舍等十八人來, 獻土物.

庚子[15日], 燃燈, 王如奉恩寺.

丁未[22日], 西女眞阿號羅等十五人來, 獻土物.

庚戌[25日], 東女眞安旦分·那老等十八人來朝.

乙卯[30日], [中書侍郎]平章事金先錫三上表, 請老, 許之.

三月[丙辰朔小盡,甲辰], 丁巳[2日], 幸神衆院, 設齋.

庚申[5日], 幸王輪寺.

辛酉[6日], 以[參知政事]李頫△[爲]判尙書戶部事, 郭尙爲左僕射·參知政事兼西京留守使.

[某日, 三司奏, "東京管內州·郡·鄕·部曲十九所, 因去年久旱, 民多飢困, 乞依令文, 損四分以上, 免租, 六分以上, 免租·調, 七分以上, 課·役俱免. 已輸者, 聽折減來年租稅", 從之[制可]:節要·食貨3災免之制轉載].[208)]

[甲戌[19日], 大雪:五行1轉載].

乙亥[20日], 王欲如興王寺, 會天雨, 諫官諫止之.[209)]

(壬辰) 이전에 실시되었을 것이다.

207) 이 기사는 지17, 禮5, 雜祀에도 수록되어 있다.

208) ~~添字~~는 지34, 食貨3, 災免之制에서 달리 표기된 글자이다. 또 이 措置는 前年(숙종6) 11월 某日의 都兵馬使의 上奏와 관련된 租稅減免으로 추정된다.

209) 이날 일본의 교토[京都]에서도 비가 오전 7시 이전까지 내렸다고 한다.

·『中右記』, 康和 4년 3월, "廿日, 今日, 有御賀後宴事, 卯刻以前雨脚頻下, 辰刻以後, 靑天高晴, 白日明".

·『殿曆』, 康和 4년 3월, "廿日乙亥, 寅剋許猶雨下, 辰剋許晴了, 今日, 御賀後宴, …".

丁丑[22日], 放輕繫.

○命[知奏事]尹瓘·[司宰卿]李宏, 試進士于順天館, 遣殿前副承旨梁信英, 賜宋朝細筆一千二百管于進士.[210)]

己卯[24日], 御史臺奏, 四門進士李齊老, 盲僧法宗之子, 不合應擧. 王曰, "孔子謂仲弓曰, 犁牛之子, 騂且角, 雖欲勿用, 山川其舍諸.[211)] 科目, 將以求賢, 齊老, 苟有才學, 豈可以父故, 廢之, 可令赴擧".

庚辰[25日], 設佛頂道場于文德殿.

○中書門下奏, "新作南京, 度地必廣, 多奪民田. 請據'京緯令'所說, 或依山取勢, 或約水表形, 先以內從山水形勢, 東至大峯, 南至沙里, 西至岐峰, 北至面嶽, 爲界", 制可.[212)]

○靖宗妃延興宮主金氏[金元沖之女]卒.[213)] [王降吊慰教書~~[詔書]~~, 追封德妃, 謚容節:列傳1靖宗妃容節德妃金氏].

夏四月[乙酉朔大盡,乙巳], [某日, 命濟危鋪, 施食飢民, 至立秋:節要轉載].[214)]

丁酉[13日], [立夏]. 御乾德殿覆試進士, 召太子及宰樞·兩制詞臣, 置酒, 宣題, 春風扇微和, 令太子及詞臣, 各賦六韻詩, 以進. 賜康滌等及第, 幷召試投化宋進士章忱, 賜別頭及第, [仍賜紅牌·鞍馬:節要轉載].[215)]

甲辰[20日], 東女眞酋長盈歌遣使來朝. 盈歌卽金之穆宗也.[216)]

---

210) 이와 관련된 기사로 다음이 있다.

· 지27, 선거1, 科目1, 選場, "[肅宗]七年三月, 知奏事尹瓘知貢擧, 司宰卿李宏同知貢擧, 取進士, …".

211) 이 구절은 다음의 자료에서 따 온 것이다.

·『논어』 권3, 雍也第6, "子謂仲弓曰, 犁牛之子, 騂且角, 雖欲勿用, 山川其舍諸".

212) 여기에서 大峯은 현재의 서울시 鍾路區·城北區의 駱山, 沙里는 神龍山의 남쪽 끝(位置不明), 岐峰은 西大門區 鞍山, 面嶽은 北岳山으로 추측되고 있다(李丙燾 1961년 265面).

213) 이날은 율리우스曆으로 1102년 4월 14일(그레고리曆 4월 21일)에 해당한다.

214) 이와 같은 기사로 다음이 있다.

· 지34, 食貨3, 水旱疫癘賑貸之制, "[肅宗]七年, 命有司, 設食賜飢民, 限自四月, 至立秋".

215) 이와 관련된 기사로 다음이 있는데, ~~添字~~가 추가되어야 할 것이다. 이때 [進士]康滌·[進士]鄭沆(乙科2人, 鄭沆墓誌銘)·崔梓(丙科, 崔梓墓誌銘)·[宋進士]章忱(別頭乙科) 등이 급제하였다(『登科錄』, 朴龍雲 1990년 ; 許興植 2005년).

· 지27, 선거1, 科目1, 選場, "[肅宗]七年三月, 知奏事尹瓘知貢擧, 司宰卿李宏同知貢擧, 取進士, ~~[四月丁酉]~~ 覆試, 下詔賜乙科康滌等五人·丙科十一人·同進士十七人·明經三人·恩賜五人及第, 幷召試投化宋進士章忱, 賜別頭乙科及第, 仍賜紅牌·鞍馬".

[□□[~~先是~~], 蟲食松, 辛亥[27日], 命僧, 講華嚴經五日, 以禳之:五行2轉載].[217)]

五月[乙卯朔大盡,丙午], 丙寅[12日], 幸玄化寺, 慶[文宗妃仁睿順德太后發願]銀書瑜伽顯揚論.

丁卯[13日], 以庾祿崇爲樞密院使兼太子賓客.

戊辰[14日], [芒種]. 守司空·尙書右僕射黃仲寶卒.[218)]

[癸酉[19日], 親率群臣, 醮~~上帝~~[~~昊天上帝~~]·五帝[~~五方上帝~~]於禁中, 配以太祖及大明·夜明, 謝過祈禳, 三夜而罷:五行2木妖·木氷轉載].[219)]

[→以松蟲爲灾, 親率羣臣, 醮上帝於禁中, 配以太祖, 三夜而罷:節要轉載].

六月乙酉朔[小盡,丁未], 王如奉恩寺.

[丙戌[2日], 命宰相, 分祀五方山海神君於三所. 又集僧二千, 分爲四道, 巡行京城諸山, 諷般若經, 以禳松蟲, 遂發卒五百, 捕于松岳:五行2轉載].

[→命宰相, 分祀五方山海神君於三所, 以禳松蟲, 赦:節要轉載].

[→制, 發卒五百, 捕松嶽松蟲:節要轉載].

丁亥[3日], 詔曰, "松虫於泰安[~~大安~~]二年丙寅[宣宗3年], 始出西山, 延及白州·兎山, 而近來尤盛, 此必刑政乖戾所致, 夙夜祗懼, 乃與群臣, 引咎責己. 自五月癸酉[19日], 至乙亥[21日] 醮天告謝, 庶以寬刑宥罪, 上答天譴. 放免今日以前, 內外公徒·私杖以下雜罪, 其令樞密院, 施行".

[戊子[4日], 太白犯歲星:天文1轉載].

[庚寅[6日], 宋商客所接東西舘火:五行1火災轉載].

[乙未[11日], 月入房上相:天文1轉載].

戊戌[14日], [小暑]. 宋商黃朱等五十二人來.

甲辰[20日], 以直門下省□[~~事~~]文翼爲西北面兵馬使, 大僕卿[~~太僕卿~~]金德珍爲東北面兵馬

---

216) 盈歌(楊割, 英介, yingge, inggu, 淸代에 英格으로 改書)는 1103년(乾統3, 숙종8) 10월 29일 逝去하였고(51歲), 1137년(天會15) 孝平皇帝로 追謚되어 廟號를 穆宗이라고 하였다(『금사』 권1, 世紀, 穆宗).

217) ~~添字~~는 필자가 추가한 것이다.

218) 이날은 율리우스曆으로 1102년 6월 1일(그레고리曆 6월 8일)에 해당한다.

219) 여기에서 上帝는 昊天上帝의, 五帝는 五方上帝의 縮約일 것이고, 五方上帝는 東方靑帝 靈威仰, 南方赤帝 赤熛怒, 西方白帝 白招拒, 北方黑帝 叶光紀, 中央黃帝 含樞紐를 가리킨다(『구당서』 권21, 지1, 禮儀1, 祠令 ; 『唐令拾遺補』, 973面 祠令).

使, 崔翥爲刑部尙書, 李繼膺爲左散騎常侍, 劉載爲右諫議大夫, [韓相爲東南海都部署使:慶尙道營主題名記].

丙午[22日], 以選士日侍宴, 賜[中書侍郎]平章事林幹·[中書侍郎平章事]魏繼廷·參知政事郭尙, 馬各一匹. 授新及第章忱, 將仕郎·禮賓注簿同正.

[庚戌[26日], 太子後宮殷氏生子. 是廣智大禪師之印也:追加].[220)]

[是月, 熒惑留守箕:天文1轉載].

閏[六]月甲寅朔[大盡,丁未], 宋商徐脩等三人來.

[某日, 宰相[門下侍中]邵台輔等奏, "國學養士, 糜費不貲, 實爲民弊. 且中朝之法, 難以行於我國, 請罷之". 不報:節要轉載].[221)]

[史臣曰, "庠序學校, 所以昭揭人倫, 而培養國脉也, 故上古以來, 自王宮·國都, 至於閭巷, 莫不有學. 雖夷狄之陋, 未之或廢, 稽諸典籍, 未有以糜費罷學者. 今, 台輔罷學之請, 雖窮巷庸夫, 所不敢出諸口者. 肅宗, 乃擢置於論道經邦之位, 及其三表請老, 盛稱儒雅, 不允其請, 何也? 肅宗, 非不知其爲人, 特以其溺於立己之私恩, 而昧於擇相之公義也. 時稱肅宗好文. 其好文也, 豈亦玩心於章句之末, 而與羣臣, 賦詩唱和而已耶? 其於窮理·正心·治國·濟世之道, 則蓋懵焉, 未遑也?":節要轉載].

[某日, 御東池龜齡閣, 召宰樞, 閱騎兵, 賞賜:兵1五軍轉載].[222)]

[己巳[16日], 孟州城廊及民家七十餘戶火:五行1火災轉載].

丙子[23日], 宋商朱保等四十餘人來.

秋七月[甲申朔小盡,戊申], 辛卯[8日], 設消道場於會慶殿三日.

庚子[17日], 幸外帝釋院.

癸卯[20日], 王如興王寺.

庚戌[27日], 幸西京.

壬子[29日晦], 禮部奏, "謹按尙書䟽, 王者, 所爲巡守者, 以諸侯自專一國, 威福在己, 恐其壅遏上命, 澤不下流, 故自巡守, 爲民除弊,[223)] 宜命西京留守及先排□[使]·

---

220) 이는 「海東廣智大禪師墓誌銘」에 의거하였다(金龍善 2006년 168面).

221) 이와 같은 기사가 지28, 選擧2, 學校 ; 열전8, 邵台輔에도 수록되어 있다.

222) 이 기사의 冒頭에 六月로 되어 있으나 閏六月의 잘못이다. 이 기사는 『고려사절요』 권6에 縮約되어 있다("御東池龜齡閣, 閱騎兵, 賞賜").

按察使, 先訪民閒疾苦, 蠲除撫恤, 及前降赦恩, 未盡奉行者, 付有司施行", 制可.[224)]

[是月, 式目都監奏, "□曲三禮·三傳業出身者, 不別錄用, 漸致衰微, 今後, 爲先量敍, 後生業此者, 國子監勸勵, 制可":選擧1科目轉載].[225)]

八月癸丑朔大盡,己酉, 行在臣僚, 奉表賀朔.

丁巳5日, 至大同江, 御龍船, 宴太子·扈從臣僚及西京文武兩班, 觀水戲雜技, 至晡而罷, 入御長樂殿.[226)]

戊午6日, 謁太祖眞□□□于感眞殿.

庚申8日, 曲宴于美花亭, 改賜額曰有美, 御製詩一絶, 命兩京儒臣, 和進.

癸亥11日, 移御集祥殿, 命直史館洪灌, 書殿門額.

甲子12日, 幸興福·永明兩寺, 行香, 遂御九梯宮, 留題永明寺·浮碧樓·九梯宮詩, 各一首, 命兩京儒臣和進. 遂御龍船, 宴群臣.

庚辰庚午18日,[227)] 王至梯淵岸, 命善泗禁軍五人, 尋舊梯基. 五人奏云, 去地十尺, 有梯基石. 遂幸弘福寺, 行香, 出御寺南江岸, 閱射, 因命置酒, 太子及臣僚侍宴. 親製秋日遊鎬京南河開宴詩四韻, 宣示兩京儒臣和進, 至晡, 還宮.

乙亥23日, 幸重興寺.

丁丑25日, 新修神護寺.

---

223) 이 구절은 다음의 자료에서 따온 것이다.
- ·『尙書注疏』 권3, 虞書, 舜傳第2(『書經』, 堯典), 巡狩에 대한 注疏, "正義曰, 王者所爲巡守者, 以諸侯自專一國, 威福在己, 恐其擁遏上命, 澤不下流, 故時自巡行, 問民疾苦".

224) 이와 같은 기사로 다음이 있으나 添字와 같이 고쳐 옳게 될 것이다(朴鍾進 2003년).
- · 志22, 禮10, 嘉禮, 老人賜設儀, "肅宗七年十月七月, 王在西京, 禮部奏, '王制曰, 五年, 一巡狩, 問百年者就見. 盖王者尊老尙齒之盛禮也. 乞令西京留守及先排使·西海按察使, 先問年八十以上人, 賜設', 制可. 遂十月, 召年八十以上男女, 賜設于闕庭, 命太子, 侑酒食, 賜物有差".

225) 이는 다음의 세 자료를 전재한 것인데, 月次에 차이가 있으나 『고려사절요』 권6에 의거하였고, 내용적으로 보다 상세한 첫째를 선택하였다.
- · 지27, 選擧1, 科目, "肅宗七年閏六月, 式目都監奏, □曲三禮·三傳業出身者, 不別錄用, 漸致衰微, 今後, 爲先量敍, 後生業此者, 國子監勸勵".
- · 지28, 選擧2, 崇奬, "肅宗七年七月, 式目都監奏, 由三傳·三禮業出身者, 宜授官, 勸後, 制可".
- ·『고려사절요』 권6, 숙종 7년, "秋七月, 式目都監奏, 由三禮·三傳業出身者, 宜授官勸後, 從之".

226) 雜技는 『고려사절요』 권6에는 雜伎로 되어 있는데, 어느 쪽도 무방하다(東亞大學 2008년 4책 364面).

227) 庚辰은 28日이기에 庚午(18일)의 오자일 것이다.

戊寅[26日], 西京留守官[~~西京留守使~~]·參知政事郭尙等, 享王于長樂殿, 兩京群臣侍宴.[228)]

九月[癸未朔小盡,庚戌], 丙戌[4日], 王以仁睿太后[文宗妃]忌辰道場, 幸長慶寺, 行香.[229)]

戊子[6日], 幸觀風殿, 還御會福樓, 命牽韄[龍]官射.

[辛卯[9日], 歲星入大微[~~太微~~]:天文1轉載].

甲午[12日], 制曰, "朕久未省方, 今幸西京, 庶幾寬刑宥罪. 自動駕以來, 從行先排使及當京留守所奏, 犯輕罪者, 並令原免".

[某日, 制曰, "四民,[230)] 各專其業, 實爲邦本. 今聞西京習俗, 不事商業, 民失其利. 留守官, 其奏差貨泉別監二員, 日監市肆, 使商賈, 咸得懋遷之利":節要·食貨2市估轉載].[231)]

丁酉[15日], 興福寺十王堂成, 命太子行香.

[○熒惑犯壘壁陣西星:天文1轉載].

戊戌[16日], 王與后妃·太子·諸王幸是寺, 落成.

辛丑[19日], 幸金剛寺, 飯僧, 遂觀舊塔遺址, 仍命太子, 巡視川上祭所及通漢橋.

癸卯[21日], 御會福樓, 閱射.[232)]

○宋商林白徇等二十人來.

乙巳[23日], 閱射.

丙午[24日], 幸長慶寺, 閱騎射. 命副留守崔公詡[~~崔公栩~~]等, 檢討留守藏內書籍, 以進.[233)]

己酉[27日], 幸神護寺, 設大藏會, 以落之, 自闕庭至寺夾路, 點燈數萬.

---

228) 西京留守官은 西京留守使로 고쳐야 옳게 된다.

229) 文宗妃 仁睿太后의 忌日은 9월 2일이다.

230) 여기에서의 四民은 生業에 따른 士農工商의 네 部類를 가리키는 것 같다.
- 『자치통감』 권18, 漢紀10, 武帝元朔 2년(BC127) 夏, "… 荀悅論曰, 世有三遊, 德之賊也. … 國有四民, 各修其業, 不由四民之業者, 謂之姦民[胡三省注, 四民, 士農工商也], 姦民不生, 王道乃成".
- 『여유당전서』 권25, 小學紺珠, 四之類, "四民者, 黎民之分業也. 學道曰士[注, 居閒燕], 治地曰農[居田野], 制器曰工[居官府], 通貨曰商[居市井], 此之謂四民也. 四民之名, 出'管子'[又見'齊語'及'周官'注]".

231) 이 기사는 12일(甲午)에 내려진 制命과 같은 성격의 것이지만, 『고려사절요』 권6에서 다른 날짜로 기록하고 있어[○으로 區分], 13일(乙未) 혹은 14일(丙申)에 내려진 것으로 추측된다.

232) 지35, 兵1, 五軍에는 10월에 西京의 會福樓에 幸次하여 文臣들에게 射御를 命하였다고 하고("[肅宗七年]十月, 御會福樓, 命選東班臣僚射"), 9월의 행차는 찾아지지 않는다.

233) ~~添字~~와 같이 고쳐야 옳게 될 것이다.

庚戌[28日], 又幸是寺[神護寺], 行香.

冬十月[壬子朔[大盡,辛亥], 禮部奏, "我國敎化禮義, 自箕子始, 而不載祀典. 乞求其墳塋, 立祠以祭", 從之:禮5雜祀轉載].

[→禮部奏, "我國敎化禮義, 自箕子始, 而廟貌猶闕, 不在祀典. 乞使求其墳塋, 立祠以祭", 從之:節要轉載].

丁巳[6日], 幸興福寺.

乙丑[14日], 設八關會, 御靈鳳門, 受百官賀, 遂幸興國寺.

[○龜州城廊七十四間火:五行1火災轉載].

[某日, 幸長慶寺, 閱兩京及靜州將士馬隊, 命宰樞及扈駕臣僚,射侯, 中者, 賜廐馬·綾絹, 有差:兵1五軍轉載].[234)]

庚午[19日], [大雪]. 御長樂殿, 宴兩京文武顯官臣僚, 賜弊有差.

[某日, 召年八十以上男女, 賜設于闕庭, 命太子, 侑酒食, 賜物有差:禮10老人賜設儀轉載].[235)]

壬申[21日], 遣安子恭如遼, 賀天興節.

甲戌[23日], 駕發西京.

[乙亥[24日], 日東北, 有靑赤虹:天文1轉載].

[己卯[28日], 霧:五行3轉載].

庚辰[29日], 王次[海州]北崇山~~神護寺~~[~~神光寺~~], 設五百羅漢齋.[236)]

[○日有兩珥:天文1轉載].

[是月, 熒惑犯壘壁陣, 行羽林, 三十餘日:天文1轉載].

十月[~~十一月~~]壬午朔[小盡,壬子],[237)] 王次牛陁川野, 有虎突出, 命侍奉軍逐之, 牽轞校尉[牽

---

234) 이 기사는 『고려사절요』 권6에 "幸長慶寺, 閱將士馬隊, 置酒. 命宰樞及扈駕臣僚, 射侯, 中者, 賜廐馬·綾絹, 有差"로 축약되어 있다.

235) 이 기사의 原文은 7월 29일과 같이 校正하여야 옳게 될 것이고, 上記와 같이 고쳐진 기사는 『고려사절요』 권5에도 수록되어 있다.

236) ~~添字~~와 같이 고쳐야 옳게 될 것이다.

237) 延世大學本과 東亞大學本에는 十月로 되어 있으나, 十一月에서 一字가 탈락되었을 것인데(東亞大學 2008년 4책 365面), 『고려사절요』 권6에는 옳게 되어 있다.

~~龍校尉~~宋宗紹搏殺之, 賜宗紹衣一襲.

丁亥[6日], 次臨洧驛, 下德音, 加所歷名山·大川神祇~~神祇~~德號, 宥沿途州縣官吏輕罪, 加職一級~~減今年田租, 扈駕官吏加爵一級~~,[238] 賜諸司掌固·諸衛旗頭初職.[239]

[→王自西京還, 次臨洧驛, 宣赦, 沿途州縣, 減今年田租:食貨3恩免之制轉載].

○王還京都.

癸巳[12日], 東女眞霜昆等三十人來, 獻馬.

甲午[13日], 遣楊信孚如遼, 謝賀生辰.

乙未[14日], 設八關會, 幸法王寺.

壬寅[21日], 遣郭峻穆如遼, 進方物.

甲辰[23日], 以尹瓘爲樞密院副使.

○遣金澤先如遼, 賀正.

[某日, 御乾德殿, 引見新及第, 賜衣服·酒食:節要·選擧2轉載].

丁未[26日], 東女眞盈歌遣使□[來], 請銀器匠, 許之.[240]

十二月[□□□~~辛亥朔~~大盡,癸丑], 制曰, "富民利國, 莫重錢貨, 西·北兩朝, 行之已久, 吾東方, 獨未之行. 今, 始制鼓鑄之法, 其以所鑄錢一萬五千貫, 分賜宰樞·文武兩班·軍人. 以爲權輿:節要轉載]. [錢文曰海東通寶. 且以始用錢, 告于太廟, 仍置京城左右酒務, 又於街衢兩傍, 勿論尊卑, 各置店鋪, 以興使錢之利":食貨2貨幣轉載].[241]

---

238) 이 구절은 『고려사절요』 권6에는 添字와 같이 되어 있는데(東亞大學 2008년 4책 365面), 그렇게 고쳐야 옳게 될 것이다.

239) 掌固는 門戶·倉庫·廳舍·陳設 등을 管理하던 胥吏를 가리킨다.
· 『구당서』 권43, 지23, 職官2, 尙書省, "亭長·掌固, 檢校省門戶·倉庫·廳舍·陳設之事也".

240) 銀器匠은 『고려사절요』 권6에는 銀工으로 되어 있는데(東亞大學 2008년 4책 365面), 이는 潤文에 의한 것이다.

241) 이 기사에 의하면, 이때 제작된 錢貨가 海東通寶와 海東重寶임을 알 수 있다. 그 중에서 前者는 오른쪽으로 읽는 방식[順讀]인 '海」東」通」寶」'로 된 것이 대부분이고, 上下·右左로 읽는 방식[對讀]인 '海東」通寶」'로 된 것은 찾아지지 않는다고 한다. 書體는 篆書·眞書·行書·八分書가 있을 것으로 추측되지만 行書·八分書는 찾아지지 않는다고 한다. 또 海東重寶는 眞書로 刻字된 順讀만이 찾아진다고 한다.
또 발행된 시기를 알 수 없는 東國通寶는 對讀의 篆書·隸書·楷書·行書·八分書가, 東國重寶는 순독과 대독의 隸書·楷書가 찾아진다고 한다. 또 三韓通寶는 대독의 전서·예서·행서·진서·팔분서가, 三韓重寶는 순독과 대독의 眞書가 찾아진다고 한다(藤間治郎 1918年 ; 永井久美男 編 1994年 189面 ; 永井久美男 編 1996年 67面). 한편 中原에서 重寶의 價値는 通寶의 5倍

壬子[2日], 遼遣橫宣使·歸州管內觀察使蕭軻來.

癸丑[3日], [遼]又遣中書舍人孟初來, 賀生辰.[242)]

[當五] 또는 50倍[當五十]에 해당하였다고 하지만, 고려에서 행해진 倍率은 알 수 없다. 그리고 고려에서 발행된 화폐의 발행에 관련된 기사로 다음이 있다.

· 『송사』 권487, 열전246, 外國3, 高麗, "… 上下以賈販利入爲事. 日中爲虛, 用米布貿易. 地產銅, 不知鑄錢, 中國所予錢, 藏之府庫, 時出傳翫而已. 崇寧後, 始學鼓鑄, 有海東通寶·重寶·三韓通寶三種錢, 然其俗不便也".

· 『鷄林類事』, "癸未年[肅宗8年], 倣本朝鑄錢交易, 以海東重寶·三韓通寶爲記". 이 기사를 통해 볼 때 12월 1일에 내려진 鑄錢을 命한 制勅이 明年(숙종8)에 집행되었던 것 같다.

· 『泉貨彙攷』 권11, 外國品, 高麗, 海東通寶(模型 3点, 表裏 提示), "右高麗海東通寶錢, 楷書·行書·篆書三品. 洪志·余按鷄林類事云, 高麗所鑄有三種, 今世所見通寶錢有篆字及眞行體, 製作頗精, 並徑九分, 重三銖六參. 宋史, 高麗地多產銅, 自崇寧後, 始知鼓鑄, 有海東通寶錢".

· 『泉貨彙攷』 권11, 外國品, 高麗, 東國通寶(模型 1点, 表裏 提示), "右東國通寶錢, 洪志·余按此錢徑寸, 重二銖四三, 文曰東國通寶, 輪部渾重, 字畫明坦計, 高麗所鑄. 徐兢高麗圖經, 廣化門, 卽鑄錢監, 他貨皆以物交易, 惟藥市卽以錢寶. 按右錢色澤甚古, 文字製作, 亦極精美, 不多見之品. 庚申冬日獲藏"(이들 『泉貨彙攷』의 내용과 유사한 기록이 『錢通』 권7, 外品에도 수록되어 있다).

한편 日本列島에서 錢貨가 大量으로 出土된 대표적인 유적 36件의 事例에서 高麗·朝鮮王朝의 銅錢(全體中 極少數)도 中原의 歷代王朝(大多數), 越南, 琉球(以上 極少數) 등의 外國錢과 搬出되었다. 이에서 고려시대의 海東通寶·重寶, 東國通寶·重寶, 三韓通寶·重寶(初鑄1102年) 등도 조선시대의 朝鮮通寶(初鑄1427年)와 함께 찾아지는데, 그중에서 高麗錢에 대한 것만 정리하면 다음과 같다(永井久美男 編 1994年, 出土地/高麗錢·枚/最後錢·枚).

①北海道函館市志海苔町[しのりまち]/東通5·東重1·海通14·海重1·三通1·三重2/[明]洪武通寶[1368年]7, ②新潟縣湯澤町石白[いししろ]1次/東通1·海通4/朝通12, ③湯澤町石白[いししろ]2次/東通1/朝通6, ④茨城縣龍の崎市泉町[いずみまち]/東通2·東重1/朝通8, ⑤埼玉縣千里村大字屈巢舟塚[くすふなつか]/東通1/[南宋]咸淳元寶[1265年]24, ⑥埼玉縣和光市白子[しらこ]/海通3·朝通186/[明]宣德通寶[1433年]312, ⑦東京都八王子市多摩[たま]NewTown/東通1·海通3/[明]永樂通寶[1408年]848, ⑧靜岡縣森町森大門[だいもん]/海通2·朝通91/[明]弘治通寶[1503年]1, ⑨長野縣塩尻市吉田若宮[よしだわみや]1次/海通2·海重2·三通2·/[元末吳]大中通寶1[至正21年·1361年], ⑩石川縣鹿島町武部[たけべ]/東通1·朝通5/宣德通寶11, ⑪京都市下京區東塩小路町八條三坊七町跡[はちじょうさんぼうななちょうあと]/東通1·東重1·海通2/[元]至大通寶[元1310年]8, ⑫兵庫縣西宮市石在町[いしざいちょう]/海通1·海重1·朝通65/宣德通寶[明1433年]95, ⑬兵庫縣寶塚市堂坂遺跡[どうさかいせき]/東通1·海通2/永樂通寶1,120, ⑭兵庫縣安富町塩野[しおの]/東重2·海通2/至大通寶18, ⑮德島縣海南町大里[おおさと]/東通1·海通2/至大通寶9, ⑯福岡縣北九州市本城[ほんじょう]/東通1·東重1/咸淳元寶27.

이상과 같은 일본열도의 각지에서 출토된 고려의 銅錢은 그것이 실질적인 貨幣로서 機能하고 있던 시기에 通用되던 北宋~蒙古帝國의 各種 貨幣와 伴出되었을 뿐만 아니라 그 이후 시기에도 朝鮮通寶, 明帝國의 洪武通寶·永樂通寶·宣德通寶·弘治通寶(初鑄1503年) 등과 함께 출토되었음을 알 수 있다. 이는 당시 일본에서 통용되던 여러 銅錢의 각종 材質이 거의 비슷하였기에 그 製造國, 제조시기와 관계없이 모두가 1枚가 1文으로 사용되었던 결과임을 알 수 있다.

242) 孟初(?~1116)는 上谷 龍門人으로 字는 子元이고, 1083년(大康9) 進士第에 급제하여 秘書省校書郞에 임명되었고, 右拾遺·史館修撰·左司員外郞·郞中·中書舍人 등을 역임하였다. 1102년

[丙辰6日, 大寒. 鑄錢都監奏, "國人始知用錢之利, 以爲便, 乞告于宗廟", 從之← 6年4月26日丙辰에서 옮겨옴].

[某日, 以始用錢, 告于大廟太廟·八陵, 百官表賀:節要轉載].

[□又制, 置京城左·右酒務. 又於街衢兩傍, 勿論尊卑, 各置店鋪, 以興使錢之利: 節要轉載].

[丁卯17日, 月暈, 素氣如輪, 貫北斗:天文1轉載].

戊辰18日, 祈雪于大廟太廟.[243]

辛未21日, [立春]. 以同知樞密院事柳伸爲吏部尙書, 樞密院副使尹瓘爲御史大夫, 崔弘嗣爲尙書右僕射兼三司事判三司事,[244] 林義爲禮部尙書兼史館脩撰, [崔弘正爲大樂署丞:追加].[245].

壬申22日, 東女眞酋長古羅骨等三十人來, 獻馬.

乙亥25日, 赤虹貫日.

庚辰30日, 以中書侍郎平章事林幹△爲判西北面兵馬事兼中軍兵馬使, 尙書左僕射吳壽增△爲判東北面兵馬事兼行營兵馬使, 知樞密院事?柳伸爲西北面兵馬使.

[是年, 以北界, 又稱西北面, 又設西京文武班及五部:轉載].[246]

(乾統2) 賀高麗國王生日使로 파견되었다가 翌年에 귀국하여 同知禮部事가 되어 貢擧를 擔當하였으나 擧人의 誹謗을 받아 免職되었다. 1104년(乾統4) 乾文閣待制로 復職되어 左諫議大夫·提點大理寺·禮部侍郎등을 거쳐 1115년(天慶5) 天祚帝 延禧(阿果)를 扈從하여 東京[遼陽府]에서 擧兵한 高永昌의 討伐에 참여하였다가 다음 해에 翰林學士에 임명되었으나 5월 무렵 瀋州(現 瀋陽市)에서 戰歿하였다(孟初墓誌銘, 北京市房山區文物管理所所藏 ; 邢景旺 2005年). 또 이때 邊境地域에 파견되어 있던 金緣(인종4년 2월 무렵 金仁存으로 改名)이 孟初의 接伴官이 되었던 것 같고, 孟初가 귀국하면서 佩用하고 있던 通天犀帶를 贈與하였다고 한다.

· 열전9, 金仁存, "遼使學士孟初至, 仁存爲接伴, 初見其年少, 頗易之. 嘗一日, 並轡出郊, 雪始霽, 茫然無所見, 唯馬蹄觸地作聲. 初唱云, 馬蹄踏雪乾雷動, 仁存卽應聲曰, 旗尾飜風烈火飛. 初愕然曰, 眞天才也. 由是, 情好日篤, 相唱和, 及別, 解金帶贈之".

·『파한집』권중, "金侍中緣 … 年未三十, 乘軺出塞, 與大遼使人孟初伴行, 初見其年少, 頗易之. 及並轡出郊, 雪始霽, 四顧茫然, 無所見, 唯馬蹄觸地作聲. 初垂袖微吟, 卽唱云, 馬蹄踏雪乾雷動, 公卽應聲曰, 旗尾飜風烈火飛. 初愕然曰, 眞天才也. 由是, 情好日篤, 恨相知之晩, 相唱和, 及返轅, 解所佩通天犀, 以贈之". 여기에서 通天犀帶는 上下가 貫通된 犀牛角으로 만든 帶이다.

·『抱朴子』內篇권17, 登涉, 入山佩帶符, "… 得眞通天犀角三寸以上, 刻以爲魚, 而嘀之以入水, 水常爲人開. …".

·『唐會要』권98, 林邑國, "貞觀十四年, 其國獻通天犀一十枚, 諸寶稱是".

243) 이와 같은 기사가 지7, 五行1, 火, 無雪에도 수록되어 있다.

244) 三司事는 判三司事의 잘못일 것이다.

245) 이는「崔弘宰墓誌銘」에 의거하였다.

[○判[冊], "捕盜贓物現告者, 以贓物, 分半給之. 內外强竊盜, 知認捕捉者, 有職, 次第職, 無職, 許初職, 不應受職人, 賜物, 僧人則寺職, 賤人放良. 不監撿者, 內則, 五部員吏·別監·里正, 外則, 色員·長吏·將校·衙前, 决罪. 許接人, 囚禁, 罪之": 刑法2盜賊轉載].

[○下敎[下詔]王子, 命名□[俌]·□[俢], 賜禮物: 列傳3肅宗王子帶方公俌·太原公俢轉載].[247)]

[→肅考偏愛, 故幼承稱名之禮, 上降詔曰, "延德宮王子汝生而賜名爲俢. 遣使攝工部尙書·攝金吾衛上將軍崔挻, 賜銀器·匹段·布貨·穀米·鞍馬": 追加].[248)]

[○□□□□□[刑部員外郞?]鄭文, 掌南省試[國子監試], 取文公裕等□□人: 追加].[249)]

[○[肅宗]七年, 女眞來屯定州關外, 疑其圖我: 列傳9尹瓘轉載].[250)]

[→肅宗七年, 女眞來屯定州關外: 節要轉載].[251)]

[○興王寺開板'藥師琉璃光如來本願功德經'·'法華玄論': 追加].[252)]

[仁同人 張東翼 校注, 增補].

---

246) 이는 다음의 기사를 전재한 것이다.
- 지12, 지리3, 北界, "肅宗七年, 又稱西北面".
- 지12, 지리3, 西京留守官平壤府, "肅宗七年, 設文武班及五部".

247) 이 시기에 帶方公이라는 封號가 經濟的 側面에서 封邑地와 어떠한 관계가 있는지를 알 수 없다. 단지 帶方은 南原府의 別號이고, 이의 由來는 唐帝國의 將帥 劉仁軌(601~685)의 駐屯과 관련이 있는 것 같다.
- 지11, 지리2, 南原府, "… 新羅幷百濟, 唐高宗, 詔劉仁軌, 檢校帶方州刺史".
- 『여유당전서』詩集권1, 過全州, "大國昭王跡, 名城壯客眸. 野從居拔遠, 居拔百濟城名. 山接帶方幽[注, 劉仁軌以帶方州刺史留鎭南原, 自此以後以南原爲帶方], 樓闕移京邑. …".

248) 이는「王俢廟誌銘」에 의거하였다.

249) 이는 다음의 자료에 의거하였는데, 文公裕(文翼의 4子, 韓安仁의 壻)가 15歲인 年度는 1102년(숙종7)이다(金龍善 2006년 269面).
- 「文公裕墓誌銘」, "… 年十有五, 擧南省試, 政堂文學鄭文下中二等, …".

250) 이 기사의 肅宗七年을 李丙燾教授는 烏雅束(Wuyashu, 函普의 4世孫 阿骨打의 兄)이 盈歌(yingge, 阿骨打의 叔)의 死後에 完顔部의 酋長(後日 康宗으로 追尊)이 된 1104년(숙종9) 1월 이후의 사실로 이해하여 肅宗九年의 오류라고 지적하였으나 좀 더 검토해 보아야 하겠다(李丙燾 1961년 379面).

251) 이는『고려사절요』권7, 예종 2년 閏10월 26일(戊寅)에서 전재하였다(→예종 2년 閏10월 26일).

252) 이는 다음의 자료에 의거하였다(筆者未見, 한국학중앙연구원 소장, 보물 제11230호, 南權熙 2002년 47面 ; 郭丞勳 2021년 1104·05面).
- 『藥師琉璃光如來本願功德經』, 卷末刊記, "藥師琉璃光如來本願功德經一卷」乾統二年壬午歲,高麗國大興王寺奉」宣雕造」".
- 『法華玄論』 권4, 卷末刊記, "乾統二年壬午歲,高麗國大興王寺奉」宣雕造」寫經院書者臣韓惟翼 書".

『高麗史』 卷十二 世家卷十二

[輔國崇祿大夫·議政府左贊成·知集賢殿經筵春秋館成均事·世子賓客·臣金宗瑞奉敎撰]
正憲大夫·工曹判書·集賢殿大提學·知經筵春秋館事兼成均大司成·臣鄭麟趾奉敎修

肅宗 二

癸未[肅宗]八年, 契丹乾統三年, [宋崇寧二年], [西曆1103年]

1103년 2월 9일(Gre2월 16일)에서 1104년 1월 29일(Gre2월 5일)까지, 355일

春正月[辛巳朔[小盡,甲寅], 霧:五行3轉載]

癸未[3日], 以王源△[爲]檢校司徒·守司空·上柱國.

己丑[9日], 東女眞高羅骨等三十人來朝.

辛卯[11日], 西女眞芒閒等二十四人來朝.[1)]

[某日, 門下侍中邵召輔[邵台輔]三上表, 請老. 優詔不允, 賜几杖, 令視事:節要轉載].[2)]

[→[門下侍中邵台輔], 年七十, 上表乞退, 不允, 遣尙書兵部郞中許慶, 賜几杖. 制曰, "禮, 大夫七十而致仕, 若不得謝, 則必賜之几杖".[3)] 盖以圖任舊人, 諮諏大政也. 卿吏幹秀而飾以儒雅, 兵機深而兼摠刑名. 加以中和, 理其身, 方正率其道, 眞所謂王佐之才也. 文考用卿爲腹心, 宣宗任卿爲宰輔. 朕在宗邸, 熟聞卿名, 受禪以來, 惟卿是賴, 凡所施設, 必資訪問, 擢置上宰, 以授大柄, 何遽引年而告老乎? 昔太公望, 七十而遇文王, 今卿年纔至此而再三求退, 朕所不喜也. 況卿精神氣力, 强健不衰, 宜在廊廟, 論經燮理. 是用稽諸古典, 特示殊恩. 尋守太傅·判戶部·西京留守事, 加

---

1) 亡閒은 『고려사절요』 권7에는 亡間으로 되어 있으나 後者는 俗字(俗字体)이다(盧明鎬 等編 2016년 185面).

2) 邵召輔(소소보)는 邵台輔(소태보)의 오자이다.

3) 이는 다음의 자료를 인용한 것 같다.
- 『禮記注疏』 권48, 祭義, "按曲禮云, 大夫七十而致仕, 若不得謝, 是或不許也".
- 『禮書』 권50, 視學養老之禮, "曲禮曰, 大夫七十而致仕, 若不得謝, 則必賜之几杖".

門下侍中致仕:列傳8邵台輔轉載].

二月[庚戌朔大盡,乙卯], 丙辰[7日], 東女眞將軍豆門小等三十人來, 獻土物.

○東女眞將軍高夫老等三十人來, 獻馬.

己未[10日], 燃燈, 王如奉恩寺.

辛酉[12日], 以[門下侍中]邵台輔△[爲]守太傅·判戶部·西京留守事, [門下侍郎平章事]崔思諏△[爲]守太尉·判吏部事, [中書侍郎平章事]林幹△[爲]守司徒·判兵部事, [中書侍郎平章事]魏繼廷△[爲]守司徒·判禮部事, [參知政事]李頫△[爲]檢校司徒·守司空·判刑部事, 吳壽增△[爲]參知政事, 金景庸△[爲]知樞密院事.

壬戌[13日], 以[參知政事]郭尙△[爲]守司空, 仍令致仕.

己巳[20日], 宋明州敎練使張宗閔·許從等, 與綱首楊炤等三十八人來朝.[4]

○東女眞豆門·恢八等九十人來朝.

乙亥[26日], 以[參知政事]吳壽增△[爲]守司空, [左僕射?]柳伸△[爲]檢校司空, [樞密院使]庾祿崇爲尙書左僕射·參知政事, 尹瓘爲吏部尙書·同知樞密院事, 王嘏爲樞密院副使.

[是月某日, 僧承銳等造成楊州三角山重興寺靑銅鈑子, 入重十五斤:追加].[5]

[是月頃, 中書舍人吳延寵乞外補. 時王欲擇人授全·淸·廣三州, 令迎候宋使. 以延寵有輔相材, 將大用, 欲試臨民. 遂出知全州牧:列傳9吳延寵轉載].[6]

三月[庚辰朔小盡,丙辰], 己丑[10日], 命直史館洪灌, 書無逸篇于會慶殿屛風.

夏四月[己酉朔大盡,丁巳], 丁巳[9日], 赤虹犯日.

---

4) 綱首는 船舶을 運行하는 水手들의 우두머리인 船長, 곧 海商의 長을 지칭한다(斯波義信 1979年).
- 『萍洲可談』 권2, "甲令, 海舶大者數百人, 小者百餘人, 以巨商爲綱首·副綱首·雜事. 市舶司給朱記, 許用笞治其徒, …".

5) 이는 楊州 三角山(조선시대 北漢山城의 내에 위치, 現 京畿道 高陽市 北漢洞 259번지)에 위치했던 重興寺에서 出土되었다고 하는 鈑子의 銘文에 의거하였다(湖巖博物館 所藏, 文明大 1994년 3책 277面).
- 銘文, "三角山重興寺鈑子,入重十五斤,棟梁僧承銳,乾統三年癸未二月 日造,大匠盧玧謹記".

6) 이는 다음의 기사에 의거하였다.
- 열전9, 吳延寵, "拜延寵中書舍人, 乞外補. 時王欲擇人授全·淸·廣三州, 令迎候宋使. 以延寵有輔相材, 將大用, 欲試臨民. 遂出知全州牧".

庚申[12日], 雨雹.[7]

五月[己卯朔小盡,戊午], 辛巳[3日], 以金漢忠爲禮部尙書, 任懿爲兵部尙書, [知樞密院事]金景庸爲戶部尙書.

六月[戊申朔大盡,己未], 己酉[2日], 王如奉恩寺.

壬子[5日], 宋遣國信使·戶部侍郞劉逵, 給事中吳拭來, 賜王衣帶·匹段[匹段]·金玉器·弓矢·鞍馬等物.[8]

甲寅[7日], 王迎詔于會慶殿, 詔曰, “卿, 世紹王封, 地分日域, 奏函屢達, 常懷存闕之心, 貢篚荐豊, 遠效旅庭之實. 載嘉亮節, 特致隆恩, 輟侍從之近臣, 將匪頒之異數. 事雖用舊, 禮是倍常, 宜承眷遇之私, 益懋忠勤之報”.

○幷遣醫官牟介·呂昞·陳爾猷·范之才等四人來, 從表請也.

丙寅[19日], 遼遣報册使邊唐英來, 詔曰, “朕承八聖之鴻休, 纂千齡之景祚. 永懷統御, 莫敢康寧, 方星歲之載移, 致天區之咸乂. 顧玆群辟, 繼陳烈於奉章, 請以徽名, 願推崇於眇德. 靡遑牢讓, 勉循勤誠, 已定今年冬, 行册禮. 卿慶奧侯蕃, 忠扶王室, 聞修盛禮, 諒協多歡”.

丁卯[20日], 以[參知政事]李頫爲西京留守使, [參知政事]吳壽增△[爲]判尙書戶部事, 柳伸爲左僕射·政堂文學, 崔弘嗣爲樞密院使兼太子賓客, 尹瓘△[爲]知樞密院事兼翰林學士承旨, 崔翥爲戶部尙書, 李繼膺爲左散騎常侍, 文翼爲右散騎常侍.[9]

---

7) 이와 같은 기사가 지7, 五行1, 水, 雨雹에도 수록되어 있다. 일본에서는 4월 14일(壬戌) 京都에서 雨雹이 내렸다고 한다(中央氣象臺 1941年 2册 617面).
 ·『如是院年代記』, 康和 5년 4월 14일, “未時, 雹降, 大如李子”.
 ·『殿曆』, 康和 5년 4월, “十二日庚申, 天晴, … 十三日辛酉, 天陰, … 十四日壬戌, 天晴, 午剋許天陰降雨, 同剋許有雷鳴, 申剋許雨止天晴, 酉剋許又天陰雨降, 有雷鳴”.
 ·『本朝世紀』第23, 康和 5년 4월, “十四日壬戌, 晩頭, 雷鳴雹降, 頭辨仰云”.

8) 이들 宋의 사신이 올 때 영접을 위해 파견된 禮部尙書 金漢忠이 颶風을 만난 선박을 안전하게 인도하였던 것 같다. 이때 劉逵와 吳拭은 客館에서 개최된 연회에 참여하여 고려의 傳統服飾으로 丹粧한 妓女를 보고서 中國 古代[三代]의 복식과 같다고 하면서 감탄하였다고 한다.
 · 열전8, 金漢忠, “累授禮部尙書. 宋使來, 漢忠航海, 迎候宋使, 卒遇颶風, 船幾敗, 賴漢忠拯救, 得全活”.
 ·『삼국사기』 권33, 雜志2, 色服, “… 又宋使臣劉逵·吳拭來聘在舘, 宴次見鄕粧倡女, 召來上階, 指闊袖衣·色絲帶·大裙, 嘆曰, 此皆三代之服, 不疑尙行. 於此, 知今之婦人禮服, 蓋亦唐之舊歟”.

9) 文翼은 文公仁의 父로서 □散騎常侍에 이르렀다고 한다.

秋七月戊寅朔小盡,庚申, 辛卯14日, 宋國信使劉逵等還, 王附表以謝, 兼告改名.

○宋醫官牟介等館于興盛宮, 教訓醫生.

乙未18日, 東女眞酋長昆豆遣人, 獻黃毛一萬條.

丁酉20日, 王如興王寺.

甲辰27日, [白露]. 東女眞太師盈歌遣使來朝.[10] 有本國醫者, 居完顏部, 善治疾. 時盈歌戚屬有疾, 盈歌謂醫曰, "汝能治此人病, 則吾當遣人歸汝鄕國". 其人果愈, 盈歌如約, 遣人送至境上. 醫者至, 言于王曰, "女眞, 居黑水者, 部族日强, 兵益精悍". 王乃始通使,[11] 自是, 來往不阻, 盈歌, 旣破蕭海里,[12] 報捷于我, 我復使人賀

· 열전38, 文公仁, "文公仁, 初名□□公美, 公美, 南平縣人, 父翼官至散騎常侍". 여기에서 忝字가 추가되어야 옳게 될 것이다(→예종 6년 11월 17일의 脚注).

10) 盈歌(yingge, 楊割)는 契丹으로부터 生女直部節度使에 임명되었다고 하는데, 契丹은 여진의 部族長들에게 그들의 所屬部에 節度使를 붙여 職責을 내렸다. 이에 비해 女眞은 자신의 習俗에 따라 太師로 불렀다. 또 盈歌는 「崔弘宰墓誌銘」에는 英介로 달리 표기되어 있다(金龍善 2015년).

· 『요사』 권27, 본기25, 天祚皇帝1, 乾統 1년 12월, "初, 以楊割爲生女直部節度使, 其俗呼爲太師".

11) 이 자료와 같이 이해(癸未, 肅宗8, 金 穆宗10) 7월 이래 고려는 完顔部와 政府次元의 외교관계를 체결하였으나 곧 대립관계로 바뀌었던 것 같다.

· 『금사』 권1, 본기1, 世紀, 穆宗盈歌, "十年癸未二月, 穆宗還, … 高麗始來通好, …".

· 『금사』 권1, 본기1, 世紀, 康宗烏雅束, "先是, 高麗通好, 旣而頗有隙, 高麗使來請議事, 使者至高麗, 拒而不納. 五水之民附于高麗, 執團練使十四人, 語在高麗傳中".

· 『금사』 권135, 열전73, 外國下, 高麗a, "初, 有醫者善治疾, 本高麗人, 不知其始自何而來, 亦不著其姓名, 居女直之完顏部. 穆宗時, 戚屬有疾, 此醫者診視之, 穆宗謂醫者曰, 汝能使此人病愈, 則吾遣人送汝歸汝鄕國. 醫者曰, 諾. 其人疾果愈, 穆宗乃以初約歸之. 乙離骨嶺僕散部胡石來勃堇居高麗·女直之兩間, 穆宗使族人叟阿招之, 因使叟阿送醫者, 歸之高麗境上. 醫者歸至高麗, 因謂高麗人, 女直居黑水部者部族日强, 兵益精悍, 年穀屢稔. 高麗王聞之, 乃通使于女直. 旣而, 胡石來來歸, 遂率乙離骨嶺東諸部皆內附". 여기에 기록된 完顔叟阿는 『금사』 권1, 世紀, 穆宗盈歌, 三年丙子에는 完顔醜阿로 달리 표기되어 있다(陳述 1960年 196面). 또 胡石來의 職責인 勃堇은 長官을 指稱하는 女眞語로 聚落의 首領[酋長]이며, 淸代[後金]에는 貝勒으로 불렸다.

· 『금사』 권60, 表2, 交聘表上, 穆宗(盈歌), "穆宗時, 高麗醫者, 自完顏部歸, 謂高麗人曰, '女直居黑水部族日强, 兵益精悍, 年穀屢稔'. 高麗王聞之, 乃遣使來通好".

· 『금사』 권135, 열전73, 外國下, 高麗b, "穆宗十年癸未肅宗8年, 阿踈自遼使其徒達紀來, 說曷懶甸人, 曷懶甸人執之. 穆宗以達紀送高麗, 謂高麗王曰. '前此爲亂於汝鄙者, 皆此輩也'. 及破蕭海里, 使斡魯罕往高麗報捷, 高麗亦使使來賀. 未幾, 復使斜葛與斡魯罕往聘, 高麗王曰 斜葛女直之族弟也, 其禮有加矣. 乃以一大銀盤爲謝. 厥後, 曷懶甸諸部盡欲來附, 高麗聞之, 不欲使來附, 恐近於己而不利也, 使人邀止之. 斜葛在高麗及往來曷懶道中, 具知其事, 遂使石適歡往納曷懶甸人. 未行而穆宗盈歌沒, 康宗烏雅束嗣, 遣石適歡以星顯統門之兵, 往至乙離骨嶺, 益募兵趨活涅水, 徇地曷懶甸, 收叛亡七城. 高麗使人來告曰, '事有當議者'. 曷懶甸官屬使斜勒詳穩·冶刺保詳穩往, 石適歡亦使盃魯往. 高麗執冶刺保等, 而遣盃魯曰, '無與爾事'. 於是, 五水之民皆附於高麗, 團練使陷者十四人". 여기에서 詳穩은 거란의 관직으로 詳溫·相溫·想昆 등으로 표기되었는데,

之. 盈歌遣其族弟斜葛, 報聘, 王待之甚厚.

[某日, 以崔福儒爲東南海都部署使:慶尙道營主題名記].

八月[丁未朔大盡,辛酉], 庚戌[4日], 憲官奏評刑書.

○大將軍高文盖·張洪占·李弓濟·將軍金子珍等, 潛懷逆謀.

[辛亥[5日], 流星, 一出北極, 入天津, 大如炬, 尾長三丈許, 一出內諸侯, 入上台, 大如椀, 尾長一丈許, 一出王良, 入文昌, 大如木瓜, 又小星百餘, 流行:天文1轉載].

庚申[14日], 命御史臺捕之~~高文盖等~~, 流于南極.[13]

九月[丁丑朔大盡,壬戌], 庚辰[4日], 王如國淸寺.

乙未[19日], 召內侍及侍從文臣於重光殿, 命題賦詩, 賜酒.

壬寅[26日], 遣李繼膺·朴景綽如遼, 賀加上尊號.[14]

乙巳[29日], [立冬]. 以[門下侍郞平章事]崔思諏爲門下侍中, [中書侍郞平章事]林幹爲門下侍郞平章事, [參知政事]李頫爲中書侍郞平章事.

[→大將軍高文盖·張洪占·李弓濟·將軍金子珍等, 潛圖不軌. [門下侍郞平章事崔]思諏, 按治其罪, 悉流之南裔. 以功, 拜門下侍中, 賜輔正功臣號:列傳9崔思諏轉載].

丙午[30日], 飯僧一萬.

中下級의 將軍을 指稱한다. 그렇지만 內外의 여러 官署에 詳穩司가 설치되어 있기에 그 등급은 변별할 수 없고, 部族長도 詳穩으로 불렸다. 이 기사에서의 詳穩은 여진의 부족장을 지칭하는 것으로 추측되며, 이는 淸代에 袞索倫으로 改稱되었다. 그리고 이상의 기사를 통해 曷懶甸의 지역적 範圍를 추측했던 업적도 있다(문성렵 1980년).

12) 1102년(乾統2, 숙종7) 10월 4일(乙卯) 거란의 將軍 蕭海里가 반란을 일으켜 乾州(現 遼寧省 北鎭의 西南)에 위치한 武庫를 약탈하였다. 이에 天祚帝 延禧(阿果)가 北面林牙 郝家奴에게 명하여 토벌하게 하자 蕭海里는 女眞 阿典部로 달아나서 族人 斡達剌를 女眞酋長 盈哥에게 보내 함께 거란을 공격하자고 하였다. 그렇지만 盈哥와 阿骨打는 天祚帝 延禧(阿果)와 연결하여 이해의 年末에 蕭海里를 격파하였다고 한다(『요사』 권27, 乾統 2년 10월 乙卯, 11월 乙未, 3년 1월 辛巳朔 ;『금사』 권1, 世紀, 穆宗).

13) ~~添字~~는 필자가 추가하였다. 또 南極은『고려사절요』권7에는 南裔로 되어 있는데, 後者가 옳을 것이다(盧明鎬 等編 2016년 185面).

14) 朴景綽(朴寅亮의 子)은 1115년(예종10) 8월 23일(庚申) 睿宗으로부터 景仁으로 賜名을 받아 개명하였으나, 그의 묘지명에는 반영되어 있지 않다. 또 거란의 文武百官이 天祚帝 延禧(阿果)에게 尊號를 올린 것은 11월 20일(丙申)이다(『요사』 권27, 본기25, 天祚皇帝1, 乾統 3년 11월 丙申). 이를 통해 볼 때 尊號를 덧붙이는 것[加上]이 事前에 고려에 통보되었던 것 같다.

冬十月丁未朔[大盡,癸亥], 制, 改錄壁上功臣職號.

甲寅[8日], 以[樞密院使]崔弘嗣爲西北面兵馬使兼知中軍兵馬使[事].

丙辰[10日], 以宋帝[徽宗]天寧節, 命太子設齋于奉恩寺, 醫官牟介等往觀之, 賜牟介等酒幣.[15)]

庚申[14日], [小雪]. 遼東京回禮使·禮賓副使高維玉等來.

○遣宋琳如遼, 賀天興節.

庚午[24日], 詔徵無等山處士殷元忠.

壬申[26日], 幸東池, 閱射, 中鵠者, 賜物有差.

甲戌[28日], 遣金國珍如遼, 謝横宣.

[乙亥[29日], 大雪. 熒惑犯氐西南星:天文1轉載].

十一月[丁丑朔小盡,甲子], [壬午[6日], 月犯壘壁陣:天文1轉載].

乙酉[9日], 遣崔繼芳如遼, 謝賀生辰.

己丑[13日], 設八關會, 幸法王寺.

○京城地震.[16)]

[乙未[19日], 太白犯羽林:天文1轉載].

丙申[20日], 東女眞太師盈歌, 遣古洒·傘夫·阿老等來, 獻土物.

丁酉[21日], 遣趙卿如遼, 進方物, 沈侯, 賀正.

[戊戌[22日], 虎入禁苑山呼亭:五行2轉載].

[壬寅[26日], 雷電:五行1雷震轉載].[17)]

[○京畿多虎, 命軍士捕之:五行2轉載].

[乙巳[29日晦], 熒惑犯鉤鈐:天文1轉載].

---

15) 徽宗의 生辰인 天寧節은 10월 10일이므로 날짜[日辰]가 일치한다.

16) 일본의 교토[京都]에서 이달 30일(乙巳, 高麗曆의 29日晦)에 지진이 있었다고 한다(日本史料 3-7冊 355面).
 ·『中右記』, 康和 5년 11월, "卅日, … 今日午時許, 地震三ケ度".
 ·『本朝世紀』제23, 堀河, 康和 5년 11월, "卅日乙巳, 午時地動, 申剋, 虹見東".

17) 이날(27일, 壬寅) 교토에서 흐렸으나 明日(28일, 癸卯)에는 밤부터 비가 심하게 내렸다고 한다(『殿暦』, 康和 5년 11월, "廿七日, 天陰, … 廿八日癸卯, 天晴[天陰?], 自夜雨時々降, 未剋許雨甚降, …").

十二月[丙午朔大盡,乙丑], 戊申[3日], 遼遣烏興慶來, 賀生辰.

[庚戌[5日], 月犯壘壁陣:天文1轉載].

戊午[13日], 京城地震.[18)]

[丙寅[21日], 月犯歲星:天文1轉載].

壬申[27日], 北蕃將軍從昆·阿老等四十七人來, 獻土物.[19)]

[某日, 崔弘正爲軍器主簿:追加].[20)]

[是年, 判[刪], "諸驛吏, 立馬不實者, 降爲常戶":兵2站驛轉載].

[某日, 判[刪], "州鎭屯田軍一隊, 給田一結, 田一結, 收一石九斗五升, 水田一結, 三石. 十結, 出二十石以上, 色員褒賞, 徵斂軍卒百姓, 以充數者, 科罪":兵2屯田轉載].

[○下教[下詔]王子, 命名□[偦]·□[僑], 賜禮物:列傳3肅宗王子齊安公偦·通義侯僑轉載].

[○冊王妃柳氏長女爲大寧宮公主, 次女爲興壽宮公主, 賜禮物:列傳4肅宗公主轉載].

[○以任懿爲判御史臺事:追加].[21)]

[○[肅宗]八年, 誘執酋長許貞與羅弗等, 囚廣州栲問, 果謀我也. 遂留不遣. 會, 邊將李日肅等奏, "女眞 虛弱, 不足畏. 失今不伐, 後必爲患":節要轉載].[22)]

[→□□[八年], 誘執酋長許貞及羅弗等, 囚廣州栲問, 果謀我也, 遂留不遣. ○會邊將李日肅等奏, "女眞虛弱, 不足畏. 失今不取, 後必爲患":列傳9尹瓘轉載].[23)]

[○以尹諧爲殿中內給事·知靈巖郡事:追加].[24)]

[○以崔惟淸爲將仕郎·軍器主簿同正:追加].[25)]

---

18) 교토에서 이달 3일과 27일에 地震이 있었다고 한다(高麗曆과 同一, 日本史料3-7册 355面).
· 『中右記』, 康和 5년 12월, "三日 … 此晩地震, … 廿七日, … 亥時地震".
· 『本朝世紀』第23, 堀河, 康和 5년 12월, "廿七日壬申, … 地大震".

19) 北蕃將軍從昆은 '北蕃·□□將軍인 從昆'이라는 뜻이다(□□將軍은 고려가 異民族에게 수여한 歸化武散階이다). 그는 西女眞人이므로(→明年 1월 13일) 『고려사』에서 北蕃은 西女眞, 東蕃은 東女眞을 指稱함을 알 수 있다. 또 北蕃將軍은 『고려사절요』 권7에는 北女眞으로 되어 있다(盧明鎬 等編 2016년 187面).

20) 이는 「崔弘宰墓誌銘」에 의거하였다.

21) 이는 「任懿墓誌銘」에 의거하였다.

22) 이는 『고려사절요』 권7, 예종 2년 閏10월 26일(戊寅)에서 전재하였다(→예종 2년 閏10월 26일).

23) 여기에서 [肅宗]'八年'이 脫落되었다(→예종 2년 閏10월 26일).

24) 이는 「尹諧墓誌銘」에 의거하였다.

25) 이는 「崔惟淸墓誌銘」에 의거하였다.

[○命王子·僧澄儼住錫重光寺:追加].[26)]

[○親授首座樂眞繡袈裟衣一領:追加].[27)]

[○僧德謙赴王輪寺選佛場禪宗選, 捷獲選:追加].[28)]

[○僧教雄赴僧選教宗選, 捷獲選:追加].[29)]

甲申[肅宗]九年, 契丹乾統四年, [宋崇寧三年], [西曆1104年]

1104년 1월 30일(Gre2월 6일)에서 1105년 1월 17일(Gre1월 24일)까지, 354일

春正月丙子朔小盡,丙寅, 辛巳6日, 東女眞男女一千七百五十三人來投.

○東女眞酋長烏雅束, 與別部夫乃老有隙, 遣公兄之助, 發兵攻之, 騎兵來屯定州關外.[30)]

癸未8日, 王以門下侍郞平章事林幹△爲判東北面行營兵馬事, 御宣政殿, 授鈇鉞, 往備之. 又以直門下省□事李瑋爲西北面行營兵馬使, 衛尉卿金德珍爲東北面行營兵馬使, (朴尙夫爲東南海都部署使:慶尙道營主題名記].

[甲申9日, 夜, 赤氣見于東南, 長十餘丈:五行1轉載].

戊子13日, 西女眞從昆等三十人來, 獻土物.

[戊戌23日, 赤氣見東方:五行1轉載].

二月乙巳朔小盡,丁卯, [丙午2日, 日有暈:天文2轉載].

戊申4日, 宋醫官牟介等還.

壬子8日, 判東北面行營兵馬事林幹與女眞, 戰于定州城外, 敗績.[31)]

---

26) 이는「圓明國師墓誌銘」에 의거하였다.

27) 이는「陜川般若寺元景王師塔碑」, "… 癸未歲□□□袈裟衣御手親授焉"에 의거하였다.

28) 이는「玄化寺住持·僧統德謙墓誌銘」에 의거하였다.

29) 이는「洪圓寺住持·僧統教雄墓誌銘」에 의거하였다.

30) 烏雅束(後日 康宗으로 追尊)은『고려사절요』권7에는 烏羅首로,「崔弘宰墓誌銘」에는 烏羅守로 달리 표기되어 있다. 또『고려사절요』에서 烏雅束을 烏羅首로 표기한 것은 이 경우뿐이다. 또 이 기사는 열전9, 尹瓘에도 수록되어 있다.

31) 이때의 형편을 崔弘宰의 묘지명(金龍善 2015년)과『금사』에는 다음과 같이 서술하였다.
·「崔弘宰墓誌銘」, "始自祖宗代以來, 東蕃女眞臣屬我國, 每歲朝貢, 近世以降, 蕃長英介·烏羅守,

[→王命[判東北面行營兵馬事]林幹, 往備之. 幹邀功, 引兵深入, 擊之敗績, 死者大半. 女眞 乘勝, 闌入定州宣德關城, 殺掠無算:列傳9尹瓘轉載].

[初, 內侍林彥, 主出兵之議, 直史館李永曰, "兵凶器, 戰危事,[32] 不可妄動, 彥, 當無事時, 欲用兵生釁, 甚不可也", 王不聽. 幹, 又邀功, 引不敎之兵, 遽出與戰, 敗死者大半. 惟樞密院別駕拓俊京, 請兵器介馬於幹, 入賊陣, 斬其將一人, 奪所俘二人, 遂與校尉俊旻·德麟, 各射賊一人, 殪之, 賊少却. 及回兵, 賊以百騎, 追之, 俊京與大相仁占, 射殺賊將二人, 賊不敢前, 我軍得入城. 俊京以功, 授千牛衛錄事□[兼]參軍事:節要轉載].[33] 有司劾奏, "幹及兵馬使·左僕射黃兪顯, 副使·大將軍宋忠, 戶部侍郞王公胤, 右承宣趙珪, 敗績之罪, 皆罷之".

[→內侍林彥請討東女眞, [直史館李]永曰, "兵凶器, 戰危事, 不可妄動. 彥, 當無事時, 欲用兵生釁, 甚不可也". 王不聽, 命[門下侍郞]平章事林幹討之. 永亦從軍, 師敗, 坐免官:列傳10李永轉載].

乙卯[11日], 西女眞居羅弗·麻浦等四十九人來, 獻土物.

庚申[16日], 燃燈, 王如奉恩寺.

[癸亥[19日], 太白犯昴星:天文1轉載].

乙丑[21日], 以樞密院使尹瓘爲東北面行營兵馬都統, 御重光殿, 授鈇鉞, 遣之.[34]

[某日, 翰林學士鄭文知貢擧, 禮部侍郞[·右諫議大夫]劉載同知貢擧, 試進士:選擧1選

相繼作主, 背恩弃義, 侵犯我彊, 朝廷未嘗一日□[塞]外憂, 甲申春, 上命平章事林幹將兵問罪, 蕃賊先認逆戰, 我軍亂退, 蕃賊乘勝, 入宣德·定州, 殺傷軍士, 其老少男女繫, 纍以作奴隷, 不可勝計".

·『금사』 권135, 열전73, 外國下, 高麗, "二年甲申□□[二月], 高麗來攻, 石適歡大破之, 殺獲甚衆, 追入其境, 焚略其戍守而還".

32) 여기에서 '兵凶器, 戰危事'는 『한서』 권49, 鼂錯傳第49, "雖然兵凶器, 戰危事也"를 인용한 것이다.

33) 이 기사는 열전40, 척준경에도 수록되어 있다. 添字는 李奎報가 1212년(강종1) 1월 千牛衛錄事兼參軍事에 임명되었던 事例에 의거하였다(→康宗 1년 1월 某日).

34) 이때의 형편을 崔弘宰의 墓誌銘과 『금사』에는 다음과 같이 기술하였다.

·「崔弘宰墓誌銘」, "上[肅宗]改命參知政事尹瓘往伐之, □[問]罪□□. 命公[崔弘宰]爲宣諭使, 公到界, 遣譯語戴言等言諭, 賊首之訓等祗命, 納降退兵而去. 參政尹瓘等兵馬諸員, 皆復命, 公獨留邊宣德·定州城, 戍關防, 修葺完□□設加築, 不日告成. 其爲功勞, 異於常等, 上褒之, 命有司施行".

·『금사』 권135, 열전73, 外國下, 高麗, "四月[三月], 高麗復來攻, 石適歡以五百人禦於闢登水, 復大破之, 追入闢登水, 逐其殘衆踰境. 於是, 高麗王曰, 告邊釁者皆官屬祥丹·傍都里·昔畢罕輩也. 十四團練·六路使人在高麗者, 皆歸之, 遣使來請和. 遂使斜葛經正彊界, 至乙離骨嶺·曷懶甸活樹水, 留之兩月. 斜葛不能廳訟, 每一事輒至枝蔓, 民頗苦之. 康宗召斜葛還, 而遣石適歡往. 石適歡立幕府于三潺水, 其嘗陰與高麗往來爲亂階者, 卽正其罪, 餘無所問. 康宗以爲能.". 이 기사에서 四月은 三月의 오류일 것이다.

場轉載].[35)]

三月[甲戌朔大盡,戊辰], 丙子[3,日] 以[中書侍郎平章事]李顗△[爲]守司空·尙書右僕射.

[○西北方, 有聲如雷:五行1鼓妖轉載].[36)]

丁丑[4日], [淸明]. [東北面行營兵馬都統]尹瓘與女眞戰, 斬三十餘級, 我軍死傷·陷沒者過半.[37)]

[→瓘與戰, 斬三十餘級, 我軍陷沒死傷者過半, 軍勢不振, 遂卑辭講和結盟而還:列傳9尹瓘轉載].

己卯[6日], 設仁王道場於會慶殿, 飯僧一萬于毬庭.

庚辰[7日], 召全州牧使吳延寵, 爲樞密院左承宣[·刑部侍郎:節要轉載]·知御史臺事. [初, 王以延寵, 有輔相才, 將欲大用, 試之臨民, 果以最聞, 故徵之:節要轉載].

○命太子覆試進士于乾德殿.

甲申[11日], 賜宋璋等及第.[38)]

丙戌[13日], 以劉載·文冠爲左·右諫議大夫.[39)]

己丑[16日], 設佛頂道場於文德殿.

夏四月[甲辰朔小盡,己巳], 甲子[21日], 遼遣耶律嘉謨·夏資睦來, 冊王, 詔曰, "朕以推尊薦號, 肆類告成, 覲群后以講儀, 越庶邦而同慶. 卿白茅苴社, 玄菟開疆, 礪山銘受國之功, 航海納來庭之款. 適均霈澤, 爰議增封, 當體至恩, 永符深睠, 今差安遠軍節度使耶律嘉謨等, 備禮往彼册命, 其簡册·車輅幷賜衣對[衣襨]·匹段[匹段]·鞍馬·弓箭諸物, 具如別錄". ○册曰, "軒立諸侯, 肇分于萬國, 漢封異姓, 始建於八王. 朕祗遹先

---

35) 이는 지27, 선거1, 科目1, 選場에서 전재하였다. 또 ~~添字~~는 「劉載墓誌銘」에 의거하였다.

36) 이날 일본의 京都에서는 맑았다고 한다(『殿暦』도 내용이 같다).
 ·『中右記』, 長治 1년 3월, "三日丙子, 天晴".

37) 이 전투를 『고려사절요』 권7에는 2월에 편입시켜 놓았으나 오류일 것이다.

38) 이와 관련된 기사로 다음이 있다. 이때 [進士]宋璋·韓柱(改惟忠, 乙科2人, 韓惟忠墓誌銘)·[內侍]安稷崇(安稷崇墓誌銘) 등이 급제하였다(朴龍雲 1990년 ; 許興植 2005년).
 · 지27, 선거1, 科目1, 選場, "[肅宗]九年二月, 翰林學士鄭文知貢擧, 禮部侍郞劉載同知貢擧, 試進士, □□□□[三月庚辰], 命太子覆試, □□[甲申], 下詔賜宋璋等三人·丙科八人·同進士十六人·明經二人·恩賜五人及第".
 ·「劉載墓誌銘」, "甲申春, 自禮部侍郞·諫議大夫, 同知貢擧選士, 獲三十餘人, 皆一時英彦, 至今舘翰多出門下, 故時人咸曰, 公之知人鑒若神明, 後進儒生, 多以此稱美之".

39) 이때 劉載는 禮部侍郞·左諫議大夫에 임명되었던 것 같다(劉載墓誌銘).

猷, 紹隆正統, 近從衆欲, 勉受洪名. 在正朔之所同, 覃惠澤而已及, 眷言日域, 虔奉天朝, 封疆廣於七雄, 功烈高於五覇. 式當均慶, 特議疏封, 申擇令辰, 誕敷休命. 咨爾特進·檢校太尉兼中書令·上柱國·高麗國王·食邑七千戶·食實封七百戶王顒, 夙鍾間氣, 生禀元精, 負文武之長材, 知君臣之大體. 十枝若木, 森森聳奉日之標, 九曲洪河, 浩浩得朝宗之勢. 粤從道廟, 慶襲王藩, 益恭表海之勤, 無喪礪山之誓, 一方俾乂, 七載于玆. 屬成茅蕝之儀, 當被蓼蕭之澤. 是用, 遣使安遠軍節度使耶律嘉謨·副使利州管內觀察使夏資睦等, 持節備禮, 册命爾爲忠勤·奉國功臣·開府儀同三司·守太尉兼中書令·上柱國·高麗國王·食邑七千戶·食實封七百戶. 於戲, 恩隆九錫, 在予旣廣於榮封, 業茂一匡, 宜汝愈勤於夾輔, 勉服丕訓, 永孚于休".

○王受册于郊壇, 群臣表賀.

庚午[27日], 耶律師傅·張織來, 册太子. 王與太子如南郊, 王先受詔, 詔曰, "朕紹開正統, 奄宅多方, 俯順群情, 勉膺顯號. 內則百官小大, 咸被於優恩, 外則九服公侯, 悉加於渥名. 卿嗣延祖構, 尊奬皇朝, 嘉玆奕世之忠勤, 寵爾承家之令嫡. 特遣軺馭, 往將册儀, 玆諭至懷, 式昭殊眷. 今差耶律師傅等, 備禮往彼, 册命卿長子三韓國公". ○太子登壇受册, 詔曰, "朕誕承駿命, 祗紹鴻圖, 膺寶册以展儀, 際藩方而均慶. 卿克家毓德, 體國疏封, 翊成尊奬之勞, 深悉忠勤之力. 適覃恩渥, 申煥彝章, 當副至懷, 用昭殊眷. 今差泰州管內觀察使 耶律師傅等, 備禮往彼册命, 其簡册·車輅, 并別賜衣對[衣襨]·匹段[匹段]·鞍馬·弓箭諸物, 具如別錄". ○册曰, "朕荷天地之靈休, 席祖宗之丕構, 勉膺群請, 方擧于尊稱, 思與庶邦, 普均于鉅慶. 眷言東表, 夾輔皇朝, 累葉宣勞, 榮分於王爵, 一方述職, 恪服於帝猷. 載惟嫡冑之良, 早宅上公之貴, 若稽前訓, 申煥彝儀. 咨爾順義軍節度△[使]·朔武等州觀察處置等使·崇祿大夫·檢校太傅·同中書門下平章事·使持節朔州諸軍事·行朔州刺史·上柱國·三韓國公·食邑三千戶·食實封五百戶王俁, 器度淵宏, 風猷冲粹. 幼昭雅德, 資孝敬以奉君親, 夙蘊令圖, 秉文武而翊軍國. 繇克嗣于家範, 俾慶襲於國封, 領茅壇節制之權, 同槐府平章之寄. 會束蕝以崇禮, 宜及蕭而霈恩. 是用, 遣使泰州管內觀察使耶律師傅·副使鴻臚卿·張織等, 持節備禮, 册命爾爲順義軍節度□[使]·朔武等州觀察處置等使·特進·檢校太尉兼侍中·使持節朔州諸軍事·行朔州刺史·上柱國·三韓國公·食邑三千戶·食實封五百戶. 於戲, 鏤竹泥金, 示優加於眷矚, 若帶如礪, 當共保於安榮. 爾其忠順以律躬, 慈和而撫衆, 副朕嘉命, 厥惟懋哉".

五月癸酉朔小盡,庚午, 乙酉13日, 以門下侍中致仕邵台輔△爲守太師, [賜協謀~~協謀~~功臣號:節要·列傳8邵台輔轉載].

甲午22日, 雨雹.40)

○南京宮闕成.

六月壬寅朔大盡,辛未, 癸卯2日, 王如奉恩寺.

甲辰3日, 以吳延寵爲尙書左丞·翰林侍講學士, 許慶爲給事中·樞密院右副承宣.

甲寅13日, 東北面□□~~行營~~兵馬都統□□~~尹瓘~~奏, 女眞自毁塲寨, 公兄之助等六十八人, 扣關乞和.

[某日, 以首座樂眞爲僧統:追加].41)

秋七月壬申朔大盡,壬申, 辛巳10日, 左僕射·政堂文學柳伸卒.42) [贈參知政事, 謚忠愼:列傳8柳伸轉載]. [伸, 狀貌不踰中人, 而有膽量, 少擢高第, 以淸謹, 名, 嘗牧淸州, 民敬之如神. ~~肅宗6年.~~ 國家欲移都南京, 宰相及庶僚, 皆以爲可. 伸與左散騎常侍庾祿崇, 獨言其不可, 凡論國家事, 悉主忠義. 時論多之:節要轉載].43)

辛卯20日, 王如興王寺.

○以守司空·尙書右僕射李頫爲中書侍郞平章事·判三司事·太子少保, 樞密院使尹瓘△爲參知政事·判尙書刑部事兼太子賓客, [樞密院使崔弘嗣爲樞密院使:追加].44)

[○以李琦爲東南海都部署使:慶尙道營主題名記].

○遣樞密院使崔弘嗣·秘書監鄭文如宋, 謝恩, 進方物.45)

---

40) 이와 같은 기사가 지7, 五行1, 水, 雨雹에도 수록되어 있다. 이때 일본의 교토[京都]에서 비가 계속 내려『最勝經』(『金光明最勝王經』의 略稱)을 5일 동안 講讀하였다고 한다.
- 『殿暦』, 長治 1년 5월, "十八日庚寅, 天陰雨降, … 十九日辛卯, 天陰, … 廿日壬辰, 天陰雨降, … 廿一日癸巳, 天陰, 雨猶降, … 廿二日甲午, 天晴, …".
- 『中右記』, 長治 1년 5월, "廿二日, 寂勝講五ケ日間, 多以天陰雨下".

41) 이는「陜川般若寺元景王師塔碑」에 의거하였다.

42) 이날은 율리우스曆으로 1104년 8월 3일(그레고리曆 8월 10일)에 해당한다.

43) 添字는 筆者가 추가하였다.

44) 이날 樞密院使 尹瓘이 參知政事에 임명되었음을 고려하면 後任者로 崔弘嗣가 임명되었을 것이다.

45) 이때 崔弘嗣는 宋에 들어가다가 海上에서 飄風을 만났던 것 같고, 鄭克恭(鄭克永의 初名)이 崔弘嗣를 따라 宋에 들어갔다고 한다.

戊戌[27日], 幸南京, [中書侍郞]平章事李頫·參知政事吳壽增·權知樞密院副使吳延寵·判御史臺事任懿等扈從.

[○雨穀于[西北面]通海縣:五行1轉載].[46)]

辛丑[30日], 駕次峯城縣, 出官錢, 賜群臣軍士, 有差. [時泉貨之行, 已三歲, 民貧, 不能興用. 乃命州縣, 出米穀, 開酒·食店, 許民貿易, 使知錢利:節要轉載].[47)]

八月[壬寅朔小盡,癸酉], 乙巳[4日], 村婦野老, 爭獻瓜果于路, 各賜布帛. 又出內府茶香·衣襯,[48)] 施于路傍佛舍.

· 열전10, 崔弘嗣, "肅宗朝, 授樞密院使. 奉使如宋, 忽爲颶風所飄, 舟人無不拊心泣, 弘嗣神色自若. 及至宋, 觀者稱其儀度中規. 帝厚待之, 加賜金幣, 口宣云, 顧惟樞近之臣, 宜有褒嘉之寵. 館伴曰, 此語如待朝廷近臣, 可見皇帝寵使臣也".

· 열전11, 鄭克永, "嘗從平章事崔弘嗣入宋, 其著述爲中國人稱許".
한편 이 시기, 곧 崇寧年間(1102~1105)에 洪灌이 進奉使를 따라 宋에 들어가 汴京의 宿所에서 新羅人 金生의 書帖(行書·草書 1권)을 翰林待詔 楊球·李革에게 보여 주었다고 한다. 楊球·李革은 이를 王羲之(317~365)의 親筆이라고 하면서 金生의 筆跡임을 首肯하지 않으려 하였다고 한다(『삼국사기』 권48, 열전8, 金生 ; 『신증동국여지승람』 권14, 忠州牧佛宇金生寺 ; 『필원잡기』 권1 ; 『惕齋集』 권3, 新羅金生白月樓雲碑歌). 또 金生에 대한 逸話는 『五洲衍文長箋散稿』 권20, 經史篇6, 論史類2, 人物, 金生事實辨證說에 수록되어 있다. 그리고 東晋時代의 名筆로서 書聖이라 불린 王羲之의 서체는 行草體의 우아함이 있었고, 南北朝에서 唐代 初期[初唐]에 이르기까지 楷書의 理想으로 받아들여졌다.

· 『研經齋全集』續集16册, 書畫雜識, 金生筆跋, "金生, 嘗寫李太白日照香爐生紫烟之詩, 雄爽不似白月碑之縝密, 金生新羅人, 生於景雲二年, 修頭陁行, 居忠州北津寺中, 年八十, 猶操筆不休, 其法屢爲宋·元名士歎異, 寺今廢, 而其鄕至今稱金生面云".

46) 雨穀은 穀物이 비가 내리는 것과 같이 하늘에서 떨어지는 현상으로, 不吉한 것이며 亡國의 兆朕으로 받아들였다고 한다. 또 이날 일본 京都의 날씨에 대한 상반된 두 기록이 있다.

· 『說苑』 권18, 辨物, "趙簡子[趙鞅]問於翟封荼曰, 吾聞翟雨穀三日, 信乎, 曰信. 又聞雨血三日, 信乎, 曰信. 又聞馬生牛, 牛生馬, 信乎, 曰信. 簡子曰, 大哉妖, 亦足以亡國矣. 對曰, 雨穀三日, 䖟風之所飄也, 雨血三日, 鷙鳥擊於上也, …".

· 『論衡』 권5, 異虛18, "論說之家, 著於書記者, 皆云, 天雨穀者凶. 書傳[傳書]曰, 蒼頡作書, 天雨穀, 鬼夜哭, 此方[乃]凶惡之應和者, 天[夫]何用成穀之道. …". 이에서 ~~添字~~와 같이 고쳐야 옳게 된다고 한다(山田勝美 1993年 330面).

· 『中右記』, 長治 1년 7월, "廿七日, 天陰".

· 『殿曆』, 長治 1년 7월, "廿七日戊戌, 天晴".

47) 이와 같은 기사로 다음이 있다.

· 지33, 食貨2, 貨幣, "命州縣, 出米穀, 開酒食店, 許民貿易, 使知錢利. 時泉貨之行, 已三歲矣, 民貧, 不能興用, 故有是命".

48) 여기에서 衣襯은 衣服(겉옷, 外衣)과 襯衣(속옷, 內衣)의 兩者를 가리키는 것 같고, 만약 後者만을 가리킨다면 襯衣라고 하여야 좋을 것이다.

丙午[5日], 駕次常慈院, 遣侍御史<u>崔謂</u>, 賫御衣·茶香, 禱雨于三角山僧伽窟.[49]

辛亥[10日], <u>駕至南京</u>, 事皆依日官所奏, 不合禮制. 有司, 莫有言者.

壬子[11日], 王與內中, 遊覽臺榭·園囿~~駕至南京, 王與內中, 遊覽臺榭·園囿, 凡事, 皆依日官所奏, 不合禮制. 有司莫有言者~~[50].

甲寅[13日], 御延興殿, 受中外百官朝賀.

乙卯[14日], 設般若道場于延興殿三日.

丁巳[16日], 宋都綱周頌等來, 獻土物.

己未[18日], 宴群臣于延興殿, 賜幣有差.

辛酉[20日], 以[樞密院使]崔弘嗣△[爲]參知政事, 任懿△[爲]同知樞密院事, 吳延寵爲樞密院副使·翰林學士, 陸肇爲尙書右僕射.

癸亥[22日], 車駕發南京, 與內中, 幸僧伽窟, 設齋納襯.

九月辛未朔[大盡,甲申], 次[開城府]狻猊驛.

甲戌[4日], 遂幸國淸寺.

乙亥[5日], 頒德音, 幸長源亭.

[某日, 召集保勝軍, 閱<u>兵陣</u>:節要轉載].[51]

---

49) 이와 같은 기사가 지8, 오행2, 旱에도 수록되어 있다. a이날(1104년, 숙종 9년 8월 5일)의 侍御史(종6품) 崔謂는 다음의 b崔緯와 c崔渭의 升轉, 言行, 行蹟을 통해 볼 때, 3人은 同音異字의 同一人物인 것 같다.
- b 1105년(예종 즉위년) 10월 29일 刑部侍郞(정4품)으로 거란에 파견된 聖節使 崔緯(使臣團은 보통 1~2품의 上位인 借職으로 파견됨).
- b 1106년(예종1) 1월 18일 東女眞 使臣을 正殿에서 引見하려고 할 때, 御史雜端(종5품) 崔緯가 반대하여 便殿으로 옮김.
- c 1107년(예종2) 2월 29일 太府少卿 崔渭가 全羅州道安撫使로 파견되었고(이상 世家編 該當日字), 이어서 靈光郡에 들어가 知郡事 金縝의 治績을 考課할 때 특별히 優秀[最]로 평가하였다. 그는 스스로가 '忠誠과 淸廉을 自負하며, 다른 사람도 그렇다고 생각하는 일이 적었다, 忠淸自許, 少許可人'고 한다(열전11, 金縝).

50) 辛亥(10日)와 壬子(11일)의 기사는 『고려사절요』 권7을 통해 볼 때, 壬子를 削除하여 ~~添字~~와 같이 하나의 기사로 통합하여야 할 것이다. 또 壬子(11일)의 내용은 하루에 이루어진 일이 아니며, 그 自體로서 의미가 있는 기사를 구성하지 못한다.
- 『고려사절요』 권7, 숙종 8년 9월, "辛亥, 王至南京, 遊覽臺榭·園囿, 凡事, 皆依日官所奏, 不合禮制. 有司莫有言者".

51) 이 기사는 지35, 병1, 兵制, 五軍에는 숙종 9년 12월의 別武班 설치에 대한 기사 다음에 수록되어 있으나 오류일 것이다(盧明鎬 等編 2016년 187面).

己卯[9日], 王賦重九詩, 命儒臣和進.

冬十月[辛丑朔大盡,乙亥], 辛亥[11日], 王還宮.

[乙丑[25日], 小雪. 太白·歲星同舍于氐:天文1轉載].

庚午[30日], 遼東京大王耶律淳遣使來聘.[52]

○遣智寵延如遼, 賀天興節, 文冠, 謝賀封册,[53] 崔璿, 謝賀生辰, 金漢公, 進奉, 崔德愷, 賀正.[54]

[是月, 引見新及第宋瑋等, 賜酒食:選擧2崇奬轉載].

十一月[辛未朔小盡,丙子], 癸酉[3日], 祈雪于宗廟·社稷.[55]

甲申[14日], 設八關會, 幸法王寺.

[丁亥[17日], 醮太一, 祈雪:五行1無雪·禮5雜祀轉載].

[庚寅[20日], □[初]雪, 百官表賀:五行1轉載].[56]

[壬辰[22日], 太白·歲星同舍于尾:天文1轉載].

甲午[24日], 中書侍郎平章事致仕金先錫卒, [年七十二:列傳8轉載].[57] 王弔祭, 賜謚[諡]忠簡. 先錫, 廉毅有吏材, 不事産業. 然年方乞骸, 尙顧戀不退. 時人譏之.[58]

---

52) 耶律淳(1063~1122)은 興宗의 孫으로 契丹名으로 涅里이다. 天祚帝 延禧(阿果)가 卽位하여 鄭王·越王으로 책봉하였다. 1106년(乾統6) 南府宰相에 임명되고 魏王으로 책봉되었다가 南京留守로 출진하였다. 1115년(天慶5) 天祚帝의 군사가 女眞에게 패배하여 長春으로 퇴각하자, 御營副都統 耶律章奴가 天祚帝를 폐위시키고 그를 옹립하려고 사신을 보냈는데, 耶律淳은 사신을 죽이고 天祚帝에게 보고하여 秦·晋國王에 進封되었다. 이후 女眞軍과 싸우다가 패배하여 南京(幽都府, 現 北京市)으로 퇴각하였고, 1122년(保大2) 天祚帝가 여진에게 쫓겨 夾山(現 內蒙古 薩拉齊西北 大靑山)으로 숨어들자, 奚王 回離保·林牙 耶律大石·宰相 李處溫 등의 옹립을 받아 皇帝가 되었다. 그는 天錫皇帝로, 國號를 北遼, 年號를 保大라고 하였으나 3개월 後에 病死하여, 宣宗이라는 廟號를 받았다(『요사』 권30, 본기30, 天祚皇帝4, 耶律淳).

53) 賀는 『고려사절요』 권7에는 없는데, 의미상으로 없는 것이 옳으므로 이 글자는 잘못 들어간 것이다(衍字, 東亞大學 2008년 4책 373面).

54) 崔璿(최선)은 『고려사절요』 권7에는 崔濬(최준)으로 되어 있는데(東亞大學 2008년 4책 373面), 前者가 옳을 것이다.

55) 이와 같은 기사가 지7, 五行1, 火, 無雪에도 수록되어 있다.

56) 이 기사에서 添字가 탈락되었을 것이다. 이는 百官이 表를 올려 賀禮를 드리는 것은 첫눈[初雪]이 내릴 때에 擧行되는 행사이기 때문이다(→문종 10년 11월 3일).

57) 이날은 율리우스曆으로 1104년 12월 13일(그레고리曆 12월 20일)에 해당한다.

58) 『고려사절요』 권7과 열전8, 金先錫에는 年方乞骸를 年至七十으로 달리 표기하였다. 또 그의 나

[乙未25日, 弘護寺住持·僧統等觀入寂, 年七十四, 僧臘六十七:追加].[59]

是月, 遣密進使金沽如遼.

十二月庚子朔大盡,丁丑, 壬寅3日, 以中書侍郎平章事魏繼廷爲門下侍郎平章事[兼太子少師:列傳8王寵之轉載], 門下侍中崔思諏△爲守太保,[60] 中書侍郎平章事李頫爲太子少保, 樞密院副使王嘏爲三司事~~三司使~~,[61] 李繼膺爲刑部尙書, 崔公翊~~崔公詡~~△爲攝工部尙書, [崔弘正爲試禮賓主簿:追加].[62]

[戊申9日, 大雨:五行2轉載].[63]

丙辰17日, 遼遣馬直溫來, 賀生辰.

[甲子25日, 祈雪于山川:禮5雜祀轉載].

[□~~是月~~, 東北面行營兵馬都統尹瓘奏, "臣□~~之~~所以敗於女眞者, 彼騎我步, 不可敵也".[64] 於是, 建議, 始立別武班, 自文武散官·吏胥, 至于商賈·僕隷及州府郡縣, 凡有馬者爲神騎, 無馬者爲神步·跳蕩·梗弓·精努·發火等軍. 年二十以上男子, 非擧子, 皆屬神步, 兩班與諸鎭府軍人, 四時訓鍊. 又選僧徒, 爲降魔軍, 以圖再擧:節要轉載].

[→肅宗九年十二月, 尹瓘奏, 始置別武班. 自文武散官吏胥, 至于商賈僕隷, 及州府郡縣, 凡有馬者爲神騎, 無馬者爲神步. 跳盪·梗弓·精弩·發火等軍. 年二十以上者, 非擧子, 皆屬神步, 兩班與諸鎭府軍人, 四時訓鍊. 又選僧徒, 爲降魔軍. 國初, 內外寺院, 皆有隨院僧徒, 常執勞役, 如郡縣之居民, 有恒產者, 多至千百. 每國家興師, 亦發內外諸寺隨院僧徒, 分屬諸軍:兵1五軍轉載].[65]

이는 1102년(숙종7) 2월 30일(乙卯) 致仕를 청하였다고 한 점을 통해 계산하였다.

59) 이는 「開城弘護寺住持等觀僧統墓誌銘」에 의거하였다. 이날은 율리우스曆으로 1104년 12월 14일(그레고리曆 12월 21일)에 해당한다.

60) 宰相의 序列로 볼 때 崔思諏와 魏繼廷의 位置가 顚倒되어 있는데, 이는 組版을 할 때 오류가 생긴 것 같다.

61) 三司事는 三司使의 오자일 것이다.

62) 이는 「崔弘宰墓誌銘」에 의거하였다.

63) 이날 일본의 京都에서 흐리고 때때로 비가 내리다가 오후 5시 이후에 맑았다고 한다.
·『殿曆』, 長治 1년 12월, "九日戊申, 天陰, 雨時降, 酉剋許晴".

64) ~~添字~~가 탈락되었을 것이다.

65) 이 기사에서 國初 以下는 원래 [ ]로 표시된 細注에 들어갔을 사항일 것이다. 또 隨院僧徒는 非僧非俗의 在家和尙으로 불리는 一般人民이지만, 그들은 日常生活에서 寺院과 밀접한 관계를 지니고 있었던 하층민으로 추측된다(『고려도경』 권18, 釋氏, 在家和尙, 裵象鉉 1995년 ; 具山

[→王發憤告天地神明, 願借陰扶, 掃蕩賊境, 仍許其地創佛宇. 瓘, 遷參知政事·判尙書刑部事兼太子賓客, 奏曰, "臣觀賊勢, 倔强難測, 宜休徒養士, 以待後日. 且臣之所以敗者, 賊騎我步, 不可敵也". 於是, 建議始立別武班, 自文武散官吏胥, 至于商賈·僕隷, 及州府郡縣, 凡有馬者爲神騎, 無馬者爲神步·跳蕩·梗弓·精弩·發火等軍. 年二十以上男子, 非擧子, 皆屬神步, 西班與諸鎭府軍人, 四時訓鍊, 又選僧徒爲降魔軍, 遂鍊兵畜穀, 以圖再擧:列傳9尹瓘轉載].

[是年, 以池祿延, 征女眞 有功, 陞殿中侍御史:列傳7智祿延轉載].
[○文憲公徒聖明齋生朴正明中成均試. 時正明年二十:追加].[66]
[○前光明寺僧坦然赴大選, 中之. 尋受命住錫中原府義林寺:追加].[67]
[增補].[68]

乙酉[肅宗]十年, 契丹乾統五年, [宋崇寧四年], [西曆1105年]

1105년 1월 18일(Gre1월 25일)에서 1106년 2월 5일(Gre2월 12일)까지, 13개월 384일

[春正月庚午朔大盡,戊寅, 辛未2日, 夜, 赤白氣見于東南, 至曉乃滅:五行1轉載].

祐 2002년d).

66) 이는 다음의 자료에 의거하였는데, 朴正明이 20세였던 1104년(숙종9) 國子監試[成均試]의 設行은 『고려사』에 기록되어 있지 않다. 또 「朴正明墓誌銘」은 종래에 「朴僕射墓誌銘」으로 命名되어 왔지만, 後者를 前者로 類推할 수 있는 것은 주인공이 1135년(乙卯, 인종13) 妙淸의 亂[西京戰役]에 參戰하였다는 것을 통해 알 수 있다. 곧 그와 행적이 유사한 인물로 刑部員外郎 朴正明(朴純古의 父)이 찾아진다(→인종 14년 2월 19일).
· 「朴正明墓誌銘」, "二十中成均試, 乃與先生·長者, 偕進偕退, …".

67) 이는 「山淸斷俗寺大鑑國師塔碑」에 의거하였다(金石總覽 562面).

68) 이해의 2월에 이루어진 女眞征伐에 대한 女眞側의 대응은 다음과 같았다고 한다.
· 『금사』 권1, 본기1, 世紀, 康宗烏雅束, "二年甲申肅宗9年, 高麗再來征伐, 石適歡再破之. 高麗復請和, 前所執團練十四人皆遣歸, 石適歡撫定邊民而還".
· 『금사』 권135, 열전73, 外國下, 高麗, "二年甲申, 高麗來攻, 石適歡大破之, 殺獲甚衆, 追入其境, 焚略其戍守而還. 四月, 高麗復來攻, 石適歡以五百人禦於闢登水, 復大破之, 追入闢登水, 逐其殘衆踰境. 於是, 高麗王曰, 告邊釁者, 皆官屬詳丹·傍都里·昔畢罕輩也. 十四團練·六路使人在高麗者, 皆歸之, 遣使來請和. 遂使斜葛經正疆界, 至乙離骨水·曷懶甸活禰水, 留之兩月. 斜葛不能聽訟, 每一事輒至枝蔓, 民頗苦之. 康宗烏雅束召斜葛還, 而遣石適歡往. 石適歡立幕府于三潺水, 其嘗陰與高麗往來爲亂階者, 卽正其罪, 餘無所問. 康宗以爲能".

[庚寅21日, 日正中無光, 而重暈有珥:天文1轉載].

[壬辰23日, 歲星犯房上相:天文1轉載].

[某日, 以韓俊爲東南海都部署使:慶尙道營主題名記].

春正月~~二月~~小盡,己卯[69)] [庚子朔, 夜, 有光, 發于乾·巽方, 如月始出:五行1轉載].

[丁未8日, 黃赤氣發自東成, 貫帝座南, 長三丈許:五行3轉載].

癸丑14日, 燃燈, 王如奉恩寺.

○命太子, 醮三界靈祇于毬庭[70)].

[某日, 門下侍郞~~門下侍中~~崔思諏致仕. 思諏, 以老乞退, 甚切. 門下侍郞平章事魏繼廷曰, "崔公在官, 吾輩仰如山斗, 軍國大事, 一從其言, 今若告老, 吾輩奈何". 後, 壽春宮曲宴, 思諏起爲壽. 王執其手曰, "卿若固退, 誰與共政". 對曰, "致仕禮也, 臣耄艾, 無能爲矣, 願得閑居, 以終餘齒". 許之:節要轉載].[71)]

[→崔思諏, 以老, 三上表乞骸骨. 魏繼廷曰, "崔公在官, 吾輩仰如山斗, 軍國大事, 一聽其議, 今若告老, 奈國政何". 時王曲宴壽春宮, 召思諏赴宴. 思諏起爲壽王, 親酌酬之, 執其手曰, "卿若固退, 誰與共政, 朕優賢重老, 不忍從也". 對曰, "七十致仕禮也. 臣已老耄, 無益於國, 願遂歸志". 王許之:列傳9崔思諏轉載].

閏[二]月己巳朔小盡,己卯, 丁丑9日, 中書侍郞平章事吳壽增致仕.

○以李瑋爲秘書監·知尙書吏部事, 文冠爲少府監·知御史臺事兼太子左庶子, 許慶爲吏部侍郞·樞密院左承宣.

三月戊戌朔大盡,庚辰, 癸卯6日, 王如國淸寺, 置仁睿太后文宗妃願成金塔.

甲辰7日, 以趙蘭忠爲尙書右僕射, 韓瑩爲刑部尙書.

夏四月戊辰朔小盡,辛巳, 己巳2日, 幸外帝釋院.

---

69) 春正月은 春二月로 바꾸어야 옳게 될 것이다. 이해의 1월에는 癸丑이 없고, 2월 癸丑(14일)이어야 燃燈會의 開催와 相應한다.

70) 이 기사는 지17, 禮5, 雜祀에도 수록되어 있다.

71) 門下侍郞(門下侍郞平章事, 門下侍郞同中書門下平章事의 略稱)은 門下侍中의 오자일 것이다. 곧 崔思諏는 숙종 8년 9월 29일 門下侍中에 임명되었다.

壬午15日, 幸大內法雲寺, 設仁王道場.

[五月丁酉朔小盡,壬午, 辛丑5日, 西京龍德部梯淵路, 地鏡又見, 俗相傳, 此地爲明月里: 五行1地境轉載].

[乙卯19日, 朝散大夫·行攝太府卿鄭穆卒: 追加].[72]

六月丙寅朔大盡,癸未, 丁卯2日, 王如奉恩寺.

[庚午5日, 初夜, 流星出紫微垣中, 入郎位, 色赤, 圓徑五寸許, 尾長一丈, 二更, 出天津, 入天市, 色白, 尾長二丈, 五夜, 出河鼓, 入南斗魁, 色赤, 大如雞子: 天文1轉載].

甲戌9日, 以門下侍郎平章事魏繼廷爲太子太傅, 崔弘嗣△爲檢校太尉·守司徒·中書侍郎同中書門下平章事兼太子太保·判尙書禮部事·脩國史, 參知政事尹瓘爲太子少保·判尙書兵部·翰林院事, 中書侍郎平章事李頫守司徒·太子少師兼西京留守使, 鄭文爲刑部尙書·政堂文學兼太子賓客, 任懿爲樞密院使·吏部尙書[兼太子賓客·判三司事: 追加],[73] 王嘏△爲知樞密院使事·兵部尙書, 吳延寵△爲同知樞密院事·秘書監·翰林學士承旨, 守司空·左僕射?金景庸△爲判尙書工部事,[74] 李瑋爲御史大夫, [崔弘正爲試閤門祇候: 追加].[75]

[癸巳28日, 以石受珉爲神虎衛第一隊正, 借領軍: 追加].[76]

秋七月丙申朔小盡,甲申, 乙卯20日, [白露]. 王如興王寺.

[某日, 以崔福儒爲東南海都部署使: 慶尙道營主題名記].

---

72) 이는 「鄭穆墓誌銘」에 의거하였고, 이날은 율리우스曆으로 1105년 7월 1일(그레고리曆 7월 9일)에 해당한다.

73) 이때 任懿는 樞密院使·吏部尙書兼太子賓客·判三司事에 임명되었다고 한다(任懿墓誌銘).

74) 이때 金景庸의 本職이 무엇인지는 알 수 없으나 1103년(숙종8) 5월 3일 知樞密院事로 禮部尙書에, 1105년(예종 즉위년) 11월 4일 太子太師·守司空에, 1106년(예종1) 3월 27일 知門下省事에 각각 임명된 것을 보아 守司空·左僕射로서 判工部事를 兼職한 것 같다. 일반적으로 判工部事는 守司空·左僕射가 兼職하였다(張東翼 2013년a).

75) 이는 「崔弘宰墓誌銘」에 의거하였는데, 이날의 날짜가 6월 9일로 前半期의 人事[小目政]와 정확하게 일치한다.

76) 이는 「石受珉墓誌銘」에 의거하였다.

八月[乙丑朔大盡,乙酉], 丁卯[3日], 幸龜山寺.

庚午[6日], [秋分]. 設佛頂道場于文德殿.

乙亥[11日], 幸西京.

壬午[18日], 謁太祖眞于感眞殿, 遂謁五星殿, 仍御長樂殿, 受百官朝賀.

[甲申[20日], 遣使, 祭東明聖帝祠, 獻衣·幣:禮5雜祀·節要轉載].

乙酉[21日], [寒露]. 制, 以陜州守高旻翼, 侵漁百姓, 下獄鞫問.

戊子[24日], 幸弘福寺, 設齋, 遂御南岸帳殿, 置酒. 太子及宰樞·兩京文武大臣侍宴, 王賦詩四韻宣示.

己丑[25日], 閱射于昌化門.

庚寅[26日], 亦如之[閱射], 太子中的, 群臣皆賀.

癸巳[29日], 放輕繫.

九月[乙未朔大盡,丙戌], 戊戌[4日], 以仁睿太后[文宗妃]諱辰道場,[77] 幸長慶寺.

[庚子[6日], 霜降. 流星出五車, 入騰蛇, 大如梡, 長一丈許:天文1轉載].

[辛丑[7日], 流星, 一出北斗魁, 入郎將, 色靑, 徑五寸許, 尾長一丈許, 一出中台, 入郎將, 色赤, 大如炬, 尾長一丈許, 一出北河, 入北極, 色赤, 大如炬, 尾長一丈半:天文1轉載].

癸卯[9日], 遼霜丘來投.

壬子[18日], 御營, 作院門, 閱武士射御.

[乙卯[21日], 白氣漫天:五行2轉載].

丙辰[22日], [立冬]. 王不豫.

丁巳[23日], 發西京.

[戊午[24日], 夜, 太白下陽道, 行南斗度:天文1轉載].

[辛酉[27日], □□[太白]食南斗魁第四星:天文1轉載].

[壬戌[29日], □□[太白]入魁中:天文1轉載].

冬十月乙丑□[朔大盡,丁亥], 王疾大漸, 次于金郊驛.[78]

---

77) 文宗妃 仁睿太后의 忌日은 9월 2일이다.

78) 乙丑에 朔이 탈락되었다.

丙寅[2日], 夜半, 發金郊, 至長平門外, 薨于輦中.[79] 遲明, 到西華門發喪, 太子·群臣哭踴, 奉入迎英殿[~~延英殿~~],[80] 卽日, 移殯于宣德殿. 遺詔曰,[81] "~~詔宰臣魏繼廷以下文虎百寮僧俗耆老~~, 朕以凉[~~薄之~~]德, 嗣守大業, 永惟萬事之統, 未[不]遑一日之安, 躬覽庶政, 至于宵旰者, 十有餘載矣. 思與中外之人, 共躋仁壽之域, 乃[奈]何憂勞成疾, 遂至彌留. 天命難諶, 任適短長之分, 邦基至重, 敢忘顧屬[囑]之言[勤]. 王太子, 仁義孝友, 本乎生知, 溫慈惠和, 副於民望, 宜於柩前, 便卽君位. 凡軍國□□[賞罰]大事, 一稟嗣君處分. 方鎭州牧, 只於本處擧哀, 不得擅離理所, 喪服之制, 以日易月, 山陵制度, 務從儉約. 於戲[嗚呼], 知始終之期, 逝者以之無憾, 講久長之策, 存者不可傷生. 尙賴股肱大臣·百辟·卿士, 同輸忠力, 夾輔[協輔]王室, 使我國祚, 垂于無窮, 則朕雖瞑目, 心則足矣. 布告國內, 明知朕懷[~~朕意~~]".[82] 王壽五十二, 在位十年. 謚[諡]曰明孝, 廟號肅宗, [甲申[20日]:節要轉載], 葬于松林縣, 陵曰英陵,[83] 仁宗十八年加謚[諡]文惠, 高宗四十年加康正.

[李齊賢曰, "以漢高祖知人之明, 每謂惠帝柔仁, 而趙王如意, 似我, 屢欲易太子, 而不知代王之終爲大平天子, 封之邊郡, 然代王免呂氏之禍, 以無寵也, 唐太宗之賢, 而不克定嗣, 卒用昏童, 乃使凶牝, 啄其孫殆盡, 尤可嘆[歎]矣,[84] 兩漢四百年, 臨天下者, 皆孝文之裔也, 唐三百年, 自中睿迄昭哀, 亦大帝之後也, 用此觀之, 天也非人也, 我文考十九子, 而以再興宗國, 期肅宗於齧齔之年, 而肅宗由蕃侯, 紹大統, 智以定亂, 仁以底平, 有子若孫, 克明克類, 繼繼繩繩[承承],[85] 以至于今四百餘年, 斯豈非天乎, 雖然, 傳曰, 知子莫如父,[86] 其文考之謂乎?":節要轉載].[87]

---

79) 이날은 율리우스曆으로 1105년 11월 10일(그레고리曆 11월 17일)에 해당한다.

80) 迎英殿은 『고려사절요』 권7에는 延英殿으로 나오고, 이 자료 외에는 찾아지지 않음을 보아 延英殿의 오자일 것이다.

81) 이 遺詔의 全文은 『東人之文四六』 권7 ; 『동문선』 권23, 肅王遺敎[遺詔](金緣 作)인데, 위의 記事와 자구의 출입이 있지만 모두 原形을 상실하였다. 添字는 『동인지문사륙』에 의거하였다.

82) 이와 같은 기사로 다음이 있다.

· 지18, 禮6, 國恤, "王還自西京. 丙寅 至長平門外, 以疾薨于輦中. 到西華門發喪. 太子·群臣哭踊, 奉入延英殿, 卽日, 移殯于宣德殿. 遺詔, '方鎭州牧, 止於本處, 擧哀, 服喪之制, 以日易月'. 是日, 睿宗卽位".

83) 英陵은 開城市 板門郡 板門邑 板門里에 있다(보존급유적 569호, 張慶姬 2013년 洪榮義 2018년).

84) 嘆은 『익재난고』 권9하, 史贊, 肅王에는 歎으로 되어 있다.

85) 繩繩은 『익재난고』에는 承承으로 되어 있는데, 어느 面을 取하더라도 무방하다.

86) 이 구절은 『新書』 권10, 立後義, "今以知子莫如父, 故疾死置後者, …"를 인용한 것이다.

87) 李齊賢의 史論은 『고려사』에 수록되어 있지 않지만, 『고려사절요』 권7에는 수록되어 있다. 이는 『고려사』의 편찬과정에서 餘他 帝王의 경우와 같이 수록되어 있었을 것이지만, 組版過程에서

［肅宗在位年間］

［○以王子·重光寺住持澄儼爲僧統, 賜號曰福世:追加].[88]

［○上多聞僧學一法力, 命移住法住寺:追加].[89]

［○肅宗時, 造成皇龍寺新鍾, 長六尺八寸:追加].[90]

［○下制, 簡擇衣冠子弟, 詣客館醫官之處所, 習業醫術, 醫官隨商船至此. 是時, 永州人李坦之預其選, 而得其術:追加].[91]

탈락되었던 것 같다. 여기서는『고려사절요』에서 전재하여 수록하였다.

88) 이는「圓明國師墓誌銘」에 의거하였다.

89) 이는「淸道雲門寺圓應國師塔碑」에 의거하였다.

90) 이는 다음의 자료에 의거하였다.

·『삼국유사』권3, 塔像第4, 皇龍寺鍾, "新羅第三十五景德大王, 以天寶十三甲午, 鑄皇龍寺鍾, 長一丈三, 厚九寸, 入重四十九万七千五百八十一斤. 施主孝貞伊王三毛夫人, 匠人里上宅下典. 肅宗朝, 重成新鍾, 長六尺八寸".

91) 이는 다음의 자료에 의거하였는데, 李坦之(1086~1152)가 宋 醫官에게 醫術을 배웠던 시기를 15~20歲 사이로 추정하면, 대략 1102~1111년(숙종7~예종1)의 左右가 될 것이다(金龍善 2006년 127面). 그 시기에 宋의 使臣, 醫官, 商船 등이 數次에 걸쳐 고려에 도착하였다.

·「李坦之墓誌銘」, "故登仕郞·檢校太醫少監李君, 諱坦之, 世爲益陽人, 少習蕭相瀟湘法律, 比壯頗曉醫藥, 會中國名醫官, 隨商船至東土. 主上下制, 簡擇名家子, 往習其術, 公亦預其選, 而深得其妙焉. 越著雍困敦歲戊午睿宗3年, 適有北狄來侵境土, 君考延厚, 以裨將, 轉戰却敵, 入據雄州城, …". 여기에서 瀟湘은 北朝 契丹帝國과 對峙하던 南朝 宋帝國을 指稱하는 것 같다.

睿宗 一

睿宗·文孝·□□明烈·□□齊順大王[1], 諱俁, 字世民. 肅宗長子, 母曰明懿太后柳氏, 文宗三十三年正月丁丑丁亥17日生[2]. 深沈, 有度量, 雅好儒學. 宣宗十一年, 拜檢校司空·柱國, 累陞太尉. 肅宗五年, 立爲王太子, 册曰, "朕纂服祖宗, 司牧黎庶, 臨四海之逾廣, 顧萬幾之寔繁, 冀保元良之扶贊, 式延祚業之昌興. 咨爾長子, 天縱英懷, 日躋令聞. 德行內敏, 威惠外宣, 率土以之宅心, 群議以之歸美. 承祧守器, 非汝而誰. 是用, 備胥極之亞儀, 席震宮之寵級, 時從龜筮, 命降龍綸. 今遣使, 持節備禮, 册命爾爲王太子. 於戲, 視膳問安, 奚獨稱於曩世. 撫軍監國, 足可見於玆辰, 善乃始終, 眷無怠忽. 規矩以晋室六傅, 左右以商山四公, 斥遠驕奢, 勉强學問. 勿以極貴而恃己, 勿以自賢而傲人. 予有所艱, 加之以鍼藥, 予有不軌, 施之以準繩, 佩服師訓, 儆戒無射". 九年, 遼遣使, 册爲三韓國公.

十年十月丙寅2日, 肅宗薨, 奉遺詔, 卽位於重光殿.

乙亥11日, 有司奏, "御諱同韻噳·麌·僫·鰅·㖀·喁字, 請改避諱", 從之.

甲申20日, 葬肅宗于英陵.[3]

戊子24日, 遣中書舍人金緣如遼, 告哀.[4] [緣, 至遼, 賜宴, 將奏樂. 緣曰, "臣來

---

1) 이에서 睿宗은 묘호이고, 文孝大王은 시호인데, 이는 1122년(仁宗 즉위년) 4월에 睿宗의 陵[裕陵]이 마련될 때 붙여진 것이다. 그런데 예종은 1140년(인종18) 4월에 明烈이, 1253년(고종40) 10월 3일(戊申) 齊順이 각각 덧붙여졌으나, 이 기사에 반영되어 있지 않아 추가하였다.

2) 이 기사에서 睿宗은 1079년(문종33) 1월 丁丑(7일)에 出生하였다고 되어 있지만, 그의 節日인 咸寧節이 1118년(예종13) 1월 庚子(17일), 1121년(예종16) 1월 癸丑(17일), 1122년(예종17) 1월 丁丑(17일)이다. 또 徐兢도 睿宗의 誕日을 8월 17일이라고 들었던 것 같으므로, 丁丑은 丁亥(17일)의 오자일 것이다.

· 『고려도경』 권6, 宮殿2, 長慶殿, "王誕日有節名, 王俁以八月一月十七日生, 謂之咸寧". 여기에서 8월은 1월의 오류일 것이다.

3) 이 기사는 지18, 禮6, 國恤에도 수록되어 있다.

4) 金緣은 11월 22일(丙辰) 金에 도착하여 告哀하였던 것 같은데, a는 b와 같이 고쳐야 옳게 될 것이다.

· a 『요사』 권27, 본기25, 天祚皇帝1, 乾統 5년 11월, "丙辰, 高麗三韓國公顒薨, 子俁遣使來告".

· b 『요사』 권27, 본기25, 天祚皇帝1, 乾統 5년 11월, "丙辰, 高麗王顒薨, 子三韓國公俁遣使來告"[校正].

時, 本國群臣, 皆服衰絰, 今至上國, 獲蒙賜宴, 雖感恩榮. 然臣子之情, 不忍聞樂". 言甚切至, 遼主天祚帝義而從之, 朝見時, 又乞除吉服·舞蹈. 學士孟初謂緣曰, "殿庭服色, 宜從吉, 但除舞蹈可也". 及還, 拜諫議大夫:節要轉載].

[→肅宗薨, 仁存告哀于遼. 自東京抵京師, 所經州府, 皆設宴張樂, 仁存曰, "臣來時, 本國君臣, 皆服衰哭泣, 今來上國, 雖感恩榮, 臣子之情, 不忍聞樂". 言甚切至, 遼人許之. 至朝見時, 又乞除吉服·舞蹈, 孟初至幕曰, "殿庭服色, 宜從吉, 但除舞蹈可矣":列傳9金仁存轉載].

[某日己丑25日?, 制, "三京·八牧通判以上及知州事·縣令, 由文科出身者, 兼管勾學事:"節要轉載].[5]

庚寅26日, 禁士庶與內官, 交通干謁.[6]

癸巳29日, 遣刑部侍郞崔緯如遼, 賀天興節.

○尊母柳氏爲王太后, [殿曰天和, 府曰崇明, 生日曰至元節:節要轉載].[7] 改壽寧宮曰大寧, 長慶宮曰崇德, 延平宮曰安壽.

甲午30日, 賜長公主大寧宮, 二公主崇德宮, 三公主安壽宮.

[是時, 冊三妹爲安壽宮公主:列傳4肅宗公主轉載].

十一月乙未朔小盡,戊子, 戊戌4日, 以宗室瑛△爲[輸忠功臣:追加]·守太尉[·食邑二千戶·食實封三百戶:追加],[8] 源△爲[輸忠功臣·特進:追加]·檢校太尉·守司徒,[9] 魏繼廷△爲守太尉·門下侍中·上柱國, 崔弘嗣·李顗並爲門下侍郞同平章事~~門下侍郞同中書門下平章事~~, 尹瓘爲中書侍郞同平章事~~中書侍郞同中書門下平章事~~, 任懿爲[檢校司徒:追加]·尙書左僕射·參知政事[·判樞密院事:追加],[10] 政堂文學鄭文△爲檢校司空·禮部尙書, 金景

---

5) 이와 같은 기사가 지28, 選擧2, 學校에도 수록되어 있다.

6) 이 기사는 지38, 刑法1, 職制에는 "禁士與內宦, 交通干謁"로 되어 있다.

7) 이와 같은 기사가 열전1, 肅宗妃, 明懿太后柳氏에도 수록되어 있다.

8) 守太尉 瑛에 관한 기사는 열전3, 顯宗王子, 平壤公基에 의거하였다.

9) 檢校太尉 源에 관한 기사는 열전3, 文宗王子, 朝鮮公燾에 의거하였는데, 原文에는 特進이 持進으로 되어 있다. 또 이 시기에 文宗의 아들 辰韓侯 愉의 所生인 沂와 演이 각각 檢校尙書右僕射·柱國, 檢校戶部尙書·柱國에 임명되었을 가능성이 있다.

· 열전3, 文宗王子, 辰韓侯愉, "沂, 睿宗授檢校尙書右僕射·柱國, 進檢校司空. … 演, 睿宗授檢校戶部尙書·柱國".

10) 이때 任懿는 檢校司徒·尙書左僕射·參知政事·判樞密院事에 임명되었다고 한다(任懿墓誌銘).

庸爲太子太師·守司空, 王嘏爲吏部尙書·樞密院使, 吳延寵△[爲]知樞密院事·御史大夫[·翰林學士承旨:列傳9吳延寵轉載], 李緯[李瑋]爲刑部尙書·知制誥,[11] 高令臣爲秘書監·直門下省, 康拯△[爲]知御史臺事, [崔弘正爲閤門祇候:追加].[12]

己亥[5日], 以崔挺爲尙書右僕射·鷹揚軍上將軍, 崔惟正爲兵部尙書, 高義和爲龍虎軍上將軍·刑部尙書, 黃兪顯爲興威衛上將軍·戶部尙書.

庚子[6日], 以畢光贊△[爲]檢校太子太師·上護軍,[13] 赫連挺爲長樂殿學士·判諸學院事.

辛丑[7日], [冬至]. 制, "潛邸時及卽位日, 侍衛將校·員吏·僧徒, 有功勞者, [令有司:節要轉載], 特加爵賞".

壬寅[8日], 御神鳳門, 赦.

甲辰[10日], 詔曰, "朕聞, 民間買賣, 所用穀米及銀品甚惡. 故前代以來, 嚴法禁之, 而至今, 未見其懲戒者. 盖奸猾之類, 不畏法禁, 惟利是求, 乃以沙土和米, 銅鐵交銀, 以眩惑愚民. 甚非天地神明之意, 民之貪困[貧困],[14] 實由於此, 可懲之以法. 然堯舜畫衣冠, 民不犯法, 刑措不用, 比屋可封, 朕甚慕焉. 庶幾內外軍民·工商·雜類, 改心革慮, 遷善遠罪, 則自然刑罰淸, 而德敎洽矣. 富壽之業, 大平之風, 豈難致哉. 如有不識此意, 故有違犯者, 必罰無赦".[15]

[乙巳[11日], 太白光芒, 大而赤, 至十餘日:天文1轉載].[16]

丙午[12日], 御史臺奏, "刑措不用, 帝王盛德, 今囹圄空虛, 請書獄空二字, 揭于法司南街, 以示盛朝刑措之美". 宰相表賀. 時猝獄, 近經大赦, 罪人皆放. 而御史以標枋爲請. 宰相以獄空賀, 識者譏之.

戊申[14日], 設八關會, 幸毬庭觀樂.

丁巳[23日], 以[樞密院使]王嘏爲西北面兵馬使兼知中軍兵馬事, [知樞密院事]吳延寵爲東北面兵馬使兼知行營兵馬事.

---

11) 李緯는 李瑋의 다른 표기인데, 이때와 明年(예종1) 8월 19일(戊寅)에만 前者로 표기되어 있다.

12) 이는 「崔弘宰墓誌銘」에 의거하였는데, 이날의 날짜가 11월 4일로 年末의 人事[都目政]와 정확하게 일치한다.

13) 이때의 上護軍은 勳官의 視正三品이다(→현종 7년 6월 4일).

14) 여러 판본의 『고려사』와 『고려사절요』 권7에 貪困(탐곤)으로 되어 있으나 貧困(빈곤)이 옳을 것이다(東亞大學 2008년 4책 380面).

15) 이 기사는 지34, 刑法2, 禁令에도 수록되어 있다.

16) 지1, 天文1에 "~~十二年~~十一月乙巳"로 되어 있으나 十二年은 잘못 들어간 글자이다[衍字]. 以下의 11월과 12월의 기사는 모두 같은 範疇에 해당한다.

壬戌[28日], 遣內侍·□□[閤門]祗候智祿延, 注簿同正殷元忠, 司天少監許蓋卿·崔資顥等, 巡視東界山川.

是月, 改懷殤大王諡[謚]曰恭殤, 廟號獻宗.

十二月[甲子朔[大盡,己丑], 歲星犯熒惑:天文1轉載].[17)]

[○祈雪于大廟[太廟]·群望:五行1無雪轉載].[18)]

丙寅[3日], 政堂文學鄭文卒.[19)] [文, 倍傑之子. 爲人, 恭儉朴訥, 不事生產, 居室卑陋, 僅庇風雨. 莅官謹愼, 典刑曹十餘年, 未嘗妄出入人罪. 嘗扈駕西京, 請置箕子祠, 奉使入宋, 受賜金帛, 分與從人, 將其餘, 買書以歸, 無他所求. 宋人多之:節要轉載].

[→在公暴疾, 舁歸其第, 王遣內醫診視, 尋卒. 王震悼, 贈特進·左僕射·參知政事, 諡貞簡, 官庀葬事:列傳8鄭文轉載].

[丁卯[4日], 流星出翼東, 入大陵, 狀如雞子:天文1轉載].

戊辰[5日], 太白晝見, 經天.

○分賜先代遺物于諸王·宰樞.

[○月犯壘:天文1轉載].

[辛未[8日], 月犯天囷:天文1轉載].

壬申[9日], [大寒]. 以右散騎常侍柳子維爲東界加發兵馬使, 內侍·□□[閤門]祗候崔弘正爲判官.

[癸酉[10日], 月食畢大星:天文1轉載].

乙亥[12日], 召宰樞于乾明殿, 問東界邊事.

[○月重暈, 青赤無光:天文1轉載].

[○祈雪于大廟[太廟]及諸神祠:五行1無雪轉載].

[戊寅[15日], 月食, 月犯輿鬼, 鎭星犯氐:天文1轉載].[20)]

---

17) 甲子에 朔이 탈락되었다.

18) 原文에는 "[肅宗,] 十二年[十年]十二月甲子, 于大廟[太廟]·群望"로 되어 있으나 添字와 같이 고쳐야 옳게 될 것이다.

19) 이날은 율리우스曆으로 1106년 1월 9일(그레고리曆 1월 16일)에 해당한다.

20) 이날 일본의 교토[京都]에서도 월식이 있었다(高麗曆과 同一, 日本史料3-8册 343面). 이날은 율리우스력의 1106년 1월 21일이고, 월식 현상이 심했던 때의 世界時는 10시 7분, 食分은 0.83

[○左牧監火:五行1火災轉載].[21)]

己卯[16日], 以[知樞密院事]吳延寵爲東界行營兵馬使, 金奇鑑△[爲]知兵馬使[事], 任申幸爲兵馬副使, 林彥爲別監, 金晙爲判官, 智祿延·金仁碩△[並]爲長州分道□□[將軍], 郭景諶爲宣德分道□□[將軍], 庾翼·[前千牛衛錄事]拓俊京·兪瑩若△[並]爲兵馬錄事, 崔資顥·朴成正△[並]爲軍候.[22)]

壬午[19日], 大寧宮災.[23)]

甲申[21日], 教曰[詔曰], "惟我祖宗, 經綸草昧, 肇造邦家, 累聖持守, 以及寡人. 今諸道州郡司牧, 清廉憂恤者, 十無一二. 慕利釣名, 有傷大體, 好賄營私, 殘害生民, 流亡相繼, 十室九空, 朕甚痛焉. 實由殿最不行, 人無勸懲之故也, 宜遣名臣, 巡行郡縣, 考守令殿最以聞. 朕方將務明賞罰, 其樞密大臣, 悉體朕懷, 推檢祖宗典章, 戒諭百僚, 以爲程式".

辛卯[28日], 以玄化寺僧德昌爲王師.

[是年, 改乇羅爲耽羅郡:轉載].[24)]

[○判[刪], "進士雖無蔭, 凡輕罪贖銅, 唯犯偸盜·詔曲·强奸·鬪傷人, 依律斷罪": 刑法2恤刑轉載].

[○以崔梓爲祭器都監判官:追加].[25)]

[○以張脩爲古阜郡判官:追加].[26)]

이었다(渡邊敏夫 1979年 474面).

· 『殿曆』, 長治 2년 12월, "十四日丁丑, 天晴, … 明日依月蝕, 除目一夜也, … 十五日戊寅, 天晴, 今日月蝕, 仍不出行".

· 『中右記』, 長治 2년 12월, "十五日, 今夜月蝕也. 已帶蝕出東山, 及戌剋, 天晴正現, 所殘不幾, 已近皆旣".

· 『中右記』目錄, 長治 2년 12월, "十五日, 月蝕正現".

· 『本朝統曆』 권8, 長治 2년, "十二大, 十五望, 酉四, 月蝕, 十二分弱, 申四, 戌三".

21) 原文에는 "[肅宗]十二年十二月戊寅, 左牧監火. 壬午[19日], 大寧宮災"로 되어 있으나 十二年은 十年의 오류일 것이다. 이는 4일 후인 19일의 火災를 통해서 알 수 있다.

22) 長州分道는 長州分道將軍의, 宣德分道는 宣德分道將軍의 略稱일 것이다.

23) 이와 같은 기사가 지7, 五行1, 火, 火災에도 수록되어 있다.

24) 이는 다음의 자료를 전재하였다.

· 지11, 지리2, 耽羅縣, "肅宗十年, 改乇羅, 爲耽羅郡".

· 『세종실록』 권149, 지리지, 濟州牧, "高麗肅宗十年乙酉[宋徽宗崇寧四年], 乇羅爲耽羅君[郡]".

25) 이는 「崔梓墓誌銘」에 의거하였다.

[○以崔誠爲良醞丞同正:追加].[27]

[○以[重大師]學一爲三重大師, 住錫迦智寺, 不數月移住龜山寺:追加].[28]

[○以[大德]敎雄爲大師. 尋雄赴太選, 又在上上品, 爲國淸寺覆講師:追加].[29]

[是年頃, 以[大德]坦然爲大師:追加].[30]

丙戌[睿宗]元年, 契丹乾統六年, [宋崇寧五年], [西曆1106年]

1106년 2월 6일(Gre2월 13일)에서 1107년 1월 25일(Gre2월 1일)까지, 354일

春正月甲午朔[大盡,庚寅], 王以亮陰, 不受賀. 宰相請御肉膳, 不許, 四上表請之, 乃許.

[乙未[2日], 以門下侍郞~~同中書門下~~平章事崔弘嗣△[爲]權判尙書吏部事·監修國史, 中書侍郞平章事李頫爲文德殿大學士·判尙書禮部事·修國史, 參知政事尹瓘爲上柱國·修國史, 參知政事任懿△[爲]判尙書刑部事, 參知政事△[爲]金景庸爲西京留守使, 樞密院使王嘏△[爲]判三司事←睿宗2년7월乙未에서 옮겨옴].[31]

[是時, 以朴景山爲景靈殿判官:追加].[32]

丁酉[4日], 彗見于西南, [長十尺許:節要·天文1轉載], 月餘乃滅.[33]

戊戌[5日], 禮部奏, "兩界·三京·三都護·八牧, 每當元正·冬至及至元節[明懿太后劉氏生辰], 表賀坤成殿, 以爲恒式", 制可.

---

26) 이는「張脩墓誌銘」에 의거하였다.

27) 이는「崔誠墓誌銘」에 의거하였다.

28) 이는「淸道雲門寺圓應國師塔碑」에 의거하였다.

29) 이는「國淸寺住持敎雄墓誌銘」에 의거하였다.

30) 이는「山淸斷俗寺大鑑國師塔碑」에 의거하였다.

31) 移動 事由는 예종 2년 7월 乙未에서 설명하기로 한다.

32) 이는「朴景山墓誌銘」에 의거하였다.

33) 이날 일본의 京都에서도 彗星이 관측되었고(高麗曆과 同一, 日本史料3-8册 449面), 宋에서는 5일(戊戌)에 관측되었다(『송사』 권56, 지9, 천문9, 彗星).
- 『殿曆』, 嘉承 1년 1월, "四日丁酉, 天晴, … 今夜, 彗星出西南, 長六七丈許, 執筆左府[源俊房]云々".
- 『中右記』, 嘉承 1년 1월, "四日丁酉, 朝間或陰或晴, 雨雪相加, 午後天晴, … 今夕當天西方奇星出, 漸欲入西山之間, 其光如白雲引渡天, 萬人見者爲大怪歟".
- 『中右記』, 長承 1년 9월 6일, "延喜以後彗星見年々, … 長治三年正月四日 …".
- 『百練抄』第5, 堀河, 嘉承 1년 1월, "四日, 彗星見于坤方, 長十許丈, 卅余日而滅".

○以王生辰爲咸寧節.

甲辰[11日], 設百日齋于文德殿.

○遼遣祭奠使耶律演·左企弓來.

[某日[乙巳12日?], [知樞密院事]東界兵馬使吳延寵奏, "今所徵發, 內外神騎軍, 有父母年七十以上獨子者, 聽免, 一戶內三四人從軍者, 減一人, 宰樞[宰臣·樞密]之子, 非自募從軍, 亦免", 從之:節要·兵1五軍轉載].[34]

丙午[13日], 遼遣弔慰使耶律忠·劉企常來. 又遣劉鼎臣, 命王起復.

辛亥[18日], 東蕃公牙等十人來朝. 王引見于宣政殿, 賜酒食·例物. 初, [判東北面行營兵馬事]林幹之出師也, 酋長延盖[盈歌]使之訓等逆擊之, 我師敗績. 至是, 之訓遣公牙來朝. 王欲於正殿, 備禮待之. □□[御史]雜端崔緯等奏, "自古虜人之來, 未嘗於正殿引見. 請依舊制, 待於便殿", 從之.[35]

癸丑[20日], 遼祭奠弔慰使[耶律演]祭肅宗虞宮, 王服深衣, 助奠.

戊午[25日], 宴遼使于乾德殿.

[某日, 御神鳳門, 閱神騎軍:節要轉載].[36]

[○以尹禹相爲東南海都部署使:慶尙道營主題名記].[37]

二月甲子朔[小盡,辛卯], 遼□[遣]橫宣使□[某]來.

乙丑[2日], 以弟俌△[爲]檢校太尉·守司徒兼尙書令[·帶方侯:節要轉載], 俦△[爲]檢校太保·守司徒兼尙書令[·大原侯:節要轉載], 偦·僑並△[爲]檢校尙書令·守司空.[38]

[→授□□□[弟俌爲]推忠廣義功臣·開府儀同三司·檢校太尉·守司徒兼尙書令·上柱國·帶方侯·食邑二千戶·食實封三百戶, □□□[弟俦爲]奉義同德功臣·開府儀同三司·檢校太保·守司徒兼尙書令·上柱國·太原侯·食邑二千戶·食實封三百戶, □□□[弟偦爲]翊聖致理功臣·開府儀同三司·檢校尙書令·守司空·上柱國, 封齊安侯·食邑二千戶·食實封二百戶, □□□[弟僑爲]推仁贊化功臣·開府儀同三司·檢校尙書令·守司空·

---

34) 添字는 지35, 兵1, 五軍에서 달리 표기된 글자이다.

35) 延盖는 盈歌(yingge, 혹은 英介)의 다른 표기이다.

36) 이 기사는 지35, 兵1, 五軍에는 "親閱神騎軍"으로 되어 있다.

37) 都部署使가 임명된 날짜는 西北面兵馬使를 임명한 8일(辛未)일 것이다.

38) 이때 王俦(睿宗의 弟)는 奉義同德功臣·開府儀同三司·檢校太保·守司徒兼尙書令·上柱國·大原侯에 책봉되었다(王俦廟誌銘).

上柱國·通義侯·食邑二千戶·食實封二百戶:列傳3肅宗王子帶方公俌·太原公侾·齊安公偦·通義侯僑轉載].[39]

[→偦△爲檢校尙書令·守司空·齊安侯, 僑△爲檢校尙書令·守司空·通義侯:節要轉載].

○宰相上表, 請納妃. 王以未終制, 不允.

辛未[8日], 以工部尙書崔公詡[崔公翊]爲西北面兵馬使.

乙亥[12日], 西女眞亡閒等來.

○日官奏, "松嶽乃京都鎭山, 積年雨水, 沙土漂流, 巖石暴露, 草木不茂, 宜栽植裨補". 詔可.[40]

丙子[13日], 北虜沙八等來朝, 都兵馬使奏曰, 昔, 我所討賊魁高守者, 卽沙八之父也. 必懷宿怨, 請處之新興館, 令軍校驍勇者, 守之, 從之.[41]

己卯[16日], 北蕃酋長高亂·阿於大等四十二人來朝.[42].

戊子[25日], [淸明]. 親醮于闕庭.

[○三角山負兒峯頹:五行3轉載].[43]

辛卯[28日], 禮賓省奏, "高亂等請納遼所授官誥, 受國爵命", 王從之, 授中尹.

壬辰[29日晦], 宰相再上表, 請納妃, 不允.

三月[癸巳朔小盡,壬辰], [某日, 命東西濟危都監, 賑貧病:節要·食貨3水旱疫癘賑貸之制轉載].

[乙未[3日], 月入畢星:天文1轉載].

丙申[4日], 白虹貫日.

[→日有重暈, 白虹貫之:天文1轉載].

○修東京黃龍寺, 遣□□[禮部]尙書金漢忠落成.

○遼歸我軍宗志等十二人. 甲申[肅宗9年]之戰, 沒於東蕃, 逃入遼者也.

---

39) 이에서 王侾에 대한 기록은 「王侾廟誌銘」에도 수록되어 있다.

40) 延世大學本과 東亞大學本에는 松嶽이 松獄(송옥)으로 되어 있다.

41) 北虜는 『고려사절요』 권7에는 北女眞으로 되어 있다.

42) 北蕃은 『고려사절요』 권7에는 北女眞으로 되어 있다.

43) 이때 일본의 京都에서 6일, 12일, 19일, 27일에 비가 내렸다고 한다(『中右記』, 嘉承 1년 2월, 高麗曆과 同一).

[某日, 西海按察使奏, "谷州峽溪縣[~~俠溪縣~~], 民多流亡, 頗闕貢賦, 請蠲三年租稅", 從之[~~制可~~]:節要·食貨3恩免之制轉載].[44]

丁酉[5日], 命儒臣(金緣·崔璿·李載·李德羽·朴昇中等十餘人:節要轉載]與太史官, 會長寧殿, 刪定陰陽地理諸家書, 編爲一冊以進, 賜名'海東秘錄'. 正本藏於御府, 副本賜中書省·司天臺·太史局.

[→集地理諸家書, 校同異, 刪其繁亂, 編爲一書, 名'海東秘錄':節要轉載].[45]

[→[睿宗1年,] [洪灌,]又與李軌·許之奇·朴昇中·金富佾[~~金富軾~~]·尹諧等, 論辨陰陽書:列傳34洪灌轉載].[46]

○東北面兵馬使奏, "東女眞之訓卒騎二千來, 屯關外, 納款曰, 往年之戰, 非新王所知, 公牙之朝, 諭以此意, 厚賞遣歸, 上恩至渥, 豈敢忘背. 願至子孫, 恭勤朝貢".

[己亥[7日], 雨雹:五行1雨雹轉載].[47]

[庚子[8日], 月食□□□[~~于星名~~]:天文1轉載].[48]

丁未[15日], 以東蕃納款, 召還東界加發兵馬使金德珍·副使任申幸.

[○熒惑入羽林:天文1轉載].

戊申[16日], 都兵馬使奏, "北朝奚家軍乃哥, 以蕃賊霜丘之子阿主及鐵甲一副來, 納款".

乙卯[23日], 王詣肅宗虞宮.[49]

戊午[26日], [立夏]. 以[禮部尙書]金漢忠爲尙書左僕射·判秘書省事, 金德珍爲兵部尙書兼三司使, 柳子維爲戶部尙書, 高令臣·文冠爲左·右散騎常侍, 金商祐△[爲]攝御史大夫, [前閤門祗候]李資謙△[爲]試御史中丞. [門下侍郞平章事]林幹△[爲]守司空·□□□[~~左僕射~~], □□[~~仍令~~]

---

44) ~~添字~~는 지34, 食貨3, 恩免之制에서 달리 표기된 글자인데, 『예종실록』에는 후자로 되어 있었을 것이다.

45) '海東秘錄'은 文宗·肅宗 時期에 언급되고 있던 '道詵松岳明堂記'·'道詵記'·'道詵踏山歌'·'三角山明堂記'·'神誌祕詞'등을 校勘, 刪定한 책으로 추측되고 있다(李丙燾 1961년 266面). 이 중에서 道詵의 저술은 '玉龍書'로 불렸던 것 같은데, 李穡은 이 册子를 1360년(공민왕9) 여름[夏] 慈恩寺에서 읽었던 것 같다(『목은시고』 권5, 慈恩寺, 讀'玉龍書'有感).

46) 여기에서 ~~添字~~와 같이 고쳐야 옳게 될 것이다.

47) 이때 일본의 京都에서 前日(6일)의 아침에 비가 내렸다고 한다(『中右記』, 嘉承 1년 3월, "六日, 朝間雨下").

48) 庚子(8일)에 월식이 일어날 수 없으므로 착오가 있었을 것이다. 또 일본의 자료에서도 이달의 3월 15일(丁未)에 월식이 확인되지 않는다(高麗曆과 同一, 日本史料 3-8册 556面). 그리고 이날은 율리우스력의 1106년 4월 13일인데, 월식에 관련된 各種 情報가 없다(渡邊敏夫 1979年 474面). 그렇다면 이 기사의 월식은 "月食□[于]□□[(星의 名稱)]"으로 고쳐야 할 것이다.

49) 이 기사는 지18, 禮6, 國恤에도 수록되어 있다.

致仕.[50)]

己未[27日], 以金景庸△[爲]知門下省事.

[是月, 中書舍人李載, □□□□□[掌國子監試], 取安之忠等八十九人:選擧2國子試額轉載].

夏四月[壬戌朔大盡,癸巳], 戊辰[7日], 北蕃酋長阿於大等三十八人來朝.

○作大有倉.

己卯[18日], 賜皇甫許等及第.[51)]

丙戌[25日], 幸妙通寺. [自是, 屢幸寺院:節要轉載].

庚寅[29日], 詔曰, "頃因所司奏, 以西海道儒州·安岳·長淵等縣, 人物流亡, 始差監務官,[52)] 使之安撫, 遂致流民漸還, 産業日盛. 今牛峯·兎山·積城·坡平·沙川·朔寧·安峽·僧嶺·洞陰·安州·永康·嘉禾·青松·仁義·金城·堤州·保寧·餘尾[餘美]·唐津·定安·萬頃·富閏·楊口[楊溝]·狼川等郡縣[二十四縣], 人物亦有流亡之勢, 宜准儒州例, 置監務, 招撫".[53)]

五月[壬辰朔小盡,甲午], 丙申[5日], 王賦端午詩, 宣示左右, 令和進.

---

50) 이는 여진 정벌에서 패배한 門下侍郞平章事 林幹을 守司空·尙書左僕射로 좌천하여 致仕시킨 措置로 추측된다. 일반적으로 眞宰의 貶職은 知門下省事와 樞密院使의 사이에 위치한 守司空·尙書左僕射이다(張東翼 2013년a).

51) 이와 관련된 기사로 다음이 있다. 이때 皇甫許·[景靈殿判官]朴景山(乙科2人, 朴景山墓誌銘)·元沆(元沆墓誌銘)·李仁實(丙科, 李仁實墓誌銘) 등이 급제하였다(朴龍雲 1990년). 또 皇甫許의 최종 관직은 殿中侍御史였던 것 같다(趙某妻齊安郡夫人皇甫氏墓誌銘).

· 지27, 선거1, 科目1, 選場, "睿宗元年四月, 門下侍郞[平章事]崔弘嗣知貢擧, 禮部侍郞金緣同知貢擧, 取進士, 賜皇甫許等三十四人及第".

· 열전8, 朴寅亮, 景山, "睿宗朝, 擢第二名, 仕至大卿. 以三子登科, 例賜母大倉米歲三十碩".

52) 監務에 대한 설명으로 丁若鏞(1762~1836)의 見解는 다음과 같다.

· 『아언각비』 권1, 監務, "監務者, 諸務之監官也. 唐·宋之制, 茶稅·鹽稅及鐵冶之稅, 皆置務幾所, 三十所或四十所, 務置一監, 謂之監務. 高麗之人, 傳聞失實, 遂於諸縣置監務一人, 國初因之. …".

53) 餘尾는 餘美의 오자일 것이고(지10, 地理1, 餘美縣), 添字인 二十四縣은 『고려사절요』 권7에서 달리 표기된 것이다. 또 이때의 監務官 설치에 대한 지리지의 기록을 수합하면 다음과 같다. 여기에서 安峽은 "睿宗九年[元年], 置監務"로 되어 있으나(지12, 지리3, 安峽縣) 九年은 元年의 오자일 것이다(東亞大學 2012년 15책 672面, 崔東寧 2019년).

· "睿宗元年, 置交州道安峽·洞陰, 西海道安州·安岳·儒州·青松·長淵監務. 又置交州道狼川監務, 兼任楊口[楊溝], 置僧嶺監務, 兼任朔寧, 置西海道永康監務, 兼任嘉禾".

戊戌[7日], 幸山呼亭, 作佛事.

庚子[9日], 御嘉昌樓賦詩, 令侍臣[承宣]許慶·柳仁著等十餘人, 和進, 賜帛有差. 又於樓前, 以銀椀爲的, 命侍從將相, 角射, 中者賜之.

辛丑[10日], 幸法雲寺.

丙辰[25日], 以大雨踰旬, 祈晴于廟社·八陵.[54)]

戊午[27日], 設道場于宴親殿, 以祈太后福壽.

六月辛酉朔[小盡,乙未], 王如奉恩寺.

壬戌[2日], 納[~~宣宗女~~]延和宮主爲妃.[55)]

乙亥[15日], 王受菩薩戒于乾德殿.

辛巳[21日], □[~~親~~]設金剛經道場于乾德殿, 王逐日聽講.[56)]

癸未[23日], 幸山呼亭, 作佛事.

[甲申[24日], 流星出王良, 入營室, 長二丈許:天文1轉載].

[乙酉[25日], 枉矢飛行, 見者皆驚譟, 流星出天津, 入宗人, 大如杯, 尾長二丈許, 又二流星出虛, 入九坎, 大如雞子, 又自昏至曉, 衆星流四方:天文1轉載].

丙戌[26日], 詔曰, "是月以來, 亢旱尤甚, 蓋由否德所致. 日夜焦勞, 省躬謝過, 禱佛祈神, 無不盡心, 然未蒙報應. 朕嗣位以後, 施爲政敎, 多所乖戾, 天, 其或者譴告朕躬. 宜令兩府·近臣及臺省諫官·諸司·知製誥, 各上封事, 直言時弊,.

丁亥[27日], 詔曰, "去年十一月, 赦前所犯, 流以下罪, 法官有所追論者, 皆當除之. 況今旱氣滋甚, 亦宜寬刑, 其內外獄囚, 流以下罪, 並原免".[57)]

---

54) 이때 일본의 교토[京都]에서 2일(癸巳), 14일(乙巳), 25일(丙辰)에(『中右記』, 嘉承 1년 5월), 또는 6일(丙申), 9일(庚子), 10일(辛丑)에(『殿曆』, 嘉承 1년 5월), 비가 내렸다고 한 점을 보아 장마전선이 韓半島로 北上하였던 같다.

55) ~~添字~~는 『고려사절요』 권7에 의거하였다. 또 延和宮主는 前政堂文學·刑部尙書 李預의 外孫女이다(열전8, 李子淵, 預).

56) ~~添字~~는 『고려사절요』 권7에 의거하였다.

57) 이달에 교토에서도 旱魃이 심하였다고 한다(高麗曆과 同一, 日本史料3-8册 676面).

· 『殿曆』, 嘉承 1년 6월, "廿五日乙酉, 天晴, … 今朝[今月], 未雨降, 是天下政非理故歟, 不能予之左右, 然間極恐思給者也, 不叶心, 不及力, 爲之何如. … 廿七日丁亥, 天晴, 祈雨奉幣, 今日被行, 上卿源中納言[國信] …". 여기에서 今朝는 今月의 오자일 것이다.

· 『中右記』, 嘉承 1년 6월, "廿七日, … 今夕, 有祈雨奉幣, 上卿源中納言[國信], 行事右中辨長忠, 今月雨脚未下, 民戶成憂云々".

戊子[28日], 禱雨于法雲寺.

己丑[29日晦], [立秋]. 御長寧殿, 命僧曇眞, 說禪祈雨. 時國家盛行街衢經行, 五部人民効此, 各於所在里, 行讀, 行至闕西里, 適有雨. 王賜米帛, 更令行讀, [不雨: 節要轉載].

[○震西華門外松樹: 五行1雷震轉載].

秋七月庚寅朔[大盡,丙申], 設般若道場于會慶殿, 召王師德昌, 講經祈雨.[58)]

辛卯[2日], 大雩.

癸巳[4日], 雨.

乙未[6日], 御長齡殿, 講華嚴經.

丁酉[8日], 祈雨于諸神廟.

[○熒惑入天廩: 天文1轉載].[59)]

己亥[10日], 王率兩府·臺省·兩制及三品官, 親祀昊天上帝於會慶殿, 配以太祖, 禱雨.

辛丑[12日], 詔曰, "朕覽兩府·臺諫·兩制及長齡殿讎校員等封事. 其所論, 躬行自省, 奉承祖訓者, 旣已存心, 庶幾踐行矣.

□一. 其四時迎氣, 順天行令, 及郊社·原廟頹而可脩者,[60)] 祭器祭服 弊而可改者, 令有司具聞施行.

□一. 其天壽□[寺]之役,[61)] 朕亦知可否. 然當聖考經始, 無一士敢言, 升遐以後, 衆論蜂起, 爭欲諫止. 朕以義思之, 地勢吉凶, 是拘忌小道, 曷若遹追先志乎. 惟今春之役, 是朕過也. 宜據赦文, 三年而後爲之.

[□一. 其使錢之法, 乃古昔帝王, 所以富國便民, 非我先考, 殖貨而爲之也. 況聞大遼, 近年亦始用錢. 凡立一法, 衆謗從起. 故曰, '民不可□[與]慮始', 不意, 群臣託

---

58) 이날의 般若道場의 設行은 日食과도 관련이 있었을 것이다. 곧 일본의 宮闕인 淸涼殿에서 일식을 해소하기 위해 般若經의 讀經이 있었다고 한다. 이날은 율리우스력의 1106년 8월 1일이며, 일본에서는 일식이 관측될 수 있었으나 開京에서는 計算上으로 豫測이 이루어졌을 것이고, 실제는 관측이 될 수 없는 蝕帶였다(渡邊敏夫 1979年 306面).

·『殿曆』, 嘉承 1년 7월, "一日庚寅, 今日依日蝕, 於御殿六十口被行大般若御讀經, …".

59) 지1, 天文1의 丁酉 앞에 七月이 탈락되었다.

60) 原廟는 이미 설치되어 있는 祖宗의 廟宇를 다른 곳에 새로이 설치한 것을 가리킨다(重廟, 增設→공민왕 12년 3월 2일의 脚注).

61) 添字는 『고려사절요』 권7에 의거하였다.

太祖遺訓, 禁用唐·丹狄風之說, 以排使錢. 然其所禁, 蓋謂風俗華靡耳, 若文物法度, 則捨中國, 何以哉. 祖訓所禁, 非謂使錢, 明矣. 然今所當罷者, 唯關津商稅而已:節要轉載].[62)]

□一. 其服飾之制, 上下混淆者, 自先代, 未有定法. 近雖立制, 以別尊卑, 第緣君臣不能行儉以率衆, 上下無等, 至於此極. 故曰, '百姓不從其所令, 從其所好'. 又曰, '上之所行, 下必有甚者'.[63)] 若君臣, 躬行節儉, 不奪民利, 則庶民觀感, 尊卑有別矣.

□一. 其文武官僚, 無功尸祿, 故屢致旱蝗. 盖進賢退不肖, 爲政之要也. 然百職至煩, 非朕所能盡知. 如有賢良在下, 宰相薦之, 姦貪竊位, 臺諫黜之.

[□一. 其乙亥年肅宗即位年, 犯惡逆流配者, 宜各量移敍用, 緣坐沒爲奴隷者, 免之. 其不屬賤者, 並加撫恤. 其僧徒犯姦, 永充鄕戶, 經赦不原, 幾乎苛法? 宜令有司, 檢察, 並充軍役. 其中外法司問罪, 雖有明證, 必三拷問, 以爲常, 故所犯, 非深重者, 因而致死. 其於與其殺不辜, 寧失不經之意何? 自今法司, 體朕欽恤之意, 其已伏罪者, 無論輕重, 不必拷問":節要轉載].[64)]

○是日, 小雨.[65)]

---

62) 이와 관련된 기사로 다음이 있다. 여기에서 民不可慮始는 아래의 자료에서 따온 말인데, 與字가 탈락되었다(東亞大學 2011년 18책 440面).

· 지33, 食貨2, 貨幣, "睿宗元年, 中外臣僚, 多言先朝用錢不便. 七月, 詔曰, 錢法, 古昔帝王, 所以富國便民, 非我先考, 殖貨而爲之也. 況聞大遼, 近年亦始用錢乎? 凡立一法, 衆謗從起, 故曰, '民不可□與慮始'. 不意, 群臣託太祖遺訓, 禁用唐丹狄風之說, 以排使錢. 然其所禁, 盖謂風俗華靡耳, 若文物法度, 則捨中國, 何以哉?".

·『사기』 권68, 尙君列傳第8, "衛鞅曰, … 愚者闇於成事, 知者見於未萌. 民不可與慮始, 而可與樂成".

63) 이 구절은 다음의 자료를 적절히 變改한 것 같다.

·『禮記注疏』 권55, 緇衣, 冒頭, "… 子曰, 下之事上也, 不從其所令, 從其所行. 上好是物, 下必有甚者矣. 故上之所好惡, 可不愼也, 是民之表也"(四庫全書本4左末行).

64) 이에서 永充鄕戶는 어떠한 의미인 것인지는 알 수 없으나 宋代에서 행해진 充鄕戶는 衙前에의 入役을 의미하는 것 같다. 또 밑줄 친 구절은 지34, 刑法2, 恤刑에도 수록되어 있으나 其와 故가 생략되었고, "與其殺不辜, 寧失不經"은 『書經』, 大禹謨(僞古文), "與其殺不辜, 寧失不經"에서 따온 것이다.

·『雲麓漫抄』 권12, "國朝州郡役人之制, 衙前入役曰鄕戶, 曰押錄, 曰長名職, 次曰客司, 曰通引官, 優者曰衙職, …".

65) 이때 일본의 京都에서도 6월에는 비가 오지 않았고, 7월 13일(壬寅) 甘雨로서 大雨가 내렸다고 하지만 여전히 洽足하지 않았던 것 같다(高麗曆과 同一, 日本史料3-8册 698面).

·『殿曆』, 嘉承 1년 7월, "十三日壬寅, 天晴, … 午時許夕立, 雨甚降, 是孔雀經靈驗也".

·『中右記』, 嘉承 1년 7월, "三日, … 去六月中雨脚不下, 民成憂云々. 五日, … 今日, 覺意僧都

[某日[壬寅13日?], 都兵馬使奏曰, “頃者, 東蕃之役, 軍令不嚴, 故將帥無敢力戰, 卒伍亦皆奔潰, 屢致敗績. 夫號令, 嚴肅然後, 衆心可一, 伏見辛亥[顯宗2年]·戊午[9年]年間, 顯廟行師之令曰, 初, 當訓勵時, 不至者, 勿論官職高下, 杖脊十五, 二次不至者及進退失伍者, 或持卜筮訛言, 以惑衆者, 誤墜失兵仗者, 隊正以下, 聞令不傳, 及傳之而不行者, 爲卒, 雖救其上, 不能使免者, 或私洩謀於敵, 或敵入軍中, 知而不告者, 皆杖脊二十. 發兵而不及期者, 有亡走心, 或臨敵不戰, 或當戰妄動者, 士卒, 不從其將節制者, 兵仗器械, 抛棄敵中者, 爲卒, 不救其上, 以致敗沒者, 見戰者, 危急, 以非己部伍, 不救者, 奪人弓劍, 爭人首級者, 將軍·將校, 臨陣不戰, 或亡入軍中, 或言降於敵者, 或陣而不能拒, 俾敵衝突者, 皆斬. 其投降於敵者, 籍其家, 孥其妻子, 敵自降, 不告而<u>妄殺</u>者, 斬. 願遵此令, 以勵軍士, 但敵自降, 不告而妄殺者, 不宜斬, 請杖二十”, 從之. ○時有東征之議, 故申明軍法:節要轉載].

[→都兵馬使奏曰, “頃者, 東蕃之役, 軍令不嚴, 故將帥無敢力戰, 卒伍亦皆奔潰, 屢致敗績. <u>書云</u>, 左不攻于左, 右不攻于右, 汝不恭命. 用命, 賞于祖, 不用命, 戮于社, <u>予則孥戮汝</u>,[66] 昔孫武殺寵姬二人, 西破强楚, 北威齊晋. 莊賈失期, 穰苴斬之, 燕晋之師, 聞之而退. ‘<u>李靖兵法</u>’<u>曰</u>, ‘善爲將者, 必能十卒, 而殺其三, 次者, 十殺<u>其一</u>’.[67] 故須百殺十人, 千殺百人, 以嚴其令, 然後衆心一矣 伏見, 辛亥[顯宗2年]·戊午[9年]年間, 顯廟行師之令曰, 初, 當訓勵時, 不至者, 勿論官職高下, 杖脊十五. 二次不

爲祈甘雨, 修孔雀經法云々. … 十三日, … 今日未剋許, 俄天陰大風大雨雷電, 是從去月下旬比雨脚不下, 天下有炎旱憂, 仍<u>覺意</u>僧都於東寺修孔雀經法, 去五日修始, 未結願, 而今日甘雨大灑, 天下歡樂, 誠是佛法之靈驗, 本宗之面目也. 日者之炎旱凡非可堪, 一雨所潤, 一地小生法水之所及, 廣蒙利益歟. … 十六日, … 從夜半雨脚頻下, 法之靈驗誠以隨喜. … 廿日, 爲祈雨有二社奉幣, 上卿左衛門督. 廿三日, 有奉幣九社, 是依祈雨也, … 廿七日, 天陰時々小雨”.

·『永昌記』, 嘉承 1년 7월, “十三日壬寅, … 朝間天晴, 及亭午暴風雷雨, 去五月廿八日以後, 甘澤不降, 民烟有憂, 今孔雀經法當于第九日, 法已成娶, 驗忽揭焉, …”.

66) 이 구절은 다음의 자료를 인용한 것인데, 여기에서 밑줄 친 부분은『고려사』에서 탈락된 것이다.

·『尙書』 권3, 甘誓第2, 夏書(혹은『書經』, 甘誓), “啓與有扈, 戰于甘之野, 作甘誓, 大戰于甘, 乃召六卿, 王曰, … 今予惟恭行天之罰, 左不攻于左, <u>汝不恭命</u>, 右不攻于右, 汝不恭命, <u>御非其馬之正</u>, <u>汝不恭命</u>, 用命, 賞于祖, 弗用命, 戮于社, 予則孥戮汝”.

67) 이 구절은 다음의 자료를 인용한 것이다. 이는『太平御覽』 권296, 兵部27, 法令에도 수록되어 있으며, 殘編으로 남겨진 李靖(571~649)의 兵法을 收合한 汪宗沂(1837~1906)의『衛公兵法輯本』 권상, 將茂兵謀에도 수록되어 있다.

·『通典』 권149, 兵2, 雜教令附, “大唐衛公<u>李靖</u>兵法曰, 古之善爲將者, 必能十卒, 而殺其三, 次者, 十殺其一, 三者, 威振於敵國, …”.

至者及進退失伍者, 或持卜筮訛言, 以惑衆者, 誤墜失兵仗者, 隊正以下, 聞令不傳, 及傳之而不行者, 爲卒雖救其上, 不能使免者, 或私洩謀於敵, 或敵入軍中, 知而不告者, 皆杖脊二十. 發兵而不及期者, 有亡走心, 或臨敵不戰, 或當戰妄動者, 士卒, 不從其將節制者, 兵仗器械, 抛棄敵中者, 爲卒, 不救其上, 以致敗沒者, 見戰者, 危急, 以非已部伍, 不救者, 奪人弓劍, 爭人首級者, 將軍·將校, 臨陣不戰, 或亡入軍中, 或言降於敵者, 或陣而不能拒, 俾敵衝突者, 皆斬. 其投降於敵者, 籍其家, 孥其妻子, 敵自降, 不告而妄殺者,[68] 斬. 願遵此令, 以勵軍士, 但敵自降, 不告而妄殺者, 不宜斬, 請杖二十", 從之. ○時國家, 有東征之議, 故申明軍法:刑法2軍律轉載].[69]

癸卯[14日], 設盂蘭盆齋于長齡殿, 以薦肅宗冥祐.[70]

甲辰[15日], 又召名僧, 講目蓮經.

丙午[17日], 醮太一于乾德殿.

癸丑[24日], 御重光殿西樓, 召投化宋人郎將陳養·譯語陳高·兪坦, 試閱兵手, 各賜物.

[○流星出王良, 入營室, 大如雞子, 長二丈許:天文1轉載].

[某日, 以徐祐爲東南海都部署使:慶尙道營主題名記].

八月[庚申朔小盡,丁酉], 丁卯[8日], 王詣肅宗虞宮.

庚午[11日], 斷中外重罪.

丙子[17日], 幸普濟寺.

戊寅[19日], 以禮部尙書李緯[李瑋]·兵部尙書崔惟正△[並]爲中軍兵馬使, 衛尉卿張翼·禮部侍郎金緣△[並]爲中軍兵馬副使.[71]

---

68) 妄殺[濫殺, 亂殺]은 延世大學本과 東亞大學本에 安殺로 되어 있는데, 安字가 세련되지 못한 채 刻字, 또는 印刷되어 있다. 이는 印刷 以後에 어떠한 事由인지는 알 수 없으나 避諱로 인해 다른 글자[文字]로 代替하여 貼紙했던 결과일 것이다.

69) 이 기사의 冒頭에 睿宗元年正月이 있으나 睿宗元年七月의 오류일 것이다.

70) 盂蘭盆齋에 관한 자료로 다음이 있다.

· 『자치통감』 권224, 唐紀40, 代宗大曆 3년(768) 7월, "丙戌[15日], 內出盂蘭盆賜章敬寺[胡三省注, 釋氏'盂蘭盆經', 目連比丘見其亡母在餓鬼中. 目連白佛言, 七月亡日, 當爲七代父母阨難中者, 具百味五果以著盆中, 供養十方佛, 然後受食. '夢華錄'曰, 中元, 賣冥器·綵衣, 以竹牀三脚如燈窩狀, 謂之盂蘭盆. 掛冥財, 衣服在上, 焚之. '釋氏要覽'曰, 梵云盂蘭, 此云救倒懸盆. 陸游曰, '俗以七月望日, 具素饌享先, 織竹作盆盎, 貯紙錢, 盛以一竹焚之, 謂之盂蘭盆. 嗚呼, 代宗爲此, 以七廟神靈安在邪'], 設七廟神座, 書尊號於旛上, 百官迎謁於光順門. 自是歲以爲常".

[○有蛇, 見于奉恩寺太祖眞殿, 色靑黃:五行1龍蛇之孽轉載].[72)]

[庚辰[21日], [蛇]又見:五行1龍蛇之孽轉載].

辛巳[22日], 王如奉恩寺, 謁太祖眞殿.

[□□[是月], 遣使諸道, 敎習兵陣:節要·兵1五軍轉載].

九月[己丑朔大盡,戊戌], 壬辰[4日], 幸外帝釋院.

甲午[6日], 幸佛恩寺.

[乙未[7日], 月犯畢, 又有流星出上台, 入郞將, 大如雞子, 長二丈許:天文1轉載].

丁酉[9日], 詣肅宗虞宮.

戊戌[10日], 設消灾道場於乾德殿. 是夜, 親醮三界神祇于會慶殿.

[己亥[11日], 流星出豺狼, 入天苑:天文1轉載].

庚子[12日], 親饗年八十以上男女·義夫·節婦·孝子·順孫·鰥寡·孤獨·篤癈疾者于闕庭, 賜物有差.

丙午[18日], 幸妙通寺.

[○月入畢星:天文1轉載].

戊申[20日], 幸外帝釋院.

癸丑[25日], 設百高坐道場於會慶殿, 講仁王經, 飯僧一萬於闕庭, 二萬於州府.

乙卯[27日], 以[中書侍郞]平章事尹瓘監督天壽寺役, 賜犀帶一腰, 諸僚佐, 束帛有差.

○幸妙通寺.

[某日, 命內人[內侍]鄭克恭, 與司天少監崔資顯·太史令陰德全·吳知老·注簿同正金謂磾等往西京, 相龍堰舊墟. 初, 術士以讖勸王, 就西京龍堰, 別創宮闕, 以時巡幸. 王命兩府及長齡殿讎校儒臣, 會議, 皆以爲可. 知樞密院事吳延寵獨曰, '近者, 南京之役甫畢, 民勞財匱, 不可役疲民, 起新宮, 如欲巡御, 不如舊宮'. 不報:節要轉載].[73)]

[→初, 術士以讖勸王, 就西京龍堰創宮闕, 以時巡幸, 遣內人[內侍]鄭克恭與司天少

---

71) 李緯는 李瑋의 다른 표기인데, 이 시기 이후에는 모두 後者로 표기되어 있다.

72) 龍蛇之孽은 龍類와 蛇類가 平素에 하지 않던 現象을 보여 주는 것을 가리키고, 近代 以前의 人民들은 이로 인해 어떤 災害가 발생한다는 觀念을 가지고 있었던 것 같다.

73) 內人은 內侍로 고쳐야 옳게 될 것이다. 鄭克恭은 1094년(선종11) 3월에 시행된 禮部試에서 製述業壯元으로 급제하였다(→선종 11년 3월 23일).

監崔資顯·太史令陰德全·吳知老·注簿同正金謂磾等, 相龍堰舊墟, 命兩府及長齡殿讎校儒臣會議, 皆以爲可. 知樞密院事吳延寵獨曰, '南京之役甫畢, 民勞財匱, 不可起新宮. 如欲巡御, 莫如舊宮'. 不報:列傳9吳延寵轉載].

冬十月己未朔小盡,己亥, 親設慈悲懺道場於文德殿.

庚申2日, 移安肅宗神主于虞宮, 睟容于開國寺.

壬戌4日, 王以肅宗小祥, 如開國寺, 仍幸天壽寺, 董其工役, 還次路上回望, 追慕涕泣, 久之.[74]

庚午12日, 設般若道場于乾德殿.

甲戌16日, 遣侍郎金寶威·郎將李璹如遼, 謝賜祭.

丁丑19日, 遣禮賓少卿崔洙如遼, 賀天興節.

己卯21日, 王詣肅宗虞宮.

癸未25日, 王夢見先考, 覺而有憾, 賦詩三篇宣示. 宰樞和進, 賜馬各一匹.

[某日, 前政堂文學·刑部尙書李預, 奉命撰三角山重修僧伽窟記:追加].[75]

十一月戊子□朔大盡,庚子, 以禮部尙書李瑋△爲同知樞密院事.[76]

[戊子朔, 大霧三日:五行3轉載].[77]

辛卯4日, [大雪]. 西女眞於厚大等來朝.

癸巳6日, 中書侍郎平章事尹瓘·知樞密院事吳延寵閱神騎·神步軍於崇仁門外.

[甲午7日, 日有暈:天文1轉載].

丁酉10日, 遣金義方如遼, 謝橫宣.

戊戌11日, 參知政事致仕郭尙卒,[78] [年七十三. 謚順顯:列傳10郭尙轉載]. [尙, 以小吏起, 夤緣攀附, 事宣宗于國原邸. 及卽位, 以舊恩累官, 至左承宣, 權勢日熾. 嘗矯王旨, 有司劾請罷職, 不報. 肅宗在邸, 召見, 遺以犀帶, 辭不受. 及宣宗大漸, 尙

---

74) 肅宗의 忌日은 10월 2일이다.

75) 이는 『동문선』 권64, 三角山重修僧伽崛窟記에 의거하였다.

76) 世家篇에는 戊子에 朔이 탈락되었다.

77) 이 기사에서 戊子朔의 존재는 『고려사』세가편에서 朔日의 日辰[日付]에 朔字가 탈락된 사례를 보여주는 자료의 하나가 될 수 있다(張東翼 2014년).

78) 이날은 율리우스曆으로 1106년 12월 7일(그레고리曆 12월 14일)에 해당한다.

侍疾臥內, 肅宗至寢門, 欲入問疾. 尙曰, "今, 主上彌留, 王子若無召命, 不宜直入". 遂不納. 肅宗卽位, 以尙事先君無貳心, 遂大用. 時平章事[樞密?]尹瓘請使錢,[79] 尙力言, 以爲非風俗所宜, 十疏[上疏]爭之, 不得. 尙質直, 無他技能, 平生不事生產, 家無餘貲:節要轉載].[80]

辛丑[14日], 設八關會, 幸法王寺神衆院, 還拜百神于闕庭.

[某日, 侍中魏繼廷三上表, 請老. 王手詔不允, 繼廷稱疾, 不起, 遣使敦諭:節要轉載].

[→上表乞退, 不允. 再乞退, 又不允, 命左承宣柳仁著, 至私第宣諭. 繼廷固稱疾, 上表乞退, 又手詔不允曰, "卿貪邪所忌, 忠亮不回. 先考尙賢, 早授洪鈞之任, 寡人受命, 以爲同德之臣, 自春已來, 稱疾求免, 雖嘉止足之義, 未符倚注之心. 知予至誠, 無或遜避. 前已曲諭, 夫復何言?". 遂命內人[內侍]韓皦如敦諭:列傳8王寵之轉載].

乙卯[28日], 西女眞亡閒等三十人來朝.

十二月戊午朔[大盡,辛丑], 日食.[81]

---

79) 숙종 때에 鑄錢의 論議가 이루어진 것은 1097년(숙종2) 12월과 1103년(숙종12) 12월인데, 그 중에서 後者의 경우도 尹瓘은 平章事가 아니라 樞密院副使였다. 또 尹瓘이 中書侍郎同中書門下平章事에 임명된 것은 1105년(예종 즉위년) 11월 4일이기에 이 기사의 平章事는 적절한 職責이 아닌 것 같다.

80) 十疏는 열전10, 郭尙에는 上疏로 되어 있는데, 後者가 옳을 것이다.

81) 이날 일본의 京都에서도 일식이 예측되었으나 관측되지 않았다(高麗曆과 同一, 日本史料3-8册 870面). 또 이날(율리우스력의 1106년 12월 27일)의 일식은 북동아시아 3국이 中心食帶에서 벗어나 있었기에 관측될 수 없었다(渡邊敏夫 1979年 306面).

- 『殿曆』, 嘉承 1년 12월, "一日戊午, 天晴, 今日蝕由曆家勘申, 而深算進勘文云, 不可有蝕, 而今日無蝕云々, …".
- 『中右記』, 嘉承 1년 12월, "朔日戊午, 天晴, 午時許參尊勝寺, 是今日々蝕御祈, 於講堂被行六十口大般若□[經]御讀經也. 殿下依日蝕不令參給, 公卿三四許參入. 今日未刻可有少分日蝕之由, 曆道所勘奏也. 而宿曜家僧明算·探算等, 不可有之由, 進申文, 彼此相論之間, 已無日蝕. 陰陽助家榮談云, 近代日蝕, 必所勘申之刻限推遷事也, 定及申酉時歟, 日已申刻入之比也, 恐入西山之後蝕歟云々, 此事一端雖有其理, 頗遁申詞歟".
- 『中右記』目錄, 嘉承 1년 12월, "一日, 日蝕, 御祈尊勝寺六十口御讀經".
- 『永昌記』, 嘉承 1년 12월, "一日戊午, 天晴, 今日可有日蝕之由, 陰陽亮執奏, 中務省奏, 忠定政一昨日持參, 虧初未二剋卅二分, 加時未三剋卅六分, 復末未四剋廿七分, 蝕大分十五分之二弱云々, 覽大辨付內侍所也. 而或白雲旣覆紅輪不見, 或太陽斜出短晷欲暮, 僧深算前日勘奏云, 雖入蝕限不可正見, …".
- 『本朝統曆』 권8, 嘉承 1년, "十二大, 朔戊午, 未二, 日食二分强, 未二, 未五".

庚申[3日], 御文德殿, 命[中書侍郎]平章事尹瓘講無逸, 知樞密院事吳延寵講禮記. 召平章事[門下侍郎同中書門下平章事]崔弘嗣等, 儒臣二十一人聽講, 仍賜酒饌.

癸亥[6日], 御重光殿, 命上·大將軍以下軍士射侯, 中者, 賜馬及絹有差.

戊辰[11日], 賜[中書侍郎平章事]尹瓘·[知樞密院事]吳延寵衣帶, 以褒講經.

己巳[12日], 彗星見.[82)]

乙亥[18日], 以[門下侍中]魏繼廷△[爲]守太保, [門下侍郎平章事]崔弘嗣爲文德殿大學士·上柱國, [門下侍郎平章事]李頫爲上柱國, [中書侍郎平章事]尹瓘爲延英殿大學士, [參知政事]任懿爲開府儀同三司·柱國, 金景庸爲左僕射·參知政事, [樞密院使]王嘏△[爲]守司空, [知樞密院事]吳延寵△[爲]檢校司徒, [同知樞密院事]李瑋△[爲]檢校司空, [前政堂文學·刑部尙書]李預△[爲]檢校太尉·刑部尙書·政堂文學·判御書院事, 仍令致仕, [以金克儉爲試閤門祗候·知安東府事:追加].[83)]

[庚辰[23日], 有氣如烟, 生于神鳳門上鴟吻, 數日:五行2轉載].

[癸未[26日], 月入輿鬼:天文1轉載].

丁亥[30日], 大寧宮災.[84)]

○幸法雲寺.

[○流星出危, 入壘壁·羽林, 大如梡:天文1轉載].

[□□[是月,] 侍中魏繼廷入省視事. 御史奏, "繼廷寢疾彌年, 不能視事, 數請告, 上待之益厚, 賜假二百日, 假日已盡, 乃復遷延, 不出累旬. 然後, 扶起入省, 非大臣意, 請罷之". 不許:節要轉載].

[史臣金富佾曰, "繼廷, 以文章名世, 淸白謇直, 輔佐累朝. 宣宗, 燈夕置酒, 繼廷爲樞密院承宣, 王酒酣, 命繼廷舞. 繼廷辭曰, '有伶人, 何用臣舞?'. 王不强之. 及爲御史中丞, 宣宗寵姬萬春, 起第壯麗. 繼廷奏曰, '萬春, 誑惑上意, 勞役百姓, 大起私第, 請毁之', 書上, 不報. 宣宗遣李資義, 使宋, 繼廷爲副, 資義多市珍貨, 繼廷一無所求. 至登兩府, 不改素節, 擧世, 皆好佛, 位高者, 以營寺寫經爲事, 繼

---

82) 지1, 天文1에는 十一月己巳로 되어 있으나 十二月己巳의 오류일 것이다.

83) 任懿의 爵位인 柱國은 그의 열전에 의하면 上柱國으로, 墓誌銘에 의하면 柱國으로 되어 있는데, 前者가 오류일 것이다. 또 李預는 이후에 中書侍郎平章事에 올라 逝去하였다고 한다(열전8, 李子淵, 預 ; 李公壽墓誌銘). 또 王嘏는 그의 外孫 金之祐의 묘지명에 의하면 최종 관직이 左僕射·參知政事로 되어 있는데, 이것이 致仕職인지, 實職인지 分別하기에 어렵다(열전10, 金富佾에 의하면 김부일이 樞密院使 王嘏를 隨從하여 入宋하였다고 되어 있다). 그리고 金克儉은 「金克儉墓誌銘」에 의거하였다(金龍善 2012년).

84) 지7, 五行1, 화, 火災에는 丁丑(20일)으로 되어 있으나 오자일 것이다.

廷獨不然. 是故, 國人, 想望大用, 見其施設. 及爲相, 循默, 無所建明, 蓋知其勢之不可爲, 又以老病耳. 至是, 乞退, 上惜其去, 再降手詔, 以宿留之. 又遣中使, 而敦諭之, 故入朝數日, 復告而歸焉. 御史, 不原情而劾之, 豈不謬哉?":節要轉載].

[是年, 定楊廣忠淸州道·慶尙晋州道:地理1慶尙道轉載].

[○置開城府管內牛峯·兎山·積城·坡平, 原州管內堤州, 洪州管內保寧·唐津·餘美, 臨陂縣管內萬頃, 交州管內金城, 東州管內洞陰, 豊州管內儒州·靑松等縣監務. 又置春州管內狼川縣監務, 兼任楊口[楊溝], 東州管內僧嶺縣監務, 兼任朔寧, 甕津縣管內永康縣監務, 兼任豊州管內嘉禾:轉載].[85)]

[增補].[86)]

---

85) 이는 다음의 자료를 전재하였다(金東洙 1989년).
- 지10, 지리1, 王京開城府, 牛峯郡, 兎山縣, 積城縣, 坡平縣, "睿宗元年, 置監務".
- 지10, 지리1, 原州, 堤州, "睿宗元年, 置監務".
- 지10, 지리1, 洪州, 保寧縣, 唐津縣, 餘美縣, "睿宗元年, 置監務".
- 지11, 지리2, 臨陂縣, 萬頃縣, "睿宗元年, 置監務".
- 지12, 지리3, 交州, 金城郡, "睿宗元年, 置監務".
- 지12, 지리3, 春州, 狼川郡, "睿宗元年, 置監務, 兼任楊口[楊溝]".
- 지12, 지리3, 東州, 僧嶺縣, "睿宗元年, 置監務, 兼任朔寧".
- 지12, 지리3, 東州, 朔寧縣, "睿宗元年, 以僧嶺監務, 來兼".
- 지12, 지리3, 東州, 洞陰縣, "睿宗元年, 置監務".
- 지12, 지리3, 豊州, 儒州, 靑松縣, "睿宗元年, 置監務".
- 지12, 지리3, 豊州, 嘉禾縣, "睿宗元年, 置監務, 以永康監務來兼".
- 지12, 지리3, 甕津縣, 永康縣, "睿宗元年, 置監務, 兼任嘉禾".

86) 이해의 女眞族과의 관계는 다음과 같았던 것으로 추측된다.
- 『금사』 권1, 본기1, 世紀, 康宗[烏雅束], "四年丙戌[睿宗1年], 高麗遣黑歡方石來賀卽位, 遣盃魯報之. 高麗約還諸亡在彼者, 乃使阿聒·勝昆往受之. (五年丁亥[睿宗2年']), 高麗背約殺二使, 築九城於曷懶甸, 以兵數萬來攻 …". 이 기사에서 黑歡方石이 高麗가 파견한 사신이라면 女眞族이 귀화하여 설치된 羈縻州에 거주하고 있던 高麗版籍에 편입된 女眞人으로 추정된다. 또 이 기사의 '高麗背約'의 앞에는 '五年丁亥'가 탈락되었을 것이다.
- 『금사』 권135, 열전73, 外國下, 高麗, "四年[睿宗1年]丙戌, 高麗使黑歡方石來賀嗣位, 康宗[烏雅束]使盃魯報聘, 且尋前約, 取亡命之民. 高麗許之, 曰使使至境土受之. 康宗以爲信然, 使完顔部阿聒·烏林荅部勝昆往境上受之. 康宗畋于馬紀嶺乙隻村以待之. 阿聒·勝昆至境土, 高麗遣人殺之, 而出兵曷懶甸, 築九城. 康宗歸, 衆咸曰, '不可擧兵也, 恐遼人將以罪我'. 太祖[阿骨打]獨曰, '若不擧兵, 豈止失曷懶甸, 諸部皆非吾有也'. 康宗以爲然, 乃使斡塞[斡賽]將兵伐之, 大破高麗兵. 六月, 高麗率衆來戰, 斡塞敗之, 進圍其城. 七月, 高麗復請和, 康宗曰, '事若酌中, 則與之和'. 高麗許歸亡入之民, 罷九城之戍, 復所侵故地, 遂與之和".

丁亥[睿宗]二年, 契丹乾統七年, [宋大觀元年], [西曆1107年]

1107년 1월 26일(Gre2월 2일)에서 1108년 2월 13일(Gre2월 20일)까지, 355일

春正月戊子朔[大盡,壬寅], 放朝賀.

庚寅[3日], 遼遣高存壽來, 賀生辰, 仍賜大藏經.

丙申[9日], 宴遼使于乾德殿.

[丁酉[10日], 流星出宦者, 歷大微[太微]東, 入屛星, 大如雞子, 長二尺許:天文1轉載].[87)]

戊戌[11日], 幸神衆院.

[辛丑[14日], 歲星·鎭星犯南斗:天文1轉載].

[某日, 侍中魏繼廷, 復三上表, 乞退, 王重違其志, 許之:節要轉載].

[→復三上表乞退, 詔曰, "卿淸規重德, 鎭服百寮, 直節令名, 聳動群聽. 文祖擢爲詞臣, 英考命作首相. 惟予冲人, 方賴耆哲之輔, 乃稱有疾, 遽辭機務之煩, 再下書詔, 朕已諭於至懷. 七上封章, 卿不移於確志, 重違勤請, 許遂便安. 宜加調攝, 速副登庸":列傳8王寵之轉載].

[某日, 制曰, "置學養賢, 三代以降, 致治之本也, 而有司議論, 有所未定, 宜令疾速施行". 王方嚮文學, 遂下此制, □□□□□□[士類莫不欣然], 大臣無一人奉承. 時議惜之:節要轉載].[88)]

戊申[21日], 設仁王道場於乹德殿.

辛亥[24日], 又設天帝釋道場於文德殿, 以禳天變.

○以[左僕射·參知政事]金景庸△[爲]檢校太子太師·守司空.

癸丑[26日], 門下侍郞平章事致仕林槩卒, [年七十:列傳10林槩轉載].[89)] [輟朝三日, 諡元敬:追加].[90)] [槩, 淸直, 有大臣風. 嘗[以內侍]管句大倉署[太倉署], 有韓順者, 居倉側, 盜竊倉穀, 誣弄官吏, 家資鉅萬, 至有縉紳與之交通者. 槩發其奸, 置於法. 朝議多之:節要轉載].[91)]

---

87) 이에서 宦者는 天市垣에 속한 宦者 4星을 가리킨다.
·『晋書』 권11, 지1, 天文上, 中宮, "宦者四星, 在帝坐西南, 侍主, 刑餘之人也".

88) 添字는 지28, 選擧2, 學校에 추가되어 있는 글자이다.

89) 이날은 율리우스曆으로 1107년 2월 20일(그레고리曆 2월 27일)에 해당한다.

90) 이는 「崔溱妻任氏墓誌銘」에 의거하였다.

91) 이와 같은 기사가 열전10, 林槩에도 수록되어 있다.

乙卯28日, 御明慶殿, 以僧曇眞爲王師. [初, 王欲封眞, 爲王師, 以右諫議□□~~大夫~~金緣爲封崇使, 緣辭曰, "臣職在諫院, 已言封王師之不可, 未蒙允, 又從而行之, 則是欺殿下也". 王强之再三, 固辭不就, 改命內侍柳台樹:節要轉載].

丙辰29日, 命罷太后生日百官獻馬.

[某日, 賜門下侍中致仕魏繼廷, 茶·藥二銀合:節要轉載].

[→尋遣中使慰諭, 賜茶·藥二銀合. 又上表辭祿, 詔曰, "卿久積股肱以勤, 偶嬰腠理之疹. 朕以謂身若不安, 疾難速愈, 雖深惜去之意, 勉從告退之誠. 何復奏於章牘, 請不支於祿錢. 乞骸之後, 賜廩有常, 當體眷懷, 無煩固遜":列傳8王寵之轉載].

[某日, 以智祿延爲東南海都部署使:慶尙道營主題名記].

[是月戊子朔, 宋改元大觀:追加].

二月戊午朔小盡,癸卯., 庚申3日, 幸外帝釋院.

丙子19日, 又幸外帝釋院.

庚辰23日, 幸神衆院.

癸未26日, 幸王輪寺.

丙戌29日晦, 分遣諸道安撫使, 起居郞李汝霖于楊廣·忠淸州道, 大府少卿~~太府少卿~~崔湑于全羅州道, 侍御史智祿延于慶尙晋州道, 問民疾苦, 察守令殿最, 以聞.[92]

[是月丙子19日, 觀世音寺僧郞崇·副戶長同正迪良等造成同寺銅鍾一口, 入重五十斤:追加].[93]

三月丁亥朔大盡,甲辰, 詔曰, "當萬物發生之時, 不麛不卵者, 實禮典之成規, 而先王之仁政也. 今諸道守令, 鮮克循令, 或托供膳, 以要上賞, 或厚饗使客, 以悅其意,

---

92) 이와 관련된 기사로 다음이 있다. 그 중에서 崔湑는 知靈光郡事 金縝의 治績을 높이 평가하였던 것 같다. 또 智祿延은 慶尙道春夏番[春夏等]都部署使로서 해당 지역의 安撫使를 겸직하였던 것 같다(→1월 某日條). 그리고 『고려사』에서 安撫使가 按撫使와 竝用되고 있는데, 이는 中原의 典籍에서도 마찬가지였기에 兩者를 있는 그대로 두었다.

· 지31, 百官2, 外職, 按撫使, "睿宗二年, 分遣諸道安撫使, 問民疾苦, 察守令殿最".

· 열전11, 金縝, "… 溟州人, 少力學登第, 出知靈光郡, 有善政. 安撫使崔湑, 以忠淸自許, 少許可人, 特以縝爲最. 秩滿爲右補闕".

93) 이는 「川北觀世音寺鍾銘」에 의거하였다(東京都 豊島區 高田 2-17-22 北澤國男 所藏, 坪井良平 1974年 98面 ; 許興植 1984년 538面).

田獵無時. 或農夫火耕, 延燒物命. 有乖對時育物之義, 足傷天地之和, 一切禁斷, 違者罪之".

[癸巳7日, 淸明. 以崔弘正爲試尙舍奉御:追加].[94]

乙未9日, 親祭天地及境內山川神祗神祇於闕庭.

丁酉11日, 幸外帝釋院.

己亥13日, 遣戶部侍郞柳台樹于西北道, 右副承宣林彥于東北道, 巡視諸城.

庚子14日, 設佛頂道場於文德殿.

[丙午20日, 雹:五行1雨雹轉載].

己酉23日, 幸龜山寺.

乙卯29日, 醮太一于乹德殿.

夏四月丁巳朔小盡,乙巳, 始視朝於乾德殿. 百官, 初以國恤, 不帶紅鞓, 至是, 復□令帶之.[95]

庚申4日, 幸妙通寺.

辛酉5日, 三角山國望峰崩.

[→三角山國望峯西石頹:五行3轉載].

戊辰12日, 禱雨于朴淵.[96]

戊寅22日, 幸外帝釋院.

己卯23日, 王詣肅宗虞宮.

辛巳25日, 幸法雲寺.

甲申28日, 禱雨于松嶽·東神祠.

[○震開國寺塔:五行1雷震轉載].

[某日, 門下侍中致仕魏繼廷再上表, 辭祿. 詔曰, "公博學攻文, 詞林宗匠, 匪躬直節, 爲世名臣, 因疾解官, 甚惜其去. 又從而辭祿, 非朕所以優賢敬老之意, 宜令三司, 給二分祿":節要轉載].

[→再上表辭祿, 又詔曰, "卿博學攻文, 詞林宗匠, 匪躬直節, 爲世名臣. 因疾解

94) 이는 「崔弘宰墓誌銘」에 의거하였다.

95) 添字는 『고려사절요』 권7에 의거하였다.

96) 이때 일본의 京都에서 4월 8일(甲子), 10일(丙寅), 12일(戊辰), 13일(己巳), 16일(壬申), 21일(丁丑)에 비가 내렸다고 한다(『永昌記』, 嘉承 2년 4월).

官，甚惜其去，又從而辭祿，非朕所以優賢敬老之意．令三司，給二分祿"．未幾卒，諡忠烈．繼廷清儉蹇直．嘗副李資義，奉使如宋，資義多市珍貨，繼廷一無所求．至登兩府，不改素節，又不徇俗好佛．國人想望大用，及爲相已老病，且知勢之不可爲循，默無所建明：列傳8王寵之轉載]．

［某日，以思肅王后李氏，配宣宗廟．初，宣宗爲國原公，納前政堂文學李預□之女爲妃，未幾而卒，是爲貞信賢妃．又納祭酒李碩女，生獻宗，封王后，及獻宗卽位，尊爲太后，薨，諡思肅．至是，議宣廟之配，王欲以貞信配，諫官奏云，"貞信爲國原公妃，年月甚淺，思肅，自嬪公府，以至踐位，內助居多．及太子繼統，臨朝稱制者三年，獻宗遜位于肅宗，退居舊宮，永無失德，以思肅"，配便．制曰，"嫡庶之分，不可不別，更詳禮典，以聞"．諫官復奏曰，"春秋之義，國君卽位，未逾年者，不合列序昭穆，[97] 國君□尙如此，況后妃乎？請以思肅，升配"，從之：節要轉載］.[98]

［是月，引見新及第皇甫許等：選擧2崇奬轉載］．

五月丙戌朔大盡,丙午，設金剛經道場于開國寺，以禳天變．

乙未10日，禱雨于廟社□及群望.[99]

庚子15日，亦如之禱雨，百官禱于興國寺．

壬寅17日，又禱于法雲寺．

乙巳20日，醮太一于乹德殿．

［○月入羽林：天文1轉載］．

乙卯30日，又醮于乾德殿禱雨．

---

97) 이 구절은 다음의 자료를 인용한 것이다.

·『구당서』 권25, 지5, 禮儀5·권68, 열전36, 高宗·中宗諸子, 孝宗皇帝弘(高宗의 5子), "春秋之義, 國君卽位, 未逾年者, 不合列序昭穆".

98) 貞信賢妃와 思肅太后에 관련된 기사로 다음이 있는데, 添字는 이에 의거하였다.

· 열전1, 宣宗妃, 貞信賢妃李氏, "仁州人, 平章事預之女. 宣宗爲國原公, 納以爲妃. 生敬和王后而卒, 諡貞信".

· 열전1, 宣宗妃, 思肅太后李氏, "睿宗二年四月, 王欲以貞信賢妃, 祔宣. 諫官奏曰, '貞信爲國原公妃, 年月不久. 思肅自嬪公府, 以至踐祚, 內助居多, 及太子繼統, 臨朝稱制者三年, 獻宗遜位于肅宗, 乃退居舊宮, 終無失德, 宜以思肅升祔'. 制曰, '嫡庶之分, 不可不別. 更詳禮典以聞'. 諫官復奏曰, '春秋之義, 國君卽位, 未踰年者, 不合列序昭穆. 國君尙如此, 況后妃乎? 請以思肅升祔', 王從之".

99) 여기에서 及이 탈락되었을 것이고(→是年 7월 4일), 지8, 五行2, 金行에는 옳게 되어 있다.

[→醮太一于乾德殿, 以禱:五行2轉載].

六月[丙辰朔小盡,丁未], [丁巳[2日], 氣寒如冬:五行1恒寒轉載].

壬戌[7日], 如奉恩寺.

○遣考功郎中朴景伯如遼, 賀天興節, 刑部員外郎李韶永謝賀生辰, 起居舍人朴景中, 賀正, 侍御史河彥碩, 進方物.

秋七月[乙酉朔小盡,戊申], 戊子[4日], 祀廟社及群望, 以祈風雨調順.[100]

[乙未,以門下侍郎平章事崔弘嗣權判尙書吏部事·監修國史,中書侍郎平章事李頫爲文德殿大學士·判尙書禮部事·修國史,參知政事尹瓘爲上柱國·修國史,參知政事任懿判尙書刑部事,參知政事金景庸爲西京留守使,樞密院使王嘏判三司事→睿宗1年1月2日로 옮겨감].[101]

[戊戌[14日], 震松嶽松樹:五行1雷震轉載].

[某日, 以尹諧爲東南海都部署使:慶尙道營主題名記].

八月[甲寅朔大盡,己酉], 辛酉[8日], 幸外帝釋院.

辛未[18日], 幸王輪寺.

□□[~~九月~~甲申朔小盡,庚戌],[102] 丙午[23日], 北面城廊灾.

---

100) 이때 일본의 京都에서도 6월 이래 비가 내리지 않아서 祈雨를 위해 寺社에 奉幣使를 파견할 정도였고, 27일에야 비가 크게 내렸던 것 같다(高麗曆과 同一, 日本史料3-9册 267面).
· 『中右記』, 嘉承 2년 7월, "朔日乙酉, 遣藏人淸隆於神泉令拂池云々, 近日, 頗依有炎旱之憂也. 申時許暴風俄吹, 埃塵連天, 雨脚遍灑, 雷聲遠振, … 十五日, … 今日, 祈雨奉幣被立, 二社, 今日, 被勘日時, …, 廿三日, 晩頭雨下, 近日, 炎旱涉旬, 民戶成憂. … 廿七日, … 終日大雨".

101) 이날의 인사에서 李頫가 中書侍郎平章事로, 尹瓘이 參知政事로 기록되어 있는 점이 주목되는데, 이들은 1105년(예종 즉위년) 11월 戊戌(4일) 각각 門下侍郎平章事로, 中書侍郎同平章事에 임명되었다. 그중에서 尹瓘은 다음 해(예종1) 9월 27일(乙卯)과 12월 3일(庚申)에 平章事로 되어 있다. 이를 통해 볼 때 이와 같은 인사이동이 이루어질 수 없으므로 이 기사는 王嘏가 吏部尙書·樞密院使에 임명된 예종 즉위년 11월 4일(戊戌) 이후의 乙未, 곧 예종 1년 1월 2일(乙未)로 移動되어야 할 것이다[校正事由].

102) 이 위치에서 九月이 탈락되었다. 8월에는 丙午가 없고, 지7, 五行1, 灾에 睿宗 2년 9월 丙午(23일)로 되어 있다.

[→北面城廊火:五行1火災轉載].

壬子29日晦, 制, "以□~~故~~門下侍中·文忠公李靖恭配順廟, □~~故~~參知政事·景烈公王國髦配肅廟".

[□□~~是時~~, 故守太師·門下侍中邵台輔配享肅宗廟庭:列傳8邵台輔轉載].

[某日, 門下侍郎平章事崔弘嗣等奏, 太史言, "自御松岳都城, 今二百餘年, 欲延基業, 宜卜西京龍堰舊墟, 別創新闕, 移御受朝". 知樞密院事吳延寵, 復奏曰, "弘嗣等所奏龍堰作宮, 有三不可, 以文宗明睿, 猶惑術數, 作西京左右宮, 旣而悔悟, 以爲無應, 終不巡御, 虛費財力, 其不可, 一也. 近者, 開創南京, 迨七八年, 而無吉應, 其不可, 二也. 西京舊宮, 與今所求龍堰, 相去不遠, 地勢吉凶, 未必有異, 況無明訣可徵, 而棄祖宗舊宮, 別構新闕, 毁撤屋廬, 騷動人民, 其不可, 三也. 伏望, 英斷勿疑, 一依老臣所奏, 巡御舊宮, 無從臆說, 妄興工役, 以致人怨". 王, 卒從弘嗣等所言. 時議惜之:節要轉載].[103]

冬十月癸丑朔大盡,辛亥, 壬戌10日, 幸王輪寺.

癸亥11日, 重脩松林縣佛頂寺, 改名資薦, 以資肅宗冥祐.

甲子12日, 醮于山呼亭.

[癸酉21日, 月犯輿鬼北星:天文1轉載].

丙子24日, 設百座仁王道場於會慶殿, 親臨聽講. 又齋僧一萬於闕庭, 二萬於諸州府.

[○月犯大微~~太微~~內屛西南星天文1轉載].

[丁丑25日, □月入天庭, 出東華門, 貫大微~~太微~~:天文1轉載].

[庚辰28日, □月又入氐星:天文1轉載].

閏[十]月癸未朔小盡,辛亥, [己丑7日, 月行羽林中, 又流星, 出井入軍市, 大如梡, 尾長五尺許:天文1轉載].

[壬辰10日, 太白守氐:天文1轉載].

庚子18日, 始置元始天尊像於玉燭亭, 令月醮.

壬寅20日, 以將伐女眞, 御順天館南門, 閱兵, 分賜銀布·酒食.[104]

103) 이와 같은 기사가 열전9, 吳延寵에도 수록되어 있으나 자구에 출입이 있다. 兩者를 比較, 對照하여 원래의 모습을 찾아야 할 것이다.

[→女眞, 本靺鞨遺種, 散居山澤, 未有統一. 其在定州·朔州, 近境者, 雖或內附, 乍臣乍叛, 及盈歌·烏雅束, 相繼爲酋長, 頗得衆心, 其勢漸橫. 伊位界上, 有連山, 自東海岸崛起, 至我北鄙, 險絶荒翳, 人馬不能度. 間有一徑, 俗謂甁項, 言其出入一穴而已, 若塞其徑, 則女眞, 路絶. 故邀功者, 往往獻議, 請出師平之. 肅宗七年, 女眞來, 屯定州關外. 八年, 誘執酋長許貞與羅弗等, 囚廣州, 栲問, 果謀我也, 遂留不遣. 會邊將李日肅等奏, "女眞, 虛弱不足畏, 失今不伐, 後必爲患". 明年, 遣[門下侍郞平章事]林幹, 潛師往伐, 敗績. 女眞乘勝, 闌入定州宣德關城, 殺掠無算. 又遣[平章事]尹瓘, 代幹伐之, 又敗績, 軍勢不振, 遂卑辭請和, 結盟而還. 肅宗發憤, 告天地神明, 願借陰扶, 掃蕩賊境, 遂鍊兵畜穀, 以圖再擧. 及王卽位, 以喪, 未遑出師. 至是, 邊將報, 女眞强梁, 侵突邊城, 其酋長, 以一胡蘆, 縣[懸]雉尾, 轉示諸部落, 以議事, 其心叵測. 王聞之, 出重光殿佛龕所藏肅宗誓疏, 以示兩府大臣. 大臣等, 奉讀流涕曰, "聖考遺旨, 深切若此, 其可忘諸", 乃上書, 請繼先志, 伐之. ○王猶豫未決, 命[門下侍郞平章事]崔弘嗣, 筮于大廟[太廟], 遇坎之旣濟, 遂定議出師:節要轉載].

[→[睿宗]二年, 邊將報, 女眞 强梁, 侵突邊城. 其酋長, 以一胡蘆縣雉尾, 轉示諸部落以議事, 其心叵測. 王聞之, 出重光殿, 佛龕所藏肅宗誓疏, 以示兩府大臣. 大臣奉讀, 流涕曰, "聖考遺旨, 深切若此, 其可忘諸". 乃上書, "請繼先志伐之". 王猶豫未決, 命平章事崔弘嗣, 筮于太廟, 遇坎之旣濟, 遂定議出師, 以瓘爲元帥, 知樞密院事吳延寵副之. 瓘奏, "臣嘗奉聖考密旨, 今又承嚴命, 敢不統三軍破賊壘, 拓我疆土, 以雪國恥". 延寵頗以爲疑, 微語瓘, 瓘慨然曰, "微公與我, 誰能出萬死之地, 以雪國家之恥. 策已決矣, 又何疑焉". 延寵默然:列傳9尹瓘轉載].

○以[平章事]尹瓘爲元帥, [知樞密院事]吳延寵爲副元帥.[105] [瓘, 卽奏言, "臣嘗奉聖考密旨, 今又承嚴命, 敢不統三軍, 破賊壘, 拓爲我疆, 以雪國恥". 延寵, 頗以爲疑, 微語瓘. 瓘慨然曰, "今微公與我, 誰能出萬死之計, 以雪國家之恥, 策已決矣, 又何疑焉". 延寵默然, 惟[右諫議大夫]金緣上疏, 極言出師之不可:節要轉載].

[→□□[是月], 遣三軍, 討東女眞. 先是, 東女眞作亂, 奪據咸州以北之地. 告遼請討, 遣兵克復:追加].[106]

---

104)『고려사절요』 권7에는 壬寅의 앞에 閏月이 탈락되었다.

105) 이와 같은 기사로 다음이 있고, 이때 吳延寵의 麾下에 甥姪인 前德州防禦使 金誠이 참전하여 전공을 세워 典廏令(從7品)에 임명되었다고 한다(金誠墓誌銘).

· 지18, 禮6, 軍禮, "睿宗二年□[閏]十月壬寅, 命尹瓘爲元帥, 吳延寵副之, 往伐女眞".

十一月壬子朔[大盡,壬子], 冬至. 日食.[107)]

壬戌[11日], 幸普濟寺.

[丙寅[15日], 月食:天文1轉載].[108)]

庚午[19日], 幸西京. 時日官奏, 宜御西京, 以遣將帥. 故有是行.

癸酉[22日], 駕至慈悲嶺, 置酒.

乙亥[24日], 至西京.[109)]

[是月, 上幸西京, 命尹瓘·吳延寵爲元帥, 往伐東蕃. 命王弟·太原侯俸爲留守王京:追加].[110)]

---

106) 이는 다음의 자료에 의거하였다.

· 『태종실록』 권7, 4년 5월 己未[19日], "遣計稟使·藝文館提學金瞻如京師, 瞻與□[王]可仁偕行. 奏本云, 照得, 本國東北地方, 自公嶮鎭歷孔州·吉州·端州·英州·雄州·咸州等州, 俱係本國之地. 至遼乾統七年, 東女眞作亂, 奪據咸州迤北之地. 高麗睿王王俁告遼請討, 遣兵克復".

107) 이날 宋에서도 일식이 있었다(『송사』 권52, 지5, 천문5, 日食). 또 이날 일본의 京都에서 일식이 예측되었으나 관측되지 않았던 것 같다(高麗曆과 同一, 日本史料3-8冊 594面). 그리고 이날은 율리우스력의 1107년 12월 16일이고, 개경에서 일식 현상이 심했던 시간은 16시 50분, 食分은 0.95이었다(渡邊敏夫 1979年 306面).

· 『殿曆』, 嘉承 2년 11월, "一日壬子, 天陰雨不降, 雖然時々降, 今日依日蝕, 上達部可參陣之由, 令催之. … 今日不正見, 是不可思議事也. 凡朔旦日蝕, 唐並日本所未見, 仍蝕不正見歟, 實神妙事也. 天下大慶無過斯, 依御祈歟, 今日, 上達部頭爲房催之".

· 『中右記』, 嘉承 2년, "十一月朔日壬子, 凶會, 今日冬至, 又可有日蝕之由, 司天臺所奏也. 其日蝕十五分之十三半弱, 虧初未一剋, 十九分, 加時申□□□十五分, 復末酉一剋, 十分. … 及晩景片雲横漢, 日光不現, 就中天下不及暗計也, 不蝕歟, 誠可欣歡, 代初之蝕, 朔旦冬至之日也, 加之主上於當年星也, 今無正現, 爲天下大慶歟. 今朝供忌火御飯. 今日, 公卿多不被參, 太奇怪之事也, 日蝕之時, 人々可被皆參歟".

· 『本朝統曆』 권8, 嘉承 2년, "十一大, 朔壬子, 未七, 日蝕, 十三分降, 未一, 酉初, 冬至, 酉二".

108) 이때 일본의 교토[京都]에서 15일(丙寅)은 天晴임에도 月食이 관측되지 않았던 것 같고, 16일(丁卯)에 월식이 예측되었으나 비로 인해 관측되지 않았던 것 같다(高麗曆과 同一, 日本史料3-9冊 627面). 또 15일(丙寅)은 율리우스력의 1107년 12월 30일이고, 월식 현상이 심했던 때인 16일(丁卯, 12월 31일)의 世界時는 16시 21분, 食分은 0.41이었다(渡邊敏夫 1979年 474面).

· 『中右記』, 嘉承 2년 11월, "十六日, … 今夜, 有月蝕之由, 曆道所奏也. 仍院有大般若御讀經僧卅口, 是依可有御愼也. 而天陰雨下, 不正見, 誠佛法之靈驗也".

· 『中右記』目錄, 嘉承 2년 11월, "十六日, 月蝕, 天陰不見, …".

· 『本朝統曆』 권8, 嘉承 2년, "十一大, 十六小寒, 亥七, 月蝕, 七分弱, 子二, 丑二".

109) 이날 睿宗이 西京에 도착한 것은 다른 자료에서도 확인된다(『동인지문사륙』 권10 : 『동문선』 권44, 伐女眞取其地, 築設城池, 實入丁戶訖, 獻功表, 林彥 撰).

110) 이는 「王俸廟誌銘」에 의거하였다.

十二月[壬午朔[大盡,癸丑], 大寒. 御[西京]龍堰闕□[聖]祖眞殿, 投□□[~~元帥~~]鉞, 遣之:追加].[111)]

[→朔壬午[~~壬午朔~~], 王御[西京]威鳳樓, 瓘·延寵率三軍將士, 以次入庭拜訖, 賜鈇鉞遣之:禮6軍禮轉載].

[→王御[西京]威鳳樓, 賜尹瓘·吳延寵鈇鉞, 以遣之:節要轉載].

甲申[3日], 宴群臣于長樂殿.

[乙酉[4日], 瓘·延寵至東界,[112)] 屯兵于[長州]長春驛, 軍凡十七萬, 號二十萬. 分遣兵馬判官崔弘正·黃君裳, 入定·長二州, 紿謂女眞酋長曰, "國家, 將放還許貞與羅弗等, 汝等, 可來聽命". 酋長信之. 於是, 古羅等四百餘人至, 醉以酒, 發伏殲之, 其中壯黠者, 五六十人持疑, 至關門, 不肯入. 使兵馬判官金富弼·[兵馬]錄事拓俊京, 分道設伏, 又使[兵馬判官]崔弘正, 以精騎應之, 擒殺殆盡:節要轉載].[113)]

[→十一月[~~十月~~], 上命侍中[~~平章事~~]尹瓘爲大元帥, 平章事[~~知樞密院事~~]吳延寵爲副元帥, [~~十二月四日,~~] 先遣公[~~崔弘正~~]爲宣論使兼兵馬判官, 公[~~崔弘正~~]促行到界, 遣定州記官英釆·長州記官世毛出關, 與蕃長公兄等言論:追加].[114)]

丙戌[5日], 御大同江龍船, 置酒.]

[其月[~~十二月~~]十二日引來, 蕃長一百人入定州, 以酒食煖熱, 拘留之, 賊首古羅等三百人入長州, 亦賜酒食, 拘留之. 其餘到關外, 生疑不肯入者, 分兵急擊斬首五十餘級:追加].[115)]

[甲午[13日], 元帥尹瓘等到定州界首:追加].[116)]

[乙未[14日], 月犯輿鬼:天文1轉載].

---

111) 이는 다음의 자료에 의거하였는데, ~~添字~~는 필자가 새로 덧붙인 것이다.
 ·『보한집』 권상(『동문선』 권44), 伐女眞取其地, …, "十二月初一日, 於祖眞殿前, 親授臣鈇鉞".

112) 韓半島의 北東地域에 위치한 東北界[東界]와 그 以北의 通路, 形勢, 名勝, 歷代의 戰場 등은 1700년(숙종26) 崔昌大(1669~1720)의 간단한 遊覽記를 통해 쉽게 이해될 수 있을 것이다(『昆侖集』 권6, 北征記).

113) 이와 같은 기사가 열전9, 尹瓘에도 수록되어 있으나 자구에 출입이 있다. 또 이 시기에 女眞征伐에 參戰한 인물로 다음이 있다.
 · 열전10, 康拯, "尹瓘征女眞, 拯以左軍知兵馬事, 從之, 有功".
 · 열전11, 金正純, "睿宗朝, 尹瓘征女眞, 自請從軍, 有戰功. 累遷閤門祗候".
 · 열전40, 拓俊京, "睿宗二年, 以中軍兵馬錄事, 從尹瓘伐東女眞, 戰于石城·英州, 大捷, 瓘承制, 拜閤門祗候".

114) 이는 「崔弘宰墓誌銘」에 의거하여 추가한 것이다.

115) 이는 「崔弘宰墓誌銘」에 의거하여 추가한 것이다.

116) 이는 『동문선』 권44, 伐女眞取其地, …에 의거하였다.

[○昧爽, 元帥尹瓘等諸將撤去關防, 出軍急擊:追加].[117]

[→乙未, 瓘, 自以五萬三千人, 出定州大和門, 中軍兵馬使·左僕射金漢忠, 以三萬六千七百人, 出安陸戍, 左軍兵馬使·左散騎常侍文冠, 以三萬三千九百人, 出定州弘化門, 右軍兵馬使·兵部尙書金德珍, 以四萬三千八百人, 出宣德鎭, 安海·拒防兩戍之間, 船兵別監·吏部員外郞梁惟竦·元興都部署使鄭崇用·鎭溟都部署副使甄應陶等, 以船兵二千六百, 出<u>道鱗浦</u>道連浦.[118] 瓘, 過大乃巴只村, 行半日, 女眞見軍容, 甚盛, 皆遁走, 唯畜産布野, 至<u>文乃泥村</u>, 賊入保冬音城, 瓘, 遣兵馬鈐轄林彦與兵馬判官<u>弘正</u>, 率精銳, 急攻破走之:節要轉載].

[→十四日乙未, 四軍行兵次, 自<u>文乃村</u>, 至冬音城, 蕃賊衆多, 勢不可當, 公率先鋒軍士, 接刃相戰, 取馘甚多:追加].[119]

丙申15日, 元帥尹瓘擊女眞, 大破之, 遣諸將定地界, 築雄·英·福·吉四<u>州城</u>.[120]

[→丙申, 左軍到石城下, 見女眞屯聚, 遣譯者戴彦諭降. 女眞曰, "吾欲一戰, 以決勝負, 何謂降耶", 遂入石城拒戰. 矢石如雨, 軍不能前, 瓘謂兵馬錄事俊京曰, "日昃事急, 爾可與將軍李冠珍, 攻之". 曰, "僕嘗從事長州, 過誤犯罪, 公謂我爲壯士, 請于朝宥之. 今日, 是俊京殺身報效之秋也". 遂至<u>石城</u>下, 擐甲持楯, 突入賊中, 擊殺酋長數人. 於是, 瓘麾下, 與<u>左軍</u>合擊, 殊死戰, 大敗之:節要轉載].[121] [賊或自投巖石, 老幼男女殲焉:列傳9尹瓘轉載]. [賞兵馬錄事俊京綾羅三十匹, 又遣兵馬判官弘正·兵馬判官富弼·兵馬錄事李俊陽, 擊<u>伊位洞</u>. 賊逆戰, 久乃克之, 斬一千二百級. 中軍破高史漢等三十五村, 斬三百八十級, 虜二百三十人. 右軍破廣灘等三十二村, 斬二百九十級, 虜三百人. 左軍破深昆等三十一村, 斬九百五十級. 瓘□軍, 自大乃巴只, 破三十七村, 斬二千一百二十級, 虜五百人, 遣兵馬錄事兪瑩若, 告捷:節要轉載].

---

117) 13일(甲午)의 脚注와 같다.

118) 道鱗浦(혹은 都麟浦)는 定州에 근접한 지역으로 後日 道連浦로 改稱되었던 것 같다(→공민왕 11년 7월 某日).

· 『신증동국여지승람』 권48, 咸興府, 山川, "都連浦, 古作<u>都麟</u>. 在府南三十五里, 有牧場, 古長城尾接于此, 我太祖討<u>納哈出</u>時, 右軍由都連浦, 卽是".

119) 이는 「崔弘宰墓誌銘」에 의거하여 추가한 것인데, 이에는 '文乃泥村'이 '文乃村'으로 달리 표기되어 있다.

120) 이러한 高麗軍의 戰功에 대한 기록도 있다.

· 『보한집』 권상, "師行入大戍關, 屠部落八十餘, 築英·吉等四城".

121) 石城戰鬪에서 左軍兵馬使 文冠의 功績은 그의 열전에도 수록되어 있다.

· 열전10, 文冠, "<u>尹瓘</u>征女眞, <u>冠</u>以左軍兵馬使從, 攻石城克之, 築福州城. 語在<u>瓘</u>傳".

[→十五日丙申, 甪位洞金城內賊兵, 屯駐拒捍, 公崔弘正率神騎步班, 勝敵掃蕩, 取馘一千二百」十四級, □壽公爲兵馬都巡檢使, 臨監起役, 築置福·吉·英·雄州四城: 追加].[122]

[○王喜, 賜□兪瑩若職七品, 命左副承旨左副承宣·兵部郎中沈侯, 內侍·刑部員外郎韓曒如, 賜詔奬諭, 瓘·延寵及諸將, 賜物有差:節要轉載].[123]

[○瓘又分遣諸將, 畫定地界:節要轉載]. [東至火串嶺, 北至弓漢伊嶺, 西至蒙羅骨嶺:列傳9尹瓘轉載]. [又遣日官崔資顯, 相地於蒙羅骨嶺下, 築城廊九百五十間, 號英州. 火串山下, 築九百九十二間, 號雄州. 吳林金村, 築七百七十四間, 號福州. 弓漢伊村, 築六百七十間, 號吉州. 又創護國仁王·鎭東普濟二寺於英州城中:節要轉載].[124]

[某日, 王還京都:追加].[125]

[辛丑20日, 南北有靑白氣, 西方有赤氣:五行2轉載].

[壬寅21日, 流星出軒轅道中台~~遡中臺~~, 入文昌, 大如雞子:天文1轉載][126].

[癸卯22日, 月入星:天文1轉載].

乙巳24日, 東女眞裊乙乃等三千二百三十人來附.

[丙午25日, 流星出華盖, 入天一, 大如雞子, 尾長一丈許:天文1轉載].

丁未26日, 以金商祐爲御史大夫.

戊申27日, 幸龜山寺.

[是月, 以東北面行營兵馬使所奏, 尹彦頤爲使令:追加].[127]

---

122) 이는 「崔弘宰墓誌銘」에 의거하여 추가한 것인데, 이에는 伊位洞이 녹위동[甪位洞]으로 달리 표기되어 있다. 또 ~~添字~~를 추가하여야 옳게 될 것이다.

123) 左副承旨는 左副承宣의 오자일 것이다.

124) 이 구절의 일부는 지36, 兵2, 城堡에도 수록되어 있다. 또 福州城(현 함경남도 端川市)은 左軍兵馬使 文冠이 축조하였다고 한다(열전10, 文冠, "築福州城. 語在瓘傳").

125) 이달에 睿宗이 開京에 歸還한 것이 탈락되었다.

126) 이 기사는 '流星이 軒轅을 나와 中臺[中台]에 바짝 接近하다가[遡中臺] 文昌에 들어갔는데, 크기가 雞子와 같았다'로 해석하는 것이 좋을 것이다.

- 『晉書』 권11, 지1, 天文上, 中宮, "三台六星, 兩兩而居, 起文昌, 列抵太微. 一曰天柱, 三公之位也. 在人曰三公, 在天曰三台, 主開德宣符也. 西近文昌二星曰上台, 爲司命, 主壽. 次二星曰中台, 爲司中, 主宗室".

127) 이는 다음의 자료에 의거하였다.

- 「尹彦頤墓誌銘」, "乾統七年十二月, 以父蔭登仕, 忽因東北面行營兵馬使所奏, 出爲使令".

[是年, 任懿參知政事任懿知貢擧, 中書舍人朴景綽同知貢擧, 取韓卽由等:選擧1選場轉載].[128)]

[○以前知靈巖郡事尹諧爲試閤門祇候:追加].[129)]

[○命大師坦然住錫開頓寺:追加].[130)]

[增補].[131)]

---

128) 이는 지27, 선거1, 科目1, 選場에서 전재하였다. 이때의 及第放榜敎書가 존재하고 있는데, 이를 바탕으로 문장을 再構成하면 b와 같다(『동문선』 권23, 及第放榜敎書, 金富弼 撰). 任懿의 묘지명에는 乾統 6년(예종1)에 知貢擧가 되었다고 되어 있어("知□□乾統六年貢擧"), 『고려사』의 예종 2년과 차이가 있다(金龍善 2006년 60面, 274面).
이때 國子進士韓卽由·鄕貢進士李湜(丙科)·良醞令同正甄惟綽·王冲(以上 同進士), 高唐愈(改兆基), 李揚拔(明經二科及第)·崔慶雲(明經三科及第), 進士安永祚·進士林郄一·進士宋開(以上 恩賜) 등이 급제하였다(王冲墓誌銘, 朴龍雲 1990년 ; 許興植 2005년).
· a 『동문선』 권101, 星主高氏家傳, "… 子兆基, 舊名唐愈, 睿王丁亥, 韓卽由榜登科, 仁王朝出入臺閣, …".
· b "睿宗二年某月某日, 任懿參知政事任懿知貢擧, 中書舍人朴景綽同知貢擧, 取進士, 某月某日, 下詔, 賜乙科韓卽由等四人·丙科八人·同進士十五人·明經二人·恩賜三人及第".

129) 이는 「尹誧墓誌銘」에 의거하였다.

130) 이는 「山淸斷俗寺大鑑國師塔碑」에 의거하였다.

131) 이해에 이루어진 고려의 女眞征伐에 대한 女眞族의 대응은 다음과 같다.
· 『금사』 권1, 본기1, 世紀, 康宗烏雅束, "(五年丁亥睿宗2年), 高麗背約殺二使, 築九城於曷懶甸, 以兵數萬來攻, 斡賽敗之. 斡魯亦築九城, 與高麗九城相對. 高麗復來攻, 斡賽復敗之. 高麗約以還逋逃之人, 退九城之軍, 復所侵故地. 九月, 乃罷兵".
· 『금사』 권65, 열전3, 始祖以下諸子, 斡賽, "穆宗時. 高麗殺行人阿聒·勝昆, 而築九城於曷懶甸. 斡賽將內外兵, 勀古活你茁·蒲察狄古迺佐之. 高麗兵數萬來拒, 斡賽分兵爲十隊, 更出迭入, 遂大破之. 斡賽母和你限疾篤, 召還, 以斡魯代之. 未幾, 斡賽復至軍, 再破高麗軍, 進圍其城. 七月, 高麗請和, 盡歸前後亡命及所侵故地, 退九城之戍, 遂與之和".
· 『금사』 권66, 열전4, 宗室, 合住, "子余里也與胡十門同時歸朝, 屢以糧餉助伐高永昌及高麗·新羅". 여기에서 新羅는 이미 滅亡한 이후이므로 오류이다.
· 『금사』 권66, 열전4, 宗室, 朮魯, "從鄭王斡賽敗高麗于曷懶".
· 『금사』 권70, 열전8, 石土門, "後以本部兵從擊高麗. 及伐遼, 功尤多".
· 『금사』 권70, 열전8, 習室, "習室, 康宗烏雅束時, 高麗築九城于曷懶甸, 習室從斡賽軍".
· 『금사』 권71, 열전9, 斡魯, "斡魯, 韓國公勀者第三子, … 高麗築九城於曷懶甸, 斡賽母疾病, 斡魯代, 將其兵者數月. 斡魯亦對築九城, 與高麗抗, 出則戰, 入卽守, 斡賽用之, 卒城高麗".
· 『금사』 권72, 열전10, 麻吉, "馬吉, … 年十五, 隸軍中, 從破高麗兵".
· 『금사』 권80, 열전18, 斜卯阿里, "父渾坦, 穆宗時內附, 數有戰功. 阿里年 十七從其伯父胡麻谷討詐都, 獲其弟沙里只. 高麗築九城於曷懶甸, 渾坦攻之, 遇敵於木里門甸, 力戰久之, 阿里挺槍馳刺其將於陣中, 敵遂潰. 渾坦與石適歡合兵於徒門水, 阿里首敗敵兵, 取其二城. 高麗入寇, 以我兵屯守要害, 不得進, 乃還. 阿里追及于曷懶水, 高麗人爭走冰上, 阿里乘之, 殺略幾盡, 遂合兵于石適歡. 道遇敵兵五萬. 擊走之. 又與石適歡遇敵七萬, 阿里先登, 奮擊大敗之. 石適歡曰, 汝一日之間, 三破重敵, 功豈可忘.乃厚賜之".
· 『금사』 권81, 열전19, 鶻謀琶, "穆宗時. 破高麗戍兵, … 破高麗曷懶甸及下陁魯城有功".

戊子[睿宗]三年, 契丹乾統八年, [宋大觀二年], [西曆1108年]

1108년 2월 14일(Gre2월 21일)에서 1109년 2월 1일(Gre2월 8일)까지, 354일

春正月[壬子朔大盡,甲寅], 甲寅[3日], 遼遣崇祿卿曹勇義來, 賀生辰.

丙辰[5日], 宴遼使于乾德殿.

[乙丑[14日], [元帥]尹瓘·[副元帥]吳延寵率精兵八千, 出加漢村甁項小路. 賊設伏叢薄間, 候瓘軍至, 急擊之, 軍卒皆潰, 唯餘十餘人□[在], 賊圍瓘等數重. 延寵中流矢, 勢甚危急, [兵馬錄事]拓俊京率勇士十餘人, 將救之. 其弟郎將俊臣, 止之曰, "賊陣牢不可破, 徒死無益". 俊京曰, "而可歸養老父,[132] 我以身許國, 義不可止", 乃大呼突陣, 擊殺十餘人. [兵馬都巡檢使]崔弘正·[將軍]李冠珍等, 自山谷引兵來救, 賊乃解圍而走, 追斬三十六級. 瓘等以日晩, 還入英州城, 瓘泣涕, 執俊京手曰, "自今我當視汝猶子, 汝當視我猶父". 承制, 授閣門[閤門]祗候:節要轉載].[133]

[→及攻加漢村既震動, 敵兵急擊, 軍將潰亂, 東北面行營兵馬使使令尹彦頤, 獨奉元帥, 以饒勇追之, 功乃成, 有司褒擧焉:追加].[134]

丁卯[16日], 納給事中李資謙女, 爲妃. [□□[先是], 資謙女弟, 爲順宗妃[長慶宮主], 順宗薨, 與宮奴通, 事覺, 資謙以閣門[閤門]祗候, 坐斥. 至是, 始貴顯:節要轉載].[135]

[→李資謙, 中書令子淵之孫, 慶源伯顥之子, 以門蔭, 進爲閣門祗候. 女弟爲順

· 『금사』 권81, 열전19, 阿徒罕, "高麗築九城于曷懶甸, 斡塞禦之, 阿徒罕爲前鋒. 高麗有屯于海島者, 阿徒罕率衆三十人夜渡, 焚其營柵·戰艦. 大破之, 遂下駝吉城. 既而八城皆下, 功最".

132) 而는 열전9, 尹瓘에는 爾로 되어 있는데, 前者는 誤字일 가능성이 있다.

133) 拓俊京에 관한 기사는 열전40, 拓俊京에 縮約되어 있다. 또 이때 일본의 京都에서 날씨가 흐리고 눈비가 내리는 날이 많았던 것 같다.

· 『中右記』, 天仁 1년 1월, "朔日壬子, 遠天高晴, 麗日甚明, … 二日, 天陰雪下, 朝間積庭際, 不出仕 … 三日, 天晴, … □□[四日], □[終]日, 天陰雨脚濛々, … 五日, 朝間天陰雪下, 午後快晴, … 六日, 天晴, … 七日, 雲合雪下, 寒風殊甚, … □□[八日], □[天]陰雨不下 … 九日, 臨夜陰 … 十日辛酉, 終日天陰, 雨脚頻下 … 十二日, 天陰風吹, 飛雪紛々, 晩頭漢晴反照甚明, 入夜寒□[風]四吹, 白雪頻下 … 十三日, 天陰 … 十四日, 天陰雨下".

134) 이는 다음의 자료에 의거하였다.

· 「尹彦頤墓誌銘」, "… 出爲使令, 及攻加漢村既震動, 敵兵急擊, 軍將潰亂, 公獨奉元帥, 以饒勇追之, 功乃成, 有司褒擧焉".

135) 이와 관련된 기사로 다음이 있다. 또 위의 기사에서 ~~添字~~가 추가되어야 옳게 될 것이다.

· 열전1, 后妃1, 順宗妃, 長慶宮主李氏, "仁州人, 戶部郎中顥之女. 順宗即位, 納以爲妃, 王薨, 在外宮, 與宮奴通, 事覺, 廢".

宗妃[長慶宮主], 順宗薨, 與宮奴通, 資謙坐免官. 睿宗納資謙第二女爲妃, 由是驟貴:列傳40李資謙轉載].

[→十六日[丁卯], 兩元帥[尹瓘·吳延寵]率兵行次加漢村, 敵兵四千遮路, 急擊, 我軍亂退, 狄兵圍立, □[副]元帥中箭, 其勢甚急, [兵馬都巡檢使]崔弘正率□[李]冠珎領下軍士, 呼□[出]急擊, 賊類奔退, 斬首三十六級:追加].[136)]

[癸酉[22日], 女眞酋長公兄阿老喚等四百三人, 詣陣前, 請降:節要轉載].[137)]

[丙子[25日], 女眞男女一千四百六十餘人, 又降于左軍:節要轉載].

[丁丑[26日], 賊步騎二萬來, 屯英州城南, 大呼挑戰. [元帥]瓘與林彦曰, "彼衆我寡, 勢不可敵, 但當固守而已". 俊京曰, "若不出戰, 敵兵日增, 城中糧盡, 外援不至, 將若之何. 前日之捷, 諸公不見, 今日, 亦出死力以戰, 請諸公, 登城觀之". 乃率敢死士, 出城與戰, 斬十九級, 賊敗衄奔北. 俊京鼓笛凱還, 瓘等下樓迎之, 携手交拜. 瓘·延寵乃率諸將, 會于中城大都督府. 權知承宣王字之, 自公嶮城, 領兵詣都督府, 卒遇虜酋史現兵, 與之戰, 失利, 喪所乘馬. 俊京卽引勁卒, 往救敗之, 取虜介馬以還:節要轉載].

戊寅[27日], 尊母柳氏爲王太后~~封冊王太后柳氏~~.[138)] [冊曰, "臣聞, 冊后之制, 歷代相因. 稱皇太者, 秦漢之通規, 以子貴者, 春秋之格語, 凡爲後胤, 合効前修. 伏惟我聖母, 德備母儀, 位居坤極. 神資淑哲, 蚤儲沙麓之祥, 性蘊貞明, 獨禀塗山之訓, 遂令大業, 永保中興. 臣叨膺顧命, 嗣守宗祧, 自承鞠育之恩, 誓奉慈嚴之敎. 雖日以萬錢之養, 未能盡於孝誠, 而尊加三字之封, 庶永光於信牒. 虔尋舊典, 率籲群情, 爰撰吉辰, 用上尊號, 臣不勝大願. 謹遣某官某, 奉玉册金寶, 上尊號曰王太后. 伏願, 遵前古之憲章, 順上天之眷佑, 俯廻睿鑑, 誕受嘉稱":列傳1肅宗妃明懿太后柳氏轉載].

翌日[己卯28日], 諸王·宰輔·文武常參官以上, 進賀, 賜群臣宴.

---

136) 이는 다음의 자료에 의거하였다. 이에 의하면 日辰이 16일(丁卯)로 되어 있는데, 이것이 옳을 것이다. 이날은 일본의 교토[京都]에서 날씨가 흐리고 비가 내렸다고 한다.

· 「崔弘宰墓誌銘」, "戊子正月十六日, 兩元帥率兵行次加漢村□[狄]兵四千遮路, 急擊, 我軍亂退, 狄兵」圍立, 元帥中箭, 其勢甚急, 公率冠珎領下軍士, 呼□[出]急擊, 賊類奔退, 斬首三十六級".

· 『中右記』, 天仁 1년 1월, "十六日, 天陰雨下".

137) 이날 교토에서 날씨가 맑았다고 한다(『中右記』, 天仁 1년 1월, "廿二日癸酉, 天晴").

138) 睿宗이 母后 柳氏를 皇太后[王太后]로 승격시킨 것은 前年 10월 24일이었고, 이날은 封册禮를 거행하였기에 添字와 같이 字句를 고쳐야 좋을 것이다. 또 이날 올린 册文이 『동문선』 권28, 王太后[~~皇太后~~]玉册文이다.

[某日, 以李晋卿爲東南海都部署使:慶尙道營主題名記].

二月壬午朔小盡,乙卯, 丙戌5日, □遣告奏使·戶部侍郎王維如宋.[139)]

○曲宴諸王·宰樞·近臣于壽春宮, 文武常參官及封册執事官, 亦賜酒食.

[庚寅9日, 以崔弘正爲尙書考功員外郞:追加].[140)]

辛卯10日, 御神鳳樓, 肆赦曰, "朕以涼德, 謬承先王之遺命及親闈之慈訓, 叨登大寶, 日愼一日, 寤寐未遑. 近者, 稽于前典, 凡理國家者, 莫先務本, 務本莫過於孝也. 故特講册禮, 尊崇親母王妃, 封爲王太后, 庶幾恩澤, 廣及三韓.

□一. 內外斬·絞二罪, 除刑付處, 以下皆原之. 在流配者量移, 乃至敍用, 曾蒙恩宥, 未得移免者, 訪問量移.

□一. 國內名山·大川神祗神祇, 各加號.[141)]

□一. 民年八十以上及孝子·順孫·義夫·節婦·鰥寡·孤獨·篤癈疾者, 賜設·分物.

[□一. 太祖內玄孫之孫·外玄孫之子, 許初入仕一人, 屬南班者, 改屬東班:選擧3祖宗苗裔轉載].

[□一. 兩京文武班五品以上, 各許一子蔭官, 無直子者, 許收養子及孫:選擧3蔭敍轉載].

[□一. 兩京文武兩班, 各以官品高低, 許加父母妻封爵:選擧3封贈轉載].

[□一. □聖祖代六功臣, 三韓前後功臣, 代代配享功臣, 西京·興化·龜·宣·慈州, 仇比江·潘嶺等, 固守員將子孫, 各許初入仕一人:選擧3功臣子孫轉載].[142)]

□一. 兩京文武兩班及南班正·雜路, 凡有職者, 各加同正職.

□一. 上册都監員加職事, 人吏超一等同正職, 掌固·書者, 初入仕.

□一. 造册函儀仗官吏·書册文員及殿中行禮安樂道場都監及大廟太廟等告祭享官, □□□加職事, 道·俗員吏, 各加師銜. 諸執事官吏及雜類, 賜物有差.[143)]

---

139) 冒頭에 遣이 탈락되었을 것이다. 또 이때의 告奏表가『東人之文四六』권2, 告不時訃奏表[睿宗戊子](『동문선』권39, 告不時訃奏表, 李頫 撰)일 것이다.

140) 이는「崔弘宰墓誌銘」에 의거하였다.

141) 延世大學本과 東亞大學本에는 大川이 犬川으로 되어 있다.

142) 祖代는 歷代, 世代를 의미하지만,『고려사』에서는 聖祖代에서 聖이 탈락되었거나 이의 略稱으로 祖代로 쓰였던 것 같다. 또 이 기사와 같은 내용이 지29, 選擧3, 功臣子孫, 충렬왕 8년 5월에도 있다.

143) 이곳에 加職事 또는 加同正職이 탈락되었을 것이다. 그렇지 않으면 告祭享官에게도 道·俗員吏에게 주어지는 法號[師]가 더해지게 되기 때문이다.

□一. 西京押物使及外官持表員等, 加級.

□一. 坤成殿及崇明府延德明福宮員, 加職事. 人吏, 超一等同正職, 南班人吏, 准職改班.

□一. 坤成殿侍衛將相將校, 各加職事同正職. 給事及宮府掌固·書者·筭士·醫士, 初入仕.

□一. 坤成殿侍婢·親侍放良, 前放良者入仕. 雜類, 賜物有差.

□一. 州縣進奉長吏, 加一等同正職, 職滿者, 加武散階.

[□一. 諸州·郡·縣進奉長吏從卒等, 各田丁稅布全放. 內莊宅及宮院諸寶[寶者方言, 以錢穀施納, 存本取息, 利於久遠, 故謂之寶]. 穀米請貸未還者, 限乙未年文宗9年?, 東西州鎭及諸州·縣·鄕·部曲等雜所, 長吏漏失雜物色徵還, 及徭貢未收者, 限乙酉年睿宗即位年, 銀金, 限癸卯年文宗17年?, 並皆放除:食貨3恩免之制轉載].

□一. 承天府昇天府進奉戶長以上, 加武散階, 副戶長以下, 加一等職, 無職者, 許初職, 同府長吏, 許服色.[144)]

□一. 明經·製述兩大業登科人及三韓功臣子孫, 四祖內有工商樂名, 稽留未施行者, 仰所司准例, 疾速奏裁.

□一. 兩京諸領府庫軍人妻, 三十年以上, 不離同居守護者, 賜物有差. 凡蒙恩合加職, 而未加者, 不過一等, 許加. 或加職, 而所司論奏收貼者及逗留未施行, 皆許職貼. 或諸犯罪配流, 會赦而合受職貼, 未還給而身亡者, 許還. 或蒙會赦恩, 而所司未點職, 身先亡者, 如有子息告之, 點奏給貼".[145)]

壬辰11日, 女眞[兵數萬來:節要轉載], 圍雄州, 兵馬都巡檢使崔弘正開門出擊, 大敗之. 俘斬八十級 獲車馬兵仗無筭.

[→兵馬都巡檢使崔弘正, 訓勵士卒, 衆皆思鬪, 卽開四門齊出, 奮擊大敗之. 俘斬八十級, 獲兵車五十餘兩, 中車二百兩, 馬四十匹, 其餘兵仗, 不可勝記. 時拓俊京在□□吉州城中, 州守謂之曰, "城守日久, 軍饗將盡, 外援不至, 公若不出城, 收兵還

144) 承天府는 睿宗의 母인 明懿太后 柳氏(柳洪의 女)의 貫鄕인 昇天府의 誤字일 것이다.
 · 열전1, 后妃1, 肅宗, 明懿太后柳氏, "貞州人, 門下侍中洪之女, …".
 · 지10, 지리1, 王京開城府 貞州, "本高句麗貞州, 顯宗九年, 爲開城縣屬縣. 文宗十六年, 來屬. 睿宗三年, 改爲昇天府, 置知府事".

145) 點奏는 吏·兵部의 官員이 처음으로 관직에 진출하는 사람의 이름에 點을 찍어 帝王에게 보고하는 것을 가리킨다.
 · 지29, 選擧3, 銓注, "明宗時, 吏部員, 點初筮仕者姓名, 入奏, 號曰點奏".

救. 城中士卒, 恐無噍類.” 俊京服士卒破衣, 夜縋城而下, 歸定州, 整兵, 道通泰鎭, 自也等浦至吉州, 遇賊, 與戰大敗之. 城中人感泣:節要轉載].[146]

[→九城之役, 以中軍錄事, 守吉州城, 女眞 來攻, 許載與兵馬副使李冠珍等, 固守數月. 城幾陷, 勵士卒, 一夜更築重城, 以拒之, 虜乃退. 以功, 拜監察御史:列傳11李瑋轉載].

[→十一日壬辰, 狄兵万來, 攻雄州, 公崔弘正以奇計, 一時開四門, 出戰, 蕃賊亂退, 迷路沒落, 也豆浦人馬□皆?死, 其數未可知之, 生擒公兄一名, 取馘七十七級·長初□甲二十六副·馬百三十二副·戰馬四十匹·大車四十兩·中車二百兩, 收取納城:追加].[147]

甲午13日, 以尙書柳澤爲咸州大都督府使, [置副使·判官·司錄·掌書記·法曹·醫師等官. 又:節要轉載]置英·福·雄·吉四州及公嶮鎭防禦使[·副□使·判官, 又城咸州及公嶮鎭:節要轉載].

[○先是, 元帥尹瓘等令諸軍, 撤內城材瓦, 以築九城, 徙南界民, 實之[號咸州曰鎭東軍, 置戶一萬三千, 號英州曰安嶺軍, 雄州曰寧海軍, 各置戶一萬, 福·吉·宜三州, 各置戶七千, 公險·通泰·平戎三鎭, 各置戶五千]:兵2城堡轉載].

乙未14日, 燃燈, 王如奉恩寺.[148]

辛丑20日, 遼遣崇祿卿張掞來, 命王落起復.

癸卯22日, 宴遼使于乾德殿.

丙午25日, 遼遣蕭良·李仁洽等來, 冊王, 詔曰, “卿越自先臣, 恪脩常職, 爰及後嗣, 祇受舊封, 迨經三載之期, 克懋一匡之績. 特頒詔冊, 益煥寵靈, 式靖爾邦, 永服予命. 今差淸安軍節度使蕭良·益州管內觀察使李仁洽, 充封冊使副. 所有冠冕·車輅·衣帶·匹叚段·鞍馬諸物等, 具如別錄”. ○冊曰, “朕以王者底綏四海, 利建於侯封. 諸侯各守一邦, 會歸於王統. 故上必優於爵命, 下克貢其忠誠, 歷古已來, 舊章斯在. 乃眷東土, 于蕃上國, 緊樹嫡之有初, 寔纂服之猶賴. 然白茅苴土, 早裂於封圻, 而靑蓋駕車, 未膺於典冊. 爰恊龜筮, 載考禮文, 涓辰孔臧, 賦命惟允. 咨爾高麗國王俁, 乃祖乃父, 有邦有家, 愛政洽於隅夷, 忠烈銘於彝鼎. 迪厥攸訓, 裕于乃躬, 信義仁和, 夙成於覇器, 詩書禮樂, 敦尙於人文. 靜以致誠, 動斯中道. 始踈公爵, 分

146) 城中의 앞에 吉州를 넣어야 옳게 될 것이다.

147) 이는 「崔弘宰墓誌銘」에 의거하였는데, 이에서 也等浦가 也豆浦로 달리 표기되어 있다.

148) 이날 일본의 京都에서 終日 가랑비가 촉촉하게 내렸다고 한다(『中右記』, 天仁 1년 2월, “十四日, 終日, 細雨濛々”).

土於三韓，及嗣王封，正名於一字，而能率政以德政，且又養民以惠民，厥績著聞，朕甚嘉止．盍以馳軺而備物，俾其賜策以申恩．秩乃三階，望隆於樞軸，位之兩省，寄重於腹心．是用，遣使，持節備禮，册命爾爲守太尉兼中書令，加食邑．於虖，善其始，克有厥終，篤諸中，乃施于外，日嚴六德以亮采，永肩一心以事君．咸若厥猷，允孚于吉，承之廟社而無斁，傳之子孫而不窮．欽哉，惟休以服玆命"．王受册于南郊．

戊申[27日]，[元帥]尹瓘，以平定女眞，新築六城，奉表稱賀．［使都□□[兵馬]鈐轄·左副承宣·禮部郞中林彦，作記頌功，掛于英州南廳，又:節要轉載］．立碑于公嶮鎭，以爲界至．[149]

［→瓘又城英·福·雄·吉·咸州及公嶮鎭，遂立碑于公嶮，以爲界，遣其子彦純奉表，稱賀曰，"聖人之德，允合於乾坤，仁義之兵，已平其夷狄，惟將及卒，旣懽且呼，竊以東女眞，潛伏奧區．寔繁醜類，遠從爾祖曾之世，嘗被我朝家之恩，狼貪浸畜其叛心，犬吠頻狺於戶外，侵軼關塞，寇攘士民．狃制御之寬而謂之易陵，肆覬覦之志而謂之莫禦．先皇故憤以欲伐，陛下方繼而爲圖，以兵危故，始憚裁施，以謀衆故，終歸滯泥．然而策勝負者，存乎熟，知變通者，貴乎時．事機可乘，聖智獨照，先休吾士卒，以觀其可用，繼慮彼虛實，以指其必擒．乃命元戎，亟行大戮，而臣受節鉞之制，擧征鼓而行．氣動於軍，威加於敵，江河注壑，寸膠不能以防之，碬石轉峯，虛卵決然其破矣，俘虜踰於半萬，斬獲近於五千，委積散於閭閻，奔走交於道路．山川險阻，城池因得以高深，原野膏腴，田井亦從而耕鑿，在昔人求而未得者．今玆天與而旣取之，上足以謝宗廟在天之靈，下足以雪朝廷積年之恥．且彼周王玁狁之伐，漢帝凶奴[匈奴]之征，所以拓土開邊，而得爲民去害，比之今日，宜在下風．此豈微臣淺智駑材，能成巨効？實由陛下聖謀神算，坐定遐陬，苟非其然，孰使之矣？伏乞命書史册，垂耀無窮":列傳9尹瓘轉載］．

［癸丑,宴遼使于乾德殿→3月로 옮겨 감］．[150]

［是月，制，"諸州縣公私田，川河漂損，樹木叢生，不得耕種，如有官吏，當其佃戶及諸族類·隣保人，徵斂稅粮，侵害作弊者，內外所司，察訪禁除":食貨1租稅轉載］．

［□[又]判[冊]，"京畿州縣，常貢外，徭役煩重，百姓苦之，日漸逃流．主管所司，下問界首官，其貢役多少，酌定施行．銅·鐵·瓷器·紙·墨雜所，別貢物色，徵求過極，匠

149) 이때의 사정은 다음과 같이 기술되어 있다.

· 지18, 禮6, 軍禮, "[睿宗]三年春，瓘等平女眞，築六城，立碑于公嶮鎭，以爲界".

150) 癸丑은 3월 3일이므로, 3월의 己卯(5일) 앞으로 移動시켜야 한다[校正事由].

人艱苦, 而逃避, 仰所司, 以其各所別常貢物, 多少酌定奏裁": 食貨1貢賦轉載].

[□又制, "近來州縣官, 祗以宮院·朝家田, 令人耕種, 其軍人田, 雖膏腴之壤, 不用心勸稼, 亦不令養戶輸粮. 因此, 軍人飢寒逃散, 自今, 先以軍人田, 各定佃戶, 勸稼輸粮之事, 所司委曲奏裁": 食貨2農桑轉載].

[○以梁元俊爲良醞署史同正: 追加].[151]

三月辛亥朔大盡,丙辰, [某日, 遣內侍·衛尉注簿康英俊, 賜元帥尹瓘·副元帥吳延寵羊酒, 幷賜軍人, 銀鍦鑼一面·銀瓶四十隻: 節要轉載].

[癸丑3日, 穀雨. 宴遼使于乾德殿←2月에서 옮겨 옴].

[乙卯5日, 雨雹: 五行1雨雹轉載].[152]

[某日, 中書舍人·兵馬副使朴景綽, 以疾留定州, 寄瓘書曰, "武功已振, 宜戢師旅, 以圖萬全. 而更深入狄境, 列置城地, 今雖易成, 後恐難守". 瓘不能用. 瓘等命諸軍, 撤內城材瓦, 以築九城. 中軍兵馬使金漢忠, 執不可曰, "如外城未畢, 而卒有緩急, 內無完城, 民將何保? 元帥雖有命, 吾不敢從". 後, 竟如其言: 節要轉載].

[→睿宗朝, 朴景綽, 授中書舍人, 以兵馬副使, 從尹瓘征女眞, 墜馬傷脛. 留定州, 聞瓘將築九城, 寄書曰, "武功已成, 國威已振, 宜戢師旅, 以圖萬全. 更深入賊地, 列置城池, 今雖已成, 後恐難守". 瓘不能用, 卒如其言: 列傳8朴景仁轉載].

[→金漢忠, 又爲行營兵馬使, 瓘等命諸軍, 撤內城材瓦, 以築九城, 徙南界民實之. 漢忠執不可曰, "如外城未畢而卒有緩急, 內無完城, 民將何保? 元帥雖有命, 吾不敢從". 後果如其言: 列傳8金漢忠轉載].

[□□是月], 元帥尹瓘又築宜州·通泰·平戎三城, [與咸·英·雄·吉·福州·公嶮鎭爲北界九城, 皆: 節要轉載]徙南界民, 以實新築九城.[153]

---

151) 이는 「梁元俊墓誌銘」에 의거하였는데, 그가 父의 外高祖인 三韓功臣 崔英休의 門蔭으로 이 관직에 임명되었다고 한다. 그렇다면 그의 임명은 是月 10일(辛卯)에 내려진 三韓前後功臣의 子孫에게 官職을 附與하라고 한 조치의 결과일 것이다.

152) 이때 일본의 京都에서는 明日(6일, 丙辰), 7일(丁巳)에 비가 내렸던 것 같다.

- 『中右記』, 天仁 1년 3월, "六日, 天陰雨下, 終日無晴".
- 『殿暦』, 天仁 1년 3월, "七日丁巳, 天陰雨降".

153) 九城과 관련된 자료로 다음이 있다.

- 지12, 지리3, 宜州, "睿宗三年, 築城".
- 지12, 지리3, 咸州大都督府, "睿宗三年, 置州, 爲大都督府, 號鎭東軍. 築大城, 徙南界丁戶一千九百四十八, 以實之".

[→瓘又使林彦, 記其事, 書于英州廳壁曰, "孟子曰, 弱固不可以敵强, 小固不可以敵大.[154] 吾諷斯言久矣. 而今信之矣. 女眞 之於國家, 强弱衆寡, 其勢懸殊, 而窺覦邊鄙, 於肅宗十年, 乘隙構亂, 多殺我士民, 其繫縲爲奴隷者, 亦多矣. 肅宗赫然整旅, 將欲仗大義以討之, 惜乎厥功未集, 永遺弓劒. 今上嗣位, 亮陰三載, 甫畢祥禫, 謂左右曰, 女眞, 本勾高麗高句麗之部落, 聚居于盖馬山東, 世脩貢職, 被我祖宗恩澤深矣, 一日背畔無道, 先考深憤焉. 嘗聞古人之稱大孝者, 善繼其志耳. 朕今幸終達制, 肇覽國事, 盍擧義旗, 伐無道, 一洒先君之恥? 乃命守司徒·中書侍郎平章事尹瓘, 爲行營大元帥, 知樞密院事·翰林學士承旨吳延寵, 爲副元帥, 率精兵三十萬, 俾專征討. 尹公, 事業傑然, 嘗慕庾信氏之爲人曰, 庾信, 六月冰河, 以渡三軍, 此無他, 至誠而已. 予亦何人哉? 其至誠所感, 靈異之跡, 屢聞焉. 吳公, 時之重望, 天性愼謹, 臨事必三思, 其良圖大策, 施無不中. 兩公嘗有志於此, 聞命憤激, 擁兵東下. 出師之日, 躬擐甲胄, 未及誓衆, 洒淚交頤, 莫不用命. 暨入賊境, 三軍奮呼, 一以當百, 摧枯破竹, 何足喩其易哉? 斬首六千餘級, 載其弓矢, 來降於陣前者, 五十千餘口, 其望塵喪魄, 奔走竄北, 不可勝數. 嗚呼, 女眞 之頑愚, 不量其强弱衆寡之勢, 而自取於滅亡如是. 其地方三百里, 東至于大海, 西北介于盖馬山, 南接于長·定二州, 山川之秀麗, 土地之膏腴, 可以居吾民. 而本勾高麗高句麗之所有也, 其古碑遺跡,[155] 尙有存焉, 夫勾高麗高句麗失之於前, 今上得之於後, 豈非天歟? 於

· 지12, 지리3, 英州, "睿宗三年, 置州, 爲防禦使, 號安嶺軍".
· 지12, 지리3, 雄州, "睿宗三年, 置州, 爲防禦使, 號寧海軍".
· 지12, 지리3, 吉州, "睿宗三年, 置州, 爲防禦使".
·『신증동국여지승람』 권50, 吉城縣[吉州], 건치연혁, "麗睿宗二年, 遣尹瓘·吳延寵率兵十七萬逐女眞, 畫定地界, 東至火串嶺, 北至弓漢嶺, 西至蒙羅骨嶺, 以爲我彊. 於弓漢村築六百七十間, 號吉州. 三年置防禦使, 六年築中城, 尋以地還女眞 ".
· 지12, 지리3, 福州, "久爲女眞所據, 號吳林金村. 睿宗三年, 置州, 爲防禦使".
·『신증동국여지승람』 권49, 端川郡, 건치연혁, "本吳林金村, 久爲女眞 所據. 高麗睿宗二年, 尹瓘逐女眞 築城, 置福州防禦使. 四年, 撤城, 以其地還女眞 ".
· 지12, 지리3, 公嶮鎭, "睿宗三年, 築城置鎭, 爲防禦使".
· 지12, 지리3, 通泰鎭, "睿宗三年, 築城置鎭".
· 지12, 지리3, 平戎鎭, "睿宗三年, 築城置之鎭". 여기에서 之는 鎭을 지칭할 것이다.
· 열전9, 尹瓘, "瓘, 獻俘三百四十六口, 馬九十六匹, 牛三百餘頭, 城宜州·通泰·平戎二鎭三鎭與咸·英·雄·吉·福州·公嶮鎭, 爲北界九城, 皆徙南界民, 以實之".

154) 이 구절은 다음의 자료를 인용한 것이다.
·『孟子』, 梁惠王章句上, "… 然則小固不可以敵大, 寡固不可以敵衆, 弱固不可以敵彊".

155) 이 古碑는 고구려의 비석이 아니라 新羅 眞興王의 黃草嶺碑, 摩雲嶺碑를 일 것이다(李丙燾

是, 新置六城, 一曰鎭東軍咸州大都督府, 兵民一千九百四十八丁戶. 二曰安嶺軍英州防禦使, 兵民一千二百三十八丁戶. 三曰寧海軍雄州防禦使, 兵民一千四百三十六丁戶. 四曰吉州防禦使, 兵民六百八十丁戶. 五曰福州防禦使, 兵民六百三十二丁戶.[156] 六曰公嶮鎭防禦使, 兵民五百三十二丁戶. 選其顯達而有賢材能堪其任者, 鎭撫之. 詩·□書所謂, '于蕃于宣, 以蕃王室者也'.[157] 有以見晏然高枕, 無東顧之憂矣. 元帥告予曰, 昔唐相裴晋公, 出征淮西, 及其平, 幕客韓愈, 爲之碑, 以廣其事, 故後之人, 知憲宗英偉絶人之德, 而歌頌之. 子幸從事于此, 詳其本末, 曷不作記, 使吾聖朝無前之偉績, 垂于無窮乎? 彦承命, 援筆誌之":列傳9尹瓘轉載].

己卯29日, 女眞來, 屯英州城外, 官軍出戰敗之. 斬馘二十級, 獲兵仗及馬八匹.

庚辰30日, 元帥尹瓘獻俘三百四十六口·馬九十六匹·牛三百餘頭.

[是月頃, 遣使如遼, 告奏逐東女眞, 築九城事. 奏表回詔云, "卿藩衛皇家, 鎭撫海表, 專征守職, 盪寇有勞, 因乘勝以納降, 遂開疆而置壘. 載惟施設, 允協便宜. 爰遣使人, 遠馳捷奏, 永言歸美, 良用慰懷":追加].[158]

1961년 382面)

156) 632丁戶는 『동인지문사륙』 권10, 伐女眞取其之地, 築設城池, 實入丁戶訖獻功表에는 680丁戶로 되어 있다.

157) 이 구절은 다음의 자료를 組合한 文章이므로, "詩·書所謂, 于蕃于宣, 以蕃王室者也"로 고쳐야 옳게 될 것이다(石川忠久 2000年 252面).
- 『詩經』, 大雅, 蕩之什, 崧高, "崧高維嶽, 駿極于天. 維嶽降神, 維周之翰. 四國于蕃, 四方于宣". 이는 "蕃于四國, 宣于四方"의 의미이다.
- 『書經』, 周書, 微子之命(僞古文), "… 欽哉, 往敷乃訓, 愼乃服命, 率由典常, 以蕃王室".

158) 이는 다음의 자료에 의거하였는데, 公險鎭의 位置는 17세기 전반에도 정확히 알지 못했던 것 같다.
- 『세종실록』 권155, 지리지, 咸吉道, "睿宗二年丁亥[宋徽宗大觀元年], 以中書侍郎平章事尹瓘爲元帥, 知樞密院事吳延寵副之, 率兵十七萬, 擊逐東女眞, 自咸州至公險鎭, 築九城, 立界至碑石于公險鎭先春嶺, 遣使告奏于遼, 天祚帝回詔曰, 卿藩衛皇家, 鎭撫海表, 專征守職, 盪寇有勞, 因乘勝以納降, 遂開疆而置壘. 載惟施設, 允協便宜. 爰遣使人, 遠馳捷奏, 永言歸美, 良用慰懷".
- 『柳川遺稿』, 七言律詩, 李說書植, 作北評事告行, 贈送, [注, 今世所傳先春嶺, 與林彦壁記有異, 每以爲疑, 故末句及之].
- 『柳川遺稿』, 雜著, 書英州壁上記後, "謹按, 鐵嶺以北, 沃沮之地, 後屬於高句麗, 亦不知界限在何處也. 新羅統合三國時, 失其地, 高句麗以定平都鱗浦爲界, 石城奮基, 今猶存焉. 按麗史, 睿宗朝尹瓘·吳延寵, 承命出征, 拓地開疆, 新築六城曰咸州·英州·雄州·吉州·福州幷公嶮鎭爲六城. 而公險鎭, 乃在先春嶺下云, 勝覽曰, 先春嶺, 乃在豆滿江北七百里, 尹瓘拓地至此, 立碑於嶺上云. 然山川形勢道里遠近, 亘萬古而不變, 以當時鈐轄林彦所作英州壁上記及尹瓘本傳考之, 多不驗. 彦記, 其地南抵于長·定二州, 東際于大海, 西北合于蓋馬山, 地方三百里. 本傳曰, 獻夏四月[辛巳朔小盡,丁巳], 壬午[2日], 以[元帥]尹瓘爲[推忠佐理平戎拓地鎭國功臣:節要轉載]·門下侍中·判尙書吏部事·知軍國重事, [副元帥]吳延寵爲[協謀同德致遠功臣:節要轉載]·尙書左僕射·參知政事. 遣內侍·郎中韓皦如, 賫詔書·告身及紫繡鞍具·廐馬二匹. 至雄州, 分賜之.

癸未[3日], 禱雨于諸神廟及山川.

丙戌[6日], 謁英陵[肅宗].

戊子[8日], 女眞設柵, 圍雄州城.[159)]

[→四月, 兩元帥承召赴闕, 公[兵馬都巡檢使崔弘正]與承宣[·兵馬別監]林彦, 留邊制禦, 其月八日曉, 狄兵一万, 以水陸路來, 功雄州, 及暮少退, 自也豆浦, 至此城北門外洞, 戶築場十六, 備兵仗器械, 日日圍攻. 有一保勝軍金甫, 在南小門外, 晝夜固守, 二十餘日. 忽一日因賊所殺, 其體弃於河隍, 公[兵馬都巡檢使崔弘正]見而痛之, 收入戍中, 以屯田穀米, 備錢酒食, 祭之, 燒骨拾之, 仍充攝郎將, 給牒, 私贈白銀盂子一口重八

議者以爲伊位界上有甁項, 胡人從此納兵, 若塞其項, 永絶胡患云. 定州卽今之定平, 而長州在定平府南五十五里, 勝覽所載長谷廢縣, 卽其地也. 所謂蓋馬山, 雖不知在何處, 而亦在三百里之內, 則不外乎北靑·利城之界. 勝覽曰, 咸州卽今咸興, 福州卽今端川, 雄州·英州, 今不知其處, 皆在吉州境內云. 咸興距定平五十餘里, 猶爲附近之地, 端川距咸興, 雖健馬疾驅, 非窮三四日之力, 不能達, 何其遠也. 吉州距端川二日程, 而今云雄州·英州皆在其境則又何近也. 吉州至豆滿江, 幾五百餘里, 過江行七百里, 始至先春嶺, 則其間相距不下千數百里. 兩陣之間, 遼遠如此, 聲援豈能相及哉. 本傳曰, 分遣諸將, 畫定地界, 東至大串嶺, 北至漢伊嶺, 西至蒙羅骨嶺云. 又曰, 弓漢伊村, 築六百七十間, 號吉州云. 以雄邑次第觀之, 吉州似在福州之內, 以定界形止言之, 吉州乃在福州之外, 而其地界僅止於此, 然則公嶮鎭豈能遠在豆滿江之外乎. 且古茂山以北, 地勢散漫, 本無如甁項形勢, 而自定平至胡界, 幾千餘里. 又當云三百里, 其形勢其遠近, 節節不合. 或者尹瓘設六城, 未數年旋失之, 又數百年至我太祖, 始恢復焉. 邑居山名, 多失其眞, 訛以傳訛, 因成信史, 後之人執其說而不究其實, 遂眞以爲跨江千里之地, 皆爲尹瓘之境界歟. 今以三百里甁項形勢推之, 先春嶺遠不過磨天·磨雲兩嶺之間, 而磨雲嶺上, 奮有石樞, 尹瓘之後, 終高麗之世, 未聞有經理此地者. 恐此爲尹瓘開防境界, 而世未有辨之者, 殊可恨也. 吾伯氏參議公[韓百謙]曾遷北路, 參以地勢, 其說甚詳悉. 余[韓浚謙]今忝按本道, 巡歷之餘, 益驗其言有據, 遂以其說, 附諸林鈐轄壁上記之下, 以俟後來博雅之君子云".

· 『研經齋全集』 권15, 公險鎭辨, "公險鎭, 或云在豆滿江內, 或云在豆滿江外, 林彦英州廳壁記, 亦不言所在. …".

159) 이 시기에 李坦之의 父 延厚가 裨將을 參戰하여 雄州城에서 孤立無援으로 守城하고 있었다고 한다.

· 「李坦之墓誌銘」, "… 越著雍困敦歲[戊午睿宗3年], 適有北狄來侵境土, 君考延厚, 以裨將, 轉戰却敵, 入據雄州城孤援絶, 爲的所圍, 歷二歲[~~二月~~]未降, 道路隔無, 一介使來往其間者, 公[李坦之]在京聞父被圍, 贏粮涉道抵定州鎭, 見同包長[~~同胞長~~], 迫問父之安否, …". 여기에서 添字와 같이 고쳐야 좋을 것이다[讀].

兩爲賻贈, 遣人齎送京師, 軍民聞之, 無不涕泣, 感檄勵志. 自四月, 至五月, 計五十餘日, 賊兵來攻, 而卒□[未]克, 引兵而退, 勢之危急, 莫甚於此:追加].[160)]

己丑[9日], 尹瓘·吳延寵凱還. 王命具鼓吹軍衛, 以迎之. 遣帶方侯俌·齊安侯偦, 勞宴於東郊. 瓘·延寵詣景靈殿復命, 還納鈇鉞, 王御文德殿, 引瓘·延寵及諸宰樞上殿, 親問邊事, 入夜乃罷.[161)]

辛卯[11日], 謁昌陵[世祖]. 賦詩, □[圦]寓平女眞之意, 宣示扈從儒臣, 令和進.[162)]

己亥[19日], [芒種]. 親禘于大廟[太廟], 肆赦. 詔曰, "國內名山·大川神祇[神祇]加號, 諸犯公流私徒以下, 皆原之.

□一. 斬·絞二罪, 除刑流配, 諸歸配者量移乃至敍用.[163)]

□一. 禘禮都監禮司享官·册文述寫陵直侍衛員吏, 加同正職.

□一. 祭器·禮服·儀仗造成·大廟[太廟]脩營差使·扈從·諸道外官持表進賀及向者親謁昌·顯·英陵, 肅宗祔廟時, 執事享官員吏加階·鄕職.

□一. 掌固, 出役三四年者, 內侍給使一二人, 諸王府丘史二人, 牽龍一人, 許初職.

□一. 大廟[太廟]·十陵侍衛給使等放良, 其餘軍人雜類, 賜物有差.

[□一. 太廟·十陵諸孫, 無官者, 許初職:選擧3祖宗苗裔轉載].

[□一. 配享功臣, 各加追封:選擧3封贈轉載].

[□一. 配享功臣內外孫, 無官者, 許初職":選擧3功臣子孫轉載].

[辛丑[21日], 月入羽林:天文1轉載].

癸卯[23日], 遣兵馬副元帥吳延寵, 授鈇鉞, 往救雄州.[164)]

己酉[29日晦], 以女眞入寇, 分命[分遣]近臣, 納油香·弓劒于京內寺院, 以禱之.[165)]

[○太史奏, "自三月以來, 歲星入行羽林內, 熒惑·鎭星, 越舍, 乍在南行陽道":天文1轉載].

---

160) 이는 「崔弘宰墓誌銘」에 의거하였다.

161) 이때의 사정은 다음과 같이 기술되어 있다.

· 지18, 禮6, 軍禮, "己丑, 瓘·延寵凱還, 命具鼓吹軍衛, 迎之. 遣帶方侯俌·齊安侯偦, 勞宴於東郊. 瓘等詣景靈殿, 復命, 還鈇鉞, 王御文德殿, 引瓘·延寵上殿, 問邊事. 未幾, 女眞侵犯六城之地".

162) ~~添字~~는 『고려사절요』 권7에 의거하였다.

163) 여기에서 歸配者는 歸鄕刑과 流配刑을 받은 者로 이해되고 있다(申虎雄 1995년 367面).

164) 이와 관련된 자료로 다음이 있다.

·『보한집』 권상, "睿王乾統七年丁亥, … 明年, 虜圍新城, 吳□□[延寵]率衆往救".

165) 分命은 分遣의 오자일 것이다.

[某日, 加王俦檢校太保:追加].[166]

五月[庚戌朔大盡,戊午], 辛亥[2日], 講藥師經於文德殿, 以禳賊兵.

癸丑[4日], [行營兵馬副元帥]吳延寵至雄州, 擊女眞, 破走之.

[→女眞攻雄州城, 凡二十七日, 兵馬鈐轄林彥·都巡檢使崔弘正等率諸將, 分兵固守, 與戰日久, 人馬困乏, 將潰. 吳延寵使[吏部尙書·兵馬使]文冠·[左軍判官]金晙·[行營兵馬判官]王字之等, 領精銳一萬, 分爲四道, 水陸俱進, 至烏音志·沙烏二嶺下. 女眞, 先陣嶺頭, 我兵爭登, 急擊, 斬一百九十一級. 賊奔北, 復欲結陣於平壤[~~拒戰~~],[167] 官軍乘勝力戰, 賊大敗. 遂燒柵而去, 斬二百九十一級. 延寵入城, 以城中將士, 不待援兵, 輒出交戰, 多被殺傷, 罰之有差:節要轉載].

[丁巳[8日], 以崔弘正爲尙書刑部郎中:追加].[168]

辛酉[12日], 王率宰樞·近侍·文武三品以上, 醮昊天□□[~~士帝~~]·五方□[士]帝于會慶殿.[169]

[某日, [同知樞密院事·]禮部尙書李瑋知貢擧, 國子祭酒李載同知貢擧, 取進士:選擧1選場轉載].[170]

六月庚辰□[~~朔~~小盡,己未], 如奉恩寺.[171]

辛巳[2日], 御乾德殿, 覆試進士.

丙戌[7日], 賜盧顯庸等及第, 仍命侍坐宰樞·臺省·侍臣·知制誥, 各製親試貢士詩以進.[172]

---

166) 이는 「王俦廟誌銘」에 의거하였다.

167) 열전9, 吳延寵에는 於平壤이 拒戰으로 달리 표기되었는데, 후자로 고쳐야 옳게 된다. 이는 轉寫 또는 組版過程에서 오류가 생긴 것이다.

168) 이는 「崔弘宰墓誌銘」에 의거하였다.

169) 이 기사는 지18, 禮5, 雜祀에도 수록되어 있으나 宰樞가 탈락되었다. 또 添字가 추가되어야 옳게 될 것이다(→숙종 7년 5월 19일의 脚注).

170) 이는 지27, 선거1, 科目1, 選場에서 전재하였다.

171) 庚辰에 朔이 탈락되었다.

172) 이와 관련된 기사로 다음이 있다.

· 지27, 선거1, 科目1, 選場, "[~~睿宗~~]三年五月, [同知樞密院事·]禮部尙書李瑋知貢擧, 國子祭酒李載同知貢擧, 取進士, □□□□[~~六月辛巳~~], 覆試, □□[~~丙戌~~], 賜盧顯庸等三十四人·明經三人·恩賜三人及第". 이때 衛尉主簿 柳仁著가 급제하였다고 되어 있지만(열전10, 柳仁著, "仁著, 蔭補衛尉注簿, 中睿宗[宣宗]三年第"), 오류일 것이다. 이는 柳仁著가 1106년(예종1) 5월 9일 承宣 許慶과 함께 侍臣으로, 같은 해 11월 某日 左承宣으로 在職하고 있었음을 통해 알 수 있다. 추측컨대 그

壬辰[13日]，幸普濟寺行香，祈却北寇.

甲午[15日]，王受菩薩戒于乾德殿.

戊戌[19日]，禱雨于諸神廟·山川.

庚子[21日]，[立秋]. 雨.[173)]

[某日，以良醞署史同正梁元俊爲左右衛史:追加].[174)]

秋七月[己酉朔小盡,庚申]，乙卯[7日]，幸神衆院.

○命行營兵馬元帥·門下侍中尹瓘，復征女眞.

辛酉[13日]，置土山等四十一縣監務.[175)]

[→諸小縣，置監務:百官2外職轉載].

癸亥[15日]，以尙書高令臣爲西北面兵馬使，尙書崔衍爲東北面兵馬使，[高晋明[高進明]爲東南海都部署使:慶尙道營主題名記].[176)]

戊辰[20日]，以徐甫爲左右衛上將軍·尙書右僕射，[龍虎軍上將軍·刑部尙書]高義和爲兵部尙書，金麗珍△[爲]攝戶部尙書，朴伸△[爲]攝工部尙書.

癸酉[25日]，行營兵馬判官·[監察]御史申顯等，以舟師，擊賊□[船]于寧仁鎭，斬二十級.[177)]

乙亥[27日]，遣刑部尙書金商祐·禮部侍郎韓皦如等如宋，獻方物.

는 1086년(선종3) 5월 衛尉主簿(종7품)에 재직하면서 朴景伯·李公壽 등과 함께 급제하였던 것 같다. 또 그가 是年에 급제하였다면 1113년(예종8) 5월 22일 參知政事로서 逝去한 점, 그의 여동생이 肅宗妃인 점 등과 事實의 前後가 首尾相應하지 못할 것이다[校正事由].

173) 이때 일본에서는 6월 14일(癸巳)과 26일(乙巳)에 京都와 그 북쪽의 히에잔[比叡山]에서 落雷와 降雹이 있었다고 한다(中央氣象臺 1941年 2册 422面).

·『中右記』, 天仁 1년 6월, "十四日, 午後, 天陰雷鳴, 後聞, 比叡山上雨氷, 又雷大鳴落山上所々, 衆徒成恐云々, 但京都雷雨, 不可及驚程也. … 廿六日, 今日, 比叡山上雨氷云々".

·『殿曆』, 天仁 1년 6월, "十四日癸巳, 天晴, … 申剋許, 雷電甚盛, 而悤參內, 酉剋許, 聲止, …".

174) 이는 「梁元俊墓誌銘」에 의거하였다.

175) 이때 監務官으로 승격한 屬縣 41處의 地名은 구체적으로 알 수 없지만, 地理志에 '後置監務'로 표기된 곳이 47處, 50處로 헤아려진다고 한다(金東洙 1989년 ; 尹京鎭 2000년 ; 鄭枖根 2019년).

176) 高晋明은 高進明의 오자로 추측되는데, 後者는 1118년(예종13) 9월 18일(丁酉) 全羅道按察使였다.

177) ~~添字~~는 『고려사절요』 권7에 의거하였다. 이날 일본의 京都에서는 오전 9시 이전에 비가 크게 내렸다고 한다.

·『中右記』, 天仁 1년 7월, "廿五日癸酉, 天陰大雨, 巳時以後, 天頗晴" ; 『殿曆』, 天仁 1년 7월, "廿五日癸酉, 天陰, 雨甚降".

丙子[28日], 遣使東界, 設文豆婁道場於鎭靜寺, 設四天王道場於毗沙門寺, 以禳邊寇.
[某日, 親釋奠于文廟:追加].[178)]

八月[戊寅朔大盡,辛酉], 己卯[2日], 御重光殿南廊, 與宰樞, 議決重刑.
乙酉[8日], 命有司, 制定登州長吏服色等差, 從行營兵馬使之請也.
[丙戌[9日], 秋分. 命有司, 祀老人星于南壇:禮5雜祀轉載].
丁亥[10日], [行營兵馬副元帥]吳延寵還. 王引見于文德殿, 親問邊事, 賜宴以勞之.
戊子[11日], 講藥師經於文德殿, 以禳邊寇.
○□□[行營]兵馬判官王字之·拓俊京與女眞, 戰于咸·英二州, 斬三十三級.[179)]
庚寅[13日], 分遣九道點軍使, 以選壯士.[180)]
○行營兵馬元帥尹瓘獻馘三十一級.
癸巳[16日], 兵馬判官庾翼·將軍宋忠·神騎軍朴懷節等與女眞, 戰于吉州, 死之, 贈翼兵部侍郞·知御史臺事, 忠上將軍·兵部尙書.
戊戌[21日], 西女眞酋長奴好等二十五人來朝.
癸卯[26日], 三司奏, "涓江渡女, 一産三男, 據舊例, 賜穀四十石". 命加賜五十石.[181)]

九月戊申朔[小盡,壬戌], 賜尹瓘爵鈴平縣開國伯·[食邑二千五百戶·食實封三百戶:節要·列傳9尹瓘轉載], 加吳延寵, 攘寇鎭國功臣號[·守司徒·延英殿大學士:列傳9吳

178) 이는 『익재난고』 권9상, 忠憲王世家, "[睿宗]三年七月, 親釋奠于文廟"에 의거하였다. 釋奠은 2월 初丁[春丁], 8월 初丁[秋丁]에 실시되는데 비해, 이때 7월에 특별히 親行된 것은 女眞征伐과 관련되었고, 8월 初丁(上丁, 丁亥)은 行營兵馬副元帥 吳延寵의 歸還, 復命이 예정되어 있었던 것 같다.
· 『禮記』, 王制第5, "天子將出征, 類乎上帝, 宜乎社, 造乎禰, 禡於所征之地. 受命於祖, 受成於學. 出征, 執有罪, 反, 釋奠于學, 以訊馘告".
· 『대당육전』 권4, 尙書禮部, 祠部郞中·員外郞, "凡春秋二分之月上丁, 釋奠於先聖孔宣父[孔子], 以先師顏回配, 七十二弟子及先儒二十二賢從祀焉[注, 舊令, 唯祀十哲及二十二賢, 開元八年勅, 列曾參於十哲之次, 幷七十二子, 並許從祀. 其名歷已具於祠部".
· 『자치통감』 권195, 唐紀11, 太宗貞觀 14년(640) 2월, "丁丑, 上幸國子監, 觀釋奠[胡三省注, 唐制, 仲春·仲秋釋奠于文宣王, 皆以上丁·上戊, 以祭酒·司業·博士三獻], …".
· 『近光集』 권1, 庚辰[後至元6年]八月六日丁亥, 釋奠孔子廟三十韻.
179) 添字는 『고려사절요』 권7에 의거하였다.
180) 이 기사는 지35, 兵1, 五軍에도 수록되어 있으나 冒頭에 '[睿宗]三年八月'이 탈락되었다.
181) 이 기사의 一部는 지7, 오행1, 水, 人痾에도 수록되어 있다.

延寵轉載].

辛亥[4日], 閱射于長岭殿[長齡殿], 中的者, 賜馬及彩叚[綵段].[182)]

[丙辰[9日], 霜降. 雷大震:五行1雷震轉載].

癸亥[16日], 行營兵馬判官王字之·拓俊京擊女眞于沙至嶺, 斬二十七級, 擒三人.

甲戌[27日], 幸南京.

○王太后率諸王·公主, 出次興王寺大施院.

冬十月[丁丑朔大盡,癸亥], [戊寅[2日], 月犯羽林:天文1轉載].

庚辰[4日], 遣李德羽如遼, 賀天興節.

○以肅考忌辰, 設講經法會於內殿.[183)]

壬午[6日], 幸僧伽窟.

[乙酉[9日], 月入羽林:天文1轉載].

己丑[13日], 讀般若經于延興殿.

庚寅[14日], 幸梓林寺.

辛卯[15日], 幸仁壽寺.

十一月[丁未朔小盡,甲子], 庚戌[4日], 遣黃元道如遼, 謝落起復.[184)]

壬子[6日], 王還次峯城縣, 置酒, 與侍從宰輔議邊事. 語及[兵馬判官]庾翼等戰死, 泣下霑襟, 群臣稱壽陳慰.

癸丑[7日], 遣崔贊如遼, 謝賀生辰.

乙卯[9日], 駐蹕藥師院南路, 頒德音, 至晡還京都.

---

182) 長岭殿은 長齡殿의 오자일 것이다.『고려사절요』권7에는 옳게 되어 있다.

183) 肅宗의 忌日은 10월 2일이다.

184) 黃元道는 12월 9일(己卯) 契丹에서 落起復을 謝禮하였던 것 같다. 이중에서 b의 11월은 12월의 잘못이고(表를 製作할 때 잘못된 間에 記入함), c의 王顒(肅宗)은 1097년(壽昌3) 12월 13일 契丹의 사신으로부터 高麗王으로 책봉되었고, 王俁(睿宗)는 1100년(壽昌6, 숙종5) 10월 19일 三韓國公으로 册封되었기 때문에 오류일 것이다(→肅宗 2년 12월 13일, 5년 10월 19일).

· a『요사』권27, 본기25, 天祚皇帝1, 乾統 8년 12월, "己卯, 高麗遣使來貢".

· b『요사』권70, 표8, 屬國表, 乾統 8년 11월[12월], "高麗遣使來謝".

· c『요사』권27, 본기25, 天祚皇帝1, 乾統 8년, "夏四月丙申, 封高麗王俁爲三韓國公, 贈其父顒爲高麗國王".

丙辰[10日], 幸佛恩寺, 還謁太后于大施院.

戊午[12日], 遣徐祐如遼, 獻方物.

庚申[14日], 設八關會, 幸法王寺.

十二月[丙子朔大盡,乙丑], 丁丑[2日], 慮囚.

戊子[13日], 遼遣橫宣使·檢校司徒耶律寧來.

辛卯[16日], 宴遼使于乾德殿.

[癸卯[28日], 以崔弘正爲樞密院右副承宣·刑部郎中, 仍命爲東北面行營知都兵馬事:追加].[185)]

[是年, 以開城府屬縣貞州, 爲昇天府, 置知府事:地理1開城府].

[○判[㳹], "有夫女淫, 錄恣女案, □[坄]針工定屬":刑法1戶婚轉載].[186)]

[○以安稷崇爲式目都監錄事:追加].[187)]

[○以[龜山寺三重大師]學一爲禪師:追加].[188)]

[○以[開頓寺住持·大師]坦然爲重大師:追加].[189)]

[○僧觀奧受具足戒於佛日寺戒壇:追加].[190)]

[仁同人 張東翼 校注, 增補].

---

185) 이는 「崔弘宰墓誌銘」에 의거하였다.

186) 㳹字가 추가되어야 옳게 될 것이고, 恣女案은 遊女籍으로도 불리며 行實의 前後를 기록한 帳簿인 것 같다(→고종 30년 12월 某日, 申虎雄 1995년 85面).

·『세조실록』 권43, 13년 8월 戊戌[5日], "大司憲梁誠之等上疏曰, … 臣等謹稽恣女案, 漑, 母王氏, 初嫁趙杞生, 再嫁張哲, 然後又嫁金定卿, 漑乃定卿之子也".

187) 이는 「安稷崇墓誌銘」에 의거하였다.

188) 이는 「淸道雲門寺圓應國師塔碑」에 의거하였다.

189) 이는 「山淸斷俗寺大鑑國師塔碑」에 의거하였다.

190) 이는 「修理寺住持·首座觀奧墓誌銘」에 의거하였다(金龍善 2006년 165面).

『高麗史』 卷十三 世家卷十三

[輔國崇祿大夫·議政府左贊成·知集賢殿經筵春秋館成均事·世子賓客·臣金宗瑞奉敎撰]
正憲大夫·工曹判書·集賢殿大提學·知經筵春秋館事兼成均大司成·臣鄭麟趾奉敎修

睿宗 二

己丑[睿宗]四年, 契丹乾統九年, [宋大觀三年], [西曆1109年]

1109년 2월 2일(Gre2월 9일)에서 1110년 1월 21일(Gre1월 28일)까지, 354일

春正月丙午朔大盡,丙寅, 放朝賀.

戊申3日, 遼遣大永信來, 賀生辰.

己酉4日, 東界行營兵馬錄事王思謹·河景澤等, 與女眞戰于咸州, 死之.

庚戌5日, 宴遼使于乹德殿.

丙辰11日, 幸神衆院.

戊午13日, [雨水]. 御長齡殿, 引見平虜關外蕃長等五十人, 賜酒食·例物禮物.[1)]

[某日, 以西京驛路, 百姓飢饉, 發倉賑之:節要·食貨3水旱疫癘賑貸之制轉載].

丁卯22日, 冊封弟帶方侯俌, 曲宴諸王·宰樞·侍從, 達曙而罷. 御史大夫崔繼芳酒酣起舞, 時人非之.

[某日, 以朴申現爲東南海都部署使:慶尙道營主題名記].

二月丙子朔小盡,丁卯, 庚辰5日, 御乾德殿南門外, 閱將軍金賢·林佐等軍, 賜酒及銀甁.

辛巳6日, 冊封弟大原侯偦, 曲宴諸王·宰樞·侍從, 達曙乃罷.

[→上降詔勅太原侯偦曰, "汝肅考之愛子, 而朕之寵弟也, 肆頒爵. 命以□寵靈. 遣使爲三重大匡·開府儀同三司·檢校太師·守大尉·門下侍郞同中書門下平章事·判

1) 여기에서 例物은 『고려사절요』 권7에는 禮物로 되어 있는데, 어느 글자를 사용해도 뜻풀이[讀]에는 문제가 없을 것이다.

尙書戶·兵部·監修國史·上柱國崔弘嗣, 副使·守司空·尙書右僕射崔挺, 持節備禮册命, 爲奉義同德功臣·開府儀同三司·檢校太保·守司徒兼尙書令·上柱國·太原侯·食邑三千戶·食實封三百戶, 幷賜印綬·衣對·匹段·布貨·銀器·鞍馬":追加].[2)]

己丑[14日], 燃燈, 王如奉恩寺.

庚寅[15日], 大會, 宴諸王·宰樞·侍從于重光殿. 酒酣, 命左右舞. [中書侍郎]平章事金景庸等起舞, 承宣林彦佯醉而退曰, "東邊未寧, 可忍舞乎?".

乙未[20日], 親設佛頂道場于文德殿.

○王引見東界進發將軍王維忠, 賜所領將校以上, 酒及銀甁二事.

○追念[神騎軍]朴懷節戰死之功, 賜妻子銀甁二事, 綾羅紗絹十五匹.

戊戌[23日], 右諫議大夫[~~左諫議大夫~~]李載上疏曰, "今軍國多故, 黎庶未安, 上以封兩弟, 數與群臣宴樂, 命御史大夫崔繼芳舞. 又燃燈宴, 日高而罷, 命[中書侍郎]平章事金景庸舞, 其如禮何. 且今東蕃攻戰未休, 屯兵不去. 近詐遣史顯來,[3)] 請和好, 國家信之, 欲遣使告遼, 還其九城, 甚不可也. 請聖鑑裁之".

己亥[24日], 御宣政殿, 引見延州關外蕃長守弗首等七人·淸塞關外蕃長歸夫等十八人·平虜關外蕃長要弗等二十八人, 賜酒食·例物.

辛丑[26日], 御神鳳門外, 閱神騎軍.

○以崔公詡[~~崔公翊~~]爲右僕射, 金緣爲右諫議大夫.

壬寅[27日], 御重光殿, 引見東蕃酋長果下等六十三人, 賜酒食·例物.

癸卯[28日], [淸明]. 遣李汝霖如遼, 奏新築東界九城, 賜班犀帶一腰.[4)]

○錄楊規功, 賜其曾孫神騎直長齊寶銀榼.

甲辰[29日晦], 設百座會於會慶殿. 又令中外, 齋僧三萬.

[是月, 引見新及第盧顯庸等, 賜衣酒:選擧2崇奬轉載].

三月[乙巳朔大盡,戊辰], 戊申[4日], 親醮三淸於賞春亭.

---

2) 이는 「王倖廟誌銘」에 의거하였는데, 이 廟誌의 判讀에서 "翌年己丑三月丙子朔六日辛巳"로 되어 있으나 "翌年己丑二月丙子朔六日辛巳"의 오자일 것이다.

3) 東女眞의 酋長인 史顯은 『보한집』에는 實現으로(→是年 4월 30일의 脚注), 『金史』 권135, 열전73, 外國下, 高麗에는 習顯으로 달리 표기되어 있다.

4) 이때 李汝霖은 東女眞의 征伐을 전달하였던 것 같다(『동문선』 권39, 上大遼皇帝起居表, 告伐東女眞表, 朴昇中 撰).

庚戌[6日], 御重光殿, 閱神騎軍.

辛亥[7日], 行營兵馬錄事長文緯[張文緯]等與女眞, 戰于崇寧鎭, 斬三十八級.[5]

壬子[8日], 御神鳳門, 閱精弩班軍.

癸丑[9日], 東界行營兵馬別監·承宣林彦, 侍郎王字之, □□[工部]員外郎拓俊京等陛辭, 王御重光殿, 賜酒食, 賜彦鞍馬.[6]

乙卯[11日], 行營兵馬判官許載·金義元等與女眞, 戰于吉州關外, 斬三十級, 獲其鐵甲·牛馬.[7]

[→又爲行營兵馬判官, 與金義元等, 擊女眞 于吉州關外, 斬三十級, 獲其介仗·牛馬:列傳11許載轉載].

[→己丑[睿宗4年]三月, 蕃賊來, 攻吉州, 行營知都兵馬事崔弘正率軍士, 出擊, 斬首七十餘級, 收取大牛二十四首, 其餘甲牟兵仗, 不可勝記:追加].[8]

[丙辰[12日], 以崔弘正爲禮賓少卿, 賜紫金魚袋. 是日, 左遷廣州牧副使·兵馬鈐轄兼勸農使:追加].[9]

---

5) 長文緯는 張文緯(張忠義의 父)의 오자일 것이다.『고려사절요』권7에는 옳게 되어 있다. 또 張文緯의 墓誌銘에는 이때의 사실과 차이가 나는 기록이 있다.
 · "出管靜邊分道軍事, 以□[擄]略境人, 例當坐免, 公[張文緯]前此從軍督戰, 斬首六級, 鹵[虜]牛馬四十三頭□, 捕鄉人背者男女十三人. 上以此寬之".

6) ~~添字~~는 다음의 기사에 의거하였다.
 · 열전40, 拓俊京, "[閤門祗候~~拓俊京,~~] 又戰于吉州有功, 事聞, 授工部員外郎, 語在瓘傳".

7) 이때 吉州는 女眞의 根據地와 가장 가까웠기에 戰鬪가 심하였다고 하는데, 이는 다음의 자료에 묘사되어 있다.
 · 「許載墓誌銘」, "拓定九城, □□[許載]以兵馬判官入守吉州. 其時, 九城中唯吉最近虜境, 以故虜攻之日甚, 元師[尹瓘]與僚屬皆奮然, 欲救之, 至于再, 至于三, 遂不剋. 於是, 虜乘勝, 日以勁兵來攻. 其城幾爲虜所敗, 公[許載]獨出奇, 令人一夜督置重城訖, 虜皆膽落, 乃退. 公[許載]嬰城固守凡一百三十餘日矣, 虜遂納款, 請和甚切. 國家開許, 然後反命, 噫, 三軍得完首領, 皆公[許載]力也"(國立中央博物館 所藏).
 · 「金義元墓誌銘」, "時睿廟承先志, 東伐女眞, 以公爲兵馬判官, 公冒矢石, 爲士卒先及, 女眞 圍雄州, 公城守連戰克獲, 數有軍功. 後賊兵日盛, 攻吉州, 元帥[尹瓘]召公, 謂曰, 吉州孤危無援, 非善戰者守之, 將爲賊有, 公其鎭之. 公與知兵馬事李冠珎·兵馬判官許載等入城, 城守. 賊渠帥募遠近狼類, 圍之數重, 連月不解, 公與士卒同甘苦, 日夜堅守, 及元帥救兵敗, 賊乘勝, 一日, 衝棚撞城, 順風縱火, □[而]城壞幾爲陷沒, 公擊殺一人, 遂叱之, 賊衆稍退. 會日暮, 公勵士卒, 築重城二十六間, 及旦, 賊望之, 出於不意, □[驚]嘆服焉, 自是, 無拔城意, 乃請和, 公不許□□, 朝廷以萬民, 故遂許和焉. 其圍守時, 賊每臨風, 號噪, 衆皆失色, 公顔色自若, 益勵士卒, 衆乃安定, 咸服義勇, 夫以孤軍, 乘危城, 群醜百萬, 無拔城意, 至乃叩闕請和, 公之力也".

8) 이는「崔弘宰墓誌銘」에 의거하였다.

9) 이는「崔弘宰墓誌銘」에 의거하였다.

己未[15日], [穀雨]. 幸王輪寺.

辛酉[17日], 東界錄事河濬陛辭, 賜烏犀帶一腰.

[丙寅[22日], 月犯軒轅:天文1轉載].

丁卯[23日], 親醮于闕庭.

辛未[27日], 幸王輪寺.

癸酉[29日], 慮囚.

夏四月[乙亥朔大盡,己巳], 丙子[2日], 幸妙通寺.

戊寅[4日], 東界兵馬副元帥吳延寵陛辭, 王詣景靈殿, 親授鈇鉞.[10)]

己卯[5日], 日色赤, 而無光動搖.

[庚辰[6日], 月入輿鬼:天文1轉載].

[辛巳[7日], 衆星無光:天文1轉載].

甲申[10日], 宰樞及六尙書以上, 各出米二石, 設齋于神衆院, 禱兵捷.

乙酉[11日], 遣同知樞密院事許慶, 祭平壤木覓東明神祠, 又設文豆婁道場于興福·永明·長慶·金剛等寺. 又遣門下侍中尹瓘·樞密院副使柳仁著, 祭昌陵[世祖], 禱兵捷.

[丙戌[12日], 彌勒寺功臣堂屋上, 赤氣衝天, 久而變黃黑, 向東而滅:五行1轉載].

壬辰[18日], 親設齋于奉恩·彌勒兩寺, 禱兵捷.

甲午[20日], 參知政事[·判戶部事:列傳8金元鼎轉載]致仕孫冠卒,[11)] [年八十六, 謚章簡:列傳8金元鼎轉載]. [冠, 性淸純樸古, 以文學名:節要轉載].[12)]

甲辰[30日], [芒種]. 東女眞復遣史顯, 款塞請和.[13)]

○遣近臣, 禱雨于朴淵及諸神廟, 祭瘟神于五部. 仍設般若道場, 以禳疾疫.[14)]

---

10) 이와 같은 기사로 다음이 있다.
 · 지18, 禮6, 軍禮, "戊寅, [吳]延寵陛辭, 王詣景靈殿, 親授鈇鉞, 遣之".

11) 이날은 율리우스曆으로 1109년 5월 21일(그레고리曆 5월 28일)에 해당한다.

12) 孫冠에 대한 다음의 자료가 있으나 ~~添字~~와 같이 고쳐야 할 것이다.
 ·『雲海遺稿』 권2, 安峽客舍次韻[注, 麗朝有孫寬[孫冠], 鄕人也, 以文學名].

13) 이와 관련된 자료로 다음이 있는데, 實現은 史顯의 다른 표기이다.
 ·『보한집』 권상, "睿王乾統七年丁亥, … 酋長實現等獻黃金良馬, 詣闕陳款".

14) 이해에 宋의 江東地域(揚子江의 下流地域)에서도 疫疾[염병, 장티푸스]이 있었던 것 같다. 한편 일본의 京都에서는 이달에 痘瘡(天然痘, 烈性傳染病의 一種, small pox)이 유행하였다고 한다(『殿曆』, 天仁 2년 4월 10일, 日本語로 기록된 原文은 생략한다).
 ·『송사』 권62, 지15, 오행1下, 水下, "大觀三年, 江東疫".

五月乙巳朔小盡,庚午, [某日, 王以拓俊京, 屢有戰功, 召見其父·檢校大將軍謂恭于內殿, 從容問勞, 賜酒食及銀一錠·粳米一十碩:節要轉載].[15)]

[某日, 制曰, "京內人民, 罹于疫厲, 死者多, 宜置救濟都監, 療之. 且收瘞屍骨, 勿令暴露":節要·食貨3水旱疫癘賑貸之制轉載].[16)]

[戊申4日, 月犯軒轅:天文1轉載].

[己酉5日, 流星出貫索, 入亢, 大如盃:天文1轉載].

庚戌6日, 行營兵馬□使奏, "女眞寇宣德鎭, 殺掠人物".

壬子8日, 以女眞寇邊, 幸法王寺行香, 分遣近臣, 禱於諸神廟.

癸丑9日, 王將肆赦, 召宰樞議, 門下侍郞平章事崔弘嗣以爲不可. 王曰, "頃以左右固請, 擧兵討賊. 然今賊類未殲, 數侵我疆, 掠我人民, 將卒疲於攻戍. 國家之急政在今日, 欲肆赦, 以安衆心. 卿獨何心, 以爲不可".

○宰樞皆慚懼而退. 乃下宣旨曰, "朕以凉德, 謬御三韓, 于今五載. 然政不足綏百姓, 威不足制多方故, 宵旰憂勤, 未敢遑安. 况此東蕃賊類, 自祖宗以來, 附托國勢, 多被恩賞, 今則背恩棄德, 招集遠賊, 凌犯國境. 嚮於甲申年肅宗9年, 連兵拒戰, 殺我軍民, 其或生擒, 以爲僕隷者, 不可勝數. 近來, 每至關城, 劫奪戍卒衣粮器械, 自恃强暴, 侵擾邊鄙, 罪合行討 不可安忍. 故我聖考憤然誓曰, 今若掃蕩醜類, 卽於賊境, 築設城堡, 創寺宇, 恢張佛法. 大功未就, 倏爾升遐, 寡人嗣承先志, 擧義發軍, 置邑築城, 此盖國內名山·大川神衹神祇所助也. 然餘賊尙未盡滅, 施設塲寨, 來攻吉州, 欲更勵兵奮擊. 或願神明更加陰助, 三韓功臣英靈尙在, 竟相扶援, 掃蕩殘賊, 邊境平安, 則或封崇爵位, 酬賽玄恩. 其宣旨前, 犯流以下, 咸自除之, 二罪以上, 除刑付處, 雜犯流配者, 量移, 乃至敍用. 前代以來, 所犯罪狀, 不推鞫, 配入者如有父母妻子, 各處分居者, 合居一處".

甲寅10日, 命門下侍中尹瓘, 詣廟社及九陵, 禱兵捷.

[某日, 分遣近臣, 賑東北西南二道飢民:節要·食貨3水旱疫癘賑貸之制轉載].

[乙卯11日, 夜, 白氣, 如匹練, 橫亘坤艮, 良久, 指巽而滅:五行2轉載].

丙辰12日, 設藥師道場於文德殿.

---

15) 이와 같은 기사로 다음이 있다.

· 열전40, 拓俊京, "王以俊京屢有戰功, 召見其父檢校大將軍謂恭于內殿, 從容勞問, 賜酒食及銀一錠·米十碩".

16) 이와 관련된 기사로 지31, 百官2, 救濟都監, "睿宗四年, 置之"가 있다.

庚申[16日], 女眞圍吉州, [行營兵馬副元帥]吳延寵引兵救之, 師大敗.[17)]

[→女眞圍吉州城, 去城十里, 築小城, 立六柵, 累月, 攻城甚急, 城幾陷. 兵馬副使李冠珍等, 訓勵軍卒, 一夜, 更築重城, 且守且戰. 然役久勢窮, 死傷甚衆, 吳延寵引兵將救之, 女眞遮路掩擊, 我師大敗, 殺獲, 不可勝數. 延寵具狀, 乞罪:節要轉載].

[→女眞 復聚遠近諸部, 圍吉州數月, 去城十里, 築小城, 立六柵, 攻城甚急, 城幾陷. 兵馬副使李冠珍等, 訓勵士卒, 一夜更築重城, 且守且戰, 然役久勢窮, 死傷者多. 延寵聞之, 憤然欲行, 王復授鈇鉞遣之. 行至公嶮鎭, 賊遮路掩擊, 我師大敗, 將卒投甲, 散入諸城, 陷沒死傷, 不可勝數. 延寵具狀自劾:列傳9吳延寵轉載].

甲子[20日], 御文德殿, 召宰樞, 議邊事.

乙丑[21日], 遣東界□□[~~行營~~]兵馬元帥尹瓘于西北路.

[→又明年, 女眞圍吉州, 延寵與戰大敗, 王又遣瓘救之, 命近臣餞于金郊驛:列傳9尹瓘轉載].

丙寅[22日], 命宰樞及文武常參官, 議奏東邊事宜.

[→集群臣於宣政殿, 問以還女眞九城, 可否. 初議者, 皆言女眞, 弓漢里外, 連山壁立, 唯有一小徑, 可通若設關城, 塞小徑, 則其患, 永絶. 及其攻取, 水陸道路, 無往不通, 與前所聞, 絶異. 女眞, 旣失窟穴, 誓欲報復, 弓引遠地群酋, 連歲來攻, 詭謀兵械, 無所不至, 以城險固, 不能猝拔. 然當戰守, 我兵喪失者, 亦多. 且拓地大廣, 九城, 相距遼遠, 谿洞荒深, 賊設伏, 抄掠往來者, 數矣. 國家, 調兵多端, 中外騷擾, 加以饑饉疾疫, 怨咨遂興. 女眞厭苦, 亦遣使請和, 乞還舊地. 群臣, 議多異同, 王猶豫未決, □[右]諫議大夫金緣曰, "人主之取土地, 本欲育民也, 今爭城而殺人, 莫如還其地, 而息民, 今不與, 必與契丹, 生釁". 王曰, "何也". 緣曰, "國家, 初築九城, 使告契丹, 表稱女眞弓漢里, 乃我舊地, 其居民, 亦我編氓. 近來, 寇邊不已, 故收復, 而築其城, 表辭如是, 而弓漢里酋長, 多受契丹官職者, 故契丹, 以我爲妄言, 必加責讓, 我若東備女眞, 北備契丹, 則臣恐九城, 非三韓之福也". 王然

---

17) 이때의 패배에 대한 問責이 6월 무렵에 吉州에 도착한 元帥 尹瓘에 의해 이루어졌던 것 같고, 軍卒들이 처벌을 받게 되자 左軍判官 金晙의 抗辯에 의해 구제되었던 것 같다. 이 시기의 比定은 林彦의 직책인 知兵馬事에 의거하였는데, 그는 是年 3월 9일 東界行營兵馬別監에 임명된 후 이 시기에 知兵馬事로 승진하였던 것 같다.

· 열전10, 金晙, "尹瓘征女眞, 晙爲左軍判官, 軍敗, 瓘怒縛軍卒, 將戮之. 晙大言曰, '今日之敗, 由知兵馬事林彦之失律也. 釋不問而戮此輩, 豈所謂不吐剛不茹柔之意乎?'. 瓘愕然, 解其縛, 而縱之".

之:節要轉載].[18]

[→及尹瓘等破女眞 築九城, 女眞 失窟穴, 連歲來爭, 我兵喪失甚多. 女眞 亦厭苦, 遣使請和, 乞還舊地. 群臣議多異同, 王猶豫未決, 仁存言, "土地本以養民, 今爭城殺人, 莫如還其地以息民. 今不與, 必與契丹生釁". 王問其故, 仁存曰, "國家初築九城, 使告契丹表稱, 女眞弓漢里, 乃我舊地, 其居民, 亦我編氓, 近來, 寇邊不已. 故收復而築其城. 表辭如是, 而弓漢里酋長, 多受契丹官職者, 故契丹以我爲妄言, 其回詔云, 遠貢封章, 粗陳事勢, 其閒土地之所屬, 戶口之攸歸, 已勑有司, 俱行檢勘,[19] 相次, 別降指揮. 以此思之, 國家不還九城, 契丹必加責讓我. 若東備女眞, 北備契丹, 則臣恐九城, 非三韓之福也". 王然之:列傳9金仁存轉載].

[→於是會群臣廷議, [右]諫議大夫金緣奏曰, '人主之愛土地, 將以良民, 豈宜爭地, 使赤子肝腦塗地. 願陛下許其地, 以禽獸畜之, 服則撫, 否則舍[捨], 吾民可得休息矣'. 上心然之:追加].[20]

辛未[27日], 將軍良善領兵, 赴東界, 賜銀甁二事.

癸酉[29日晦], 遣左承宣沈侯, 宣諭東界軍士, 分賜銀甁四十事.

六月甲戌朔[大盡,辛未], 王如奉恩寺.

戊寅[5日], [刑部尙書]金商祐·[禮部侍郞]韓皦如·愼安之等賫詔,[21] 回自宋, 王迎詔於宣政殿. 起居表回詔云, "卿撫有東藩, 世載令譽. 遐致問安之禮, 恭陳事大之誠. 不替前修, 有加忠藎". 告奏表回詔云, "卿尹玆東土, 初卽乃封, 山川阻脩, 日月徂邁, 心在王

18) 이와 관련된 자료로 다음이 있다.
· 『보한집』 권상, "睿王乾統七年丁亥[睿宗2年], 於是, 群臣廷議, □[右]諫議大夫金緣奏曰, 人主之愛土地, 將以養民, 豈宜爭地, 使赤子肝腦塗地. 願陛下許其地, 以禽獸畜之, 服則撫, 否則舍, 吾民可得休息矣".

19) 檢勘은 檢事하여 考定한다는 의미를 지니고 있는 것 같다.
· 『자치통감』 권202, 唐紀18, 高宗上元 1년(674), "是歲, 有劉曉者, 上書論選, 以爲, 今選曹以檢勘爲公道[胡三省注, 檢勘者, 謂考其功過, 察其假名承僞, 隱冒升降], 書判爲得人, …".

20) 이는 『보한집』 권상, "睿王乾統七年丁亥[睿宗2年], 欲伐東藩, …, 明年[3年], 虜圍新城, 吳□□[延寵]率衆往救, 酋長實現等獻黃金·良馬, 詣闕陳疑[陳款?]. …(以下 上記 記事와 같음)"을 轉載하였는데, 上記 두 記事 중의 一部일 것이다.

21) 愼安之(宋 開封府人 愼脩의 子)는 예종·인종대에 활약한 인물로 知水州事·兵部尙書·三司使·判閤門事 등을 역임하면서 당시의 외교문서를 담당하였다고 한다.
· 열전10, 愼安之, "… 安之事睿·仁二朝, 知水州, 爲政淸肅, 吏畏民懷. 累遷兵部尙書·三司使·判閤門事卒. 容儀秀美, 性度寬弘, 臨事廉平. 善醫藥, 曉漢語, 凡移南北朝文牒, 多出其手".

室, 未卽以聞. 航海奏言, 情文備盡. 善綏厥服, 永孚于休". 祝聖壽回詔云, "卿表海稱藩, 使航遐曁, 叩眞乘之妙果, 祝壽考之多祥. 歸美之誠, 不忘鑑寐". 賜國信詔云, "朕遹駿先猷, 眷懷蕃服. 爲國外屛, 繼世撫封, 紹嗣之初, 修方惟舊. 嘉乃迪德, 率玆典常, 賓篚有頒, 用伸厚意". ○太后起居表回詔云, "卿初布蕃條, 謹玆侯度. 使旂淩海, 遠修職貢之勤, 奏牘在庭, 恭致宮闈之問, 忠誠備至, 嘉尙兼懷". ○告奏太后表回詔云, "卿奕世有邦, 作我良翰. 屬纘承於舊服, 爰赴告於宮庭, 載亮忠勤, 益深嘉尙". ○太后祝壽回詔云, "卿遠因使介, 恭叩佛乘, 祝壽考於宮闈, 罄忠誠於藩服. 奏封來上, 眷奬殊深".

乙酉[12日], 慮囚.

○[行營兵馬元帥]尹瓘·[副元帥]吳延寵引兵, 救吉州, 聞女眞請和, 還定州.

[→[元帥]尹瓘·吳延寵, 自定州, 勒兵, 往救吉州之圍. 行至那卜其村, 咸州司錄兪元胥馳報, 女眞公兄褭弗·史顯等, 叩城門曰, "我輩, 昨到阿之古村, 太師烏雅束, 今欲請和, 使我傳告兵馬使. 然, 兵交不敢入關, 請遣人于我場, 庶以太師所諭, 詳悉傳告". 瓘等聞之, 還入城:節要·列傳9尹瓘轉載].

[翼日[丙戌13日], 遣兵馬記事李管仲於賊場, 謂女眞將吳舍曰, "講和, 非兵馬使所得專, 宜遣公兄等, 入奏之~~入奏天庭~~". 舍大悅:節要·列傳9尹瓘轉載].[22)]

丙戌[13日], 制曰, "近者, 東陲未靖, 軍馬疲斃. 此乃地勢衰廢之使然, 宜以陰陽祕術禳之. 其司天·太史員及散官等各上封事".

戊子[15日], 王受菩薩戒于乾德殿.

○制曰, "近日, 邊患窘迫, 軍民勞苦. 君臣同發至誠, 誓告于天, 行祖宗訓誡之事, 宜令有司奏議". 且命近臣, 分禱于進奉·九龍兩山.

[某日, [門下侍郎]平章事崔弘嗣·[中書侍郎平章事]金景庸·參知政事任懿·樞密使李瑋, 入對宣政殿, 極論尹瓘·吳延寵·林彥敗軍之罪:節要轉載].

[某日, 褭弗·史顯等, 復至咸州, 告曰, "我等願入朝, 然, 時方交戰, 疑懼, 不敢入關, 請以官人交質". 瓘等以李管仲·異賢等, 爲質, 褭弗等, 遂來朝:節要轉載].

丙申[23日], 召宰相·臺諫·六部, 議還九城. [門下侍郎]平章事崔弘嗣等二十八人, 皆曰可, 禮部郎中朴昇中·戶部郎中韓相曰不可.

己亥[26日], 東蕃使褭弗·史顯等來朝.

---

22) 添字는 열전9, 尹瓘에서 달리 표기된 것이다.

庚子[27日], 御宣政殿南門, 引見裒弗·史顯等六人, 宣問來由. 裒弗等奏曰, "昔我太師盈歌嘗言, 我祖宗出自大邦, 至于子孫, 義合歸附. 今太師烏雅束, 亦以大邦爲父母之國. 在甲申年[肅宗9年]間, 弓漢村人不順太師指諭者, 擧兵懲之, 國朝以我爲犯境, 出兵征之, 復許修好. 故我信之, 朝貢不絶, 不謂去年, 大擧而入, 殺我耆倪, 置九城, 使流亡靡所止歸. 故太師使我來請舊地. 若還許九城, 使安生業, 則我等告天爲誓, 至于世世子孫, 恪修世貢, 亦不敢以瓦礫, 投於境上". 王慰諭, 賜酒食.

[某日, 門下侍郎[平章事]李頫知貢擧, 禮部尙書金商祐同知貢擧, 取進士. [明年四月丙子]覆試, 下詔賜乙科李正升等四人·丙科九人·同進士十六人·恩賜六人·明經三人及第: 選擧1選場轉載].[23)]

秋七月[甲辰朔小盡,壬申], 乙巳[2日], [立秋]. 會宰樞及臺省·諸司·知制誥·侍臣·都兵馬判官以上·文武三品以上于宣政殿, 宣問還九城可否, 皆奏曰, 可□[還].[24)]

[→初, 朝議以得瓶項, 塞其徑, 狄患永絶, 及其攻取, 則水陸道路, 無往不通, 與前所聞絶異. 女眞 旣失窟穴, 誓欲報復, 乃引還地, 群酋連歲來爭. 詭謀兵械, 無所不至, 以城險固, 不猝拔, 然當戰守, 我兵喪失者亦多. 且拓地大廣, 九城相去遼遠, 谿洞荒深, 賊屢設伏, 抄掠往來者. 國家調兵多端, 中外騷擾, 加以飢饉疾疫, 怨咨遂興, 女眞 亦厭苦. 至是, 王集群臣議之, 竟以九城還女眞, 輸戰具·資糧于內地, 撤其城: 列傳9尹瓘轉載].

丙午[3日], 御宣政殿南門, 引見裒弗等, 許還九城, 裒弗感泣拜謝. 王賜物遣還, 命內侍金珦, 護送境上. 仍詔元帥等, 諭以還九城之意.

[丙辰[13日], 月犯羽林: 天文1轉載].

丁巳[14日], 以中書侍郎[同中書門下]平章事任懿△[爲]權判東北面兵馬事兼行營兵馬使, 右諫議大夫金緣副之, [李寵麟爲東南海都部署使: 慶尙道營主題名記].[25)]

戊午[15日], 設盂蘭盆道場於長齡殿.

---

23) 이는 지27, 선거1, 科目1, 選場에서 전재하였는데, 原文에는 3월에 실시되었다고 되어 있으나 同知貢擧인 金商祐가 前年 7월 27일 宋에 사신으로 파견되었다가 是年의 6월 5일에 귀국하였으므로 是月에 과거가 실시되었을 가능성이 있다. 이해에는 女眞征伐로 인해 禮部試만 실시되고 覆試는 明年 4월에 거행되었던 것 같다.

24) ~~添字~~는 『고려사절요』 권7에 의거하였다. 이날은 율리우스曆으로 1109년 7월 31일(그레고리曆 8월 7일)에 해당한다.

25) 이때 任懿의 官爵은 檢校太保·中書侍郎同中書門下平章事였다(任懿墓誌銘).

辛酉[18日]，行營兵馬別監·承宣崔弘正，兵馬使·吏部尙書文冠，□[宣]諭女眞酋長居尉伊等曰，"汝若請還九城，宜如前約，誓告于天". 酋長等設壇咸州門外，告天誓曰，"而今已後，至于九父之世，無有惡心，連連朝貢，有渝此盟，蕃土滅亡". 盟訖而退. [行營兵馬別監]弘正等始自吉州，以次收入九城戰具·資粮于內地. 狄人喜以其牛馬，載還吾民遺棄老幼男女，一無殺傷.

壬戌[19日]，[中書侍郞平章事]任懿等辭，王御重光殿，親授鈇鉞，仍賜鞍馬·衣服·彩叚[綵段]. [任懿等，其行稽遲，疆埸事，一無所爲而還:節要轉載].

[→懿等辭，王御重光殿，親授鈇鉞，賜鞍馬·衣服·彩段，遣近臣，餞于郊. 及還，引見重光殿. 時[行營兵馬別監·承宣]崔弘正等，已收入九城軍民兵仗，懿等行緩，疆埸之事，一無措置. 徒煩傳騎，時人譏之:列傳8任懿轉載].

是日，撤東界崇寧·通泰二鎭城.[26)]

甲子[21日]，設消灾道場于乹德殿五日.

○撤英·福二州·眞陽鎭城.[27)]

乙丑[22日]，以[禮部尙書]金商祐爲戶部尙書·翰林學士，劉載爲左散騎常侍.

○撤咸·雄二州·宣化鎭城.[28)]

[○按舊史，九城之地，久爲女眞所據. 睿宗二年，命元帥尹瓘·副元帥吳延寵，率兵十七萬，擊逐女眞，分兵略地. 東至火串嶺，北至弓漢嶺，西至蒙羅骨嶺，以爲我疆. 於蒙羅骨嶺下，築城廊九百九十間，號英州，火串山下，築九百九十二間，號雄州，吳林金村，築七百七十四間，號福州，弓漢村，築六百七十間，號吉州，三年二月，城咸州及公嶮鎭. 三月，築宜州·通泰·平戎三城. 於是，女眞失其窟穴，誓欲報

---

26) 이 기사는 지36, 兵2, 城堡에도 수록되어 있다. 이날은 율리우스曆으로 1109년 8월 17일(그레고리曆 8월 24일)에 해당한다.

27) 이 기사는 지36, 兵2, 城堡에도 수록되어 있다.

28) 이 기사는 지36, 兵2, 城堡에도 수록되어 있다. 또 九城의 還付와 관련된 자료로 다음이 있다.
- 지12, 지리3, 咸州大都督府, "[睿宗]四年，撤城，以其地，還女眞".
- 지12, 지리3, 英州, "[睿宗]四年，撤城，以其地，還女眞. 後併於吉州".
- 지12, 지리3, 雄州, "[睿宗]四年，撤城，以其地，還女眞. 後併於吉州".
- 지12, 지리3, 福州, "[睿宗]四年，撤城，以其地，還女眞".
- 지12, 지리3, 通泰鎭, "[睿宗]四年，撤城，以其地，還女眞".
- 지12, 지리3, 崇寧鎭, "睿宗四年，撤城，以其地，還女眞".
- 지12, 지리3, 眞陽鎭, "睿宗四年，撤城，以其地，還女眞".
- 지12, 지리3, 宣化鎭, "睿宗四年，撤城，以其地，還女眞. 後收復，併于吉州".

復，乃引遠地群酋，連歲來侵，我兵喪失者，亦多．且拓地旣廣，九城相距遼遠，女眞數設伏叢薄，抄掠往來，國家調兵多端，中外騷擾．四年，女眞亦遣使請和，於是，始自吉州，以次收入九城戰具·資粮于內地，遂撤崇寧·通泰·眞陽三鎭，及英·福二州城．又撤咸·雄二州，及宣化鎭城，以還之．○以此考之，咸·英·雄·福·吉·宜六州，及公嶮·通泰·平戎三鎭，此九城之數也．其撤城還女眞之時，則無宜州及公嶮·平戎二鎭，而崇寧·眞陽·宣化三鎭，乃加現焉，置戶之數，又各不同，是可疑也[睿宗三年二月，都鈐轄林彦作英州記云，今新置六城，一曰鎭東軍咸州大都督府，兵民一千九百四十八丁戶，二曰安嶺軍英州防禦使，兵民一千二百三十八丁戶，三曰寧海軍雄州防禦使，兵民一千四百三十六丁戶，四曰吉州防禦使，兵民六百八十丁戶，五曰福州防禦使，兵民六百三十二丁戶，六曰公嶮鎭防禦使，兵民五百三十二丁戶．○又閔漬所撰綱目云，尹瓘築九城，徙南界民，實之．號咸州曰鎭東軍，置戶一萬三千，號英州曰安嶺軍，雄州曰寧海軍，各置戶一萬，福·吉·宜三鎭，各置戶七千，公嶮·通泰·平戎三鎭，各置戶五千]．且宜州之地，在定州以防禦使不必擊逐女眞而後置也，豈非適至是乃創築城堡？故倂稱爲九城，而不在撤去之數歟：地理志3東界末尾轉載]．

壬申[29日晦]，王妃延和宮主李氏[宣宗之女]薨．[年三十一薨，葬慈陵，謚敬和王后：列傳1睿宗妃敬和王后李氏轉載]．[29]

[某日，尹瓘·吳延寵還，王遣□[左]承宣沈侯於中路，收其鈇鉞，瓘等不得復命，歸私第．中書省奏，請瓘·延寵敗軍之罪：節要轉載]．

[→[門下侍郞]平章事崔弘嗣·金景庸·參知政事任懿·樞密院使李瑋，入對宣政殿，極論瓘·延寵敗軍之罪，王遣□[左]承宣沈侯於中路，收其鈇鉞，瓘等不得復命，歸私第．宰相·臺諫，請治其罪：列傳9尹瓘轉載]．

[某日，取大學[儒學]崔敏庸等七十人，武學韓子純等八人，分處七齋．周易曰麗澤，尙書曰待聘，毛詩曰經德，周禮曰求仁，戴禮曰服膺，春秋曰養正，武學曰講藝：節要轉載]．[30]

[→[睿宗]四年七月，國學置七齋，周易曰麗擇[麗澤]，尙書曰待聘，毛詩曰經德，周禮曰求仁，戴禮曰服膺，春秋曰養正，武學曰講藝．○試取大學[儒學]崔敏庸等七十人，武學

29) 이날은 율리우스曆으로 1109년 8월 27일(그레고리曆 9월 3일)에 해당한다.

30) 이와 같은 기사가 지29, 選擧2, 學校에도 수록되어 있다. 또 같은 기록이 찾아지는데, 이에 의하면 이러한 방식의 試驗을 國學試라고 불렀던 것 같다.

·『익재난고』 권9상, 忠憲王世家, "[睿宗]四年秋七月，始爲國學試，取大學[儒學]崔敏庸等七十人，武學韓子純等八人，分處七齋．周易曰麗澤，尙書曰待聘，毛詩曰經德，周禮曰求仁，戴禮曰服膺，春秋曰養正，武學曰講藝".

韓自純等八人, 分處之:選擧2學校轉載].[31)]

八月癸酉朔小盡,癸酉, 甲戌2日, 神騎軍士還自東界. 王御重光殿西樓, 慰之曰, "東役之敗, 將帥之過也, 朕何忘汝等之勞".

乙酉13日, 刑部奏內外重刑, 王御宣政殿南廊, 與宰樞科斷.

丁亥15日, 王以中秋, 率文臣, 翫月於重光便殿, 御製詠月詩. 其末聯云, "他日吾民躋富壽, 好酬佳節燕公卿". 命文臣和進.

甲午22日, 以戶部尙書柳子維爲西北面兵馬使.

己亥27日, 女眞使者史顯等來, 獻土物.

九月壬寅朔大盡,甲戌, 戊申7日, 幸王輪寺.

壬子11日, 幸妙通寺.

辛酉20日, [霜降]. 又幸妙通寺.

乙丑24日, 設百座道場于會慶殿, 又親飯僧于闕庭, 命中外, 齋僧三萬.

冬十月壬申朔小盡,乙亥, 乙亥4日, 元子構生. [後改楷:節要轉載].

[→生元子於私第, 是爲仁宗. 王遣使下詔曰, "汝肅穆以着儀, 柔順以迪性, 有俔天之德, 主於內朝. 應彌月之期, 誕我元子, 固祖宗之基構, 得臣庶之歡欣, 宜示寵嘉, 以彰眷遇. 仍賜銀器·綾羅·錦絹·鞍馬·布米". 妃上表謝:列傳1睿宗妃文敬太后李氏李資謙之二女轉載].

○幸開國寺.

戊寅7日, 百官上表, 賀生元子.

壬午11日, 幸外帝釋院.

[甲申13日, 雷:五行1雷震轉載].

乙酉14日, 設佛頂道場於文德殿.

[丙戌15日, 月食:天文1轉載].[32)]

---

31) 이 기사는 國立大學인 國子監에 國學七齋, 곧 儒學六齋와 武學齋를 설치한 것이기에, 大學은 儒學六齋을 指稱할 것이므로 添字와 같이 改書하거나 解釋해야 옳게 될 것이다(申千湜 1983년 a 86面).

32) 이날 宋과 일본에서도 월식이 있었다(高麗曆과 同一, 日本史料3-10册 723面). 이날은 율리우

壬辰21日, [小雪]. 以李瑋△爲參知政事, 柳仁著爲殿中監·知樞密院事, 李資謙爲禮賓卿·樞密院副使, 金沽爲左承宣·知吏部事.

十一月辛丑朔大盡,丙子, 癸卯3日, 視朝于乾德殿, □左諫議大夫李載·右諫議大夫金緣·御史大夫崔繼芳等出班, 請治門下侍中·行營兵馬元帥尹瓘·副元帥吳延寵·知兵馬事林彥敗軍之罪, 不允, [入內. 載等又伏閤固爭. 至午, 命□左承宣沈侯, 宣諭:節要轉載].

[→諫臣金緣·李載等, 伏閤固爭曰, "瓘等妾興妄興無名之兵,[33] 敗軍害國, 罪不可赦. 請下吏". 王命左承宣沈侯宣諭曰, "兩元帥奉命行兵, 自古戰有勝敗, 豈爲罪哉?": 列傳9尹瓘轉載].[34]

[乙巳5日, 月入羽林:天文1轉載].

癸丑13日, 設八關會, 幸法王寺.

[丁巳17日, 鎭安坊軍崔幸妻, 一產三男:五行1人痾轉載].

庚申20日 東女眞酋長吳老等來朝.

[○月犯軒轅夫人:天文1轉載].

甲子24日, 御宣政殿, 引見平虜·淸塞關外蕃長多老·居夫等四十五人, 史顯等七人, 賜酒食·例物.

戊辰28日, 宰相門下侍郎平章事崔弘嗣·門下侍郎平章事李頫·中書侍郎平章事任懿等與臺諫, 復請門下侍中尹瓘等罪.

[是月, 章山縣重林寺住持·顯儀大師忠祚造成靑銅飯子, 入重十三斤半:追加].[35]

스력의 1109년 11월 9일이고, 월식 현상이 심했던 때의 世界時는 13시 22분, 食分은 0.50이었다(渡邊敏夫 1979年 474面).

·『송사』 권52, 지5, 천문5, 月食, "大觀三年, 十月丙戌, 月食".

·『殿曆』, 天仁 2년 10월, "十五日丙戌, 天晴, 今日宜當月蝕, 精進愼之, 念珠僧十九來, 愛染王念珠, 於法成寺一日大般若, 蝕時, 余向壇所, 始時余念珠, 僧達同之".

·『本朝統曆』 권8, 天仁 2년, "十小, 朔壬申, 十五望, 戊八, 月蝕, 十分强, 戊一, 亥七".

33) 여기에서 妾興은 妄興의 誤字일 것이다.

34) 李載는 1113년(예종8) 12월 16일에서 1117년(예종12) 2월 10일 사이에 李軌로 개명하였다(열전11, 李軌). 또 沈侯는 그의 女인 廉德方의 妻 沈氏墓誌銘에 의하면 最終官職이 樞密院右承宣·給事中으로 되어 있으나 左承宣·給事中이 옳을 것이다.

35) 이는 慶尙北道 慶山市 珍良面 上林里에 위치했던 重林寺의 管內에서 出土되었다고 하는 飯子의 銘文에 의거하였다(國立慶州博物館 1987년 ; 文明大 1994년 3책 277面).

· 銘文, "乾統九年己丑十一月日,重林寺住持·顯儀大師忠祚造成, 右半子入重十三斤□半?".

[是月頃, 遣使如契丹, 獻方物:追加].[36)]

[○中書侍郎平章事·權判東北面兵馬事兼行營兵馬使任懿等還, 以任懿爲權判尙書吏部事:追加].[37)]

十二月^辛未朔小盡,丁丑^, 己卯^9日^, 宋敎練使·明州都知兵馬使任郭等來.

[某日, 分遣近臣, 賑興化·雲中·西海·南京·廣州·忠淸州等, 諸道飢民:節要·食貨3水旱疫癘賑貸之制轉載].

壬午^12日^, 以金晙爲尙書右丞·樞密院右承宣, 李壽爲御史中丞.

乙酉^15日^, 命有司, 分祭于松嶽及諸神祠, 以禳疾疫.

[戊子^18日^, 月犯軒轅夫人:天文1轉載].

癸巳^23日^, [大寒]. 以沂△^爲^檢校司徒·守司空·淮安伯.

[→□^沂^, 尙睿宗女大寧公主, 加檢校司徒·守司空·淮安伯·食邑二千戶·食實封三百戶, 賜贊化功臣號:列傳3文宗王子辰韓侯愉轉載].

[○月入氐星:天文1轉載].

戊戌^28日^, 宴諸王·宰樞于重光殿, 至曉而罷.

是歲, 遣都官郎中李國瓊如遼, 奏還女眞九城.

[○降道州爲淸道監務官:追加].[38)]

[○判^刪^, "神步班屬諸白丁, 願受內外族親田地者, 田雖在他邑, 名隷本邑者, 許令充補, 樂工及犯奸盜者, 良賤未辨者, 勿許":兵1五軍轉載].

[○判^刪^, "參上員告病者, 旬旬給暇, 參外員據里典狀報, 大醫監^太醫監^看候, 給暇幷限百日, 父母病者, 限二百日":刑法1官吏給暇轉載].

[○封□□□□^帶方侯俌^爲公, 册曰, "興祖業者, 必固本支, 壯王室者, 須資藩輔, 眷言同氣, 時乃懿親. 稽典訓之文, 採臣工之議, 乃擇吉日, 特頒寵章. 咨爾大弟俌,

---

36) 이는 다음의 자료에 의거하였다.
 · 『요사』 권27, 본기25, 天祚皇帝1, 乾統 9년 12월, "甲申^14日^, 遣使來貢".

37) 이는 「任懿墓誌銘」에 의거하였다.

38) 이는 다음의 자료에 의거하였다.
 · 『경상도지리지』, 慶州道, 淸道郡, "睿宗時, 乾統己丑, 降道州爲淸道監務".
 ·지11, 지리2, 淸道郡, "睿宗四年, 置監務".

膺帝拇之祥，發靈源之粹．仁義忠臣曰天爵，秉自生知．詩書禮樂謂人文，敏[幾]於時習．口不言利欲之事，身不近憸諛之人．靜必修誠，動斯中節．居宗室，則睦友之道盛，奉慈闈，則愛敬之意深．厥德茂焉，朕心嘉止．宜出綸而錫命，寔備物以申恩，分以土茅，爵高於五等，賜之衮冕，制及於九章．遣某官某等，持節册名，爾爲推忠廣義功臣·開府儀同三司·檢校太保·守司徒兼尙書令·上柱國·帶方公·食邑三千戶·食實封三百戶．於虖[戲]，恩莫深於骨肉，義莫重於君臣，爾其念骨肉之恩，体[體]君臣之義．光贊我祖業，尊[翼]奬我王室，不其韙歟．敬哉，勗哉"：列傳3肅宗王子帶方公俌轉載]．[39]

［○册封太原侯，册曰，"昔者，仁君之於弟親愛故，莫不欲其富貴之也，於是，册立褒崇之典擧矣．朕祇承大統，若涉深淵，載惟永圖．奬進同氣，非特私骨肉之好，思以奉宗廟之靈．咨爾俟，迪哲溫文，体仁寬博．岐嶷之姿日秀，孝友之美夙成．忘勢而樂乎道，克己而從於師，宜崇胙土之封，以固維城之望．是用，衍之邑采，峻以階資，仍加九錫之儀，陞以五等之貴．今遣某官某等，命爾爲奉義同德功臣·開府儀同三司·檢校太保·守司徒兼尙書令·上柱國·大原侯·食邑三千戶·食實封三百戶．於戲，敦族所以厚風俗，立侯所以屛王家．汝其居寵祿，以當思危，謂宴安而猶懷毒．往愼乃位，永孚于休"：列傳3肅宗王子太原公俟轉載]．

庚寅[睿宗]五年，契丹乾統九年，宋大觀四年，[40] [西曆1110年]

1110년 1월 22일(Gre1월 29일)에서 1111년 2월 9일(Gre2월 16일)까지，13개월 384일

春正月庚子朔[大盡,戊寅]，放朝賀．

○昌州關外蕃長亡聞等二十八人來朝．

壬寅[3日]，遼遣衛尉卿李逢辰來，賀生辰，仍詔曰，"卿蕃衛皇家，鎭撫海表，專征守職，盪寇有勞．因乘勝以納降，遂開疆而置壘，載惟施設，允協便宜．嚮遣使人，遠

39) 이 册文이『동문선』권28，封俌帶方公册인데，~~添字~~는 이에서 달리 표기된 것이다．그중에서 檢校太保를 檢校太僕으로 표기한 것은 오류이다．

40) 이해에 거란과 송의 年號를 함께 사용한 사례도 있는데，이에서 거란의 연호를 本朝乹統으로 사용한 것은 다시 고려가 契丹의 正朔을 받아 사용하고 있었음을 보여주는 것이다．

·「鄭僅妻金氏墓誌銘」，"大宋大觀四年，本朝乹統十年庚寅二月」壬寅葬于京東朝陽山之南麓…"(金龍善 2006년 37面)．

馳捷奏, 永言歸美, 良用慰懷".

己酉10日, 都官郎中李國瓊還自遼, 詔曰, "卿嚮討邊夷, 權置城堡. 因其防寇, 且務於脩營, 旣乃請和, 遂從於毁撤. 旣愜宜便, 復具奏陳, 載念忠虔, 良增嘆尙".

[○流星出貫索, 入天市內宗人, 狀如雞子 : 天文1轉載].

庚戌11日, 設帝釋道場於文德殿.

乙卯16日, 御宣政殿南門, 引見北界蕃長三十九人, 各賜衣一襲.

丁巳18日, 御宣政殿, 引見北界蕃長三十五人, 賜物有差.

庚申21日, 御重光殿南樓, 閱神騎軍士擊毬, 賜物有差.

壬戌23日, 御重光殿南門, 引見北界蕃長十九人, 賜酒食·例物.

甲子25日, 親醮于星宿殿.

[某日, 以李惟顒爲東南海都部署使 : 慶尙道營主題名記].[41)]

二月庚午朔小盡,己卯, 癸未14日, 燃燈, 王如奉恩寺.

○女眞酋長萬壽等十三人來朝.

庚寅21日, 以禎△爲檢校司徒·守司空·承化伯, 詔賜例物.

[→禎授檢校尙書右僕射, 進檢校司空. 尙肅宗興壽公主, 加特進·檢校司徒·守司空·承化伯·食邑二千戶·食實封三百戶. 賜贊化功臣號 : 列傳3顯宗王子平壤公基轉載].

[癸巳24日, 春分. 雨木冰 : 五行2轉載].[42)]

甲午25日, 王太后移御佛恩寺.

[是月, □判, "除論, 試以詩·賦·策" : 選擧1科目轉載].

三月己亥朔大盡,庚辰, [辛丑3日, 流星出梗河, 入天倉, 大如雞子 : 天文1轉載].

己酉11日, [淸明]. 幸王輪寺.

---

41) 李惟顒은 李惟寅으로 改名하였을 가능성이 있다.

42) 雨木冰은 날씨가 몹시 추울 때 비가 나무 위에 내려 結氷된 상태를 가리킨다. 또 이때 일본의 京都에서는 23일(壬辰)은 흐리고 때때로 비가 내렸고, 24일(癸巳)은 흐렸다고 한다(『殿暦』, 天永 1년 2월).

· 『신당서』 권34, 지24, 오행1, 木不曲直, "開元二十一年, … 是年十一月己巳, 寒甚, 雨木冰, 數日不解".

· 『南村輟耕錄』 권24, "朝廷於歲首, 例遣使祭嶽瀆, 至正乙巳25年 … 二月十三日, … 又十日, 雨木冰, 狀如樓閣·人物·冠帶·鳥獸·卉木, 百態具備, 殆非人工, …".

[○夜, 素氣, 坤艮相衝, 經天如布匹, 至夜央乃滅: 五行2轉載].

辛亥13日, 幸外帝釋院.

乙卯17日, 日色如血, 無光.

甲子26日, [穀雨]. 幸普濟寺.

○以任懿△爲守太尉·門下侍郞平章事[→三中大匡·守太尉·門下侍郞同中書門下平章事·上柱國, 仍令致仕: 列傳8任懿轉載],[43] 畢光贊爲尙書右僕射, 門下侍郞平章事李頫△爲權尙書吏部事.

[丁卯29日, 流星犯天市垣內車肆, 入列肆, 大如杯, 長九尺許: 天文1轉載].

[某日, 制, "起復外官, 異朝使臣迎接者, 權著吉服正角": 禮6五服制度轉載].

夏四月己巳朔大盡,辛巳, 辛未3日, 慮囚.

甲戌6日, 司天臺奏, "今年, 疫癘大興, 尸骸載路. 請令有司收瘞", 從之.

丙子8日, 賜李正升等及第.[44]

[→丙子覆試, 下詔賜乙科李正升等四人·丙科九人·同進士十六人·恩賜六人·明經三人及第: 選擧1選場轉載]

甲申16日, 幸妙通寺.

[○尙藥局南廊火.[45] 王親御尙乘局東門, 救之: 節要轉載].

乙酉17日, 設孔雀明王道場於文德殿.

甲午26日, [小滿]. 幸順天館, 點檢接賓之事.

五月己亥朔小盡,壬午, 癸卯5日, 設消災道場於會慶殿五日.

[甲辰6日, 鎭星入守壘壁陣·羽林: 天文1轉載].

己酉11日, 彗星入紫薇紫微.[46]

---

43) 이때 任懿는 三重大匡·守太尉·門下侍郞同中書門下平章事·上柱國으로 致仕하였다(任懿墓誌銘).

44) 이 科擧는 前年(예종4) 6월 무렵에 禮部試가 실시되었으나 女眞征伐로 인해 覆試가 이때 실시되어 급제가 下賜되었던 것 같다.

45) 이 句節은 지7, 五行1, 火, 火災에도 수록되어 있다.

46) 이때 宋에서는 9일(丁未)에 혜성이 나타났다고 한다(『송사』 권56, 지9, 천문9, 彗星). 또 일본의 京都에서는 5월 12일(庚戌, 高麗曆과 同一) 彗星이 東方에 출현하였다고 한다(日本史料 3-10冊 901面).

·『中右記』, 長承 1년 9월 6일, "天晴, … 延喜以後彗星見年々, … 天仁三年五月十二日 …".

庚戌[12日], [芒種]. 王朝王太后于延德宮.

辛亥[13日], 御乹德殿視朝. 宰相[門下侍郎平章事]崔弘嗣·[中書侍郎平章事]金景庸與臺諫上疏, 論尹瓘·吳延寵等敗軍之罪. 王不聽, 便入內. 弘嗣等詣重光殿東紫門, 固請至晡, 竟不允. 宰相·諫官皆歸第不出, 省中一空, 王召平章事[門下侍郎同中書平章事]李頫·中書舍人李德羽等, 令直省中. 弘嗣等累旬不出, 王遣近臣, 敦諭起之, 諫官亦出視事. 時人譏之.

乙卯[17日], 彗星見, 凡九日.

[→乙卯, 夜二更, 彗星發天將軍·閣道星間, 至曉乃滅:天文1轉載].

丁巳[19日], 夜盜二十人入都祭庫, 殺庫直·郎將同正金可崇, 竊取銀物.

[○夜, 彗星發路策星:天文1轉載].

[戊午[20日], 夜, [彗星]發于王良星西北:天文1轉載].

[己未[21日], 夜, [彗星]發盖[華盖]·傳舍間:天文1轉載].[47]

[庚申[22日], 夜, [彗星]發華盖中:天文1轉載].

[辛酉[23日], [彗星]發華盖下·六甲星北:天文1轉載].

[癸亥[25日], 夜, [彗星]行女御宮星內:天文1轉載].

甲子[26日], 雨雹于[西海道]永康縣.

[→雨雹于永康縣, 震柳木, 雹:五行1雨雹轉載].

翌日[乙丑27日], [夏至]. 乃消.

[→翌日[~~乙丑27日~~], 夏至. 乃消:五行1雨雹轉載].

[○震西京重興寺塔:五行1雷震轉載].

[丁卯[29日晦], 太白犯軒轅夫人:天文1轉載].

六月戊辰朔[大盡,癸未], 王如奉恩寺.

己巳[2日], 親祭天祥于是寺.

庚午[3日], 以[參知政事]李瑋爲刑部尙書, 金商祐爲禮部尙書.

辛未[4日], 御乾德殿, 召見宋明州所歸女樂二人.

○雨雹[48]

·『百練抄』第5, 鳥羽, 天仁 3년 5월, "十二日[十三日], 彗星見東方, 長五尺".

·『殿暦』, 天永 1년 5월, "十五日癸巳, 天晴, … 此間彗星出東方云々".

47) 여기에서 紫微垣에 所屬된 星名[星官]을 가리키는 盖[蓋]는 華盖[華盖星, 華蓋星]에서 華가 脫落된 것 같다.

[→雨雹, 震樹木:五行1雷震轉載].

[癸酉[6日], 鎭星入壘壁陣羽林:天文1轉載].

甲戌[7日], 宋商李榮等三十八人來.

丙子[9日], 詔曰, "朕謬以眇躬, 紹御三韓, 萬機至廣, 不能視聽. 刑政不中, 節候不調, 三四年間, 田穀凶荒, 人民飢病, 宵旰憂勞, 未嘗暫已. 況又乾文變怪, 無日不見, 夏月以來, 凄風雨雹, 此乃涼德所致, 恐懼增深. 意欲推恩, 上荅天譴, 下慰民心, 召集和氣, 以報平安. 自宣旨前, 凡在獄囚犯流以下, 並除免之, 二罪以上, 除刑付處. 曾坐罪流謫者, 並皆量移 以至敍用, 或有所犯, 父母妻子分居各處者, 完聚一處".

辛巳[14日], 宋遣[兵部尙書]王襄·[中書舍人]張邦昌來, 以參知政事李瑋, 殿中少監·左承宣韓皦如爲館伴.[49)]

壬午[15日], 王受菩薩戒于乾德殿.

癸未[16日], 王受詔于會慶殿庭, 詔曰, 卿世載令聞, 保釐東藩. 當襲爵之云初, 乃修邦而惟舊, 張旃航海, 陳貢旅庭. 義有可嘉, 禮無不報. 爰命介使, 往暨乃封, 用伸厚意之將, 示識多儀之享, 其恤厥若, 永孚于休. 今差兵部尙書王襄·中書舍人張邦昌往彼, 賜卿衣帶·叚匹[匹段]·金玉器·弓箭·鞍馬.[50)]

[→癸未, 王命帶方侯[帶方公]俌, 往順天館, 迎詔. 到闕庭, 王出神鳳門, 拜詔, 先入會慶殿幕次. 王襄等至, 王出迎, 入殿庭, 受詔及衣帶·段匹·金玉器·弓矢·鞍馬, 訖, 上殿, 使·副就王前, 傳宣諭:禮7賓禮轉載].

---

48) 이때 일본의 京都에서는 3일(庚午) 낮에 비가 내렸고, 4일(辛未)부터 6일(癸酉)까지 계속 비가 이어졌다고 한다.

· 『永昌記』, 嘉承 2년 6월, "三日庚午, 朝旦天晴, 日中雨下, … 四日辛未, 雨下, … 五日壬申, 雨下, … 六日癸酉, 雨下, …".

49) 이와 같은 기사로 다음이 있는데, 張邦唱은 張邦昌(1081~1127)의 오자이다. 또 이때 王襄은 東神聖母를 위해 祭祀를 올렸다고 한다.

· 지19, 禮7, 賓禮, "辛巳, 宋遣兵部尙書王襄·中書舍人張邦唱[張邦昌]來".

· 『삼국사기』 권12, 신라본기12, 敬順王, "論曰 … 臣又見大宋國信使王襄祭東神聖母文, 有娠賢肇邦之句, 乃知東神則仙桃山神聖者也, 然而不知其子王於何時".

· 『삼국유사』 권5, 感通, 仙桃聖母隨喜佛事, "又大宋國使王襄到我朝, 祭東神聖母文, 有娠賢肇邦之句".

50) 여기에서 叚匹(가필)은 乙亥字로 組版할 때, 匹段(段匹, 段疋)을 잘못 集字(採字), 轉倒하였을 것이다.

○王受訖上殿. 使副就王前, 傳密諭曰, “皇帝明見萬里, 諒王忠恪之誠, 欲加恩數, 聞王已受北朝册命. 南北兩朝, 通好百年, 義同兄弟. 故不復册王, 但令賜詔. 已去權字, 即是寵王, 以眞王之禮. 且此詔乃皇帝御筆親製, 北朝必無如此禮數. 文王[文宗]·肅王[肅宗]亦不曾有此等恩命. 襄等來見, 王迎詔甚恭, 他日歸奏, 帝必嘉悅, 恩數有加. 請王益篤誠敬, 以答聖恩”.

戊子[21日], 宴宋使于會慶殿.

秋七月戊戌朔[小盡,甲申], 王襄等還, 王附表以謝曰, “記存特異, 俯僂益恭, 矧底績之蔑如, 迺窴顔之無所. 伏念, 臣繫蹤遐僻, 逢世寖昌. 子湏肯播於父菑, 小固服懷於大國. 此先臣所以貽訓, 而微臣資以爲忠. 藩服叨承, 方謹一修之貢, 家陪在返, 過蒙厚往之私. 徒積靦兢, 未遑敘謝, 豈謂皇帝陛下, 仁心懷遠, 例擧非常, 降使軺之光華, 將賞典之優渥. 自祖先而拜賜, 雖曰有年, 緊寵數之橫加, 莫如今日. 況詳勑墨, 兼奉諭音, 迺於臣銜, 直去權字, 所謂册立之命, 正朔之頒, 已曾禀受於大遼, 不欲別行於上國, 以示酌中之義, 致寬顧北之憂. 睿眷稠重. 奚克丘山之戴, 丹衷戰慄, 有同冰谷之臨. 唯願傾輸, 免孤覆露”. ○又答密諭曰, “當國介在東表, 祖先已來, 樂慕風化, 有時入貢, 優荷寵恩. 崇寧中[2年·肅宗8年], 國信使劉侍郎[劉逵]·吳給事[吳拭]奉聖旨, 咨聞行册禮事, 先考以當國, 地接大遼, 久已禀行爵命正朔, 所以未敢遵承上命, 以實懇辭. 擧國惶恐, 未之暫安. 今聞國信尙書·舍人所傳密諭, 皇帝聖明如天日, 國王雖在萬里之外, 忠孝恭順, 皇帝無不鑑炤, 常欲優加異恩. 某等朝辭日, 備聞聖訓, 以受大遼册命, 南北兩朝, 通好百有餘年, 義同骨肉兄弟, 所以不欲更加封册. 今來詔書, 已去權字, 即是寵國王, 以眞王之禮. 拜命之始, 惶駭自失, 意欲奉表辭免. 更自思惟, 皇帝聖恩, 委曲存撫, 祗去權字, 以示正名, 永除册立之命, 欲使一方無有後慮. 今已依詔除權, 況聞所賜詔書, 是御筆親製, 此之榮幸, 古未曾有, 感戴殊甚. 更期忠恪, 上答生成, 所冀尙書·舍人, 復命歸朝, 從容敷奏”.

己亥[2日], 宋商池貴等四十二人來.

辛丑[4日], 門下侍郎[同中書門下]平章事李頫卒.[51] [年六十九, 輟朝三日, 遣使弔祭, 官庀葬事. 諡文良:列傳8李頫轉載]. [頫, 恬靜寡欲, 不事生產, 酷嗜浮屠說, 自號金剛居士:節要轉載].[52]

---

51) 이날은 율리우스曆으로 1110년 7월 22일(그레고리曆 7월 29일)에 해당한다.

[戊午[21日], 月犯歲星:天文1轉載].

丙寅[29日晦], [處暑]. 以司宰卿李載爲西北面兵馬使, 借戶部侍郎安子恭爲東北面兵馬副使.

[○以許之奇爲東南海都部署使:慶尙道營主題名記].

八月[丁卯朔大盡,乙酉], [乙亥[9日], 天動. 初, 如衆鼓之音, 或如車馬之聲. 發自西北, 至于東南:五行1鼓妖轉載].[53]

[庚辰[14日], 大風, 拔木偃禾:五行3轉載].

辛巳[15日], [白露]. 刑部奏內外重刑, 王御宣政殿南廊, 與宰樞議斷.

乙酉[19日], 幸王輪寺.

乙未[29日], 祈晴于大廟[太廟]及諸神廟.

閏[八]月[丁酉朔小盡,乙酉], 癸卯[7日], 王奉太后, 幸南京.

壬子[16日], 設般若道場于延興殿八日.

[癸丑[17日], 月犯歲星, 熒惑又犯輿鬼:天文1轉載].

辛酉[25日], 幸三角山藏義寺, 遂幸僧伽窟.

○命通義侯僑, 詣文殊窟, 太后及諸王·宮[宮主]·公主各施衣襯.

[乙丑[29日晦], 流星出東井, 入輿鬼, 大如杯:天文1轉載].

九月[丙寅朔大盡,丙戌], [庚午[5日], 流星出文昌, 入天槍, 長二丈許, 大如雞子:天文1轉載].

[辛未[6日], 月犯南斗魁第四星, 漸入魁星:天文1轉載].

[壬申[7日], 流星出傳舍, 入天, 大如炬, 長四丈許, 光射于地:天文1轉載].

甲戌[9日], 宴諸王·宰樞于天授殿, 達曙乃罷, 各賜侑幣. 王賦詩, 命儒臣和進, 賜物有差. 有優人, 因戲稱美先代功臣河拱辰, 王追念其功, 以其玄孫內侍·衛尉注簿濬

---

52) 이와 관련된 기사로 다음이 있다.
- 지18, 禮6, 諸臣喪, "七月, 平章事李頫卒, 輟朝三日, 遣使弔祭, 官庀葬事. 諡文良".
- 열전8, 李子淵, 頫, "年六十九卒, 輟朝三日, 諡文良".

53) 이때 일본의 京都에서 9일(乙亥)은 맑았으나 10일(丙子)은 흐리고 비가 심하게 내리다가 오후에 그쳤다고 한다(是月은 高麗曆의 8월이다).
- 『殿曆』, 天永 1년 윤7월, "九日乙亥, 天晴, … 十日丙子, 天陰, 雨甚降, … 午後雨止".

爲閤門祗候, 仍製詩一絶 賜之.

己卯[14日], 御南明門, 閱神騎軍擊毬, 賜物有差.

[→御南明門, 閱神騎·神步·精弩·跳盪班軍將□[等], 仍令神騎打毬, 賜物有差:節要·兵1五軍轉載].[54)]

庚辰[15日], 講金剛經于延興殿.

[○月食:天文1轉載].[55)]

[丙戌[21日], 月犯輿鬼:天文1轉載].

[丁亥[22日], □[月]犯熒惑:天文1轉載].

壬辰[27日], 御北寧門, 閱文武臣僚射, 中的者, 賜物有差.

[是月, 判[制], 製述·明經諸業新擧者, 屬國子監三年, 仕滿三百日者, 各業監試, 許赴. 西京則留守官選上, 鄕貢則東·南京·八牧·三都護等界首官, 依前式, 試選申省:選擧1科目轉載].

冬十月[丙申朔小盡,丁亥], 甲辰[9日], 太白晝見, 經天.

○西女眞古伋果下等九十八人來, 獻駿馬五十七匹.

[乙巳[10日], 太白犯亢西南星:天文1轉載].

[丁未[12日], 月食歲星:天文1轉載].

戊申[13日], 祫于大廟[太廟].

壬子[17日], 親饗年八十以上及孝順·義節·鰥寡·孤獨·篤癈疾者于南明門外, 賜物有差. 中有孝子一人, 特加例賜, 爲賦詩一首, 宣示左右.

乙卯[20日], 車駕發南京.

[○月犯軒轅后妃:天文1轉載].

丙辰[21日], 幸神穴寺.

[○月犯大微[太微]西將星:天文1轉載].

---

54) 添字는 지35, 兵1, 五軍에서 달리 표기된 글자이다.

55) 이날 宋에서는 皆既月食이 있었고(『송사』 권52, 지5, 천문5, 月食), 일본의 京都에서도 월식이 있었다(高麗曆과 同一, 日本史料3-11册 25面). 이날은 율리우스력의 1110년 10월 29일이고, 월식 현상이 심했던 때의 世界時는 12시 55분, 食分은 1.79이었다(渡邊敏夫 1979年 474面).

·『殿曆』, 天永 1년 9월, "十五日庚辰, 今夜漢天高晴, 月蝕正現, 曆道所奏, 誠如指掌. 今夜, 又歲星犯月云々".

·『本朝統曆』 권8, 天永 1년, "九大, 十五望, 戌八, 月蝕, 皆既, 酉六, 子二".

[丁巳[22日], □[月]入大微[太微]庭, 犯行屛星. 太白入行氏·嫡星間:天文1轉載].

[己未[24日], 月犯軒轅后妃:天文1轉載].

十一月乙丑朔[大盡,戊子], 次藥師院南路, 頒德音, 至晡還京都.

[丙寅[2日], 御史臺庫火:五行1火災轉載].

[甲戌[10日], 月犯歲星:天文1轉載].

丁丑[13日], 東女眞史顯等十二人來朝.

戊寅[14日], 設八關會, 幸法王寺.

辛巳[17日], 以文冠△[爲]守司空.

[壬午[18日], 月犯熒惑, 又犯軒轅夫人:天文1轉載].

甲申[20日], 大雪, 王製喜雪詩, 示左右.

十二月乙未□[朔小盡,己丑], 御宣政殿, 引見東女眞史顯等, 賜物有差.[56]

庚子[6日], 御重光殿南樓, 引見西女眞酋長等四十餘人, 賜酒食.

辛丑[7日], 以尹瓘△[爲]守太保·門下侍中·判兵部事, [門下侍郞平章事]崔弘嗣△[爲]判吏禮部事, 金景庸爲門下侍郞平章事·判刑部事, [守司空·尙書左僕射]金漢忠△[爲]判工部事, 吳延寵爲[守司空:列傳9吳延寵轉載]·中書侍郞平章事·判三司事, 李瑋爲中書侍郞[平章事]·判戶部事兼西京留守使, 許慶爲刑部尙書·樞密院使, [禮賓卿·樞密院副使]李資謙爲殿中監·同知樞密院事. [先是, 王以群臣固請, 罷瓘·延寵, 削功臣號. 至是, 復職, 瓘等上表, 辭, 王賜敎[詔], 不允:節要轉載].

[→瓘, 上表辭, 不允曰, "朕聞昔李廣利之伐大宛也, 僅獲駿馬三十匹, 而武帝以萬里征伐, 不錄其過. 陳湯之誅郅支也, 矯制擅興師, 而宣帝以威振百蠻, 封爲列侯. 卿之伐女眞, 受先考之遺旨, 体寡人之述事. 身冒鋒鏑, 深入賊壘, 斬馘俘虜, 不可勝計, 而闢百里之地, 築九州之城, 以雪國家之宿恥, 則卿之功, 可謂多矣. 然夷狄人面獸心, 叛伏不常, 厥有餘醜, 無所依處故, 酋長納降請和, 群臣皆以爲便, 朕亦不忍, 遂還其地. 有司守法, 頗有論劾, 遽奪其職, 朕終不以卿爲咎, 庶幾有孟明之復濟也. 今朕之授卿者, 抑卿之舊職也, 何足以辭. 當体眷懷, 速就乃職". 瓘再表讓, 又不允:列傳9尹瓘轉載].

---

56) 乙未에 朔이 탈락되었다.

[→延寵, 上表讓, 王不允曰, "才雖衆, 循名責實, 則可與謀其政者有幾. 罪雖重, 不曰欺其心者, 猶或赦, 故曹沫割地而魯公不責之, 孟明敗軍而秦穆復用之. 向者東夷不恭, 累世爲害, 先皇有憤而欲伐, 寡人繼志以興兵, 卿以文武之材, 爲將帥之副. 初, 若遲疑而猶豫, 後能征討以蕩平, 斬馘旣多, 俘虜亦夥, 拓開封境, 築設城池. 雖論議之尙喧, 乃勤勞之可記. 爰加寵命, 俾復舊資, 當体眷懷, 勿煩謙遜":列傳9 吳延寵轉載].

乙巳[11日], 醮于乹德殿.

戊申[14日], 幸法雲寺.

癸丑[19日], 立春, 百官朝于乾德殿, 賜春幡子, 仍賦迎春詞二首.

○以帶方侯[帶方公]俌△[爲]守大尉·帶方公[·食邑三千戶·食實封三百戶:追加], 大原侯俸△[爲]守大尉, 齊安侯偦△[爲]守司徒, 通義侯僑△[爲]守司徒, 史榮△[爲]攝戶部尙書·西京知留守□[事], 朴景綽爲左諫議大夫. 俌等俱上表讓職, 下敎[詔]不允.

[→加□□□□□[帶方公俌爲]輸忠功臣·守太尉·帶方公·食邑三千戶·食實封三百戶. □□□□□[太原公俸爲]廣孝功臣·守太尉, □□□□□[齊安侯偦爲]奉化功臣·守司徒·食邑三千五百戶, □□□□□[通義侯僑爲]奉節功臣·守司徒·食邑二千五百戶. 俌·俸·偦·僑表讓, 不允:列傳3肅宗王子帶方公俌·太原公俸·齊安公偦·通義侯僑轉載].

庚申[26日], 以金商祐爲御史大夫.

○幸普濟寺.

[是年, 以李壽爲兵部侍郞, 委以選軍卒:列傳8李公壽轉載].[57)]

[○以元沆爲陜州判官:追加].[58)]

---

57) 이때 李壽(李公壽)는 兵部侍郞에 임명된 이후 14년간 軍卒 選拔을 위임받았다고 한다.
- 열전8, 李子淵, 公壽, "轉兵部侍郞, 王委以選軍卒凡十四年, 以稱職聞".
- 「李公壽墓誌銘」, "明年, 遷兵部侍郞, 是時, 上患府衛多闕, 謂宰相曰, '選軍司兵馬所總, 誰□□[有能?]其任者', 宰相皆以公對, 故居是任首尾十四年. 至今, 虎夫悍卒語公之事, 無不嘆慕".

58) 이는 「元沆墓誌銘」에 의거하였는데, 原文에는 관직이 陜州通判으로 되어 있다.

辛卯[睿宗]六年, 契丹天慶元年, [宋政和元年], [西曆1111年]

1111년 2월 10일(Gre2월 17일)에서 1112년 1월 30일(Gre2월 6일)까지, 355일

春正月[甲子朔[大盡,庚寅], 熒惑守輿鬼:天文1轉載].

丙寅[3日], 御乹德殿, 頒德音, 犯斬·絞者, 免刑流配, 流以下並赦之. 中外老人及鰥寡·孤獨·節義·孝順者賜酒食, 幷賜物有差.

[○又爵太祖功臣子孫:節要·選擧3功臣子孫轉載].

戊辰[5日], [雨水]. 遼遣泰州管內觀察使大仲宣來, 賀生辰.

[乙亥[12日], 月犯熒惑:天文1轉載].

丙子[13日], 御宣政殿, 引見北鄙女眞村長三十人.

癸未[20日], [驚蟄]. 以判閤門事柳澤爲西北面兵馬使, 國子司業·御史雜端洪灌爲東北面兵馬副使, [以<u>崔儒</u>[崔濡?]爲東南海都部署使:慶尙道營主題名記].[59]

[某日, 以王侾爲廣孝功臣·守太尉:追加].[60]

癸巳[30日], 盜入上林司, 殺守庫婢, 竊銀物.

[是月甲子朔, 遼改元天慶, 宋改元政和:追加].

二月[甲午朔小盡,辛卯], 乙未[2日], 以任申幸△[爲]攝刑部尙書.

[丁酉[4日], 熒惑流行, 自角入騎官:天文1轉載].

[己亥[6日], 春分. 祀老人星于南壇:禮5雜祀轉載].

丁未[14日], 燃燈, 王如奉恩寺.

三月[癸亥朔大盡,壬辰], 丙寅[4日], 封源爲廣平伯.

[→□□□□□[~~檢校太尉源~~], 尙肅宗女安壽公主, 封廣平伯, 進開府儀同三司, 封爲侯:列傳3文宗王子朝鮮公燾轉載].

辛未[9日], 以許慶爲吏部尙書·參知政事, [知樞密院事]柳仁著爲兵部尙書, [同知樞密院事]李資謙爲御史大夫, 金緣爲祕書監·樞密院副使, 崔繼芳爲戶部尙書兼三司使, 柳子維爲刑部尙書, 趙仲璋爲吏部侍郞·知御史臺事, 金沽爲禮部侍郞·右諫議大夫, 朴昇中

---

59) 崔儒는 崔濡(열전11, 崔濡)의 오자일 가능성이 있다.

60) 이는 「王侾廟誌銘」에 의거하였다.

爲中書舍人, [崔弘正爲衛尉少卿:追加].[61)]

[某日, [守司空·]參知政事文冠致仕:節要轉載].

[壬午[20日], 熒惑犯軒轅鎭星, 入羽林, 至四月乃退:天文1轉載].

癸未[21日], 饗庶老及節義·孝順·男女于宮庭. 國老[禮部]尙書致仕林成槩·柳澤等于閣門, 王親侑之, 觀者多感泣. 成槩懷諫䟽奏之, 凡五條, 皆國家大事. [門下侍郞]平章事致仕金上琦年八十一, 王欲宴于內殿, 以示優禮. 上琦辭以老病, 特命左承宣韓皦如傳宣, 肩輿入內, 上殿勿拜. 上琦固辭不就.

甲申[22日], [立夏]. 日赤無光.

夏四月[癸巳朔小盡,癸巳], 己亥[7日], 享于大廟[~~太廟~~].

[○流星自北極西行, 入宗人·宗正間. 月犯軒轅后妃:天文1轉載].

[辛丑[9日], □[月]入大微[~~太微~~], 犯屛星:天文1轉載].

庚戌[18日], 再雩.

甲寅[22日], 右補闕韓冲上䟽, 言時政得失.[62)]

[是月, 建金山寺慧德王師眞應塔碑, 刻字□□校尉李孝全:追加].[63)]

五月[壬戌朔大盡,甲午], 甲子[3日], 禱雨于廟社·諸陵·山川.

己巳[8日], 門下侍中尹瓘卒.[64)] [瓘, 坡平縣人, 少登科, 好學, 手不釋卷. 及爲將相, 雖在軍中, 常以五經, 自隨, 好賢樂善, 冠於一時. 諡文肅:節要轉載].

[辛巳[20日], 月入羽林:天文1轉載].

是月, 有箭著于都兵馬使及金剛庫屋上, 其鏃穿瓦.

[是月, 熒惑守大微[~~太微~~], 至乙酉[24日] 犯右執法:天文1轉載].

---

61) 崔弘正은 그의 묘지명에 의거하였는데, 날짜가 3월 9일로 동일하다.

62) 이와 같은 기사가 열전10, 韓冲에도 수록되어 있다. 左·右補闕은 睿宗代인 1111년(예종6) 4월 18일(庚戌)에서 1115년(예종10) 8월 8일(乙巳) 사이에 左·右司諫으로 改稱되었다.
 · 지30, 百官1, 門下府, "睿宗, 改□□□□□[~~左右補闕爲~~]左·右司諫, 各一人, 秩正六品". 여기에서 ~~添字~~가 追加되어야 옳게 될 것이다.

63) 이는 「金山寺慧德王師眞應塔碑」에 의거하였다(→선종 6년 是年條의 脚注).

64) 이날은 율리우스曆으로 1111년 6월 15일(그레고리曆 6월 22일)에 해당한다.

六月壬辰朔[大盡,乙未], 王如奉恩寺.

丁酉[6日], 以林彦爲翰林侍講學士, [衛尉少卿]崔弘正爲給事中.[65]

[○月犯心星:天文1轉載].

庚子[9日], [大暑]. 慮囚, 放輕繫.

[是月, 中書省□[~~庭~~]櫻桃結子, 大如杏子, 而中空無核:五行2轉載].

秋七月[壬戌朔小盡,丙申], 甲子[3日], 親醮三淸于純福殿.

己卯[18日], 以右散騎常侍康拯爲西北面兵馬使, 右諫議大夫朴景綽爲東北面兵馬使, [尹諧爲東南海都部署使:慶尙道營主題名記].

壬午[21日], 遣樞密院副使金緣·少府監林有文如宋.[66]

[□□[~~是時~~], 書狀官·直翰林院金富轍,[67] 上表, 乞赴璧雍[~~辟雍~~]觀講,[68] 帝[徽宗]答詔, 有覬觀重席, 往詣橫經, 誠悃備陳, 文詞兼麗之語. 使還, 擢富轍監察御史:節要轉載].

庚寅[29日晦], 王太后不豫, 移御法王寺.

八月[辛卯朔大盡,丁酉], [某日, 以左右衛錄事胡宗旦△[爲]權知直翰林院. 宗旦, 宋福州人, 嘗入大學[~~太學~~], 爲上舍生, 聰敏, 博學能文, 兼通雜藝. 遊兩浙, 仍寄商船而來, 王寵顧優厚, 驟登淸要, 然頗進壓勝之術. 王不能無惑焉:節要轉載].[69]

甲午[4日], 親醮于闕庭.

○太史奏, "先朝所創天壽寺, 地勢不利, 請毁藥師院, 移之".

庚戌[20日], 親幸相地.

---

65) 崔弘正의 묘지명에도 이날(6월 6일) 給事中에 임명되었다고 되어 있다.

66) 이때 金緣은 謝恩使로 파견되었는데(『보한집』 권상), 宋에 들어가서 徽宗의 厚待를 받았으나 宴會에 사용된 白玉器를 보고 奢侈가 심함을 탄식하였다고 한다.
· 열전9, 金仁存, "遷秘書監, 奉使如宋, 徽宗侍之甚厚, 屢賜宴, 宴器皆用白玉. 仁存以爲, 帝厚我國, 享禮雖異常, 然觀時事, 華侈太甚, 可嘆".

67) ~~添字~~가 더 들어가야 좋을 것 같다. 또 이와 같은 기사가 열전10, 金富儀에도 수록되어 있다.

68) 古代의 天子가 설립했던 大學을 辟雍이라고 하는데, 간혹 이를 璧雍으로 표기하는 사례도 있었다.
· 『자치통감』 권32, 漢紀24, 成帝綏和 1년(BC8), "犍爲郡於水濱得古磬十六枚, 議者以爲善祥. 劉向因是說上, 宜興辟雍[胡三省注, '記'王制, 天子之學曰辟雍. 鄭玄曰, 辟, 明也. 雍 和也. 所以明和天下], 設庠序[注, 古者黨有庠, 遂有序. 庠者, 養也, 序者, 敎也], 陳禮樂, 隆雅頌之聲, 盛揖讓之容, 以風化天下".

69) 胡宗旦의 出身과 行蹟에 대한 검토가 있다(이바른 2017년).

甲寅[24日], 以[守司空·尙書左僕射]金漢忠爲樞密院使.[70)]

乙卯[25日], 幸長源亭.

[戊午[28日], 衆小星, 分流四方:天文1轉載].

[某日, 判[冊], "三年以上陳田, 墾耕所收, 兩年, 全給佃戶, 第三年, 則與田主分半, 二年陳田, 四分爲率, 一分田主, 三分佃戶, 一年陳田, 三分爲率, 一分田主, 二分佃戶":食貨1租稅轉載].

九月[辛酉朔小盡,戊戌], 己巳[9日], 設重陽宴, 王賦詩, 令從臣和進.

戊寅[18日], 命侍從官射, 中的者, 賜物有差, 仍賜宴.

冬十月[庚寅朔大盡,己亥], 甲午[5日], 王還宮.

丙午[17日], 遣刑部侍郞李資德如遼, 賀天興節.

○兩府會議邊事.

戊申[19日], 設百座道場于會慶殿, 講仁王經, 飯僧一萬于闕庭, 二萬于州府.

丁巳[28日], [大雪]. 王朝太后于奉恩寺.

十一月庚申朔[小盡,庚子], 有司請停創天壽寺, 從之.

○遣禮部侍郞李珣如遼, 謝賀生辰.

乙丑[6日], 幸藥師院, 相天壽寺基.

[○月入羽林:天文1轉載].

丙子[17日], 遣殿中監金縝如遼, 獻方物, 禮賓少卿文公彦[文公美], 賀正.[71)]

[→[文]公仁, 雅麗柔曼, 侍中崔思諏以女妻之. 中第, 直史館, 家世單寒, 以連姻貴族, 恣爲豪奢. 嘗以戶部員外郞, 奉使如遼, 私贈儐者白銅·螺鈿器及書畫·屛扇等奇玩. 自是, 遼人每於行李, 必援公仁, 徵索無厭, 遂爲鉅弊:列傳38文公仁轉載].

[丙申[某日], 流星出軒轅, 入張星, 大如梡, 尾長六尺許:天文1轉載].[72)]

---

70) 金漢忠은 예종 5년 12월 7일(辛丑) 判工部事에 임명되었는데, 이때 判六部事를 兼職할 수 없는 樞密院使에 임명된 사유를 알 수 없다. 그렇지만 어떤 犯法行爲로 인해 守司空·尙書左僕射에서 그보다 下位인 樞密院使로 貶職될 수는 있다.

71) 文公彦은 후일 文公美로 개명하였고, 이때 그가 띠고 있는 禮賓少卿(종4품)은 사신으로 파견될 때 임명된 借職이고 실직은 戶部員外郞(정6품)이었던 것 같다(→예종 9년 6월 4일의 脚注).

[是月, 虎入都城, 多害人物:五行2轉載].

十二月己丑朔大盡,辛丑, [癸巳5日 日有兩珥, 白氣貫于東西北, 有暈:天文1轉載].

丙午18日, 以門下侍郞平章事崔弘嗣△爲守太傅, 許慶爲中書侍郞同中書門下平章事, 樞密院使金漢忠爲尙書左僕射, 樞密院使?柳仁著△爲守司空, 知樞密院事?李資謙△爲檢校司空·刑部尙書, 金商祐爲吏部尙書, 高令臣爲禮部尙書, 柳子維爲工部尙書, 李載爲殿中監, 洪灌爲御史中丞, 崔濡·李資誠並爲侍御史, 閔世倫爲殿中侍御史, 權知直翰林院胡宗旦爲右拾遺·知制誥.

己酉21日, 遼遣橫賜使·檢校司空蕭遵禮來.

辛亥23日, 受詔于乾德殿.

乙卯27日, 宣德鎭卒鄭珍·定州人白巴嘗得罪, 亡入女眞, 與謀寇邊. 珍母在元興鎭, 夜二鼓, 珍·巴與女眞人骨夫, 潛來, 將竊其母以去. 東北面兵馬使遣卒, 捕殺之, 幷獲器仗, 賜爵賞, 有差.

[→東北面兵馬使, 誅宣德鎭卒鄭珍·定州人白卜及女眞人骨夫. 初珍·卜等皆得罪, 亡入女眞, 與謀寇邊. 珍母在元興鎭, 是日夜, 珍與卜·骨夫, 潛來, 將竊其母以去, 兵馬使遣軍卒, 捕殺之, 幷獲器仗. 王賜爵賞, 有差:節要轉載].

[某日, 命門下省降官誥王弟·太原侯侾曰, 母殿承顔罄孝, 嚴而不匱, 王庭共職, 效補益以居多, 凝績用以有聞, 示旌酬而何悋. 是用, 授重資, 而彰德錫美稱, 以表功:追加].[73)]

[是年, 築吉州中城, 尋以地, 還女眞. 又築公嶮鎭山城[注, 一云孔州, 一云匡州. 一云, 在先春嶺東南·白頭山東北. 一云, 在蘇下江邊]:轉載].[74)]

---

72) 11월에는 丙申이 없고, 이달에는 丙寅(7일), 丙子(17일), 丙戌(27일)이 있다.

73) 이는 「王侾廟誌銘」에 의거하였다.

74) 이는 다음의 자료를 전재하였다.

· 지12, 지리3, 吉州, "睿宗六年, 築中城, 尋以地, 還女眞".

· 지12, 지리3, 公嶮鎭, "睿宗六年, 築山城[注, 一云孔州, 一云匡州. 一云在先春嶺東南·白頭山東北, 一云 在蘇下江邊]".

· 『신증동국여지승람』 권50, 慶源都護府, 건치연혁, "古稱孔州[注, 一云匡州. 後人掘地得銅印, 其文曰'匡州防禦之印'. 久爲女眞 所據. 高麗尹瓘逐女眞 設砦, 爲公險鎭內防禦所".

· 『신증동국여지승람』 권50, 會寧都護府, 古跡, "公嶮鎭, 自高嶺鎭渡豆滿江, 踰古羅耳, 歷吾童

[○判^[刪], "依月令, 孟夏之月, 出輕繫, 仲夏之月, 挺重囚之說, 四月, 保放輕囚, 五月, 重囚緩枷鏁, 以爲永式":刑法2恤刑轉載].[75)]

[○王妹承化伯禎妻興壽宮主生子, 遣承宣金沽, 賜禮物:列傳4肅宗公主轉載].

壬辰[睿宗]七年, 契丹天慶二年, [宋政和二年], [西曆1112年]

1112년 1월 31일(Gre2월 7일)에서 1113년 1월 19일(Gre1월 26일)까지, 355일

春正月[己未朔小盡,壬寅], 辛酉[3日], 遼遣永州管內觀察使劉公允來, 賀生辰.

庚辰[22日], 以御史中丞洪灌爲東北面兵馬使, 給事中崔弘正爲西北面兵馬使.

[○以東南海道都部署使韓冲奏報, "分其地爲慶尙·全羅·楊廣三道, 仍差遣春夏·秋冬番按察使", 從之. 尋以韓仲[韓冲]爲慶尙道按察使:追加].[76)]

二月[戊子朔大盡,癸卯], [己亥[12日], 月犯軒轅夫人:天文1轉載].

辛丑[14日], 燃燈, 王如奉恩寺.

翼日[壬寅15日], 大會, 王賦詩 令從臣和進.

[丙午[19日], 太白犯昴星:天文1轉載].

[丁未[20日], 月犯心大星:天文1轉載].

庚戌[23日], 諫官上疏, 請停創天壽寺, 從之.

站·英哥站, 至蘇下江, 江濱有公嶮鎭古基. 南隣具州·探州, 北接堅州. 按'高麗史·地理志', '公嶮鎭, 睿宗三年, 築城置鎭, 爲防禦使. 六年築山城[註, 一云孔州, 一云匡州. 一云在先春嶺東南·白頭山東北. 一云在蘇下江邊. 今旣以慶源爲孔州, 則恐在先春嶺東南·白頭山東北, 蘇下江邊者爲是, 然未可考".

75) 이 月令의 내용은 현존의『禮記』, 月令第6과 同一하다고 한다(蔡雄錫 2009년 537面→현종 9년 閏4월 某日).

76) 이는 다음의 자료에 의거하였다.

- 『경상도지리지』, 晋州道, 金海都護府, "厥後[睿宗7年], [都部]署使韓冲, 以東南海道廣, 奏報, 分爲慶尙·全羅·楊廣三道. 出依貼日".
- 『慶尙道營主題名記』, 睿宗壬辰[七年], "是年, 改都部署使爲按察使".
- 백관지2, 外職, 按廉使, "睿宗八年[七年], 復改爲按察使". 이에서 八年은 七年으로 고쳐야 옳게 된다. 이해는 卽位年稱元法을 사용했던 고려시대에는 8년이었으나 踰年稱元法을 사용한『고려사』에는 7년에 해당된다(尹京鎭 2013년a).

甲寅[27日], 以[門下侍郎平章事]金景庸△[爲]守太保·判尙書吏部事, [中書侍郎平章事]吳延寵△[爲]守司徒·判尙書兵部事·監修國史, [中書侍郎平章事]李瑋△[爲]守司徒·修國史, [中書侍郎平章事]許慶△[爲]檢校司徒·判尙書禮部事, 柳仁著·[檢校司空]李資謙△△[並爲]參知政事, 崔繼芳·高令臣△△[並爲]同知樞密院事, 金晙爲禮賓卿·樞密院知奏事, 王字之爲吏部侍郎·樞密院左承宣, 金黃元爲翰林侍講學士, 韓皦如爲右承宣.

三月戊午朔[小盡,甲辰], 幸長源亭.

[癸酉[16日], 月入氐星:天文1轉載].

[甲戌[17日], 穀雨. 日有珥:天文1轉載].

[某日, 門下侍郎平章事崔弘嗣三上表, 請老, 許之:節要轉載].

壬午[25日], 賜鄭之元等及第.[77)]

夏四月[丁亥朔大盡,乙巳], 庚寅[4日], 王還宮.

丙申[10日], 御禁內紗樓, 製牧丹詩, 命儒臣應製, 賜叚匹[段匹]有差. 顯宗嘗手植牧丹于樓前, 自德宗至肅宗, 皆有詠花詩, 又有從臣應製.

丁酉[11日], 以金至和△[爲]知吏部事, [殿中監]朴景綽△[爲]直門下省□[事], [吏部侍郎]趙仲璋爲左諫議大夫, 林彦爲禮部侍郎·右諫議大夫, 金沽△[爲]知御史臺事.

戊戌[12日], 宴諸王及[門下侍郎]平章事金景庸·上大將軍·承宣等于賞春亭.

○雨雹.[78)]

五月[丁巳朔小盡,丙午], [庚申[4日], 芒種. 昏, 有白氣一條, 如匹練, 坤艮相衝, 良久乃滅:五行2轉載].

甲子[8日], 太白晝見.

乙丑[9日], 禱雨于興國寺.

---

77) 이와 관련된 기사로 다음이 있고, 鄭之元은 이후 鄭知常으로 개명하였다. 이때 [四京進士]鄭之元(改知常)·[軍器主簿同正]崔惟淸(崔惟淸墓誌銘)·文公裕(文公裕墓誌銘)·權適(丙科, 權適墓誌銘) 등이 급제하였다(『登科錄』, 朴龍雲 1990년 ; 許興植 2005년).

· 지27, 선거1, 科目1, 選場, "[睿宗]七年三月, [中書侍郎]平章事吳延寵知貢擧, 侍郎林彦同知貢擧, 取進士, 賜乙科鄭之元等三人·丙科六人·同進士十六人·明經三人及第".

78) 이와 같은 기사가 지7, 五行1, 水, 雨雹에도 수록되어 있다.

戊寅[22日], 集三品以上於式目都監, 問禦邊之策.

六月[丙戌朔大盡,丁未], 丁亥[2日], 王如奉恩寺.

[某日, [樞密院副使]金緣, 自宋還至慶源郡, 奔父喪, 不復命, 時人, 譏其失禮:節要轉載].

[→還至慶源郡, 聞父喪, 以使事付其介, 遂奔喪, 不復命, 時人, 譏其失禮:列傳9金仁存轉載].

乙未[10日], 移置扶餘公㵟于巨濟縣, [流其子于進禮縣. 㵟在京山府, 又犯罪, 故移之:節要轉載]. 行至玄風縣, 卒.

[→又以罪, 移巨濟縣, 流其子沔于進禮縣, 差內侍官, 遞守之. 㵟道卒, 王聞之, 輟朝三日, 百官上表陳慰:列傳3文宗王子扶餘侯㵟轉載].

己酉[24日], 參知政事□□[致仕]文冠卒,[79] [年七十(일). 諡章敬]. [冠, 寬厚淸直, 不事營產, 嘗與女眞, 累戰, 有功:節要轉載].

[癸丑[28日], 流星出王良, 入危, 尾長一丈許:天文1轉載].

秋七月[丙辰朔小盡,戊申], [甲子[9日], 太白食東井北轅第二星. 月犯心大星:天文1轉載].

己巳[14日], 王太后柳氏[肅宗妃]薨于信朴寺.[80]

[→王太后柳氏, 在佛恩寺, 疾革. 王馳詣, 請入大內, 行至信朴寺, 薨, 上諡明懿王太后:節要轉載].

[→王太后柳氏薨. 殯于大內:禮6國恤轉載].

[→病革, 王馳詣, 請入大內, 行至信朴寺薨. 王率百官, 上謚[諡]明懿王太后. 册曰, "禮以飭終, 爲子之達孝, 謚[諡]以旌德, 歷代之成規, 合擧舊章, 用申哀懇. 伏惟, 大行王太后, 柔嘉賦性, 恭儉律身, 自先王之在藩, 作好仇而宜室. 輔佐志存於卷耳, 肅和德茂於穠華. 於文祖, 有逮事之勤, 於戴陵, 有思齊之敬. 屬君臨於大寶, 整后服於六珈, 吉協黃裳, 美流彤管. 顧惟冲昧, 仰荷劬勞, 洎襲丞圖, 動煩慈訓. 罄海宇, 奉長樂之養, 以寶册, 稱太上之尊. 八載母臨, 萬姓孩慕, 令聞動於中夏, 異恩浹於東朝. 何其不慭之深, 罹此乃殂之酷. 攀號莫及, 創鉅奚勝. 今有禮官, 恭稽謚[諡]法, 獨見先識曰明, 溫和聖善曰懿, 以彰莫大之德, 奋永無窮之傳. 謹奉册上尊謚[諡]

79) 이날은 율리우스曆으로 1112년 7월 19일(그레고리曆 7월 26일)에 해당한다.

80) 이날은 율리우스曆으로 1112년 8월 8일(그레고리曆 8월 15일)에 해당한다.

曰明懿王太后, 伏惟, 誕膺典册, 幽贊邦家":列傳1肅宗妃明懿太后柳氏轉載].

丁丑22日, 以兵部侍郎李壽爲西北面兵馬副使, 刑部侍郎安子恭爲東北面兵馬副使, [崔資成崔滋盛?爲慶尙道按察使:慶尙道營主題名記].[81)]

[甲申29日晦, 太白犯輿鬼:天文1轉載].

[是月, 太白·歲星·熒惑同舍:天文1轉載].

八月乙酉朔大盡,己酉, [甲午10日, 月入南斗口:天文1轉載].

[乙未11日, 熒惑犯輿鬼西北:天文1轉載].

丙申12日, 葬明懿王太后肅宗妃于崇陵, 王祖送于闕庭.[82)]

[史臣金富儀曰, "太后之稱, 蓋母后生時, 子事母之稱也. 唐書曰, 生則從子, 入廟從夫.[83)] 然則死當稱王后, 今母后薨, 而謚以太后, 非禮也. 蓋禮官之失也":節要轉載].

丁酉13日, 遣殿中監李德羽如遼, 告哀.

丙午22日, 流[俗離寺住持:節要轉載]僧統竀于巨濟縣.[84)]

戊申24日, 流尙書右丞金仁碩·全州牧使李汝霖·殿中少監河彥碩·刑部尙書任申幸·大卿李仲平·刑部員外郎李日肅·將軍金澤臣·宋英漢·別將金有成·知南原府事李綏·寧朔鎭使李日衍·崇敎寺僧資尙及仁碩·汝霖·申幸·彥碩之子于遠地. 誅資尙于中路. [竀, 卽文宗子, 住俗離寺, 財累鉅萬, 厚施於人, 人多歸附. 或告, 竀與仁碩等交通, 圖不軌, 故及. 未幾死:節要轉載].[85)]

---

81) 崔資成은 崔滋盛의 오자로 추측된다.

82) 이 기사는 지18, 禮6, 國恤에도 수록되어 있고, 이때 올린 謚册이 『동문선』 권28, 明懿王太后皇太后謚册이다. 또 崇陵은 失傳되어 현재 어디에 있는지를 알 수 없다.

83) "唐書曰, 生則從子, 入廟從夫"는 『구당서』와 『신당서』를 위시한 여러 典籍에서 찾아지지 않는다.

84) 俗離寺는 俗離山의 法住寺, 속리산의 서쪽에 있는 俗離寺의 兩者 중의 하나일 것이다(『신증동국여지승람』 권16, 報恩縣, 佛宇, 俗離寺, 法住寺). 또 巨濟縣은 巨濟島에 설치된 郡縣인데, 1689년(숙종15) 6월 이후 이곳에 安置된 金鎭圭(1658~1726)에 의하면 穀食과 海產物이 모두 騰貴하여 생활에 어려움이 많았다고 한다.

· 『竹泉集』 권3, 島俗陋甚…, "地狹粟貴, 雖豊年價高, 地無市, 捕魚出賣陸地, 故島中魚產甚貴".

85) 大卿은 五監·九寺(高麗에서는 七寺·三監)의 長官인 正卿(正3品)에 相當하는 관료를 指稱하는 것 같다. 곧 漢代의 九卿에 準하는 諸卿, 宋代의 各寺 長官인 大卿 등과 같은 位相을 지닌 官僚[列卿]일 것이다.

· 『자치통감』 권8, 漢紀10, 武帝元朔 3년(BC126), "是歲, 中大夫張湯爲廷尉. 湯爲人多詐, 舞智以御人. … 汲黯數質責湯於上前武帝前曰, 公爲正卿[胡三省注, 漢官, 九卿之外, 又有列於九卿者,

[→或告竄與尙書右丞金仁碩·全州牧使李汝霖, 交通圖不軌. 王流竄于巨濟縣, 及其黨汝霖·仁碩·殿中少監河彥碩·刑部尙書任申幸·大卿李仲平·刑部員外郞李日肅, 將軍金澤臣·宋英漢·別將金有成·知南原府事李綏·寧朔鎭使李日衍·崇敎寺僧資尙, 幷仁碩·汝霖·申幸·彥碩等子, 流遠地. 誅資尙于中路, 竄尋卒. 竄財累鉅萬, 厚施於人, 故貪利者, 多附之, 終以此敗:列傳3文宗王子道生僧統竄轉載].[86)]

辛亥[27日], 樂浪侯瑛卒,[87)] [年七十, 諡[諡]敬安. 子禎·禔:列傳3顯宗王子平壤公基轉載].

[甲寅[30日], 太白犯軒轅:天文1轉載].

九月[乙卯朔[大盡,庚戌], 流星出五車西北, 入北河, 大如盂, 尾長七尺許:天文1轉載].

[丙辰[2日], 流星出卷舌, 大如杯, 尾長五尺許:天文1轉載].

[丁巳[3日], 流星出天船星房, 入五車西北, 大如盂, 尾長七尺許:天文1轉載].

[乙丑[11日], 京市樓北廊六十五間火:五行1火災轉載].

丙寅[12日], 以金景庸爲門下侍中, 吳延寵·李瑋△[並]爲門下侍郞同中書門下平章事, [中書侍郞平章事]許慶△[爲]守司徒, [參知政事]柳仁著爲尙書左僕射·判尙書刑部事, [參知政事]李資謙△[爲]守司空·兵部尙書·判三司事, 崔繼芳△[爲]檢校司空·樞密院使, 高令臣爲吏部尙書·知樞密院事, [樞密院副使]金緣爲左散騎常侍·同知樞密院事·翰林學士承旨, [守司空·左僕射?]崔挺△[爲]判尙書工部事, 金商祐爲刑部尙書, 劉載爲禮部尙書, 林有文爲右散騎常侍, 康拯爲御史大夫.

[○歲星守輿鬼西南星十餘日:天文1轉載].

[辛未[17日], 又犯積屍:天文1轉載]..

[甲戌[20日], 熒惑犯軒轅女主:天文1轉載].

乙亥[21日], 遣禮部侍郞金縝如遼, 賀天興節.

[丁丑[23日], 霜降. 流星出畢東, 入天苑, 大如盂. 月犯軒轅女主:天文1轉載].

故爲九卿爲正卿], 上不能褒先帝之功業, 下不能仰天下之邪心, 安國富民, …".

· 『賓退錄』 권3, "世俗稱列寺卿曰大卿, 諸監曰大監, 所以別於少卿·監".

86) 이때 李汝霖이 被禍된 것은 그와 함께 東宮(후일의 睿宗)의 侍學으로 재직하였던 韓皦如(改安仁)의 劃策에 의한 것이었다고 한다.

· 열전10, 韓安仁, "睿宗在潛邸, 安仁與李永·李汝霖等侍學, 及即位, 以舊恩, 密近用事. 恩寵浸優, 兄弟親戚, 皆夤緣, 分據要路, 士大夫趨勢利者, 無不附. 初與汝霖, 交若不相負, 後擠之, 使不復起".

87) 이날은 율리우스曆으로 1112년 9월 19일(그레고리曆 9월 26일)에 해당한다.

[己卯[25日], 流星出河鼓, 近天紀而滅, 大如杯:天文1轉載].

[壬午[28日], 流星出軒轅, 入紫微, 大如盂, 尾長三尺許:天文1轉載].

冬十月[乙酉朔小盡,辛亥], 庚寅[6日], 以宋國信龍鳳茶, 分賜宰臣.

辛卯[7日], 遣工部侍郎李寵鱗[李寵麟]如遼, 謝橫賜.[88]

[壬辰[8日], 立冬. 辰星見星度, 歲星守輿鬼三十日:天文1轉載].

[癸巳[9日], 流星出中台, 入紫微西, 大如杯, 尾長十尺許:天文1轉載].

[丙申[12日], 流星出卯入畢, 大如盂:天文1轉載].[89]

乙巳[21日], 遣戶部侍郎康悅如遼, 謝賀生辰.

壬子[28日], 兩府宰臣上表, 請復常膳, 不允.

十一月甲寅朔[大盡,壬子], 宰臣三上表, 請復常膳, 從之.

[戊午[5日], 虹見:五行1虹霓轉載].[90]

庚申[7日], 御乾德殿, 宣柳仁著·[參知政事]李資謙麻制.

[○熒惑入大微[太微], 月食鎭星:天文1轉載].

丁丑[24日], 王詣明懿太后[肅宗妃]虞宮.

[戊寅[25日], 冬至. 流星出壘壁陣, 入羽, 大如杯, 尾長五尺許, 光照于地, 又流星出攝提東, 入亢, 大如盂, 長十尺許:天文1轉載].

[○昏時, 京中人家, 忽然驚動呼號, 久而乃止:五行2轉載].

己卯[26日], 遣□[右?]承宣韓皦如于中書省, 問禦邊之策.

庚辰[27日], 遣禮賓少卿崔佪如遼, 獻方物.

辛巳[28日], 御乾德殿, 宣[門下侍中]金景庸·[門下侍郎平章事]吳延寵·[門下侍郎平章事]李瑋麻制.

○遼東京回謝持禮使·禮賓副使謝善來.

壬午[29日], 遣刑部侍郎許之奇如遼, 賀正.

---

88) 李寵鱗은 李寵麟의 오자일 것이다(→예종 4년 7월 某日, 10년 12월 21일).

89) 지1, 天文1에는 癸巳(9일), 丙申(12일), 壬辰(8일)의 순서로 기록되어 있다.

90) 이날 일본의 京都에서는 날씨가 흐리고 비가 내렸다고 한다.

·『中右記』, 天永 3년 11월, "五日, 天陰雨下.

·『殿暦』, 天永 3년 11월, "五日戊午, 天晴, 今朝陰雨甚降, …".

十二月甲申朔大盡,癸丑, 辛丑18,日 以崔思諏△爲守太師·中書令致仕, [→賜詔書·制牒·茶藥·衣帛·鞍馬, 以示優恩:列傳9崔思諏轉載]. 守司空林幹爲門下侍郞同平章事致仕, [賜門下侍中金景庸, 協謀·衛社功臣號:節要轉載].[91)]

[是年, 置惠民局判官四人, 以本業及散職互差, 乙科權務:百官2惠民局轉載].
[○判制, "大府寺賊太府寺賊捕捉者, 爲先錄用, 以勵後人":刑法2盜賊轉載].
[○以尹諧爲戶部員外郞·廣州牧副使:追加].[92)]
[○以張脩爲鹵簿都監判官:追加].[93)]
[○以王冲爲晋州牧司錄兼掌書記:追加].[94)]
[○宋漳州人進士林完, 隨商舶來投:追加].[95)]

癸巳[睿宗]八年, 契丹天慶三年, [宋政和三年], [西曆1113年]

1113년 1월 20일(Gre1월 27일)에서 1114년 2월 7일(Gre2월 14일)까지, 13개월 384일

春正月甲寅朔小盡,甲寅, 乙卯2日, 遼遣崇祿卿張如晦來, 賀生辰.
[戊辰15日, 都官南行廊火:五行1火轉載].
壬申19日, 遼勑祭使·永州管內觀察使耶律固·大常少卿王侁來.[96)]

91) 林幹은 1106년(예종1) 3월 26일(戊午) 女眞征伐의 失敗로 門下侍郞平章事에서 守司空·左僕射로 임명되어 致仕하게 되었는데, 이때 前職에 의해 다시 致仕職을 받은 것 같다. 또 林幹은 그의 아들 林景和의 묘지명에 의하여 本貫은 安東府 甫州, 諡號는 貞平임을 알 수 있다.

92) 이는 「尹誧墓誌銘」에 의거하였다.

93) 이는 「張脩墓誌銘」에 의거하였다.

94) 이는 「王冲墓誌銘」에 의거하였다.

95) 이는 「林光墓誌銘」에 의거하였는데, 漳州는 현재의 福建省 東南部에 위치한 漳州市이다. 또 이 시기 이후에 개경에 체류하고 있었던 宋人이 數百人에 달하는데, 그 중에 閩地域(現在의 福建省 地域) 출신이 多數를 차지하고 있었다고 한다.
· 『송사』 권487, 열전246, 外國3, 高麗, (末尾), "… 王城有華人數百, 多閩人, 因賈舶至者, 密試其所能, 誘以祿仕. 或强留之終身, 朝廷使至, 有陳牒來訴資, 則取以歸".

96) 勑祭使 耶律固의 파견은 前年 10월 27일(辛亥)에 결정되었다.
· 『요사』 권27, 본기25, 天祚皇帝1, 天慶 2년 10월, "辛亥, 高麗三韓國公俁之母死, 來告, 則遣使致祭·起復".

癸酉[20日], 以知刑部事李載爲西北面兵馬使, 太府少卿智淑延爲東北面兵馬副使, [李惟駰[李惟寅?]爲慶尙道按察使:慶尙道營主題名記].

甲戌[21日], 遼勑弔使·泰州管內觀察使蕭迪來.

丙子[23日], 遼使祭太后于虞宮, 王詣虞宮. [其文曰, "惟靈, 溫惠毓德, 柔嘉成儀, 以母道, 敎于一方, 以親恩, 睦于九族. 荃蘭香氣, 本自芬芳, 桃李有華, 加之貢實. 先臣謝世, 長嫡承家, 棘風方亟於吹噓, 薤露遽悲於零落, 人生至此, 天道難知. 朕方撫存侯藩, 知恤臣意. 彼死生, 雖以數至, 于母子 其如哀何. 爰遣介軺, 往陳奠禮, 魂兮不昧, 歆我殊私":列傳1肅宗妃明懿太后柳氏轉載].

[○群臣[~~百官~~]奏曰, "本朝, 自祖宗以來, 太后升遐, 隣國, 未嘗遣使弔祭. 今始見是禮, 又前夕, 雨雪暴作, 及[~~車駕~~]行禮, 日色淸明, 禮儀克整, 人心感悅, 宜令百僚朝賀", 從之:節要轉載].97)

戊寅[25日], 遼遣崇祿卿楊擧直來, 命王起復. 詔曰, "嗣豊祖構, 恭守王封. 頃哀被於茹荼, 卽毁過於扶杖. 爰降釋衰之命, 勿辱專閫之權. 當體眷懷, 所宜祇荷". ○告身曰, "盤綬踈封, 繼先業者, 是謂殊私, 墨衰從政, 奪哀情者, 斯爲變禮, 擧玆故典, 懋乃邦英. 其有毓象緯之靈, 閒玄黃之氣, 踰鴨綠而休聲振厲, 吉保雞林而令德流聞. 道善庇民, 謀能經國. 方恪修於世範, 何遽宅於家難. 庸卜辰. 與伸起復. 前推誠·奉國功臣·開府儀同三司·檢校太師·守太尉兼中書令·上柱國·高麗國王·食邑三千戶·食實封一千五百戶王俁, 桀分弓鉞, 慶席山河. 桓鎭琅琅, 素全於重器, 楩柟肅肅, 生備於長材. 仍敎禀於義方, 復言該於名理, 而自嗣興厥域, 優纂乃勞. 賓王著事大之誠, 侯律謹守方之制, 洽辰韓之善理, 慕齊晋之純忠. 歲重貢儀, 率勤北面之力, 時堅戎輸, 實寬東顧之憂. 頃者, 靜樹纏悲, 白華違養. 尙固匹夫之節, 擬成孝子之規, 主土分茅, 闕一日而不可, 毁容銜恤, 豈三載以爲期. 是用從金革之宜, 飾鈿珠之命, 騑車載駕, 駝紐重輝. 於戲, 日域全疆, 天命重地, 位冠於五侯九伯, 秩參於四輔三公. 矧先臣之縟儀彝器咸在, 今汝躬之異數備物具彰. 必靜鎭於一方, 當表章於群嶽, 勉服丕訓, 永保多祥".

---

97) 이 기사는 열전1, 肅宗妃, 明懿太后柳氏에도 수록되어 있는데, ~~添字~~는 이에 의거하였다. 또 이 때 일본의 京都에서는 前日(22일, 乙亥) 오후 7시 무렵에 많은 비가 내렸다고 한다.
·『殿曆』, 永久 1년 1월, "廿二日乙亥, 天晴, … 戌剋許大雨降".

二月[癸未朔小盡,乙卯], 庚寅[8日], 耶律固等將還, 請'春秋釋例'·'金華瀛洲集', 王各賜一本.

○置花園二于宮南西. 時宦寺競以奢侈媚王, 起臺榭, 峻垣墻, 括民家花草, 移栽其中, 以爲不足, 又購於宋商, 費內帑金幣不貲. 且於京外, 多作寺院, 窮極土木, 物論喧騰. 旣而, 二園俱廢.

[癸巳[11日], 大雪, 平地一尺:五行1雨雪轉載].

乙未[13日], 以許慶△[爲]檢校太尉·門下侍郎同中書門下平章事致仕, 崔擬△[爲]檢校司徒·參知政事致仕, 宋秀爲神虎衛上將軍·工部尙書, 尹惟志爲左右衛上將軍·攝刑部尙書.

[丁酉[15日], 太史奏月食, 密雲不見:天文1轉載].[98]

戊戌[16日], 燃燈, 王如奉恩寺.

[甲辰[22日], 南北方有赤氣, 經天:五行1轉載].

辛亥[29日晦], 幸王輪寺, 設齋. 還至刑部南街, 獄囚望駕, 同聲呼萬歲. 命近臣就獄賜酒, 放輕繫.

三月壬子朔[大盡,丙寅], 太史奏大陽[太陽]當虧. 密雲不見.[99]

○門下侍中金景庸率百僚, 表賀.

[壬戌[11日], 雨雪, 木冰:五行1雨雪轉載].

丙寅[15日], 王不豫, 百官設大醮于會慶殿, 禱之.

---

98) 이날 宋에서는 월식이 이루어졌고(『송사』 권52, 지5, 천문5, 月食), 일본의 京都에서도 월식이 있었다(高麗曆과 同一, 日本史料3-14册 101面). 이날은 율리우스력의 1113년 3월 4일이고, 월식 현상이 심했던 때의 世界時는 10시 33분, 食分은 0.67이었다(渡邊敏夫 1979年 475面).
- 『殿曆』, 永久 1년 2월, "十五日丁酉, 天晴, … 依月蝕, 於御殿卅口大般若御讀經, … 戌時許蝕正見".
- 『長秋記』, 天永 4년(永久 1년) 2월, "十五日 … 今日月蝕也, 供膳之間, 人々依廢務, 不可警驆, 予[源師時]稱之, 其故者, 太陽虧, 有司不奏事者, 謂太陽, 月者不同故也. 人々皆同之".
- 『本朝統曆』 권8, 永久 1년, "二小, 十五望, 酉五, 月蝕, 十二分弱, 申四, 戌五".

99) 이날 宋에서는 일식이 관측되었던 것 같고(『송사』 권52, 지5, 천문5, 日食), 일본의 京都에서는 일식이 예측되었으나 관측되지 않았던 것 같다(高麗曆과 同一, 日本史料3-14册 108面). 또 이날(율리우스력의 1113년 3월 19일)의 일식은 고려와 일본은 中心食帶에서 벗어나 있었기에 관측될 수 없었다(渡邊敏夫 1979年 306面).
- 『殿曆』, 永久 1년 3월, "一日壬子, 天陰, 今日々蝕也, 依愼輕, 自夜前所候內也. …".
- 『長秋記』, 永久 1년 3월, "一日, 日蝕不正見, 御祈驗也".
- 『本朝統曆』 권8, "三大, 朔壬子, 未三, 日蝕, 四分强, 未二, 未六".

丁卯[16日], 慮囚.

戊辰[17日], 百官又禱于神衆院.

[某日, 視朝于乾德殿, 引見新及第鄭之元[鄭知常]等, 賜酒食于閤門, 仍令釋褐:節要轉載].[100)]

[→引見新及第鄭之元等, 命左正言胡宗旦, 押賜酒食于閤門, 仍令釋褐:選擧2崇奬轉載].

[甲戌[23日], 將作監火:五行1火災轉載].

戊寅[27日], 以[參知政事]李資謙爲尙書左僕射, [同知樞密院事]金緣爲兵部尙書·知樞密院事, 柳子維爲尙書右僕射, 康拯爲刑部尙書, 金至和爲工部尙書, 李載爲御史大夫·文德殿學士, [崔弘正爲尙書戶部侍郞·知御史臺事:追加].[101)]

[某日, 召前[禮部]員外郞郭輿. 輿以烏巾·鶴氅, 常侍禁中, 從容談論唱和, 時人, 謂之金門羽客:節要轉載].[102)]

夏四月[壬午朔小盡,丁巳], [壬辰[11日], 大風拔木:五行3轉載].

己亥[18日], 親饗年八十以上及孝順·義節·孤獨·疾病者于宮庭, 賜物有差. 特命禮部尙書致仕林成槩, 肩輿入內, 宴于閤門, 親侑食賜衣.

戊申[27日], 禱雨于九曜堂三日.

[甲子[某日], 月薄心星南, 相距二尺:天文1轉載].[103)]

閏[四]月[辛亥朔小盡,丁巳], 辛酉[11日], 親醮于闕庭.

戊辰[18日], 慮囚.

庚午[20日], 女眞烏羅骨·實顯等來, 謝還九城, 獻名馬良金.

五月[庚辰朔大盡,戊午], 乙酉[6日], 王詣太后虞宮.

戊子[9日], 宋都綱陳守獻白鷴.

---

100) 鄭之元은 1114년(예종9) 4월 5일에서 1127년(인종5) 3월 25일 사이에 鄭知常으로 改名하였다.

101) 崔弘正은 그의 묘지명에 의거하였다.

102) 添字는 열전10, 郭輿에 의거하였다.

103) 4월에는 甲子가 없다.

［丁酉[18日], 震興王寺西面城廊:五行1雷震轉載］.

辛丑[22日], 參知政事柳仁著卒.[104)]［王親製文祭之, 贈守司徒·門下侍郎平章事, 謚貞簡, 配享睿宗廟庭:列傳10轉載］.［其姊爲肅宗妃, 家門貴顯, 乃與諸生遊, 讀書登科, 及爲宰相, 富貴蓋一時, 而無驕, 有儒者風:節要轉載］.

六月庚戌朔[小盡,己未], 王如奉恩寺.

○珍島縣民漢白等八人因賣買, 往乇羅島, 被風漂到宋, 明州奉聖旨, 各賜絹二十匹米二石, 發還.

［→宋歸我珍島縣漂風民漢白等八人. 初, 漢白等因賣買, 往乇羅島, 被風, 漂到宋明州. 本州奉聖旨, 各賜米絹發還:節要轉載］.

己未[10日], 慮囚.

［○震玄化·龍興等寺樹:五行1雷震轉載］.

己巳[20日], 祈晴于社稷·群望.

甲戌[25日], 以[左諫議大夫]趙仲璋爲殿中監.

［某日, 以朴景綽爲國子祭酒. 時王欲遣使中朝, 景綽爲殿中監·[直門下省事], 上疏諫止之, 其言切至. 王不得已從之. 遂有是除, 物議惜之:節要轉載］.[105)]

秋七月己卯朔[大盡,庚申], 以崔繼芳△[爲]守司空·兵部尙書·參知政事, 高令臣△[爲]檢校司空·恭知政事[~~參知政事~~], [106)] [右僕射]柳子維△[爲]守司空, [殿中監]趙仲璋△[爲]同知樞密院事, 金晙爲樞密院副使, 康拯爲戶部尙書·三司使, 金沽爲左諫議大夫, 金叔平爲殿中侍御史.

［○夜, 大雨, 平地水深, 一尺餘:五行1水潦轉載］.

［辛巳[3日], 處暑. 有星孛于營室:天文1轉載］.[107)]

乙酉[7日], 以工部尙書金至和爲西北面兵馬使, 御史雜端李舜諧爲東北面兵馬副使, ［崔儒[崔濡?]爲慶尙道按察使:慶尙道營主題名記］.

癸巳[15日], 奉安明懿太后[肅宗妃]眞于開國寺肅宗眞殿.

---

104) 이날은 율리우스曆으로 1113년 7월 6일(그레고리曆 7월 13일)에 해당한다.

105) 이와 같은 기사가 열전8, 朴寅亮, 景仁에도 수록되어 있으나 자구에 출입이 있다.

106) 여러 판본의 『고려사』에서 恭知政事으로 되어 있으나 參知政事의 誤字인데, 『고려사절요』 권8에는 옳게 되어 있다(東亞大學 2008년 4책 410面).

107) 이는 新星[星孛]이 飛馬座(Pegasus, 營室)에 출현한 것이다(席澤宗 2002年 115面).

八月[己酉朔大盡,辛酉]，[甲寅[6日]，流星出軒轅，入少微[少微]，大如杯，長六尺許，又流星出天囷，入軍井，長三尺許:天文1轉載].

[某日，置禮儀詳定所:節要·百官2禮儀詳定所轉載].

丁卯[19日]，[寒露]. 幸長源亭.

[己巳[21日]，流星出婁，入營室，大如杯:天文1轉載].

[癸酉[25日]，月犯軒轅:天文1轉載].

九月[己卯朔小盡,壬戌]，乙酉[7日]，遣西頭供奉官安稷崇如宋，牒宋明州云，“去年[睿宗6年]入朝□[使]金緣等回稱，在闕下時，蒙館伴張內翰等諭，來歲又當禋祀，申覆國王，遣使入朝，以觀大禮. 聞此，已令有司，方始備辦，忽母氏薨逝，迫以難憂，今年未遑遣使入朝，以達情禮，請炤會施行”.[108)]

[→禮賓省，移牒明州曰，“去年六月，進奉使金緣回，諭，來歲又當禋祀，申覆國王，遣使入朝，以觀大禮，已今有司，備辦，忽母后薨逝，未遑遣使，以達情禮”:節要轉載].

[庚子[22日]，月犯歲星:天文1轉載].

乙巳[27日]，自長源亭，幸慶天寺，落成.

[丙午[28日]，太白掩行南斗魁第四星，又流星出天囷，入天倉，大如椀，長十五尺:天文1轉載].

冬十月[戊申朔大盡,癸亥]，[己酉[2日]，流星出北落師門，入八魁，大如杯，長二十尺許:天文1轉載].

壬戌[15日]，遣禮部侍郎李永如遼，賀天興節.

甲子[17日]，王還宮.

[○月掩行軒轅:天文1轉載].

庚午[23日]，遣禮部尚書洪灌·刑部侍郎金義元如遼，謝弔祭.[109)]

---

108) 炤會(소회)는 上級官署에서 下級官署에 보내는 文書[公移]이다.
· 『文章緣起』, “今制，上逮下者曰，炤會，曰箚付，曰案驗，曰帖，曰故牒. 下達上者曰咨呈，曰案呈，曰呈，曰牒呈，曰申”.

109) 이때 使臣往來의 모습은 金義元의 묘지명에 반영되어 있다. 이들 사신은 12월 3일(庚戌) 契丹에서 致祭를 謝禮하였다. 또 이때 洪灌이 띠고 있는 禮部尙書는 以後에 이루어진 그의 歷

辛未24日, 設百座會于會慶殿, 講仁王經三日, 齋僧一萬于毬庭, 二萬于州府.

十一月戊寅朔大盡,甲子, 庚辰3日, 遣祕書少監韓冲如遼, 謝起復.[110]

[甲申7日, 流星出中台, 入大微太微, 大如杯, 長十五尺許: 天文1轉載].

乙酉8日, 王詣太后虞宮.

丙戌9日, 遣工部侍郎李茂榮如遼, 謝賀生辰.

甲午17日, 遣殿中監崔弘宰, 獻方物.[111]

丙申19日, 知樞密院事·翰林學士承旨金緣·翰林侍講學士朴昇中等, 撰進時政策要五册, 各賜犀帶, 編脩官金富轍以下, 賜物有差.[112]

○遣戶部侍郎李資諴如遼, 賀正.

十二月戊申朔大盡,乙丑, 慮囚, 放輕繫.

丙辰9日, 以門下侍中金景庸△爲守太傅·判尙書吏部事[·樂浪伯: 節要轉載], 門下侍郎平章事吳延寵△爲守太尉·判禮·兵部事·上柱國, 門下侍郎平章事李瑋△爲守太尉·上柱國, 參知政事崔繼芳爲尙書左僕射·判三司事·柱國, 知樞密院事金緣爲禮部尙書·政堂文學·判翰林院事, 知樞密院事?趙仲璋爲兵部尙書·樞密院使,[113] 柳子維爲尙書右僕射·判工部事, 守司空·左僕射·參知政事李資謙△爲檢校司徒·柱國,[114] 劉載爲吏部尙書, 康拯△爲知樞密院

官을 통해 볼 때 實職이 아니고 사신으로 파견될 때의 借職인 것 같다.

·「金義元墓誌銘」, "癸巳年入契丹, 有膚使之能, 對訝者, 以厚禮, 凡百資貝, 無不充足, 皇帝聞之, 以爲外國貴人, 適館密視. 及返至疆, 一行送伴·□傔從, 感德泣別, 奉使之盛, 近古已來, 未之有也".

·『요사』 권27, 본기25, 天祚皇帝1, 天慶 3년 12월, "庚戌, 高麗遣使來, 謝致祭".

110) 韓冲은 12월 16일(癸亥) 契丹에서 起復을 謝禮하였다. 또 韓冲은 이보다 먼저 文冠이 西北面兵馬使로 재직하고 있을 때 都部署使로 契丹에 파견된 적이 있었던 것 같다.

·『요사』 권27, 본기25, 天祚皇帝1, 天慶 3년 12월, "癸亥, 高麗遣使來, 謝起復".

· 열전10, 文冠, "嘗爲西北面兵馬使, 韓冲以都部署如遼, 謁冠于宣州. 佩劍升拜楹閒, 冠立受, 不交一言. 冲後屢稱之曰, 冠眞有元帥氣量, 固非庸庸者. 先是, 爲元帥者, 見命使, 雖微官, 必曲爲禮貌, 以干譽, 冠不然, 故冲稱之".

111) 이 시기 이전에 崔弘正이 崔弘宰로 改名하였던 것 같다.

112) 이 시기에 朴昇中은 李載, 朴景綽(朴景仁) 등과 함께 '禮儀'를 詳定하였다고 하는데, '禮儀'는 『古今詳定禮文』의 前身으로 추정된다.

113) 樞密院使은 『고려사절요』 권8에는 樞密院事로 되어 있는데, 誤謬일 것이다(盧明鎬 等編 2016년 208面).

114) 李資謙의 위치는 서열상으로 보면 崔繼芳의 앞으로 移動시켜야 할 것이다. 이는 組版過程에

事, 金晙爲左散騎常侍·同知樞密院事, 金至和爲刑部尙書, 史榮△爲攝工部尙書·三司使, 金若溫△爲知尙書都省事, 朴景綽爲殿中監·翰林學士, 王字之△爲禮賓卿·樞密院知奏事, [以金克儉爲尙衣奉御:追加].[115]

[丁巳10日, 月犯五車:天文1轉載].

[庚申13日, 日有左右珥:天文1轉載].

[壬戌15日, 月犯軒轅, 又犯歲星:天文1轉載].

甲戌27日, 遣禮賓少卿金景淸林景淸如遼, 獻方物.[116]

[是年, 上以母后平昔所持明福宮司田土·奴婢幷鑰一封, 賜王弟·太原侯侾:追加].[117]

[○召故扶餘侯㸂之沔于進禮縣, 還授□守司空:列傳3文宗王子扶餘侯㸂轉載].[118]

[○守司空·尙書左僕射·參知政事崔繼芳, 以年六十九, 請致仕, 制可:追加].[119]

[○以尹彦頤爲刪定都監判官:追加].[120]

[○改修溟州及翼嶺縣邑城及陳田寺:追加].[121]

[○迎入龜山寺禪師學一爲於內帝釋院:追加].[122]

[○僧觀奧赴崇教寺成福選, 得名:追加].[123]

서 생긴 오류일 것이다.

115) 이는 「金克儉墓誌銘」에 의거하였다(金龍善 2012년).

116) 金景淸은 『고려사절요』 권7에는 林景淸으로 달리 표기되어 있는데, 後者가 옳을 것이다.

117) 이는 「王侾廟誌銘」에 의거하였다.

118) 이는 열전3, 文宗王子, 扶餘侯㸂의 내용을 전재하여 적절히 變改하였다.

119) 이는 「崔繼芳墓誌銘」에 의거하였다.

120) 이는 「尹彦頤墓誌銘」에 의거하였다.

121) 이는 강원도 襄陽郡 襄陽邑 城內里와 降峴面 屯田里 陳田寺址(강원도 기념물 제52호)의 두 곳에서 출토된 瓦銘에 의거하였다(世宗文化財硏究院 編 2015년 224面, 229面). 後者는 前者의 工事에서 남은 餘力으로 이루어진 것으로 이해할 수 있을 것이다.
- 邑城 瓦銘, "□□□慶三年癸巳". 여기에서 고려시대의 '□慶三年癸巳'는 1113년(天慶3, 癸巳, 예종8)뿐이다.
- 陳田寺 瓦銘, "□□□□□□□□□□造管」天慶三年癸巳四月日尤□」".

122) 이는 「淸道雲門寺圓應國師塔碑」에 의거하였다.

123) 이는 「修理寺住持·首座觀奧墓誌銘」에 의거하였는데, 成福選은 教宗選의 豫備考試로 추측되고 있다(李智冠 2000년 3책 340面).

甲午[睿宗]九年, 契丹天慶四年, [宋政和四年], [西曆1114年]

1114년 2월 8일(Gre2월 15일)에서 1115년 1월 27일(Gre2월 3일)까지, 354일

春正月戊寅朔小盡,丙寅, 放朝賀.

○西女眞將軍烏無奐等六十一人來朝.

[某日己卯2日?, 門下侍中金景庸三上表, 請老, 賜几杖, 令視事:節要轉載].

庚辰3日, 遼遣衛尉卿張如晦來, 賀生辰.

[己丑12日, 月犯軒轅·歲星:天文1轉載].

戊戌21日, 幸文德殿, 作佛事.

庚子23日, 赦.

癸卯26日, 幸神衆院.

乙巳28日, 以高義和爲右僕射·鷹楊軍~~鷹揚軍~~上將軍, 尹惟志爲兵部尙書·龍虎軍上將軍.124)

二月丁未朔大盡,丁卯, 癸丑7日, 以三司使安子恭爲西北面兵馬使, 三司副使李韶永爲東北面兵馬副使, [閔世麟爲慶尙道按察使:慶尙道營主題名記].

[丙辰10日, 流星出北斗紫微, 入王良, 大如椀:天文1轉載].

己未13日, 親醮本命于乾德殿.

庚申14日, 燃燈, 王如奉恩寺.

辛酉15日, 以雨, 停大會.125)

壬戌16日, 乃行.

---

124) 여러 판본의『고려사』에서 鷹楊軍으로 되어 있으나 鷹揚軍의 오자이다.

125) 이때 일본의 교토[京都]에서는 2월 3일이래 大風雨와 洪水가 있었다고 한다(中央氣象臺 1941年 1册 26面).

· 『殿曆』, 永久 2년 2월, "三日己酉, 天晴陰雨, … 四日庚戌, 天陰, … 六日壬子, 天晴, … 從春日御社有社解云, 去三日大風に御社林百五十本顚倒者. 召陰陽師令卜筮處, …".

· 『中右記』, 永久 2년 2월, "三日己酉, 參宮, 終日大雨·大風, 宮川大水?出, 不歸離宮. 入夜雷鳴. …今日春日御社樹木三百餘本顚倒云, 四日 … 俄又雨了, … 十一日, 天陰時々小雨, … 十六日, 天陰雨下, … 廿日丙寅, 天陰雨下, … 廿八日, 終日雨下, 晩陰天晴".

· 『中右記』別記, 永久 2년 2월, "三日己酉, 從去夜天陰雨下, … 雨頻下, 風頗吹, … 今日雨脚不止, 所々河水不可渡云々, … 八日甲寅, 天陰雨下, … 廿三日庚子, … 此間雨脚頻下".

丙寅[20日], 西女眞將軍古老等六十六人來朝.

[辛未[25日], 夜, 赤氣如火光, 散射乾·艮·離方, 至曉乃滅:五行1轉載].

[某日, 國子生張仔等六十人詣闕, 上書, 請立國學:節要轉載].[126)]

三月丁丑朔[小盡,戊辰,127)] 幸妙通寺.

壬午[6日], 幸普濟寺.

癸未[7日], 以劉載爲尙書左僕射·文德殿學士.

乙酉[9日], [穀雨]. 王詣太后虞宮.

己丑[13日], [門下侍中金景庸·參知政事高令臣致仕:節要轉載]. 以[門下侍郎平章事]吳延寵△[爲]判吏部事, [政堂文學]金緣爲檢校司空·戶部尙書·參知政事·判禮部事兼西京留守使, 趙仲璋△[爲]檢校司空·兵部尙書·參知政事·判刑部事, 康拯爲尙書左僕射·樞密院事[樞密院使128)]·判三司事, 金晙爲禮部尙書·知樞密院事, 金至和爲吏部尙書, 李載爲刑部尙書·延英殿學士, 史榮爲工部尙書, 崔贇·朴景綽爲左·右散騎□□[常侍],[129)] 林有文爲御史大夫, [知奏事]王字之爲殿中監, [崔弘宰爲尙書左丞兼直門下省事:追加],[130)] 金沽△[爲]知御史臺事, [[廣州牧副使]尹諿爲禮部員外郎·知茶房事:追加].[131)]

癸巳[17日], 王如奉恩寺, 以僧曇眞爲國師, 樂眞爲王師.[132)]

[庚子[24日], 立夏. 流星出鼓旗, 入天狗國:天文1轉載].

[辛亥[25日], 月犯歲星, 入軒轅女主:天文1轉載].

[某日, 平章事[參知政事]金緣知貢擧, 左承宣韓皦如同知貢擧, 取進士:選擧1選場轉載].[133)]

---

126) 이와 같은 기사가 지29, 選擧2, 學校에도 수록되어 있다.

127) 이해의 3월은 宋曆·日本曆에서 丙子朔으로 丁丑은 2日에 해당한다. 宋曆·日本曆에서 2월이 小盡이었으나 高麗曆에서는 大盡이었던 같다.

128) 樞密院事는 樞密院使의 오자인데,『고려사절요』권8에는 옳게 되어 있다(盧明鎬 等編 2016년 208面).

129) 左·右散騎는 左·右散騎常侍에서 常侍가 탈락되었다.

130) 崔弘宰는 그의 墓誌銘에 의거하였다.

131) 이는「尹諿墓誌銘」에 의거하였다.

132) 이때 樂眞에 관한 기사는「陜川般若寺元景王師塔碑」에도 수록되어 있다. 또 元景王師 樂眞이 入寂한 年度는 塔碑의 마멸로 알 수 없으나 俗壽가 70歲, 法臘이 62歲인 某年 3월 3일 또는 그 이후인 것 같다. 某年은 탑비의 冒頭에 "上卽政之三年, 元景王師門人首座覺純等告于朝曰, 先師旣葬, 累年矣, 立碑以爲□□□□□□□"가 있음을 보아 1124년(인종2)보다 數年[累年] 以前로 추측된다.

夏四月丙午朔[小盡,己巳], 御乾德殿覆試, 賜白嚅等及第.[134)]

庚戌[5日], 有司奏, "西京進士鄭之元[鄭知常]中壬辰年[睿宗7年]省試第一名, 請依舊留王京敍用", 制可.

丁巳[12日], 東女眞古羅骨·史顯等十二人來, 獻馬.

乙丑[20日], 大雨雹, 震文德殿東廊柱[及南山·涓江·月盖窯等處樹木:五行1雷震轉載].[135)]

丙寅[21日], 雨雹.[136)] 御史大夫林有文等以灾異, 引咎辭職, 命復視事.

丁卯[22日], 親醮闕庭.

庚午[25日], [芒種]. 以[參知政事]金緣爲禮部尙書·政堂文學·判翰林院事.[137)]

甲戌[29日], 幸外帝釋院, 行香. 設佛頂道場于文德殿七日.

[壬辰[某日], 風雨寒甚, 凡二日:五行1恒寒轉載].[138)]

五月[乙亥朔小盡,庚午], 戊寅[4日], 設消灾道場于乹德殿.

庚辰[6日], 禱雨于群望.

[戊戌[24日], 中尙署火:五行1火災轉載].

辛丑[27日], [小暑]. 王如奉恩寺, 遂詣太后虞宮.

---

133) 이는 지27, 선거1, 科目1, 選場에서 전재하였다.

134) 이와 관련된 기사로 다음이 있다. 이때 金緣은 參知政事이므로 平章事는 오류이고, 林完은 1134년(인종12) 4월 18일(丁卯) 이후 林光으로 改名하였다. 또 이때 [進士]白嚅·[刪定都監判官]尹彦頤(乙科1人, 尹彦頤墓誌銘)·崔諴(乙科5人,崔諴墓誌銘)·文公元(文公元墓誌銘)·朴正明(朴正明墓誌銘)·[宋進士]林完 등이 급제하였다(『등과록』, 朴龍雲 1990년 ; 許興植 2005년).

· 지27, 선거1, 科目1, 選場, "[睿宗]九年三月, 平章事[參知政事]金緣知貢擧, 左承宣韓皦如同知貢擧, 取進士, 四月□□□[丙午朔], 覆試, 賜乙科白嚅等五人·丙科十一人·同進士二十二人·明經三人及第, 宋進士林完, 別賜乙科".

135) 이날 일본의 京都에서 비가 계속 내렸다고 하고, 23일(戊辰)에도 오전 7시 이후 한때 흐리고 비가 내리며 雷震이 있었다고 한다.

·『中右記』, 永久 2년 4월, "廿日, … 終日雨下, … 廿三日, 辰刻俄天陰雨下, 雷鳴數度, 則晴".

·『殿暦』, 永久 2년 4월, "廿日乙丑, 天晴, … 今日雨降, 廿一日丙寅, 天晴, 去夜終夜雨降, 別無事, … 廿三日戊辰, 天晴, … 有雷電事, …".

136) 이와 같은 기사가 지7, 五行1, 水, 雨雹에도 수록되어 있다.

137) 이때 金緣은 參知政事로서 政堂文學을 兼職하였던 것 같다.

138) 原文에는 "[睿宗]九年四月壬辰, 風雨寒甚, 凡二日"로 되어 있지만, 이달에는 壬辰이 없다. 이에서 壬辰은 壬子(7일), 壬戌(17일), 壬申(27일) 또는 丙辰(11일), 戊辰(23일)의 오자일 것이다.

六月甲辰朔大盡,辛未, 西頭供奉官安稷崇還自宋. 帝賜王樂器.[139)]

[→帝賜王新樂器及譜訣. 詔曰, "樂與天地同流, 百年而後興, 功成而後作. 自先王之澤渴, 禮廢樂壞, 由周迄今, 莫之能述. 朕嗣承累聖基緖, 永惟盛德休烈, 繼志述事, 告成厥功告厥成功.[140)] 乃詔有司, 以身爲度, 由度, 鑄鼎作樂, 薦之天地宗廟, 羽物時應. 夫今之樂, 猶古之樂, 朕所不廢, 以雅正之聲, 播之今樂, 肇布天下, 以和民志. 卿保有外服, 慕義來同, 有使至止, 願聞新聲, 嘉乃誠心, 是用有錫, 大晟, 雅正之聲, 猶不在是":節要轉載].[141)]

[→甲辰朔 安稷崇還自宋. 徽宗詔曰, "樂與天地同流, 百年而後興, 功成而後作. 自先王之澤渴, 禮廢樂壞, 由周迄今, 莫之能述. 朕嗣承累聖基緖, 永惟盛德休烈, 繼志述事, 告厥成功. 乃詔有司, 以身爲度, 由度鑄鼎作樂, 薦之天地宗廟, 羽物時應. 夫今之樂, 猶古之樂, 朕所不廢, 以雅正之聲, 播之今樂, 肇布天下, 以和民志. 卿保有外服, 慕義來同, 有使至止, 願聞新聲. 嘉乃誠心, 是用有錫, 今因信使安稷崇回, 俯賜卿新樂."

鐵方響五架幷卓子·槌子, 朱漆縷金架子·錦裹册條·金鍍銀鐸子·條結·紫羅夾帊·紫絹單帊全.

石方響五架幷卓子·槌子, 朱漆縷金架子·錦裹册條·金鍍銀鐸子·條結·紫羅夾帊·紫絹單帊全.

琵琶四面, 金鍍鍮石鳳鉤·朱漆縷金架子·金鍍銀鐸子·條結幷縷金撥子·紫羅夾袋全.

五絃二面, 金鍍鍮石鳳鉤·朱漆縷金架子·金鍍銀鐸子·條結幷縷金撥子·紫羅夾袋全.

雙絃四面, 金鍍鍮石鳳鉤, 朱漆縷金架子.

箏四面幷卓子, 並縷金, 各金鍍銀鐸子·條結銷金生色襯絃·紫羅夾袋全.

箜篌四座, 並縷金.

觱篥二十管, 金鍍銀絲札纏, 各用紫羅夾袋一匣盛, 紅羅褥子·紫羅夾複子全.

笛二十管, 篪二十管, 簫一十面, 朱漆縷金裝, 金鍍銀鐸結子, 各用紫羅夾袋一匣

---

139) 이때 安稷崇은 大晟樂을 받아왔다(『동문선』 권34, 謝賜新樂表).
· 「安稷崇墓誌銘」, "至癸巳歲, 奉使入宋, 及還, 天子賜上以大晟新樂, □至今郊亭·宗廟奏之者, 此也".

140) 告成厥功은 지24, 樂1, 宋新賜樂器에는 告厥成功으로 되어 있으나 같은 의미이다.
· 『書經』, 禹貢, 末尾, "禹錫玄圭, 告厥成功(帝禹는 治水平土의 事業을 마치고서 검은 玉器[玄圭]를 높이 받들고 하늘에 祭祀를 지내면서 그 成功을 告하였다)".

141) 두 종류의 자료에서 자구의 출입이 있다.

盛, 紅羅褥子·紫羅夾複全.

匏笙一十攢, 金鍍金束子, 各用紫羅夾袋二匣盛, 紅羅褥子·紫羅夾複全.

壎四十枚, 三匣盛.

大鼓一面, 桐油遍地花幷座, 鼓槌, 紫絹衣全.

杖鼓二十面, 金鍍鍮石鉤, 條索幷杖子, 紫單絹帊複全.

栢板[拍板]二串, 金鍍銀鐸結子, 一匣盛, 紅羅褥子, 紫羅夾複全.

曲譜一十册, 黃綾裝褫, 紫羅夾帊全.

指訣圖一十册, 黃綾裝褫, 紫羅夾帊全:樂1宋新賜樂器轉載].

乙巳[2日], 王如奉恩寺.

丁未[4日], 遣樞密院知奏事王字之, [右副承宣·]戶部郞中文公彥[文公美]如宋, 謝賜樂.[142)]

己酉[6日], 禱雨于社稷.

[乙卯[12日], 震:五行1雷震轉載].

丙辰[13日], [大暑]. 慮囚, 放輕繫.

乙丑[22日] 參知政事致仕庾祿崇卒.[143)] [祿崇, 以儒術進, 性正直, 在官四十餘年, 以公忠自許, 未嘗屈己從人, 雖爲宰相, 衣服·第宅如布衣時. 卒, 年八十:節要轉載]. [輟朝三日, 諡安貞:列傳10轉載].

[某日, 禮儀詳定所奏曰, "近來, 朝廷之間, 所行表狀書簡, 稱號不正, 非所以正名之義. 臣等欲望, 凡上表者, 稱聖上陛下, 上箋, 稱太子殿下, 諸王曰令公, 中書令·尙書令曰太師令公, 兩府執政官曰太尉·平章·司空·參政·樞密·僕射, 各隨時職, 稱之, 三品以下員寮, 幷不得稱相公, 宜直呼官名":刑法1公牒相通式轉載].[144)]

---

142) 文公彥은 文公美(再次改名 文公仁)의 初名인 것 같고, 이후 公美로 개명한 것 같다. 또 王字之와 文公美는 이때 파견된 것이 아니라 明年의 파견을 위한 事前의 選定이었다(→예종 10년 4월 15일, 7월 21일). 그리고 文公美는 1127년(인종5) 12월 27일(壬午)에서 1129년(인종7) 12월 26일(庚子) 사이에 公仁으로 改名하였던 것 같다(열전38, 姦臣1, 文公仁).

143) 이날은 율리우스曆으로 1116년 7월 25일(그레고리曆 8월 1일)에 해당한다.

144) 相公은 高官에 대한 尊稱이지만 점차 濫用되었는데, 이 기사에서는 2품 이상의 宰相에 대한 稱號로 사용할 것을 건의한 것이다. 이에 의하면 고려시대의 亞卿이었던 正3品職인 尙書, 大卿(7寺3監의 長官인 卿·監)은 相公으로 불리지 못하게 되었지만, 정3품직인 樞密院副使, 樞密院學士는 樞密相公(通稱 樞密)으로 불렸는데, 1076년(문종30)의 官制改革 이후 3품의 관료가 樞密院의 學士, 副使에 임명되면 그 이후는 官品이 중요한 것이 아니라 재상이 되어 樞密로서의 序列[班次]이 중요하였고, 그들이 兼職하고 있던 尙書, 大卿의 班次는 재상의 서열에 영향을 미치지 못했던 것 같다.

秋七月[甲戌朔小盡,壬申], 辛巳[8日], 以工部尙書史榮爲西北面兵馬使, 借戶部侍郞智祿延爲東北面兵馬副使, [李晋卿爲慶尙道按察使:慶尙道營主題名記].

癸巳[20日], 以[檢校司徒·尙書左僕射·參知政事]李資謙△[爲]守司空·尙書左僕射·參知政事, [參知政事]金緣爲刑部尙書·判禮部事, [參知政事]趙仲璋△[爲]權樞密院事·判祕書省事[145)], 李載爲戶部尙書, 林有文爲左散騎常侍兼御書檢討官, 崔贇爲御史大夫.

[甲午[21日], 月犯昴星:天文1轉載].

八月[癸卯朔大盡,癸酉], 乙卯[13日], 王詣國學, 酌獻于先聖·先師. [命翰林學士朴昇中, 講說命, 百官及生員七百餘人, 立庭聽講, 各進歌誦. 王製詩, 宣示左右, 令和進.:節要轉載].

[→乙卯, 王詣國學, 酌獻于先聖·先師, 御講堂, 命翰林學士朴昇中, 借大司成, 講說命三篇. 百官及生員七百餘人, 立庭聽講, 各進歌頌. 御製詩一首, 宣示左右, 令各和進:禮4文宣王廟轉載].

丙辰[14日], 宰臣率百官, 上表賀曰, "黃屋翠華, 光臨黌宇, 高冠大帶, 盛集橋門, 慶溢臣工, 樂均寰海. 竊以經術所以明道, 而非其人則不行, 學校所以養賢, 而非其時則不擧, 發明大典, 允屬休辰. 伏惟聖上, 道極高明, 政由仁義. 若高舜之稽古, 體殷周之右文. 乃據舊章, 以興盛禮, 拜聖容而奠酌, 命博士以緡經. 君子育材, 乃見菁莪之雅, 虎臣獻馘, 必成泮水之功. 不惟推美於一時, 抑亦播馨於千載. 伏念, 幸逢明時, 承乏天工, 仰咫尺之德威, 侍光明之聖學. 秋水時至, 固莫測於望洋, 春木之芚, 實知榮於援手".

丙寅[24日], 御東池龜齡閣, 閱武士.

九月[癸酉朔小盡,甲戌], 庚辰[8日], 幸妙通寺.

辛巳[9日], 慮囚, 出輕繫.

庚寅[18日], 設百座仁王道場於會慶殿, 齋僧一萬於闕庭, 二萬於州府.

[○月犯五車東南星:天文1轉載].

[癸巳[21日], □[月]犯輿鬼:天文1轉載].

145) 權樞密院事·判祕書省事는 權判樞密院事·判祕書省事의 잘못일 것이다.

冬十月[壬寅朔[大盡,乙亥], 雷:五行1雷震轉載].[146]

丙午[5日], 奉惠宗神主, 復入于大廟[太廟]第二室, 出遷成宗神主于康陵[成宗], 祔明懿太后[肅宗妃]于肅宗室.

[→上幸太廟, 附太后神主, 命王弟·太原侯俌從駕, 爲亞獻:追加].[147]

[○月犯南斗魁中:天文1轉載].

己酉[8日], 宴于乾德殿, 始擧樂.

乙卯[14日], 謁英[肅宗]·崇[肅宗妃]二陵.

丙辰[15日], 遣李鸞如遼, 賀天興節.

[○月犯昴星:天文1轉載].

[壬戌[21日], 月乘軒轅·歲星, 熒惑, 近大微[太微]左執法:天文1轉載].

丁卯[26日], 親祫于大廟[太廟], 兼用宋新樂, 赦.[148]

庚午[29日], 遣梁永如遼, 謝賀生辰.

[某日, 判[刪], "貢中布一匹, 折貢平布一匹十五尺, 貢紵布一匹, 折貢平布二匹, 貢緜紬一匹, 折貢平布二匹":食貨1貢賦轉載].[149]

是月, 生女眞完顔阿骨打擧兵叛. 遼東京兵馬都部署司牒曰, "近有生女眞作過, 止差官領兵討伐, 仰指揮. 高麗國亦行就便, 於女眞邊界道路, 深入攻討, 應據人口·財產·房舍, 收虜蕩除. 仍緊切防備, 勿令走入彼界險要處所, 依據閃避".

[→生女眞完顔阿骨打, 擧兵叛. 遼東京兵馬都部署司, 奉聖旨, 諭以夾攻之意, 且戒緊切防備:節要轉載].

十一月壬申朔[大盡,丙子], 宴諸王·宰樞於含元殿, 閱宋新樂.

---

146) 이날 일본의 京都에서 날씨가 흐리고 비가 심하게 내렸다고 한다(高麗曆과 同一, 日本史料 3-15冊 323面).
- 『殿曆』, 永久 2년 10월, "一日壬寅, 陰, 雨甚降".
- 『中右記』, 永久 2년 10월, "一日壬寅, 天陰雨下, … 二日癸卯, 天陰小雨".

147) 이는 「王俌廟誌銘」에 의거하였다.

148) 이와 관련된 기사로 다음이 있다.
- 지24, 樂1, 宋新賜樂器, "是年十月丁卯, 親祫于太廟, 兼用宋新樂".

149) 고려시대의 布를 計算하는 布帛尺은 一般尺의 규격과 같이 사용되었던 것으로 추측되며, 1疋은 통일신라시대 이래의 42尺을 계승한 것 같다. 그러다가 고려후기에는 그보다 규격이 늘어난 唐制의 40尺(4丈)을 사용하였던 같다고 한다(李宗峯 2016년 112面).

乙亥[4日], 遼遣橫宣使耶律諮·副使李碩來.

[丙子[5日], 遼遣永州管內觀察使耶律資春等來, 宣諭助伐女眞:追加].[150)]

戊寅[7日], 作佛事于文德殿.

戊子[17日], [冬至]. 賜元子名構, 仍賜禮物, 百官表賀.

[是月, 無雪:五行1轉載].[151)]

十二月壬寅朔[大盡,丁丑], 冊延德宮主李氏[資謙之二女]爲王妃.[152)] [冊曰, "在天成象, 尙有軒星之躔, 理國齊家, 必崇坤極之位. 上以承宗廟, 下以厚人倫, 永惟興替之本, 靡不由此焉. 夏之興也, 以塗山, 殷之興也, 以莘野. 朕若稽於典憲, 祈協于神民. 咨爾延德宮主李氏, 性惠而明, 儀靜而肅. 惟乃烈祖, 克勤王家, 累爲姻親. 積有善慶, 篤生聖后, 世繼哲王, 覃及後昆, 產玆懿媛. 粤朕登位, 來嬪于京, 關雎之化行, 樛木之恩逮. 常有進賢之志, 固無私謁之心. 以至協熊夢之祥, 誕生家嗣, 申鷄鳴之戒, 密輔朕躬, 宜加顯號, 以表中闈. 今遣某官某, 持節備禮, 冊命爾爲王妃. 夫惟先王, 釐厥士女, 始自內理, 御于邦家. 於戱, 予思大賚之人, 褒升令德, 爾以相成之道, 益礪芳猷, 同濟宏休, 永綏遐福":列傳1睿宗妃文敬太后李氏轉載].

甲辰[3日], [小寒]. 遣衛尉卿[·知尙書都省事]李壽, □□[閤門]通事舍人黃君裳如遼, 謝橫宣.

丁未[6日], 御宣政殿, 引見北界四關外蕃長.

戊申[7日], 閱射于東池.

己酉[8日], 御宣政殿南門, 引見東蕃使者阿只等.

丁巳[16日], 以俌△[爲]守太保, 俸爲大原公, 偦△[爲]檢校太保·守太尉, 僑△[爲]檢校太保·守太尉, [守司空·尙書左僕射·參知政事]李資謙△[爲]守司徒·中書侍郞同中書門下平章事兼西京留守使, [中書侍郞平章事]金緣△[爲]守司徒·戶部尙書, [中書侍郞平章事]趙仲璋△[爲]守司空·判尙書刑部事, 金至和爲尙書左僕射兼三司使, 史榮爲吏部尙書, 李載爲刑部尙書·翰林學士承旨, 朴景綽爲左散騎常侍, 崔璿△[爲]判國子監事, 金沽△[爲]知尙書吏部事·延英殿學士, [崔弘宰爲朝散大夫·太子少詹事·尙書左丞兼直門下成事:追加], 安子恭△[爲]知御史臺事, 朴昇中爲右諫議大夫, 洪灌爲文德殿學士.[153)]

---

150) 이는『동문선』권39, 回宣諭助伐女眞表·又(朴昇中 撰) 등에 의거하였다.

151) 일본에서는 10월 중순부터 京都에서 旱魃이 있었다고 한다(中央氣象臺 1941年 2册 530面).
·『中右記』, 永久 2년 12월, "二日, 今夜, 雨脚下, 此四五十日許, 雨不降, 衆流盡, 萬人苦".

152) 이때 冊文이『동문선』권28, 睿宗冊延德宮主爲王妃冊이다.

[→加□□□□□帶方公俌爲奉順功臣·守太保·食邑三千五百戶·食實封三百五十戶, □□□□□帶太原侯俌爲守仁功臣, 進爲公·食邑三千五百戶·食實封三百五十戶, □□□□齊安侯偦爲同德功臣·檢校太保·守太尉·食邑三千戶·食實封二百五十戶, □□□□通義侯僑爲推誠功臣·檢校太保·守太尉·食邑三千戶·食實封二百五十戶:列傳3肅宗王子帶方公俌·太原公侾·齊安公偦·通義侯僑轉載].[154]

[○賜門下侍郞平章事吳延寵推忠功臣, 門下侍郞平章事李瑋佐理功臣之號:節要轉載].

己巳28日, 遼遣王徹來, 命王落起復.

[□□是時, 以守太師·中書令致仕崔思諏王妃外祖父爲推誠奉國功臣·大寧郡開國侯·食邑二千五百戶·食實封一千五百戶. 思諏入見, 王賜宴, 命不拜, 待以家人禮. 思諏奏曰, "臣年八十, 無復有望. 願上享國萬年, 永保三韓". 言出至誠, 王感涕. 召思諏子壻兒孫, 賜花酒, 扶出還家:列傳9崔思諏轉載].

[是年, 王妹淮安伯沂妻大寧宮主卒, 謚貞穆:列傳4肅宗公主轉載].

[○冊王妹明懿太后四女爲福寧宮公主. □□公主, 性婉順, 爲兩宮所愛. 富爲宗室第一, 崇信佛法, 營飾塔廟甚勤:列傳4肅宗公主轉載].

[○賜門下侍郞平章事致仕任懿, 佐理功臣號:追加].[155]

[○以園簿都監判官張脩爲權直翰林院, 尋緣前任小失, 置散五年:追加].[156]

[○以李軾爲景靈殿判官:追加].[157]

[○以內帝釋院禪師學一爲大禪師:追加].[158]

[○以開頓寺住持·重大師坦然爲三重大師, 仍賜法服:追加].[159]

[仁同人 張東翼 校注, 增補].

---

153) 崔弘宰는 그의 묘지명에 의거하였다.

154) 王侾는 守仁功臣·大原公·食邑三千五百戶·食實封三百五十戶에 冊封되었다(王侾廟誌銘).

155) 이는 「任懿墓誌銘」에 의거하였다.

156) 이는 「張脩墓誌銘」, "前緣任小失, 置散五年, 略無慍色"에 의거하였다.

157) 이는 「李軾墓誌銘」에 의거하였다.

158) 이는 「淸道雲門寺圓應國師塔碑」에 의거하였다.

159) 이는 「山淸斷俗寺大鑑國師塔碑」에 의거하였다.

『高麗史』 卷十四 世家卷十四

[輔國崇祿大夫·議政府左贊成·知集賢殿經筵春秋館成均事·世子賓客·臣金宗瑞奉教撰]

正憲大夫·工曹判書·集賢殿大提學·知經筵春秋館事兼成均大司成·臣鄭麟趾奉教修

睿宗 三

乙未[睿宗]十年, 契丹天慶五年, [宋政和五年], [金收國元年], [西曆1115年]

1115년 1월 28일(Gre2월 4일)에서 1116년 1월 16일(Gre1월 23일)까지, 354일

春正月壬申朔[小盡,戊寅], 放朝賀.

癸酉[2日], 宴遼橫宣使于乾德殿.

乙亥[4日], 宴落起復使于乹德殿.

丙子[5日], 遼遣觀察使高慶順來, 賀生辰.

戊寅[7日], 宴遼生辰使于乹德殿.

戊子[17日], 册弟俌△[爲]檢校太保·守太尉.

己丑[18日], [雨水]. 遣尙書李壽·侍郎黃君裳, 如遼, 謝橫宣.[1)]

庚寅[19日], 册弟僑△[爲]檢校太保·守太尉.

[壬辰[21日], 月犯心前星:天文1轉載].

[某日, 以劉楊現爲慶尙道按察使:慶尙道營主題名記].

是月□□□[~~壬申朔~~], 生女眞完顔阿骨打稱皇帝, 更名旻, 國號金. □□□□[~~建元收國~~ 2)]. 其俗如匈奴, 諸部落無城郭, 分居山野. 無文字, 以言語結繩爲約束. 土饒猪羊牛馬, 馬多駿, 或有一日千里者. 其人鷙勇, 爲兒能引弓射鳥鼠, 及壯, 無不控弦走馬習戰, 爲勁兵. 諸部各相雄長, 莫能統一. 其地西直契丹, 南直我境, 故嘗事契丹及我朝. 每來朝, 以麩金·貂皮·良馬爲贄, 我朝亦厚遺銀幣, 歲常如此. 或曰, "昔我平州僧

---

1) 이때 李壽는 秘書監·知刑部事였으므로 그가 띤 尙書는 借職이었을 것이다(李公壽墓誌銘).

2) 여기에서 ~~添字~~는 筆者가 추가하였다.

今俊, 遁入女眞, 居阿之古村, 是謂金之先". 或曰, "平州僧金幸之子克守,[3] 初入女眞阿之古村, 娶女眞女, 生子曰古乙太師石魯. 古乙生活羅太師烏古乃, 活羅多子. 長曰劾里鉢, 季曰盈歌, 盈歌最雄傑, 得衆心. 盈歌死, 劾里鉢長子烏雅束嗣位, 烏雅束卒, 弟阿骨打立".[4]

二月辛丑朔大盡,己卯, 癸卯3日, 册子構爲王太子. 其文曰, "古先哲王, 撫有方夏, 必立儲貳, 以承天序者, 非敢私於親愛之閒, 將以繫人心, 而固國本也. 肆朕纘服, 若昔大猷, 眷惟上嗣之良, 久協重明之象. 考從於龜筮, 咨度於臣工, 申擇令辰, 誕揚休命. 咨爾元子構, 賦中和之粹, 挺岐嶷之姿. 仁義孝友之誠, 發自天性, 篤實輝光之德, 通於神明. 雖在妙齡, 夙彰全範, 出言而合度, 擧足而中規. 不事盤遊, 樂從善道, 終始典于學, 左右逢其源. 究詩書禮樂之文, 明父子君臣之義, 與夫周昌之事王季, 漢盈之奉高皇, 無以異也. 所宜據前載之言, 正東朝之位, 主之以匕鬯, 對越於祖宗. 是用, 遣使持節, 册命爾爲王太子. 於戲, 惟敬遜可以能盡心, 惟謹愼可以長守貴. 爾其嚴師傅之訓, 誡宴安之娛, 非正人勿親, 非正言勿聽. 以揚三善之風, 以貞萬邦之心, 則朕之有子, 無愧於古先哲王矣. 尙遠乃猷, 永膺多福".

[丁未7日, 日暈三重, 有珥, 白虹貫之:天文1轉載].

---

3) 金幸은『고려사절요』권8에는 今幸으로 되어 있다(盧明鎬 等編 2016년 210面). 여기에서 平州僧 今俊, 金幸으로 불린 人物은 金帝國의 기록에는 函普[Qanpau]로 달리 表記된 것 같다.

·『금사』권1, 본기1, 世紀, "金之始祖諱函普, 初從高麗來, 年已六十餘矣. 兄阿古迺好佛, 留高麗不肯從, 曰, '後世子孫必有能相聚者. 吾不能去也'. 獨與弟保活里俱. 始祖居完顔部僕幹水僕幹水之涯, 保活里居耶懶. …". 여기에서 僕斡水(혹은 忽汗水, 僕燕水)는 현재의 松花江의 支流로서 黑龍江省 東南部에 위치해 있는 牧丹江이고, 耶懶는 蘇城河라고 한다.

·『建炎以來朝野雜記乙集』권19, 邊防2, 女眞南徙[注, 金國五世八君本末], "金國自完顔旻建國稱帝, … 完顔之始祖指浦者, 新羅人, 自新羅末奔女眞, 女眞諸酋推爲首領, 七傳至旻而始大, 所謂阿骨打也". 여기에서 高麗人 函普가 新羅人 指浦로 달리 表記된 것은 異民族의 人名 表記에서 그러한 사례가 많이 찾아지기에 문제가 없을 것이다. 또 函普가 新羅人으로 표기된 것을 가지고서 그의 出自에 대한 여러 見解가 續出[百家爭鳴]하고 있지만(孟古托力 1995年), 中原에서 後代의 王朝를 그 以前의 王朝로 呼稱하는 경우가 많았기에 역시 큰 問題가 되지 않을 것이다(漢을 秦으로, 唐·宋을 漢으로, 高麗를 新羅로, 朝鮮을 高麗로 呼稱했다).

·『자치통감』권21, 漢紀14, 武帝征和 4년(BC89) 3월, "先是, 搜粟都尉桑弘羊與丞相·御史奏言, … 馳言, '秦人, 我匄若馬'[胡三省注, 據漢時匈奴爲中國人謂秦人, 至唐及國朝則爲中國謂漢, 如漢人, 漢兒之類, 皆習故而言. 師古曰, 匄, 乞與也. 若, 汝也]. …".

4) 이들 家系는 函普→石魯→烏古乃→劾里鉢·盈歌兄弟→阿骨打·烏雅束兄弟로 정리된다(孫昊 2014年 107面).

戊午18日, 行別例燃燈. 王御重光殿觀樂, 聞守太師·中書令致仕崔思諏卒, 罷宴. [思諏, 年八十:追加].[5] [思諏, 文憲公冲之孫, 力學擢科, 文宗召入內侍, 與語稱旨. 自是, 歷仕中外, 所至有聲績, 爲相, 論議, 務存大體, 不敢輕改舊章. 門人·子弟, 有來謁者, 常訓以事君之道, 言不及私. 雖謝事家居, 憂國之心, 終始不替. 王, 適以燃燈觀樂, 聞訃, 震悼, 罷宴輟朝, 賻恤優厚, 令百官會葬:節要轉載].[6]

[→聞思諏卒, 震悼罷宴, 輟朝三日. 賜賻優厚, 令百官會葬, 諡忠景:列傳9崔思諏轉載].

[甲子24日, 艮方有赤氣, 如火:五行1轉載].

丁卯27日, 聚僧, 讀佛經于內殿五日.

三月辛未朔小盡,庚辰, 壬申2日, 以封王太子, 御神鳳門, 赦.

[某日, 門下侍郞平章事吳延寵托疾, 乞退, 不允:節要轉載].

壬午12日, 宴群臣于乹德殿, 賦萬年詞, 宣示左右.

癸未13日, 曲宴于內殿.

戊子18日, 親醮于毬庭.

[己丑19日, 夜, 素氣, 如布匹, 見于乾·巽方:五行2轉載].

[某日, 上命襄簡公之長女李氏爲王弟·太原公侾妃, 遣朝散大夫·尙書右丞·直門下省兼太子少詹事·賜紫金魚袋崔弘宰, 賜匹帛·布貨·金銀器·鞍馬:追加].[7]

戊戌28日, 以王妃延德宮主生辰, 曲宴于內殿.

[○以崔弘宰爲太僕卿·太子少詹事:追加].[8]

[某日, 判冊, "六官諸曹尙書入, 則知部□事以下, 祗迎折席拜謁, 知部□事以下, 員外□郞以上, 一行拜, 一行坐. 七寺·三監判事·卿·監入, 則少卿·少監以下, 丞以上, 隱身, 一行拜, 直長·注簿以下, 祗迎南行拜. 少卿·少監入, 則丞北向立候, 一行拜. 少卿以下丞以上入, 則直長·注簿以下, 祗迎折席拜, 折席坐. 諸署局六品以

5) 이는 「崔思諏墓誌銘」에 의거하였는데, 이날은 율리우스曆으로 1115년 3월 15일(그레고리曆 3월 22일)에 해당한다.

6) 이와 관련된 기사로 다음이 있다.

· 지18, 禮6, 諸臣喪, "二月, 中書令崔思諏卒, 王震悼, 輟朝三日. 賻恤優厚, 令百官會葬, 諡忠景".

7) 이는 「王侾廟誌銘」에 의거하였는데, 襄簡公은 누구인지를 알 수 없다.

8) 崔弘宰는 그의 묘지명에 의거하였다.

上入，則直長祗迎折席拜，折席坐":禮10六官諸曹官相謁儀轉載].

[是月丁亥[17日]，弘化寺住持·僧統德緣開板'弘贊法華傳':追加].[9)]

夏四月[庚子朔大盡,辛巳]，壬寅[3日]，幸妙通寺.

○[尙書]李壽等還自遼，回詔曰，"近以邊臣弛備，小寇擾民，方行有罪之誅，是議偏師之擧．以卿地隣賊境，職守侯藩，特諭整戎，庶令逐暴．卿遣馳使价，來奉謝章．諒玆從命之臣，盡爾爲忠之節．適當春事，有慮農妨，姑務練修，別期進取".

癸丑[14日]，召諸王·宰樞于賞春亭，置酒極歡，[顧謂侍中致仕金景庸曰，"國之元老，惟卿在爾"．景庸，涕泣拜謝曰，"老臣，蒙恩至渥，糜粉難酬"．王:節要轉載]制詞二闋，令左右和進．兩府宰樞表辭，不允.[10)]

甲寅[15日]，[知奏事]王字之·[戶部郞中]文公美將如宋，省侍臣·樞密院承制[右副承宣]等餞于順天館樂賓亭.[11)] 王遣內侍林景淸，宣示御製詩一首，兼賜酒果.

[→轉樞密院右副承宣，副王字之使宋．字之亦富奢，二人誇詡飭粧，務相繁縟:列傳38文公仁轉載].

乙卯[16日]，幸普濟寺，□□[飯僧].[12)]

五月[庚午朔小盡,壬午]，戊寅[9日]，雨雹.[13)]

---

9) 이는 다음의 자료에 의거하였다(東大寺圖書館 所藏，筆寫本，大屋德城 1937年 92面 ; 堀池春峰 1980年 373面 ; 張東翼 2004년 414面).

· 『弘贊法華傳』 권하，刊記，"弘贊法花傳者，始自東晋終乎李唐，凡學法花，得」其靈應者，備載於此，斯可謂裨贊一大事之因緣，使」其不墜于地者歟，然今海東唯得草本，年祀逾遠，筆」誤頗多，鑽仰之徒，病其訛升，余雖不敏，讎校是非，」欲廣流通，因以雕板，庶幾披閱之士，開示悟入佛之知」見者也，時天慶五年歲在乙未季春，春[同]月十七日，於內帝」釋院明慶殿記，」海東高麗國義龍山弘化寺住持究理智炤淨光處」中，吼石法印僧統賜紫沙門德緣勘校，文林郞·司」宰丞同正李唐翼書」一校了」又一交了，又一交了」大日本國保安元年七月八日，於大宰府，勸俊源」法師書寫畢，宋人蘇景，自高麗國奉渡聖」教之中，有此法花傳，仍爲留多本，所令書寫也，」羊僧覺樹記之」此書本奧在此日記」".

10) 이와 같은 기사로 다음이 있다.

· 열전10，金景庸，"… 後召宗室·宰樞，置酒賞春亭，極懽，顧謂景庸曰，'國之元老，惟卿在'．景庸，涕泣拜謝".

11) 承制는 承宣의 雅稱이다.

12) 延世大學本과 東亞大學本에는 幸普濟寺僧으로 되어 있으나，僧이 衍字이거나 幸普濟寺，飯僧의 잘못일 것이다(東亞大學 2008년 4책 418面).

13) 이와 같은 기사가 지7，五行1，水，雨雹에도 수록되어 있다.

[→雨, 雷電:五行2轉載].

己卯[10日], 幸龜山寺.

丁亥[18日], 命[中書侍郞平章事]趙仲璋等取進士. 其合格人對策, 頗蹈襲前人, 落第者訴之.[14)]

庚寅[21日], 御乾德殿, 出詩賦題, 覆試. 詔諸王·宰樞·侍臣坐殿上, 賜詩題, 股肱良, 庶事康, 命詞臣製進, 王亦製之.

六月己亥□[朔小盡,癸未], 王如奉恩寺.[15)]

○賜金精等及第.

丙辰[18日], 慮囚.

辛酉[23日], 曲宴于內殿.

[某日, 處士郭輿, 請於所居闕西別業, 餞入宋使副. 王特賜酒果, 命內官主辦, 供帳甚隆, 物議非之:節要轉載].[16)]

丙寅[28日], 以[守司徒·]中書侍郞[同中書門下]平章事[兼西京留守使]李資謙[爲翼聖功臣·守太尉:節要轉載], [○資謙母金氏爲通義國大夫人, 妻崔氏爲朝鮮國大夫人. 遣使賜三勑于其第:節要轉載].

[→[李資謙,] 進開府儀同三司·守司徒·中書侍郞同中書門下平章事. 尋加守大尉, 賜翼聖功臣號. 封其母金氏通義國大夫人, 妻崔氏朝鮮國大夫人. 同日, 降三勑于其第:列傳40李資義轉載].

秋七月戊辰朔[大盡,甲申], 日食숨[17)].

---

14) 이와 관련된 기사로 다음이 있다.

· 지27, 선거1, 科目1, 選場, "[睿宗]十年五月, [中書侍郞]平章事趙仲璋知貢擧, 翰林學士朴昇中同知貢擧, 取進士, 其合格人對策, 頗蹈襲古作, 落第者訴之, 王覆試, 賜金精等三十九人及第".

15) 己亥에 朔이 탈락되었다.

16) 闕西別業은 睿宗이 郭輿에게 하사한 것으로 西華門(후일의 向成門) 바깥에 위치하였다. 또 文公裕는 文公美의 오자일 것이다(→예종 9년 6월 4일, 10년 7월 21일).

· 열전10, 郭輿, "王以其久在禁中, 或思出遊, 賜別業西華門外. 輿嘗請餞入宋使王字之·文公裕[文公美]于別業, 王賜酒果, 命內官主辦, 供張甚盛, 物議非之".

17) '日食숨'에서 숨은 訓民正音의 글자인데(延世大學本), 이 글자의 위치는 빈칸으로 두어져야 하는 곳이다(亞細亞出版社本). 乙未字로 組版할 때 活字를 잘못 끼워 넣은 것 같은데, 후세의 목판본에서 그대로 답습했던 결과일 것이다. 또 이날 일본의 京都에서도 일식이 있었다(高麗曆과 同一, 日本史料3-16册 293面). 이날은 율리우스력의 1115년 7월 23일이고, 개경에서 일식

庚辰[13日], 王以明懿太后[肅宗妃]忌辰, 如開國寺, 行香.[18)]

戊子[21日], 遣吏部尙書王字之·戶部侍郎文公美如宋, 謝恩兼進奉.[19)] 仍遣進士金端·甄惟底·趙奭·康就正·權適等五人, 赴大學.[20)] ○表曰, "化民成俗, 由乎大學之風, 用夏變夷, 籍彼先王之敎. 故呼韓遣子於漢室,[21)] 吐蕃請書於唐家, 事雖不同, 義則無異. 伏惟, 大宋之興也, 千齡接旦, 一統當天, 發揚大道之源, 掃蕩積年之弊. 學分三舍, 敎本六經, 矧又開璧水, 蒐講上儀, 立明堂, 復興盛典. 功成理定, 新制作於百年, 仁洽道豊, 一車書於萬國. 顧惟弊邑, 夙慕華風, 在乎開寶之時, 及至神宗之世, 每馳使价, 參遣生徒, 俾以觀周, 期於變魯. 厥後, 偶因中廢, 久闕前修. 傳聞承習之已遙, 廣記備言之半脫, 士無定論, 學有多岐, 混混末流, 寥寥幾歲. 况乎法度憲章之際, 聲名文物之儀, 或歷代之遺經, 或諸家之異說, 苟非質疑於有識, 豈能成法於將來. 每及興言, 思遵舊貫, 今也, 良辰在遇, 素志可伸. 謹遣學生五人, 令隨入朝赴闕, 惟此諸生, 並非秀穎, 目不見膠庠之禮, 耳不聞雅頌之聲, 難可與言, 有類互鄕之童. 未嘗無誨, 盖存闕里之仁. 伏望皇帝陛下, 愍側深衷, 推明故事, 特下國子監, 或於璧雍收管.[22)] 許令就便學業. 則容迹於諸生之末, 摳衣博士之前. 懷我好音, 庶見鴞鳴之變, 遷于喬木, 免同鴂舌之頑, 倘令吾道以東行, 永荷大明之下燭".

丙申[29日], 門下侍郎平章事致仕許慶卒.[23)] [輟朝三日, 謚順平:列傳10轉載]. [慶,

현상이 심했던 時間은 12시 54분, 食分은 0.82이었다(渡邊敏夫 1979年 306面).

·『殿曆』, 永久 3년 7월, "一日戊辰, 天陰, 雨晴[時]々降, 午剋天晴, 日蝕正見, 今日, 於大內有大般若御讀經, 卅口".

·『本朝統曆』, "七大, 朔戊辰, 午二, 日蝕, 十一分弱, 巳四, 午八".

18) 肅宗妃 明懿太后의 忌日은 7월 14일이다.

19) 이때 王字之와 文公美의 官職은 모두 借職이었던 것 같고, 書狀官은 金富軾이었으며(『동문선』 권34, 入宋謝差使接伴表), 文公裕도 隨從하였다(文公裕墓誌銘). 이때의 遣進士乞入學表는 金富佾이 지었다고 한다(『東人之文四六』 권2, 遣進士乞入學表 ; 『동문선』 권44, 上大宋皇帝遣學生請入國學表). 이들 사신단의 宋에서의 活動像은 該當 月次의 增補에서 정리하였다.

20) 權適은 選擧志1, 科目과 지28, 選擧2, 制科에는 權迪으로 되어 있으나 誤字일 것이다(權適墓誌銘).

21) 呼韓은 前漢後期의 匈奴單于 呼韓邪(?~BC31, BC58~BC31 在位)이며, 이름은 稽侯珊이다. BC31년(甘露3) 1월 甘泉宮(現 陝西省 淳化西北)에서 宣帝를 謁見하였던 匈奴單于로서 王昭君의 夫君이다.

22) 璧雍의 원래의 글자는 辟雍으로 두 글자가 通用되었고 辟廱으로도 표기되었다.

·『白虎通』, 辟雍, "… 天子立辟雍何? 所以行禮樂宣德化也. 辟者, 璧也. 象璧圓, 又以法天, 於雍水側, 象敎化流行也".

23) 이날은 율리우스曆으로 1115년 8월 20일(그레고리曆 8월 27일)에 해당한다.

以文學進，清廉忠儉．肅宗在藩邸，引爲府僚，及卽位，拜樞密院承宣，恩渥殊異，累遷至宰相，雖無赫赫之稱，終始一節．時人重之：節要轉載］.

［某日，加王弟·太原公侾爲檢校太傳，命門下省降誥曰，“口不言非法之事，身不近無法之人，盡忠孝於君親，篤友恭於兄弟，是以先帝有鳲鳩之政，獨蒙偏愛之私，寡人分帶礪之封，超越大邦之寄，洎朕除亮陰之時，於廟府聖妣之後，乃助祭於九主，亦隨謁於二陵，是敢爵爲上公，食加大邑”：追加］.[24]

［某日，以梁永爲慶尙道按察使：慶尙道營主題名記］.

八月[戊戌朔小盡,乙酉]，庚子[3日]，御宣政殿南廊，聽斷內外重刑.

○遼將伐女眞，遣使來，請兵.

乙巳[8日]，召宰樞·侍臣·都兵馬判官·諸衛大將軍以上，［議之．群臣皆以爲可，惟衛尉少卿拓俊京·禮部郞中金富佾·戶部員外郞韓冲·右司諫金富軾·右正言閔修[閔脩]，以爲國家，自丁亥[睿宗2年]·戊子[3年]兵亂之後，軍民僅得息肩．今爲他國出師，是自生釁端，竊恐將來利害，難測也．王：節要轉載］問至再三，卒無定議.[25]

壬子[15日]，曲宴于長齡殿.

癸丑[16日]，太白晝見.

乙卯[18日]，幸外帝釋院.

戊午[21日]，幸妙通寺，作佛事.

庚申[23日]，親饗庶老於毬庭，賜物有差．又饗國老致仕[中書侍郞]平章事吳壽增等於閤門.

○西北面兵馬使朴景綽陛辭，改賜名景仁，賜茶藥.

甲子[27日]，幸普濟寺.

乙丑[28日]，雨雹.[26]

九月丁卯□[朔大盡,丙戌]，召集近臣于御院，閱射，曲宴于賞春亭.[27]

辛未[5日]，王乘月微行，幸處士郭輿所居[闕內]純福殿淸心臺，置酒，與近臣論文，至

24) 이는「王侾廟誌銘」에 의거하였다.

25) 이와 같은 기사가 열전10, 金富佾에도 수록되어 있다.

26) 이와 같은 기사가 지7, 五行1, 水, 雨雹에도 수록되어 있다. 이날 일본의 京都에서 날씨가 흐리고 때때로 비가 내렸다고 한다(『殿曆』, 永久 3년 8월, “廿八□[日], 天陰, 時雨降, …”).

27) 丁卯에 朔이 탈락되었다.

曉乃罷.

壬申[6日], 慮囚.

丙戌[20日], 親選武士于東池.

丁亥[21日], 觀水戲.

[增補].[28)]

冬十月[丁酉朔小盡,丁亥], 己亥[3日], 王以肅宗忌辰, 如開國寺行香.[29)]

[庚子[4日], 禮司請, "以太子生日爲永貞節, 宮官·僚屬, 進賀, 亦令兩界·三京·八牧·三都護府, 上賀箋, 以爲永式", 從之:節要轉載].

[→禮司請, "以太子生日爲永貞節, 令宮官·僚屬, 進賀, 兩界·三京·八牧·三都護府上箋, 以爲恒式":禮9王太子節日受宮官賀幷會儀轉載].

甲辰[8日], 設百座仁王道場于會慶殿三日, 齋僧一萬于闕庭, 二萬于州府.

丁未[11日], 親閱六道神騎將士于東池.

庚戌[14日], 命中書侍郞平章事金緣等, 大閱于東郊.

辛亥[15日], 親醮下元於純福殿.

癸丑[17日], 遣侍御史尹彦純如遼, 賀天興節.

○親選西京將士于東池.

[○雨, 雷電:五行2轉載].

[己未[23日], 霧塞, 不辨人物:五行3轉載].

[增補].[30)]

十一月[丙寅朔大盡,戊子], 壬申[7日], 曲宴于膺乾殿.

○遣郞中金仁琯如遼, 謝落起復.

庚辰[15日], 設八關會. 王自毬庭, 還至閤門前, 駐蹕, 唱和久之, 命倡優, 歌舞仗內,

---

28) 고려의 사신단이 9월 5일(辛未) 明州 定海縣(現 浙江省 寧波市 鎭海區)에 도착하자 徽宗의 命을 받은 試少府監 傳墨卿·閤門宣贊舍人 宋良哲이 接伴으로 마중을 나와서(入宋謝差接伴表), 慰勞하며 賓貢學生을 위해 이 地域의 秀才를 뽑아 同行하게 하였다고 한다(『보한집』 권상).

29) 肅宗의 忌日은 10월 2일이므로 이날은 罷祭日이다.

30) 고려 사신단이 10월 7일(癸卯)에 郊亭에 도착하자, 徽宗이 館伴 范訥을 보내 賜宴하였고, 이어서 10일(丙午) 天寧節(徽宗의 生辰)을 맞이하여 垂拱殿에서 徽宗을 謁見하였고 23일 睿謨殿에서 侍宴하였다(『동문선』 권34, 謝郊迎表·謝天寧節垂拱殿赴御宴表·謝睿謨殿侍宴表).

幾至三鼓. 御史大夫崔贊·[御史]雜端許載進諫, 王嘉納之.[31)]

壬午[17日], 曲宴于內殿.

甲申[19日] 遼遣利州管內觀察使耶律義·大理少卿孫良謀來, 督發兵. 詔云,[32)] "昨以女眞不恭, 王師問罪, 自去冬而降詔, 俾分路以進攻. 雖曰整兵, 未能殄寇. 今則諸軍並會, 叩境前行, 況爾兵戎, 早經點閱, 便可卽時而先出, 毋或相應以後時. 仍飭使人, 就觀進發, 勉圖忠效, 惟在敬從. 仍賜叚匹[匹段]諸物".

庚寅[25日], 北路兵馬使馳報, "遼東京牒, 昨奉敕旨, 高麗所遣生辰·橫宣·落起復三謝使, 近緣邊境多故, 未得入界, 已令還國".

辛卯[26日], [遼使]耶律義等詣閤門欲辭, 以出兵之議久不決, 不成禮而退.

翼日[壬辰27日], 乃辭.

[增補].[33)]

十二月[丙申朔大盡,己丑], [己亥[4日], 雷電, 雨雹:五行1雷震轉載].

庚子[5日], 慮囚.

壬寅[7日], 遼東京留守遣回謝持禮使·禮賓副使高孝順來.

[增補].[34)]

---

31) 이와 같은 기사로 다음이 있다.

· 열전11, 許載, "睿宗嘗幸八關會, 還至閤門前, 駐蹕, 唱和. 命倡優, 歌舞仗內, 夜幾至三鼓. 載與御□[史]大夫崔贊進諫, 王嘉納之".

32) 이 詔書는 『동문선』 권39, 回宣諭助伐女眞表[又, 韓皦如[韓安仁] 撰]에 인용되어 있다.

33) 이때 송에 파견되어있던 고려 사신단의 형편은 다음과 같다.

· 11월 2일(丁卯), 고려의 사신단이 睿謨殿에서 御製詩에 화답하고, 이어서 景靈宮·太廟·南郊의 祭祀에 참여하였고, 14일(己卯) 각종 물품을 하사받고, 24일(己丑) 西景靈宮에 나아가 大明宮의 御眞을 謁見하였다(『동문선』 권34, 謝郊迎表·謝天寧節垂拱殿赴御宴表·謝睿謨殿侍宴表·謝宣示御製詩仍令和進表·謝法服參從三大禮表·謝冬祀大禮別賜表·謝許謁大明宮御容表).

· 11월 25일(庚寅), 高麗가 金端 등 5人의 子弟를 보내와 국자감에 입학시키자, 이들을 위해 博士를 설치하였다(『송사』 권21·권487高麗 ; 『옥해』 권154, 朝貢, 錫予外夷 ; 『皇朝編年綱目備要』 권28 ; 『群書考索後集』 권30, 士門蕃學 ; 『皇宋十朝綱要』 권17 ; 『문헌통고』 권325, 四裔考2, 高句麗 ; 『보한집』 권上). 이때 成禮를 하지 못한 인물이 있어 太學에 입학하지 못하게 되자, 太常博士 李瑞行이 잘 해결하여 宰相 蔡京을 위시한 관료들로부터 칭송을 받았다(『咸淳毘陵志』 권17, 人物2, 無錫, 李端行 ; 『無錫縣志』 권3上, 李端行).

34) 이때 송에 파견되어있던 고려 사신단의 형편은 다음과 같다.

· 12월 22일(丁巳), 高麗學生을 위하여 經學에 해박한 人物 2人을 博士로 임명하게 하였다(『皇宋十朝綱要』 권17).

[是年, 三司改定祿折計法, 大絹一匹, 折米一石七斗, 絲緜·小絹, 各一匹, 折七斗, 小平布一匹, 折一斗二升五合, 大綾一匹, 折四石, 中絹一匹, 折一石, 緜紬一匹, 折六斗, 常平紋羅一匹, 折一石七斗五升, 大紋羅一匹, 折二石五斗:食貨3祿俸轉載].

[○復城永淸縣六百七十一間, 門四, 水口一, 城頭四, 遮城二. ○城東界預州:兵2城堡轉載].

[○冊□□□□□~~齊安侯偦爲~~翊聖致理奉化功臣·檢校太保·守太尉·食邑三千戶·食實封二百五十戶:列傳3肅宗王子齊安公偦轉載].

[○冊□□□□□~~通義侯僑爲~~推仁贊化奉節功臣·開府儀同三司·檢校太保·守太尉·上柱國·食邑三千戶·食實封二百五十戶. 冊曰, "睦九族平百姓者, 堯之仁也, 蓋言自邇以及遐. 立萬國親諸侯者, 易之象也. 所以取法而垂訓. 故周詩有麟趾之詠, 漢制有犬牙之封者, 是其義也. 肆予一人稽若先憲, 乃眷天倫之屬, 實惟宗室之賢, 特擧寵章, 方行册禮. 非敢私於骨肉, 將以固於本支. 咨爾弟僑, 生則英奇妙有淑質, 少而莊重儼若成人. 孝悌之行, 成於內, 俊偉之聲, 達於外. 先君矜幼以最愛, 母后恤孤而至慈. 況玆藩翰之褒崇, 實乃朝家之典故, 宜頒明命而備物, 爰講縟儀, 以申恩. 是用, 授茅土以疏封, 爲湯沐而賜邑. 於戲, 貴不期驕而驕自至, 祿不期侈而侈自至[35]. 有勢榮, 必兼義, 榮得人爵, 勿棄天爵. 復斯言 而無忽愼, 有終而如初. 衛社稷以盡忠, 奉君親而思孝. 往踐乃位, 永孚于休":列傳3肅宗王子通義侯僑轉載].

[○加佐理功臣·門下侍郞平章事致仕任懿, 爲檢校太傅:追加].[36]

[○以安稷崇爲權知閤門祗候:追加].[37]

[○以尹彦頤爲金吾衛錄事兼寶文閣校勘:追加].[38]

· 이해에 고려의 사신단이 曹娥江을 거슬러 올라 갈 때 작은 潮水(小汛)를 만나 지체하다가 會稽縣(現 浙江省 上虞市) 曹娥廟에 祭祀를 지내자 效驗을 얻었고, 이를 보답하기 위해 황제에게 청하여 靈孝昭順夫人이라는 號를 加封하게 하였다고 한다(『乾道四明圖經』 권2, 鄞縣, 人物, 姚孳 ;『寶慶會稽續志』 권3, 祠廟, 會稽縣昭順靈孝夫人廟).

35) 이 句節에 대한 설명으로 다음이 있다.

· 『자치통감』 권195, 唐紀10, 太宗貞觀 11년(637) 5월, "壬申[7日], 魏徵上疏, 以爲, 陛下欲善之志不及於昔時, 聞過必改少虧於曩日, 譴罰積多, 威怒微厲, 乃知貴不期驕, 富不期侈, 非虛言也[胡三省注, '書'周官曰, 位不7期驕, 祿不期侈, 孔安國註曰, 貴不與驕期而驕自至, 富不與侈期而侈自至, 魏徵引之], …".

36) 이는 「任懿墓誌銘」에 의거하였다.

37) 이는 「安稷崇墓誌銘」에 의거하였다.

[○以[重大師]教雄爲三重大師, 仍命住華藏寺. 先是, 福世僧統澄儼聞雄之德行, 可以範儀於當世, 薦于帝左右, 於是受此職階:追加].[39)]

[○上之庶孽·小君·僧之印中佛選:追加].[40)]

[增補].[41)]

丙申[睿宗]十一年, 契丹天慶六年→[四月, 高麗除去天慶年號, 但用甲子], 宋政和六年,[42)] [金收國二年], [西曆1116年]

1116년 1월 17일(Gre1월 24일)에서 1118년 2월 3일(Gre2월 10일)까지, 13개월 384일

春正月丙寅朔[大盡,庚寅], 放朝賀.

戊辰[3日], 遼遣大理卿張言中來, 賀生辰.

壬午[17日], 御便殿, 宴諸王, 夜分乃罷.

庚寅[25日], 幸天壽寺, 巡視新創堂殿, 賞賜工匠有差.

壬辰[27日], 以尙書戶部侍郞李韶永爲西北面兵馬副使, 借戶部侍郞李惟寅爲東北面兵馬副使, [金輔臣爲慶尙道按察使:慶尙道營主題名記].

---

38) 이는 「尹彦頤墓誌銘」에 의거하였다.

39) 이는 다음의 자료에 의거하였는데, 이해에 크게 가물자[大旱] 敎雄과 大禪師 嗣宣에게 命하여 長齡殿에서 法會를 개최하여 비를 빌게[祈雨] 하였다고 한다.

· 「國淸寺住持敎雄墓誌銘」, "天慶五年中, 圓明國師聞之, 謂師之德行, 可以範儀於當世, 以薦帝左右. 睿考, 於是授三重大師, 仍轉華藏寺. 是歲, 大旱, 於長齡殿說法會, 以祈雨. 命吾師與大禪師嗣宣爲主伴. 演揚蓮花六比, 權實之源渙. 然氷釋未始有畛域. 睿考聽而悅之, 賜貼袈裟各一領, 藏經道場, 賜紫".

40) 이는 「海東廣智大禪師墓誌銘」에 의거하였다.

41) 이해에 女眞이 契丹의 保州(現 平安北道 義州郡)를 공격할 때 高麗와의 관계는 다음과 같다.

· 『금사』 권135, 열전73, 外國下, 高麗, "收國元年九月, 太祖已克黃龍府, 命加古撒喝攻保州. 保州近高麗, 遼侵高麗置保州. 至是, 命撒喝取之, 久不下, 撒喝請濟師, 且言高麗王將遣使來. 太祖[阿骨打]使納合烏蠢以百騎益之, 詔撒喝曰, 汝領偏師, 屢破重敵, 多所俘獲, 及聞胡沙數戰有功, 朕甚嘉之. 若保州未下, 但守邊戍. 吾已克黃龍府, 聞遼主且至, 俟破大敵復益汝兵. 所言高麗遣使事, 未知果否, 至則護送以來. 邊境之事, 愼之毋忽. 十一月, 係遼女直麻懣·太彎等十五人皆降, 攻開州取之, 盡降保州諸部女直. 太祖以撒喝爲保州路都統. 太祖已破走遼主軍, 撒喝破合主·順化二城, 復請濟師攻保州, 使斡魯以甲士千人往".

42) 이해의 10월에 宋의 연호를 사용한 사례도 있다(崔思諏墓誌銘).

[增補].[43]

閏[正]月丙申朔小盡,庚寅, 庚子5日, 以宋秀爲工部尙書.

[辛丑6日, 宋商客館火:五行1火災轉載].

壬寅7日, 幸普濟寺, 聽國師曇眞說禪, 賜施優厚.

庚戌15日, [驚蟄]. 遣秘書□省校書郞鄭良稷, 稱爲安北都護府衙前, 持牒, 如遼東京, 詗知節日使尹彦純·進奉使徐昉·賀正使李德允等稽留事.[44]

[甲寅19日, 月犯心左星:天文1轉載].[45]

[己未24日, 流星出大微太微中, 入軫東北星:天文1轉載].

甲子29日晦, 醮三界于內殿.

二月乙丑朔大盡,辛卯, 丙寅2日, 日本國進柑子.[46]

癸酉9日, 遼東京人高謂來投.

庚辰16日, [淸明]. 燃燈, 王如奉恩寺.

甲申20日, 行別例燃燈, 御重光殿, 宴親王·宰樞·侍臣, 夜分乃罷.

丙戌22日, 參知政事致仕高令臣卒,[47] [年七十二. 輟朝三日, 謚良敬:列傳10高令臣轉載]. [令臣, 少孤力學, 善屬文. 文宗朝擢第, 歷仕中外, 議論慷慨, 無所屈撓. 慶尙州道大水, 令臣, 以□左散騎常侍, 奉使安撫, 奏蠲公田之稅, 民賴蘇息. 其在政府, 公卿爭進新法, 令臣以爲, 祖宗之法, 具在, 何必改作, 但守而勿失可也. 令臣

---

43) 이때 송에 체재하고 있던 고려 사신단의 형편은 다음과 같다.

· 高麗 使臣團의 金富軾 등이 1월 某日에 글을 올려 同文館[京館]에 체류한 것이 100餘日이 되었다고 하면서 下旬頃에 出發하여 3월에 明州(現 浙江省 寧波市)에 到着, 4월에 入海할 예정임을 告하고 귀국을 청하였다고 한다(『동문선』 권42, 乞辭表).

· 1월 21일(丙戌), 徽宗이 近臣[中使]을 보내와 2월에 下直人事[朝謝]를 하고 3월초에 出發하라는 御筆을 전한 것을 받았고, 이어서 太學에 가서 大成殿을 참배하고 經義를 청강한 후 大晟樂演奏를 관람하였다.

44) 李德允은 다음 해인 1117년(예종12)에 儒林郞·尙書禮部員外郞·知制誥로 재직하였다(尹彦榮妻柳氏墓誌銘).

45) 지1, 天文1에는 '十一年正月甲寅'으로 되어 있으나 '十一年閏正月甲寅'의 잘못이다.

46) 柑子는 柑橘(citrus)을 가리키는데, 品種, 類型, 地域에 따라 여러 呼稱이 있었던 것 같고, 이에 대한 丁若鏞의 간략한 설명이 찾아진다(『세조실록』 권2, 1년 12월 丙寅25日 ; 『여유당전서』 권12, 乇羅貢橘頌).

47) 이날은 율리우스曆으로 1116년 4월 6일(그레고리曆 4월 13일)에 해당한다.

本以淸儉自守, 及卒, 家無羨財:節要轉載].

[某日, 御乾德殿, 引見新及第金精等, 賜酒食于閤門, 仍令釋褐:節要·選擧2轉載].

[是月, 國子祭酒洪瓘[洪灌], □□□□□[掌國子監試], 取兪坦升等九十九人:選擧2國子試額轉載].[48)]

[增補].[49)]

三月乙未朔[小盡,壬辰], [穀雨]. 王聞遼來遠·把州[保州]二城, 爲女眞所攻, 城中食盡. 遣都兵馬錄事邵億, 送米一千石, 來遠統軍辭不受.[50)]

[→□□[是時], 女眞侵遼, 盡下東邊諸城. 惟來遠·抱州二城, 固守不下. 食盡, 以財減價, 貿穀于我. 邊吏禁民互市, [翰林學士金]黃元上疏曰, "幸災不仁, 怒隣不義. 請糶二城, 兼許貿易". 不報:列傳10金黃元轉載].[51)]

己亥[5日], 奉安肅宗及明懿太后[肅宗妃]睟容于天壽寺.

壬寅[8日], [秘書省校書郞]鄭良稷自遼東京還. 時東京渤海人作亂, 殺留守蕭保先, 立供奉官高永昌, 僭稱皇帝, 國號大元, 建元隆基. 良稷至, 詐稱官銜, 上表稱臣, 以國家所遣留守土物, 贈永昌, 得厚報. 及還, 匿不奏. 事覺, 有司請下獄治之, 從之.[52)]

---

48) 洪瓘은 洪灌의 오자일 것이다.

49) 2월 11일(乙亥) 고려의 사신단이 '太平睿覽圖'를 위시한 여러 책을 보았고, 29일(癸巳)에는 集英殿에서 개최되는 春宴에 참여하라는 勅書를 받았다(『동문선』 권35, 謝宣示太平睿覽圖表, 謝赴集英殿春宴表).

50) 來遠·把州는 來遠·抱州 또는 來遠·保州의 오자일 것이다.

51) 互市는 關市라고도 하며 邊境에서 國家 또는 異民族 사이에 행해졌던 貿易 또는 그것이 행해진 場所인 場市[交易場]를 指稱한다. 또 조선시대의 柳成龍은 饑饉을 해결하기 위한 방책의 하나가 互市임을 先人들의 사례를 통해 알았다고 한다(『서애집』 권16, 中江開市).

· 『자치통감』 권18, 漢紀10, 武帝元光 2년(BC133) 6월 末尾, "… 自是以後, 匈奴絶和親, 攻當路塞, 往往入盜於漢邊, 不可勝數, 然尙貪樂關市[胡三省注, 匈奴與漢人於邊爲互市, 如今之回易場也]".

52) 東京(現 遼寧省 遼陽市)에서의 渤海人의 반란은 이해의 1월 1일(丙寅)에 일어났다. 이를 계기로 裨將 高永昌이 建國하여 大渤海皇帝를 稱하며, 國號를 大元國, 年號를 隆起라고 하고서 東京道 管內의 50餘州를 점령하였다. 天祚帝 延禧(阿果)는 蕭韓家奴·張琳 등을 보내 토벌하게 하였다. 이때 高永昌은 女眞의 完顔阿骨打에게 援兵을 요청하였는데, 阿骨打는 契丹軍을 격파한 후, 5월 東京으로 진출하여 渤海軍도 공격하여 高永昌을 죽이고 東京道 54州를 自身의 領域으로 삼았다(『요사』 권28, 본기28, 天祚皇帝2, 天慶 6년 ; 『금사』 권2, 본기2, 太祖, 天輔 2년 5월).

한편 이 국가의 국호가 大渤海, 연호가 應順이라는 기록도 있으나 後世에 만들어진 僞書로 추측되어 그 신빙에는 문제가 있다.

· 『契丹國志』 권10, 天祚紀上, 天慶 6년, "春正月朔, 渤海人高永昌, 率凶徒十數人, 乘醉恃勇, 持

癸卯[9日], 王如天壽寺, 設齋以落之. 綵棚伎樂, 連亘道路者三日.

甲辰[10日], 宴群臣于寺門外, 至曉乃罷.

乙巳[11日], 還宮, 赦, 監督官吏·工匠·役徒, 賞賚有差. 駐駕都市, 諸王·宰樞稱觴獻壽. 王執[門下侍中致仕]金景庸手, 語及先王·太后, 泣下霑襟, 左右嗚咽.

[庚戌[16日], 流星出七公·貫索星, 入天市, 大如雞子, 長三尺許:天文1轉載].

壬子[18日], 以[門下侍郎平章事]吳延寵△[爲]守太尉.

乙卯[21日], 幸西京, 以[門下侍郎平章事]李瑋·[中書侍郎平章事]金緣△[爲]判行從事, [中書侍郎平章事]李資謙·[中書侍郎平章事]趙仲璋△[爲]判留守事. 所歷供給, 務從省約, 鹵簿儀仗, 悉令簡便. 沿路田地有不墾者, 必召守令, 責之.

[某日, [節日使]尹彥純·[進奉使]徐昉·[賀正使]李德允等, 自遼東京還. 彥純等拘留東京, 高永昌勑令上表稱賀, 彥純等一如所言. 及還, 匿情不首, 有司請治其罪:節要轉載].

己未[25日], 禱雨于所過祠宇.

[增補].[53)]

夏四月甲子朔[大盡,癸巳], □[壬]至西京, 置酒大同江船上, 扈駕諸王·宰樞·侍臣·西京留守·分司三品以上侍宴. 風日淸和, 王悅懌, 與侍臣唱和. [時國家閒暇, 王尙章句, 好遊宴. 知制誥崔瀹上書曰, "昔唐文宗, 欲置詩學士. 宰相[李玨]奏曰, '詩人多輕薄, 若承顧問, 恐撓聖聽. 文宗乃止'.[54)] 帝王當好經術, 日與儒雅, 討論經史, 咨諏政理, 化民成俗之無暇, 安有事童子之雕蟲, 數與輕薄詞臣, 吟風嘯月, 以喪天衷之淳正耶". 王優納之:節要轉載].[55)]

刃踰垣, 入府衙登廳, 問留守蕭保先所在, 紿云, 外軍變情爲備. 保先纔出, 刺殺之. … 高永昌, 自殺留守保先後, 自據東京, 稱大渤海皇帝, 改元應順, 據東京五十餘州, 分遣軍馬, 肆其殺掠所在主君, 奚人戶往往挈家, 渡海以避, 獨瀋州未下, …".

53) 이달의 某日에 송에 파견된 고려의 사신단이 回賜品으로 비단 5,730疋 등을 하사받았다(『동문선』 권35, 謝回儀表).

54) 이는 다음의 자료에서 따온 말이다.
· 『자치통감』 권246, 唐紀62, 文宗下, 開成 3년(838) 11월 庚午[16日], "上好詩, 嘗欲置詩學士, [戶部侍郎同平章事]李玨曰, '今之詩人浮薄, 無益於理', 乃止".

55) 이와 관련된 기사로 다음이 있다.
· 열전8, 崔冲, 瀹, "[睿宗,] 嘗宴西京大同江, 與侍臣唱和. 瀹亦以知制誥從, 上書諫曰, '昔唐文宗, 欲置詩學士, 宰相奏, 詩人多輕薄, 若承顧問, 恐撓聖聽. 文宗乃止. 帝王當好經術, 日與儒雅, 討論經史, 咨諏政理. 安有事童子雕篆, 數與輕薄詞臣, 吟風嘯月, 以喪天衷之淳正耶?', 王優納之. 有

乙丑[2日], 謁太祖眞□□□[于感眞]殿.

丙寅[3日], [小滿]. 召見處士郭輿.

[→處士郭輿, 自上京來:節要轉載]. 賜坐於常安殿後花壇, 親賜酒食. 時忽見東南方, 有白雲數片, 其中雙鶴徘徊. 因命輿賦詩, 王亦和之.[56)]

丁卯[4日], 命有司禘于大廟[太廟], 以[故門下侍郎平章事]金上琦配宣廟, [中書令致仕]崔思諏配肅廟.

○幸長慶寺, 禱雨于山川·諸祠.

[→丁卯, 遣使祈雨於上京川上松岳東神諸神廟, 朴淵及西京木覓東明祠·道哲嵒梯淵:禮5雜祀轉載].

戊辰[5日], 召諸王及郭輿, 置酒, 王製詩三篇, 命輿和進.

己巳[6日], 禱雨于九月山.

庚午[7日], 幸金剛·興福兩寺, 還至永明寺, 御樓船, 宴諸王·宰樞·侍臣. 復以御製仙呂調臨江仙三闋, 宣示臣僚.[57)]

○金主[太祖]阿骨打遣阿只來.

一詞臣乘隙曰, '淪所謂儒雅, 除臣等, 別有何人?'. 淪短於詩, 故有此言. 王怒, 左遷春州府使. 和人詩云, '吾家世受聖朝恩, 欲繼忠淸不墜門. 但把螢輝增聖日, 敢將蠡測議詞源, 自慚風月無功業, 廻望雲霄已夢魂. 駭汗未收還感淚, 謫來猶得駕朱轓'. 王聞之召還".

56) 이때의 모습을 1875년(乙亥, 고종12) 9월 이곳을 觀覽한 龍岡縣令 韓章錫(1832~1894)은 다음과 같이 上記의 기사를 引用하였다.

· 『眉山集』 권2, 白雲灘[注, … 睿宗十一年, 召見處士郭輿, 賜坐於常安殿後花壇, 親賜酒食, 忽見東南方有白雲數片, 其中雙鶴徘徊, 因命輿賦詩, 王亦和之]".

57) 이때 李仁老의 曾祖 李顗가 隨從하였다고 한다.

· 『파한집』 권중, "西都永明寺南軒, 天下絶景, … 昔睿王西巡, 與群臣宴飮唱酬, 篇什尤多, 無不鏤金石播絲竹, 以傳樂府. 吾祖平章李顗, 適在玉堂, 扈從登臨. 命名浮碧寮, 作詩敍其始末甚備, …".

· 『眉山集』 권2, 永明寺[注, 高麗王每幸, 降香于此寺, 讌于浮碧離宮別館, 極其盛麗, 寺之刱在高句麗時].

· 『汾西集』 권8, 西京感述幷銘, 其25[注, 西京船遊, 夜還輒燃炬, 城頭隨堞, 皆擧光燭, 江水如晝. 梁給諫有年詩, 所謂'更憐萬炬城頭暮, 疑是銀河列宿光'者, 是也](1638년, 仁祖16, 平壤府). 여기에서 梁有年은 1606년(선조39) 1월 禮部左給事中으로 皇太孫의 탄생을 전하기 위해 조선에 파견되어 明의 使臣인데(『선조수정실록』 권40, 39년 1월 庚午朔), 이때의 시문으로 '渡鴨綠江'이 있다고 한다("夾岸笙歌引畵船, 旌輝搖曳鏡中天. 春回暖浪魚龍躍, 澤遍遐方草樹姸. 樂意盡從歡舞見, 淳風不待語言傳. 迎恩簪紱紛相屬, 一雨旋看綠滿阡").

· 『明神宗實錄』 권416, 萬曆 33년 12월 乙卯[15日], "命修撰朱之蕃·左給事中梁有年敕諭朝鮮國王李昖, 賜王紵絲十疋·粧錦四段·熟素絹十疋, 王妃紵絲六疋·紵錦二段·熟素絹六疋. 敕曰, 玆朕皇孫誕生, …".,

· 『晩洲集』 권1, [平壤]永明寺井, 得匙箸鉢三古器, "制作從何代, 堅頑認古顔. 千年埋井底, 一日復人間. 用捨時雖異, 升沉物自閑. 誰能見終始, 秪有牧丹山".

辛未[8日], 中書門下奏, "遼爲女眞所侵, 有危亡之勢, 所稟正朔, 不可行. 自今, 公私文字, 宜除去天慶年號, 但用甲子", 從之.[58]

壬申[9日], 醮三界于長樂殿.

癸酉[10日], 宴群臣于長樂殿, 仍宣示御製詩一絶.

丙子[13日], 幸觀風殿, 巡視太祖行在所, 遂御九梯宮, 及晩, 移御永明寺東閣. 召諸王及郭輿, 置酒唱和.

戊寅[15日], 幸九梯宮.

○遼來遠·抱州二城流民, 驅羊馬數百來投.

己卯[16日], 移御龍德宮~~龍堰宮~~[59].

○遼流民男女二十餘人來投, 獻羊二百餘口.

庚辰[17日], 御乾元殿, 受朝賀, 下制曰, "朕承祖宗積累之緖, 保有三韓, 懼無以稱人神之望, 宵旰憂勞, 不敢遑寧. 今以日官所請, 徙御西都, 以頒新敎, 將以與物更始, 使民知歸, 以興先王之舊業. 且彼聖賢之訓, 及諸圖讖之言, 謂奉順陰陽, 尊崇佛釋, 明信刑罰, 黜陟幽明, 三寶之財,[60] 不可妄費, 四仙之跡, 所宜加榮. 依而行之, 不敢失也. 况圓丘·大廟~~太廟~~·社稷·籍田, 及諸園陵者, 國家敬重之所也, 其管勾員吏, 以時修葺, 無使弊虧. 所謂國仙之事, 比來仕路多門, 略無求者, 宜令大官子孫行之. 文武兩學, 國家敎化之根源, 早降指揮, 欲令立其兩學, 養育諸生, 以備將來將相之擧, 而有司各執異論, 未有定議, 宜速奏定施行.[61] 且國風欲其儉朴, 而今朝廷士庶, 衣服華侈, 尊卑無等. 宜令禮儀詳定所, 據祖宗代式例沿革, 制定以聞".

---

58) 『경상도영주제명기』에는 예종 14년(1119, 己亥)에 契丹의 年號를 使用하지 않았다고 되어 있으나 예종 12년의 오류일 것이다.

59) 龍德宮은 다음의 자료를 통해 볼 때 龍堰宮의 誤字이거나 別稱일 것이고(李丙燾 1951년 269面 脚注2), 이에서 龍德이라는 단어는 平壤府[西京]의 5부 중의 하나인 龍德部와 관련이 있을 것이다(『태종실록』 권11, 6년 6월 癸亥[5日]).

· 『동문선』 권2, 三都賦, "… 壯麗之觀, 則有龍堰宮·九梯宮, 軫轕廣敞, 高明穹崇, 翕闢宇宙, 冥迷西東, 天不能奪其構, 鬼不得爭其功".

60) 三寶에 대한 설명으로 다음이 있다.

· 『여유당전서』 권25, 小學紺珠, 三之類, "三寶者, 國中之珍也. 劍產於越[注, 刀, 兩刃曰劍], 珠產於江[蚌精也], 玉產於昆山[崑崙在荒服], 此之謂三寶也. 三寶之名, 出劉向 '新序' [又 '史記' 趙世家, 以代馬·胡犬·昆玉爲三寶, 又 '六韜' 曰大農·大工·大商, 是爲三寶. 又 '老子' 曰我有三寶, 一曰慈, 二曰儉, 三曰不爲天下先. 又貨殖傳曰商不出則三寶絶]".

61) 이 구절은 지28, 選擧2, 學校에도 수록되어 있다.

○又改定中外官制.

[是時, 詔, "[正3品]樞密院承宣·三司使, [從3品]直門下省事, [正4品]左·右諫議大夫, [從4品]三司副使·知御史臺事, [從5品]起居注·三司判官·御史雜端, 立本品行頭, □□[又三]司員立本品行頭":百官1轉載].

[○刪定員吏, 學士承旨·學士並正三品, 侍讀學士·侍講學士並正四品, 諸兼本院官, 並令立本品行頭, 諸知制誥亦立本品行頭[注, 翰林院·寶文閣兼者,[62] 謂之內知制誥, 他官兼者, 謂之外知制誥, 後改知製敎], 後[高宗7年以前]陞直院爲八品:百官1藝文館轉載].

[○諸殿學士, 立本品行頭:百官1諸館殿學士轉載].

[○改判國子監事, 爲大司成從三品, [從3品]祭酒降正四品:百官1成均館轉載].[63]

[○[兼官]知閣門事[知閣門事], 立本品行頭:百官1通禮門轉載].

[○改司天臺, 爲□□[司天]監:百官1書雲觀轉載].

[○改殿前承旨爲三班奉職, 副承旨爲三班借職, 尙乘內承旨爲三班差使, 副內承旨爲三班借差:百官2掖庭局轉載].

[○定太子官屬, 太少師·傅·保·賓客·庶子·諭德·侍講·侍讀學士·贊善·中舍人·中允·詹事·少詹事·率更令, 品秩並依文宗之制, 餘並不置:百官2東宮官轉載].

[○改西京·東京·南京判官爲少尹:百官2西京·東京·南京留守官轉載].

[○改[西京]諸學士院, 爲分司國子監. 判事一人, 三品兼之, 祭酒一人, 少監以上兼之, 司業一人, 員外郞以上兼之, 博士一人八品, 助敎一人九品. ○刻漏院 爲分司大史局. 知事不限員數, 常參兼之, 參外三人, 七八九品各一人. ○醫學院, 爲分司大醫監. 判監·知監, 不限員數, 以本職高下, 兼之, 參外二人, 八九品各一人. ○禮儀司, 爲典禮司. 知司事二人, 常參兼之, 判官二人. 本司兼主祭享, 其閒閱樂不便, 別立閱樂院, 知院一人常參兼之, 判官二人權務. 其兩班政事, 與上京同:百官2西京留守官轉載].

[○改大都護□[府]·牧□[之]判官, 爲通判. 後只置使·判官·司錄:百官2外職轉載].

辛巳[18日], [芒種]. 曲宴于乾元殿.

壬午[19日], 幸弘福寺, 移御唐浦古城門樓. 置酒歡賞, 名樓曰多景. 御製留題, 命詞

---

62) 寶文閣은 亞細亞文化社本에서 文字의 上段部가 印刷되지 못한 인해 결과로 延世大學本과 東亞大學本에서 寶又閣으로 刻字된 것 같다.

63) 仁宗代의 文武班祿에 의하면 判國子監事는 제5과에, 大司成은 제6과에 편제되어 있음을 보아 判國子監事가 大司成으로 改稱되었다는 것은 오류일 것이다(朴龍雲 2009년 247面).

臣和進.[64]

癸未[20日], 命知西京留守事·戶部尙書金若溫扈駕, 以趙令龜△[~~爲~~]攝分司戶部尙書·知留守事.

甲申[21日], 駕發西京. 路上有老嫗, 進壺酒. 王憐其誠, □□[~~許賜~~]一嘗, 因賦詩一絶.[65]

丁亥[24日], 駕至岊嶺驛, 宋都綱楊明等謁于道.

辛卯[28日], 王還京都, 赦. 制曰, “巡狩之禮, 所以省方設教也. 朕叨襲丕基, 欲興景業. 俯從太史之請, 願效先王之遊, 移蹕舊都, 落成新闕. 雖除衆弊, 豈無騷擾. 宜敷寬大之恩, 以慰遐邇之望. 其西京及隨駕員將·軍卒及沿路州府郡縣長吏, 有所犯, 停囚, 應受公徒私杖以下罪. 上京留守百官, 於駕出後, 凡有徵贖等雜輕罪, 咸赦除之. 西京及所歷山川神祇, 各加號. 沿路州府郡縣, 年八十以上者及孝子·順孫·義夫·節婦·鰥寡·孤獨·篤癈疾者, 准西京例賜物. 兩京諸處道場·福田及都監道俗員吏, 西京及隨駕兩班員·軍人·雜類, 諸界官[~~界首官~~]迎駕長吏等,[66] 職賞及稅租減除等事, 准庚寅年[睿宗5年]南幸·丁亥年[睿宗2年]西幸兩度恩制施行. 內侍給使及諸宦者·隨駕親王宮府員吏·侍衛南班員吏·雜類等, 亦准前兩度恩制施行. 西京及四道倉督, 迎駕諸州府郡縣, 凡所有時弊, 宜令留守官·按察使, 臨問奏除. 新闕創成都監員吏·諸色匠人·雜類等, 並准西京九梯宮·上京長源亭創成後所加恩賞例, 奏裁”.

○時留守百官, 備儀仗樂部, 迎駕於馬川亭, 大樂·管絃兩部, 爭務奇侈. 以至使

---

64) 多景樓(羅城의 西門에 위치한 楊命門의 인근에 위치한 亭子로 推測됨, 金虎俊 2012년 58面)에 관한 자료로 다음이 있다.

- 『세종실록』 권154, 지리지, 平壤府, “乙密臺, 卽錦繡山頂, 平坦敞豁, 臺下層岸之上, 有樓曰浮碧, 觀覽之狀, 不可勝記. 旁有永明寺, 卽東明王九梯宮, 內有養麒麟堀[~~麒麟窟~~], 後人立石誌之. 堀[~~窟~~]南白銀灘有岩, 出沒潮水, 名曰朝天石. 諺傳東明乘麒麟, 從堀[~~窟~~]中登朝天石, 奏事天上. 李承休所謂往來天上詣天政, 朝天石上麒麟輕, 卽謂此也. 堀[~~窟~~]北有春陽臺屹然, 西與觀風臺基竝峙. 坤方有樓基曰多景, 景物與浮碧相甲乙”. 여기에서 ~~添字~~와 같이 고쳐야 옳게 될 것이고, 乙密臺는 현재 北韓의 國寶遺跡 第19號이다.
- 『眉山集』 권2, 多景樓[注, 多景樓, 古在府西九里, 揚命浦上, 對岸築石, 架樓其上, 下通舟楫. 麗史睿宗十一年, 幸此樓, 寘酒歡賞, 名其樓曰多景. 金富軾討妙淸, [~~仁宗~~]12[~~年閏~~]2[~~月,~~] 沿江築城, 自宣耀門至多景樓, 凡一千七百餘間. 今無遺址, 而平遠堂之傍, 有小樓爲此名, 鄭監司民始, 所建也. 其後園墻外, 卽萬壽臺]. 여기에서 ~~添字~~는 필자가 추가한 것이고, 鄭民始는 1784년(정조8) 1월 前工曹判書로서 平安道觀察使에 임명되었다(明年 3월까지 在職, 『정조실록』 권17, 8년 1월 乙卯[29日], 권19, 9년 3월 丁丑[28日]).

65) ~~添字~~는 『고려사절요』 권8에 의거하였다.

66) 界官은 界首官으로 고쳐야 옳게 될 것이다.

婦女, 馳馬擊毬. 王命黜之, 其戱遂絶.

[某日, 知樞密院事金晙知貢擧, 直門下省□[事]李壽同知貢擧, 取進士, 合格者二十四人:選擧1選場轉載].[67)]

是月, 得寶玉於西京盤龍山, 命玉人, 先造祭器, 以答神貺, 宰臣表賀.

五月[甲午朔小盡,甲午], 癸卯[10日], 門下侍郞平章事吳延寵卒,[68)] [年六十二. 謚文襄, 命近臣, 監護喪事, 百官會葬:列傳9吳延寵轉載]. [延寵, 海州人, 家世寒素, 少貧賤, 力學, 善屬文. 早擢科第, 飭躬勤行, 恂恂然, 以忠儉自許. 當官, 持論務祛時弊, 未嘗以私害公. 故王重之:節要轉載].

丙辰[23日], 御乾德殿覆試.

庚申[27日], 賜裴祐等及第.[69)]

六月[癸亥朔小盡,乙未], 甲子[2日], 王如奉恩寺.

乙丑[3日], [吏部尙書]王字之·[戶部侍郞]文公美賫詔, 還自宋. 王受詔于乾德殿, 詔曰, "使人王字之等至, 省所上表, 起居事具悉. 列國稱藩, 表玆東海, 載臨時序, 遐暨乃心, 靡忘報上之歸, 特貢履和之問. 春祺在旦, 福履克綏, 用加勤誠, 不忘晨夕". ○又詔曰, "省所差人進奉御衣二對等事, 具悉. 撫封舊履, 襲慶東藩, 不替前修, 有嘉來享, 使旃華隰, 方物充庭. 惟順與忠, 旣嘉且旅, 永言恭恪, 用勸于懷. 今回賜衣著·銀器等, 具如別錄, 至可領也". ○又奬諭設齋詔曰, "使人王字之等至, 省所奏, 於大相國寺·楊州[~~揚州~~]天寧萬壽觀·抗州[~~杭州~~]天竺寺·閏州[~~潤州~~]金山寺·泗州普炤王寺, 設齋祝壽事, 具悉. 使航遐暨, 禮意有加, 祗載眞乘, 用伸報禮, 有嚴佛事, 虔祝壽祺, 緬想遐心, 良深注意". ○又奬諭賀册皇太子詔曰, "使人王字之等至, 省所上表, 賀册皇太子事, 具悉. 比立儲闈, 預崇國本, 用繫天下, 以御邦家. 惟爾東藩, 逖聞慶典, 需章來賀, 欣懌攸均". ○又奬諭別進詔曰, "省所差人別進事, 具悉. 踐修厥猷, 備

---

67) 이는 지27, 선거1, 科目1, 選場에서 전재하였다.

68) 이날은 율리우스曆으로 1116년 6월 22일(그레고리曆 6월 29일)에 해당한다.

69) 이와 관련된 기사로 다음이 있는데, ~~添字~~가 추가되어야 할 것이다. 이때 裴祐·林許允 등이 급제하였다(→是年 11월 是月).

· 지27, 선거1, 科目1, 選場, "[~~睿宗~~]十一年四月, 知樞密院事金晙知貢擧, 直門下省□[~~事~~]李壽同知貢擧, 取進士, 合格者二十四人. [~~五月丙辰~~], 王覆試進士二十四人及前赴御試十人·鎖廳四人·進士八擧不中二十人·別喚四人, 幷六十二人, □□[~~庚申~~], 賜裴祐等三十八人及第".

物來享, 罔墜先君之履. 克勸方物之珍, 航海造庭, 實篚有貢, 忠純益懋, 奬屬良深". ○又回賜國信詔曰, "修方惟舊, 底貢旣嘉. 舟楫言旋, 匪頒在笥, 禮無不答, 其往祗承. 今回, 賜國信兼別賜·密賜·特賜物色等, 具如別錄, 至可領也". ○又奬諭遣子弟入學詔曰, "使人王字之等至, 省所上表, 乞學生金端等五人, 下國子監, 或璧雍收管, 許令取便學業事, 具悉. □朕紹述先猷,[70] 遹追三代, 肇興學校, 誕彌萬邦, 絃歌之聲, 無遠不屆. 惟爾雅俗, 有古遺風. 乃遣諸生, 觀光上國, 盡捐宿習, 欲見天地之全, 於變華風, 亦推禮義之舊, 永言向慕, 旣用嘉歎." ○又詔賜大晟樂.

[→又賜大晟樂, 詔曰, "三代以還, 禮廢樂壞毀, 朕若稽古, 述而明之, 百年而興, 乃作大晟. 千載之下, 遹聿追先王. 比律諧音, 遂致羽物雅正之聲, 誕彌率土, 以安賓客, 以悅遠人. 逖惟爾邦, 表玆東海, 請命下吏, 有使在庭, 古之諸侯, 敎尊德盛, 賞之以樂, 肆頒軒簴, 以作爾祉. 夫移風易俗, 莫若於此, 往祗厥命, 御于邦國, 雖疆殊壤絶, 同底大和, 不其美歟. □□□□□□今賜大晟雅樂": 節要轉載].[71]

[○守司空·尙書左僕射·參知政事致仕崔繼芳卒, 年七十二, 謚和順: 追加].[72]

[庚午8日, 大風: 五行3轉載].

[辛未9日, 亦如之大風: 五行3轉載].

乙亥13日, 慮囚.

[丙子14日, 尙州獻瑞麥, 一莖四穗: 五行3轉載].

壬午20日, [立秋]. 以門下侍中致仕金景庸△爲守太師·樂浪郡開國侯, 李瑋△爲守太保·門下侍中·判尙書吏部事, 守太尉·中書侍郎同中書門下平章事李資謙爲門下侍郎同中書門下平章事·判尙書兵部事, 金緣△爲守司徒·中書侍郎同中書門下平章事·上柱國, 趙仲璋△爲守司徒·中書侍郎同中書門下平章事·判尙書戶部事·上柱國, 康拯△爲守司空·參知政事·判尙書刑部事兼太子少傅, 金晙爲兵部尙書·樞密院使兼太子賓客, 朴景仁爲刑部尙書·翰林學士承旨, [崔弘宰爲右散騎常侍兼太子右詹事: 追加],[73] 韓皦如爲樞密院知奏事兼直學士, 朴昇中爲國子祭酒·翰林學士·左諫議大夫.

庚寅28日, 御會慶殿, 召宰樞·侍臣, 觀大晟新樂.[74]

---

70) 添字는 『고려사절요』 권8에 의거하였다.

71) 이와 같은 기사가 지24, 樂1, 軒架에도 수록되어 있는데, 添字와 같은 차이가 있다.

72) 이는 「崔繼芳墓誌銘」에 의거하였는데, 이날은 율리우스曆으로 1116년 7월 14일(그레고리曆 7월 21일)에 해당한다.

73) 崔弘宰는 그의 墓誌銘에 의거하였다.

秋七月[壬辰朔大盡,丙申], 辛丑[10日], 燕射于賞春亭.

戊申[17日], 王如天壽寺, 薦明懿太后[肅宗妃]冥福.

己酉[18日], 遣[□□侍郎]李資諒·[禮部侍郎?]李永如宋, 謝賜大晟樂.[75)]

癸丑[22日], 以右散騎常侍崔弘宰爲西北面兵馬使, 大僕卿~~太僕卿~~智淑延爲東北面兵馬使, [宋琰爲慶尙道按察使:慶尙道營主題名記].

庚申[29日], 聽斷內外重刑.

辛酉[30日], 御宣政殿, 召宰樞·給舍·中丞以上侍臣, 親訪邊事. 又召臺省諸侍臣及兵馬判官於乾德殿, 傳宣訪問.

[某日, 追贈新羅執事省侍郞崔致遠內史令, 從祀先聖廟庭:禮4文宣王廟轉載].

八月[壬戌朔小盡,丁酉], 甲戌[13日], 東藩使者阿伊等來朝.

丙子[15日], 謁景靈殿.

丁丑[16日], 幸妙通寺.

[己卯[18日], 制曰, "文武之道, 不可偏廢, 近來, 蕃賊漸熾, 謀臣武將, 皆以繕修甲兵, 訓鍊軍士爲急務~~皆以繕甲鍊卒爲急~~. 然, 不可專用武事, 昔者, 帝舜, 誕敷文德, 舞干羽于兩階, 七旬有苗格, 朕甚慕焉. 況今宋帝~~大宋皇帝~~, 特賜大晟樂, 文武舞, 宜先薦宗廟, 以及宴享":節要·樂1轉載].[76)]

---

74) 이와 같은 기사가 지24, 樂1, 軒架樂獨奏節度에도 수록되어 있다.

75) 『보한집』 권상에는 李資諒(李資謙의 弟, 資訓의 改名)과 李永이 1113년(天慶3, 癸巳, 예종8) 파견되었다고 되어 있으나 오류일 것이다. 또 이때 宋의 徽宗이 李資諒에게 高麗初期의 경우와 같이 女眞人을 招誘해 오라고 命하자, 이자량이 女眞人은 貪心이 많아 交通하는 것은 不可하다고 建議하였으나 받아들여지지 않았다고 한다(열전8, 李子淵, 資諒 ; 『보한집』 권상). 또 이때 鄭沆, 文公裕, 金富軾 등이 사신단에 참여하였던 흔적이 남아 있다.

· 열전10, 鄭沆, "隨李資諒如宋, 館伴學士王黼, 見所製表章, 稱嘆之. 還拜右正言".

·「文公裕墓誌銘」, "歲在丙申[睿宗11年], 本朝遣使入朝中國 妙選輔行, 公以內知, 從之".

·『삼국사기』 권12, 신라본기12, 敬順王, 論贊, "論曰, … 政和中, 我朝遣尙書李資諒, 入宋朝貢, 臣富軾, 以文翰之任輔行, …".

또 이때 사신단이 宋에서 지은 表, 狀, 詩文 등은 『동인지문사륙』 권4·9·13에, 『동문선』 권12·34·35·42·48 등에 수록되어 있는데, 이에는 鄭知常과 林存, 그리고 전년에 파견되었던 賓貢學生 金端 등의 글이 함께 수록되어 있음을 보아 鄭知常과 林存도 파견되었을 가능성이 있다. 이들 使臣團의 宋에서의 日程은 該當月次의 增補에서 정리하였다(朴漢男 1997년 ; 豊島悠果 2009年b).

76) ~~添字~~는 지24, 樂1, 軒架樂獨奏節度에서 『고려사절요』와 달리 표기된 것이고, 그 이외에도 자구의 차이가 있다.

[某日, 禁中,[77] 作淸讌閣, 選置學士·直學士·直閣, 各一員. 朝夕, 講論經籍:節要轉載], [學士視從三品, 直學士視從四品, 直閣視從六品. 又置校勘四人, 其二以御書院校勘充之, 其二以職事兼之:百官1寶文閣轉載].

庚辰[19日], 金將撒喝攻遼來遠·抱州[保州]二城, 幾陷, 其統軍耶律寧欲帥衆而逃. 王遣樞密院知奏事韓曒如招諭, 寧以無王旨辭. 曒如馳奏, 王欲令樞密院具箚子送之. 宰臣·諫官奏曰, "彼求王旨, 其意難測, 請止之". 王乃遣使如金, 請曰, "抱州[保州]本吾舊地, 願以見還". 金主謂使者曰, "爾其自取之".[78]

[□□[是時], 契丹界內來遠·把州二城, 被金國所侵, 固守不降, 有日矣. 公[西北面兵馬使崔弘宰]將命到界, □[善?]便言諭, 屬我國, 二城軍士老壯少幼, 來投者, 不可勝數:追加].[79]

甲申[23日], 以洪灌爲淸讌閣學士, 鄭克恭爲直學士, 尹諧爲直閣.

[是月, 判[制], "大小功親犯嫁者, 禁錮":選擧3限職轉載].

九月[辛卯朔大盡,戊戌], [癸巳[3日], 夜, 赤氣見于乾兌方:五行1轉載].

[戊戌[8日], 霜降. 流星出中台, 入大陽[太陽], 大如雞子:天文1轉載].

庚子[10日], 慮囚.

---

77) 禁中은 宮闕 중에서도 帝王이 거주하는 空間으로 그 通路에 近侍[侍臣]를 제외한 여타 臣僚의 出入을 금지하는 閤門[閣門, 門閣]이 설치되어 있었던 것 같다.

·『자치통감』 권8, 秦紀3, 二世皇帝 2년(BC208), "郎中令趙高[胡三省注, 班表, 郎中令, 秦官, 掌宮殿掖門戶. 臣瓚曰. 掌郎內諸臣, 故郎中令], 恃恩天子, 以私怨誅殺人衆多, 恐大臣入朝奏事言之, 乃說二世曰, '天子之所以貴者, … 陛下不如深拱禁中[胡三省注, 蔡邕曰, 本爲禁中, 門閣有禁, 非侍御之臣不得妄入, 行道豹尾中亦爲禁中], 與臣及市中習法者待事, 事來有以揆之. …".

78) 고려는 이해[是年]의 閏1月에도 金에 使臣을 보내어 金軍과 對峙하고 있던 保州를 割讓해 줄 것을 請하였던 것 같다. 그런데 이 기록은 『고려사』를 편찬할 때 『금사』를 參考하였기에 『고려사』의 시기정리[繫年]에 문제가 있다고 한 견해가 제기되었지만(李丙燾 1961년 407面), 『금사』의 초기 기사는 더 많은 疑問点이 있으므로 향후 좀더 검토되어야 할 것이다.

·『금사』 권2, 본기2, 太祖, 收國 2년 閏1월, "高永昌 據東京, 使撻不野來求援. 高麗遣使來賀捷. 且求保州, 詔許自取之".

·『금사』 권60, 表2, 交聘表上, 收國 2년, "閏正月, 高麗遣使來賀捷, 且求保州. 太祖曰, 爾自取之".

·『금사』 권135, 열전73, 外國下, 高麗, "[收國]二年閏月, 高麗遣使來賀捷, 且曰, 保州本吾舊地, 願以見還. 太祖謂使者曰, '爾其自取之'. 詔撒喝·烏蠢等曰, '若高麗來取保州, 益以胡剌古·習顯等軍備之, 或欲合兵, 無得輒往, 但謹守邊戍'. 及撒喝·阿實賚等攻保州, 遼守將遁去, 而高麗兵已在城中, 旣而, 高麗國王使蒲馬請保州, 詔諭高麗王曰, 保州近爾邊境, 聽爾自取, 今乃勤我師徒, 破敵城下. 且蒲馬止是口陳, 俟有表請, 卽當別議".

79) 이는 「崔弘宰墓誌銘」을 전재하여 추가한 것이다.

[○夜, 庚方有赤氣:五行1轉載].

[壬子22日, 夜, 雷雨:五行2轉載].

[□□是月, 城東界豫州, 置防禦使:節要轉載].[80)]

[增補].[81)]

冬十月辛酉朔小盡,己亥, 甲子4日, 王如天壽寺.

[某日, 新製九室登歌樂章. 太祖第一室, 正聲'太定之曲', 受天靈符, 寵綏多方. 德合三無, 功超百王. 燕及後昆, 承玆積累. 於萬斯年, 恪修祀事. 中聲, 應天開基, 鴻圖克昌. 聖德神功, 巍巍堂堂. 積厚流光, 子孫千億. 廟皃烝嘗, 永永無極.

惠宗第二室, 正聲'紹聖之曲', 諒彼先王, 時惟桓桓. 肆除兇殘, 鼎定三韓. 巍巍乎其, 丕顯成德. 子孫享之, 欲報罔極. 中聲, 勇智傑然, 翼扶祖功. 虔麾之下, 三韓率同. 長發其祥, 光于列聖. 禋嚴以時, 孝孫之慶.

顯宗第三室, 正聲'興慶之曲', 丕顯烈祖, 潛德飛天. 累歷難險, 紹興聖賢. 龍山玉爵, 泗水浮磬. 曾孫孝敬, 福祿來定. 中聲, 於穆聖祖, 潛躍陟元. 拔亂反正, 神武睿文. 中興王業, 啓佑後昆. 烝嘗勿替, 子子孫孫.

德宗第四室, 正聲'嚴安之曲', 德由天生, 勇無與京. 威動雷霆, 隣邦震驚. 開其國疆, 旣長而袤. 于今邊陲, 戍邏虛候. 中聲, 震德離潛, 龍飛于天. 威其遼邦, 敷勇無前. 殊俗聞風, 來庭奉贄. 爰拓邊疆, 世受其福.

靖宗第五室, 正聲'元和之曲', 繼理受成, 而邦其昌. 聖孝神謨, 烝烝洋洋. 築彼五城, 以綏邊境. 於乎德加, 令聞惟永. 中聲, 恭讓允塞, 多得俊乂. 啓封拓疆, 功德萬世. 爰陳樂章, 告于宗廟. 惟此歆格, 罔極思孝.

文宗第六室, 正聲'大明之曲', 允文文王, 聰明允塞. 躋民於仁, 倉盈庾億. 布政優優, 神明其德. 慶流雲孫, 與天無極. 中聲, 美哉於乎, 明明我祖. 乃武乃文, 功施恩

---

80) 預州와 관련된 자료로 다음이 있다.

· 『세종실록』 권155, 지리지, 預原郡, "睿宗十一年丙申[注, 宋徽宗政和六年], 城豫州, 置防禦使, 後屬定州. 本朝太祖戊寅, 合豫州·元興, 爲預原郡".

· 『신증동국여지승람』 권48, 定平都護府, 古跡, "預原廢縣, 在府南四十五里. … 睿宗十一年, 城預州, 置防禦使, 後來屬. 本朝太祖七年, 合預州·元興, 爲預原郡".

81) 고려의 사신단은 9월 5일(乙未, 이때 高麗曆과 宋曆은 同一함) 明州 定海縣에 도착하여 6일(丙申) 館伴 試小府監 傅墨卿과 兼閤門宣贊舍人 宋良哲의 歡迎을 받았다(『동인지문사륙』 권4 : 『동문선』 권48, 回宋使遠狀·入宋使差接伴表).

普. 有樂在庭, 崇牙樹羽. 賚我思成, 綏之多祐.

順宗第七室, 正聲'翼善之曲', 惟王奉天, 恭順爲先. 撫軍監國, 三十餘年. 繼炤方興, 乘雲旣遠. 盛德形容, 流於歌管. 中聲, 於穆先王, 德由元良. 溫文天縱, 慈惠日彰. 救民以醫, 承考惟孝. 時修祀儀, 式瞻廟貌.

宣宗第八室, 正聲'淸寧之曲', 堯仁舜孝, 其道趣然. 臨朝一紀, 賓天幾年. 餘烈遺風, 洋溢千古. 瞻言几筵, 依俙若覩. 中聲, 有樂在庭, 其音惟新. 邦家之光, 實賴乃神. 爰修厥祀, 告于宗廟. 永惟格思, 歆我來孝.

肅宗第九室, 正聲'重光之曲', 惟皇肅考, 之義之仁. 謳歌歸我, 威靈如神. 重興慶基, 保有英胄. 鍾鼓享兮, 時延純祐. 中聲, 於鑠皇考, 淸明憲天. 爲道敬勤, 秉心塞淵. 英謀神斷, 風行雷鼓. 我其收之, 以介斯祜:志24樂1太廟樂章轉載].

戊辰8日, [小雪]. 閱大晟樂于乾德殿.[82]

癸酉13日, 親祼大廟太廟, 薦大晟樂□及西都所得瑞玉祭器,[83] 併奏新制九室登歌.[84] [增補].[85]

十一月庚寅朔大盡,庚子, [某日, 以淸讌閣在禁中, 學士直宿, 出入爲難, 乃修紅樓下南廊, 爲學士會講之堂, 賜號曰精義. 就其左右, 爲休息之所, 改號寶文閣, 移淸讌閣學士充之, 加置待制·直, 賜金紫. 充其選者, 皆一時豪彥:節要轉載].[86)]

---

82) 이와 같은 기사가 지24, 樂1, 軒架樂獨奏節度에도 수록되어 있다.

83) 添字는 『고려사절요』 권8에 의거하였다. 또 지24, 樂1, 軒架樂獨奏節度에는 太廟로 되어 있다.

84) 이와 관련된 기사로 지24, 樂1, 太廟樂章, "睿宗十一年十月, 新製九室登歌樂章"이 있다.

85) 이달에 송에 파견된 고려 사신단의 일정은 다음과 같다. 이때 서장관으로 참여했던 金富軾이 지은 表狀 30餘件이 『동인지문사륙』 권9에 수록되어 있는데, 이들 表狀은 하나의 册子로 成册되었을 것이고 그것이 『宋史』 권203, 지156, 藝文2, 史類, 傳記類의 "金富軾'奉使語錄'一卷"일 것으로 추측된다(鄭墡謨 2021년).

- 10월 7일(丁卯), 고려의 사신단이 開封府의 郊亭에 도착하여 館伴 知客省事 范訥의 마중을 받았다(『동인지문사륙』 권9 : 『동문선』 권34, 謝郊迎表).
- 10일(庚午), 垂拱殿에서 開催된 徽宗의 生辰인 天寧節에 참석하여 하례를 올렸다(『동인지문사륙』 권9 : 『동문선』 권34, 謝天寧節垂拱殿赴御宴表).
- 23일(癸未), 崇政殿에서 徽宗을 謁見하고 睿謨殿에서 개최된 연회에 참석하였다(『동인지문사륙』 권9 : 『동문선』 권34, 謝睿謨殿赴侍宴表). 이때 徽宗이 女眞을 招諭해 오게 하였다(열전8, 李資諒). 이보다 먼저 고려에서 金富佾이 八關會의 致語口號를 지었는데, 宋의 樂人 夔中立이 來投하여 樂官이 되었다가 돌아가서 그 辭를 徽宗 앞에서 외웠다. 이때 휘종이 李資諒에게 致語口號의 撰者를 묻고서 僭越한 말이 있으나 진실로 아름다운 글이라고 하였다고 한다(열전10, 金富佾).

[某日，新及第林許允等朝見，許令釋褐，各賜衣一襲，閤門酒食：節要·選擧2轉載].[87]

庚子[11日]，御淸讌閣，命翰林學士承旨朴景仁，講尙書二典.

○以國子司業兼起居注·知制誥金富佾充寶文閣待制.

[→尋以國子司業·起居注，充寶文閣待制，陞直學士. 時王好文學，常與寶文閣儒臣，講論經史，富佾雄辨折衷，人莫之敵，名重當世：列傳10金富佾轉載].

乙卯[26日]，大雪.[88]

○御淸讌閣，召樞密院知奏事韓皦如·寶文閣直學士鄭克恭[鄭克永]·右副承宣文公美·直寶文閣尹諧等，置酒詠雪.[89]

○以前禮部郎中郭侒穆，嘗輔導肅宗，殿中內給事金元輿，潛邸舊學，命召，賜坐於諸學士之右.

[某日，王覽編年通載，命寶文閣學士洪灌等，修集三韓以來事實，續編以進：節要轉載].[90]

[是月，判[制]，"諸業擧人，十一月始，明經爲先選取，進士則明年二月，晝夜平均時，選取. 諸生行卷·家狀，及試官差定諸事，都省及樞密院·國子監，敬禀施行，諸業初擧，及一度停擧者，依式問覈，連次赴擧者，只考家狀痕瑕，赴試. 遭父母喪者，屬部坊里典，及本鄕其人·事審官處，問覈，二十七朔已滿，則考其家狀痕瑕，赴擧. 凡姓名記錄，進士則限十二月二十日，家狀行卷終，明經以下，則限十一月終. 限外，

---

86) 이와 관련된 자료로 다음이 있지만, 『고려사절요』의 기사에 비해 사실의 전후를 整然하게 정리하지 못하였다(朴龍雲 2009년 228面).

· 지30, 백관1, 淸燕閣, "尋以淸燕閣在禁內，學士直宿出入爲難，就其旁別置閣，改官號曰寶文. 加置待制，官班視給舍，直賜金紫. 仍修紅樓下南廊，爲學士會講之堂，賜號曰精義，就其左右爲休息之所，充其選者，皆一時豪傑. 又[毅宗5年頃]置提擧·同提擧·管勾·同管勾，皆以中樞內臣兼之，後加置大學士一人". 여기에서 添字는 1151년(의종5) 7월 18일(丙辰)에 의거하여 추정하였다. 또 上記 記事의 豪彦은 그 時期에 他人보다 才智가 뛰어난 文士[才智過人之士]을 가리킨다.

87) 이해의 5월 27일(庚申) 壯元及第者는 裵祐였는데, 林許允이 榜頭로 되어 있음은 어떠한 사유가 있었을 것이다.

88) 이와 같은 기사가 지7, 五行1, 水, 雨雪에도 수록되어 있다.

89) 鄭克恭은 1116년(예종11) 11월 26일에서 1118년(예종13) 6월 27일 사이에 鄭克永으로 改名하였다.

90) 이와 같은 기사로 다음이 있다.

· 열전34, 忠義, 洪灌, "睿宗，嘗覽'編年通載'，命灌撰集三韓以來事跡，以進. [睿宗1年]又與李軌·許之奇·朴昇中·金富脩[金富軾]·尹諧等，論辨陰陽書". 여기에서 金富脩는 金富軾의 오자일 가능성이 있다.

雜暇已滿者，及因公出使，限內不及上京者，試日爲限，修送貢院”：選擧1科目轉載]. [增補].[91)]

十二月庚申朔[大盡,辛丑]，御淸讌閣，命寶文閣校勘高先柔，講書大禹謨·皐陶謨·益稷三篇.

[○歲星犯房上星：天文1轉載].

戊辰[9日]，熒惑守氐：天文1轉載].

[乙亥[16日]，南面城廊十七間火：五行1火災轉載].

[庚辰[21日]，流星出亢入，大如雞子：天文1轉載].

壬午[23日]，御淸讌閣，命內侍·良醞令池昌洽，講禮記·中庸·投壺二篇．謂寶文閣學士等曰，“投壺古禮也，廢已久矣．宋帝所賜其器極爲精備，將試之．卿等可纂定投壺儀，幷圖以進”.

甲申[25日]，[立春]．宴淸讌閣，謂學士等曰，“朕嘗覽貞觀政要，太宗曰，‘但使天下大平[~~太平~~]，家給人足，雖無祥瑞，□[~~亦~~]可比德於堯舜．若百姓不足，夷狄內侵，縱有芝草□[~~遍~~]□□[~~街衢~~]，□□□□□[~~鳳凰巢苑囿~~]，□[~~亦~~]何異於桀紂’．斯言至矣，庶幾景行”．遂命[中書侍郞平章事]金緣·[翰林學士承旨]朴景仁及寶文閣學士，註解政要，以進.[92)]

己丑[30日]，大儺.[先是，宦者分儺，爲左右，以求勝．王又命諸王，分主之．凡倡優雜伎，以至外官遊妓，無不被徵．遠近坌至，旌旗亘路，充斥禁中．是日，諫官叩閤

---

91) 이달에 송에 파견된 고려 사신단의 일정은 다음과 같다.

· 11월 2일(辛卯)，徽宗이 睿謨殿에서의 고려의 사신을 賜宴하면서 館伴이 지은 御製詩를 하사하고 和答을 命하자，李資諒이 卽席에서 시를 지어 바치자 徽宗이 크게 칭찬하였다고 한다(『동인지문사륙』 권9 ：『동문선』 권34，賜宣示御製時仍令和進表 ； 열전8，李資諒 ；『보한집』 권上 ；『동문선』 권12，大宋睿謀殿御宴應製 ；『신증동국여지승람』 권9，仁川都護府 人物).

· 8일(丁酉)，景靈宮，9일(戊戌) 太廟，10일(己亥) 南郊 등에서 이루어진 宋의 行事에 참여하였다(『동인지문사륙』 권9 ：『동문선』 권34，賜法服參從三大禮表·謝冬祀大禮別賜表).

· 14일(癸卯) 宋의 각종 행사에 참여하였던 고려 사신단에게 여러 물품이 하사되었다(『동인지문사륙』 권9 ：『동문선』 권34，謝冬祀大禮別賜表).

· 26일(乙卯) 西景靈宮에 奉安되어 있는 神宗의 御眞[大明殿御容]을 謁見하였다(『동인지문사륙』 권9 ：『동문선』 권34，謝許大明殿御容表).

이후 正使·副使와 上節 19人 以上에서 公服[春服]이 下賜되었다(『동인지문사륙』 권9 ：『동문선』 권34，謝使副及上節已下十九員各賜單公服表).

92) 唐 太宗의 말은 『정관정요』 권10，論祥瑞第38에 수록되어 있는데，이에서 달리 표기된 것은 添字와 같다.

切諫, 乃命黜其尤怪者, 至晩復集. 王將觀樂, 左右紛然, 爭先呈伎,[93] 無復條理, 更黜四百餘人:禮6季冬大儺儀·節要轉載].[94]

[○大儺之禮, 前一日, 所司奏聞, 選人年十二以上·十六以下爲侲子, 着假面, 衣赤布袴褶. 二十四人爲一隊, 六人作一行, 凡二隊. 執事者十二人, 着赤幘褠衣, 執鞭. 工人二十二人, 其一方相氏, 著假面, 黃金四目, 蒙熊皮玄, 衣朱裳, 右執戈, 左執楯. 其一爲唱帥, 著假面皮衣, 執棒. 鼓角軍, 二十爲一隊, 執旗四人, 吹角四人, 持鼓十二人, 以逐惡鬼于禁中. 有司, 先於儀鳳·廣化·朱雀· 迎秋·長平門, 備設酒果禳物. 又爲瘞埳, 各於門之右方. 深稱其事. 前一日夕, 儺者各赴集所, 具其器服, 依次陳布, 以待事. 其日未明, 諸衛依時刻, 勒所部屯門, 列仗入, 陳於階下, 如常儀. 儺者各集於宮門外, 內侍詣王所御殿前, 奏"侲子備, 請逐疫"訖, 出命儺者, 以次入, 鼓譟以進. 方相氏執弋執戈揚楯, 唱率侲子, 和曰"甲作食殈, 胇胃食疫, 雄伯食魅, 騰簡食不祥, 覽諸食咎, 伯奇食夢, 强梁·祖明共食磔死·寄生, 委隨食觀, 錯斷食巨, 窮奇·騰根共食蠱. 凡使十二神,[95] 追惡鬼凶赫, 汝軀拉, 汝肝節, 解汝肌肉, 抽汝肺腸. 汝不急去, 後者爲粮"周呼. 訖, 前後鼓譟而出, 諸隊各趣門以出, 出郭而止. 儺者將出, 大祝布神席, 當中門南向. 出訖, 齋郎陳神座, 籍以席, 北首. 齋郎酌酒, 大祝受而奠之, 祝史持版於座右, 跪讀祝文[注, 祭以太陰之神, 祝版以大祝名]. 訖, 興, 奠版於席, 乃擧禳物幷酒瘞於埳, 訖退:禮6季冬大儺儀轉載].[96]

是月, 契丹三十三人·漢漢兒五十二人·奚一百五十五人·熟女眞十五人·渤海四十四人來.[97]

[是年, 以東界豫州爲防禦使官:轉載].[98]

---

93) 爭先은 延世大學本과 東亞大學本에서 淨先으로 되어 있으나 오자일 것이다.

94) 『고려사절요』 권8에는 無復條理가 생략되었다.

95) 十二神은 延世大學本과 東亞大學本에서 十二抻으로 되어 있으나 오자일 것이다.

96) 이 기사는 『신당서』 권16, 지6, 예악6, 大儺之禮 ; 『大唐開元禮』 권9, 大儺之禮 ; 『通典』 권133, 大儺에도 수록되어 있는데, 약간씩 字句의 出入이 있기에 4者를 함께 읽어야 할 것이다.

97) 『고려사절요』 권8에는 '漢兒五十二人·奚家一百五十五人'으로 되어 있는데(東亞大學 2008년 4책 425面), 漢兒는 契丹에 被擄되어 있던 漢人을 指稱하고, 奚는 南北朝時期 이래 庫莫奚라고도 불렸던 東胡系統의 鮮卑族의 한 部類이다. 그중에서 奚는 여러 갈래로 나뉘어 있다가 契丹帝國 支配下에서 하나의 種族으로 통합되었으며, 당시에 渤海와 마찬가지로 種族을 가리키는 名稱으로 사용되었다(『금사』 권67, 열전5, 奚王回离保). 以下에서 漢에 漢兒를 추가하였다.

[○以李壽爲國子監大司成兼直門下省事:追加].[99)]

[○以殿中內給事安稷崇爲西京留守通判:追加].[100)]

[○以文公裕爲給田都監錄事:追加].[101)]

[○以金永錫爲弓箭庫判官:追加].[102)]

[○以崔惟淸爲寫經院判官:追加].[103)]

[○僧之印赴佛選, 捷獲選:追加].[104)]

丁酉[睿宗]十二年, [只用當該年干支], 宋政和七年,
遼天慶七年,[105)] [金天輔元年], [西曆1117年]

1117년 2월 4일(Gre2월 11일)에서 1118년 1월 23일(Gre1월 30일)까지, 354일

春正月庚寅□[朔小盡,壬寅], 放朝賀.[106)]

壬辰[3日], 渤海五十二人·奚八十九人·漢[漢兒]六人·契丹十八人·熟女眞八人, 自遼來投.

[甲午[5日], 熒惑入守房上星及鉤鈐:天文1轉載].

[甲辰[15日], 熒惑犯歲星:天文1轉載].

壬子[23日], 幸法王寺及神衆院, 還御明慶殿, 以僧德緣爲王師.[107)]

癸丑[24日], 以給事中拓俊京爲西北面兵馬副使, 借尙書兵部侍郞許載爲東北面兵馬副使, [鄭應文爲慶尙道按察使:慶尙道營主題名記].

丁巳[28日], 御淸讌閣, 命[知奏事]韓皦如, 講周易乾卦, 使[國子祭酒]朴昇中·[國子司業]金富佾問

---

98) 이는 지12, 지리3, 豫州, "睿宗十一年, 爲豫州防禦使, 後屬定州"를 전재한 것이다.

99) 이는 「李公壽墓誌銘」에 의거하였다.

100) 이는 「安稷崇墓誌銘」에 의거하였다.

101) 이는 「文公裕墓誌銘」, "… □[年]二十九, 爲給田錄事"에 의거하였다.

102) 이는 「金永錫墓誌銘」에 의거하였다.

103) 이는 「崔惟淸墓誌銘」에 의거하였다.

104) 이는 「廣智大禪師之印墓誌銘」에 의거하였다.

105) 이해에 송과 거란의 연호를 사용한 사례가 있다(崔繼芳墓誌銘 ; 任懿墓誌銘).

106) 庚寅에 朔이 탈락되었다.

107) 王師 德緣은 「玄化寺住持·僧統德謙墓誌銘」에는 德淵으로 달리 표기되어 있는데, 그는 궁궐 안의 明慶殿에 머물고 있었다고 한다.

難, 親賜酒食.[108)]

[是月庚寅朔, 金改元天輔:追加].

[增補].[109)]

二月[己未朔大盡,癸卯], 甲子[6日], 命兩府宰樞會中書, 宣問北邊事宜.

乙丑[7日], 設消灾道場于乾德殿三日.

丙寅[8日], 漢[漢兒]三人, 自遼來投.

丁卯[9日], 遣中書侍郞平章事金緣, 措置北邊兵馬.

[→金兵攻破契丹州郡幾盡, 王以仁存判西北面兵馬使, 措置軍務:列傳9金仁存轉載].

壬申[14日], 燃燈, 王如奉恩寺.

癸酉[15日], 北蕃八十一人來朝.

甲戌[16日], 命有司, 行壓兵祭於東西郊.

丁丑[19日], 幸普濟寺.

戊寅[20日], 以金晙△[爲]檢校司空·參知政事, [尙書左僕射]金至和△[爲]守司空, 李軌[李載]爲樞密院使, 王字之爲左散騎常侍·同知樞密院事, 韓皦如爲殿中監·樞密院副使. 安子恭爲兵部尙書, 仍令致仕.

己卯[21日], 幸長源亭.

[丁亥[29日], 雨雹:五行1雨雹轉載].

[增補].[110)]

---

108) 이 시기에 朴昇中은 淸讌閣의 學士[侍臣]을 譏弄하다가 좌천되었다고 한다(열전38, 朴昇中, "[朴昇中,] 遷國子祭酒·翰林學士·左諫議大夫. 坐譏淸讌閣侍臣, 語侵王, 左遷判將作監").

109) 이달에 송에 체재하던 고려 사신단의 일정은 다음과 같다.
- 1월 某日, 고려 사신단의 金富軾 등이 글을 올려 同文館[京館]에 滯留한 것이 100餘日이 되었다고 하면서 下旬頃에 출발하여 3월에 明州(현 浙江省 寧波市)에 到着하여 4월에 入海할 예정임을 告하고 귀국을 청하였다(『동인지문사륙』 권9 : 『동문선』 권42, 乞辭表).
- 21일(庚戌), 徽宗이 使臣[中使, 內臣]을 보내와 2월 下旬에 下直人事를 하고 3월초에 出發하라고 命하였다(『동인지문사륙』 권9 : 『동문선』 권35, 賜御筆指揮朝辭日表).
  이후 太學과 그 以外의 여러 學校[外學]를 參觀하고 大成殿을 拜謁하고서 經義를 聽講하였고, 大晟樂을 관람하였다(『동인지문사륙』 권9 : 『동문선』 권35, 謝二學聽講兼觀大晟樂表).
- 『續資治通鑑』 권88, 宋紀88, 徽宗 崇寧 1년 8월, "甲戌[22日], 詔天下興學貢士, 建外學於國南".

110) 이달에 송에 체재하던 고려 사신단의 일정은 다음과 같다.
- 2월 9일(丁卯), 徽宗이 集英殿에 幸次하여 高麗進士를 試驗하였다[策](『송사』 권21 ; 『송회요집고』 110책, 選擧7, 親試, 宣和 7년 2월 9일 ; 『皇宋十朝綱要』 권17 ; 『고려사』 권14, 睿

三月己丑朔大盡,甲辰, 庚寅2日, 以康拯爲中書侍郎平章事, 仍令致仕.

辛卯3日, 遼來遠城牒曰, "昨爲生女眞及東京渤海背亂, 致不廣收得田禾. 官司雖有見在穀粟, 所有正軍外, 平閑民戶, 闕少粮儲. 權時擬借米貨五萬石, 瞻濟民戶, 比候來秋, 却具元借米貨碩斗還充, 必不闕少".

○王命兩府·臺省侍臣·知制誥·文武三品·都兵馬判官以上, 會議中書省, 令中書侍郎平章事·判兵馬事金緣等, 傳諭統軍, 若歸我兩城人物則, 則不須擬借米貨. 再三往復, 統軍不肯從. 及金兵攻取遼開州,[111] 遂襲來遠城及大夫·乞打·柳白三營, 盡燒戰艦, 擄守船人. 統軍·尙書左僕射·開國伯耶律寧, 與來遠城刺史·檢校尙書右僕射常孝孫等, 率其官民, 載船一百四十艘, 出泊江頭. 移牒寧德城曰, "女眞背亂, 幷東京渤海, 續有背叛, 道路不通, 統軍部內, 田禾未收, 米穀踊貴, 致有貧寒人等. 爲高麗國隣近住坐, 已曾借糧推進, 不行擬借. 爲此, 部內人民赴裏面州城, 趂逐米粟去. 此至回來爲相和事. 在此州幷地分交付去訖, 仰行交受, 已後准宣命施行".

○以來遠·抱州保州二城, 歸于我, 遂泛海而遁, 我兵入其城, 收兵仗及錢貨寶物甚多. 中書侍郎平章事金緣具狀馳奏, 王大悅, 改抱州保州爲義州防禦使, 以鴨江爲界, 置關防.[112]

宗 12년 5월 30일 ; 權適墓誌銘).

· 11일(己巳), 고려 사신단이 太平睿覽圖를 관람하였다(『동인지문사륙』 권9 : 『동문선』 권35, 謝宣示太平睿覽圖表).

· 13일(辛未), 高麗國進奉使 李資諒 등에게 賜宴하고 宣和殿學士 王黼를 起復시켜 館伴으로 삼았다(『宋會要輯稿』35책, 禮45).

이때 고려 사신단이 佑神館에 가서 女仙의 像을 보았는데, 館伴 王黼가 이를 韓半島[貴國]의 神이라고 말한 것을 金富軾이 들었다고 한다.

· 『삼국사기』 권12, 신라본기12, 敬順王, "論曰 … 政和中, 我朝遣尙書李資諒, 入宋朝貢, 臣富軾以文翰之任輔行, 詣佑神, 見一堂設女仙像, 伴學士王黼曰, 此貴國之神, 公等知之乎? 遂言曰, 古有帝室之女, 不夫而孕, 爲人所疑, 乃泛海抵辰韓, 生子爲海東始主, 帝女爲地仙, 長在仙桃山, 此其像也".

· 『삼국유사』 권5, 感通7, 仙桃聖母隨喜佛事, "又國史, 史臣曰, 軾金富軾政和中, 嘗奉使入宋, 詣佑神館, 有一堂, 設女仙像. 館伴學士王黼曰, 此是貴國之神, 公知之乎. 遂言曰, 古有中國帝室之女, 泛海抵辰韓, 生子爲海東始祖, 女爲地仙, 長在仙桃山, 此其像也".

· 某日, 高麗에 雅樂(大晟燕樂)과 樂譜를 下賜하였다(『옥해』 권154, 朝貢, 錫予外夷 ; 『문헌통고』 권325, 四裔考2, 高句麗).

· 29일(丁亥), 集英殿에서 개최된 春宴에 참석하였다(『동인지문사륙』 권9 : 『동문선』 권35, 謝赴集英殿春宴表).

111) 開州는 현재의 遼寧省 鳳城縣 지역이다.

112) 이와 관련된 기사로 다음이 있다.

· 지12, 지리3, 義州, "睿宗十二年, 遼刺史常孝孫, 與都統耶律寧等, 避金兵, 泛海而遁, 移文于

[→契丹來遠城刺史常孝孫, 懼不保, 率州民泛舟而遁, 以來遠·抱州二城, 歸于我. 仁存遣兵據其城, 收兵仗·物貨甚多, 遂拓地界鴨江焉:列傳9金仁存轉載].

[→城義州八百六十五間, 門五, 城頭十七, 遮城七:兵2城堡轉載].

甲午[6日], 百官表賀. 略曰, "鴨綠舊墟, 雞林故壤, 越自祖宗之世, 本爲襟帶之防. 逮乎中世之陵夷, 頗遘大遼之侵蝕, 非惟人怒, 實作神羞". ○又曰, "比因兩敵之有爭, 頗慮二城之所屬. 靺鞨之請獻, 殆從天啓, 鮮卑之潛遁, 固匪人爲. 我泉我池, 復爲內地, 實籍實畝, 拓大中區". ○又曰, "慚乏壯猷之助, 初聞吉語之傳. 删石紀功, 未奏形容之頌. 奉觴稱壽, 願伸率舞之懷".

辛丑[13日], [穀雨]. 慮囚, 放輕繫.

[丁未[19日], 雨雹:五行1雨雹轉載].

癸丑[25日], 金主[太祖]阿骨打遣阿只等五人, 寄書曰, "兄大女眞金國皇帝, 致書于弟高麗國王[皇帝]. 自我祖考, 介在一方, 謂契丹爲大國, 高麗爲父母之邦, 小心事之. 契丹無道, 陵轢我疆域, 奴隷我人民, 屢加無名之師. 我不得已拒之, 蒙天之祐, 獲殄滅之. 惟王許我和親, 結爲兄弟, 以成世世無窮之好". 仍遣良馬一匹.[113)]

我寧德城, 以來遠城及抱州, 歸我, 我兵入其城, 收拾兵仗·錢穀. 王悅, 改爲義州防禦使, 推刷南界人戶, 以實之. 於是, 復以鴨綠江爲界, 置關防".

· 열전38, 崔弘宰, "[崔弘宰,] 累歷淸要, 出爲西北面兵馬使, 與元帥金仁存[金緣], 收復抱州. 又築義州城, 以功拜同知樞密院事".

·「崔弘宰墓誌銘」, "其於來遠□[城]地, 築置大城, 号曰義州防禦, 上以謂歷代有心鴨淥爲界, 而勢不可得, 今則不勞兵革, 一旦收取二城, 拓地開彊, 施設關防, 不爲不廣, 公[前西北面兵馬使崔弘宰]之功烈, 超軼於古今矣, 命有司施行".

113) 이때 女眞가 보낸 寄書가 1272년(원종13) 무렵 式目錄事 李承休가 열람했던, 大金國皇帝가 高麗國皇帝에게 보낸 國書일 것이다(→원종 12년 是年]. 그렇다면 이 기사의 "兄大女眞金國皇帝, 致書于弟高麗國王"은 "兄大女眞金國皇帝, 致書于弟高麗皇帝"임이 明白할 것이지만, 조선왕조 초기에 『고려사』가 편찬될 때 改書가 이루어졌을 것이다. 또 이 기사를 통해 볼 때 1115년(金收國1, 遼天慶5, 예종10) 1월 1일(壬申) 完顔阿骨打가 金帝國을 開創할 때의 國號가 大女眞金國이었음을 알 수 있다.
당시 金帝國은 그들과 대치해있던 宋帝國을 對立[敵對], 互惠[兄弟國], 臣屬[叔姪, 父子의 稱臣]의 어느 段階에도 大金皇帝를 稱하면서 大宋皇帝에게 國書를 발급하였다. 또 13세기 前半 그들의 衰亡期에는 駙馬國으로서 臣屬해 있던 西夏에게도 兄大金皇帝를 稱하면서 弟大夏皇帝에게 國書를 보냈다. 또 唐帝國은 北方의 突厥과의 외교 관계에서 對立[敵對], 互惠[兄弟國]의 시기에는 書狀을 書啓(國書)로, 戰爭 또는 臣屬時期에는 詔勅의 型式으로 각각 發送하였던 것을 염두에 두면, 이때 金帝國은 자신의 세력 확장을 위해 高麗王朝의 협조를 얻으려고 好意的 言辭를 사용하고 있었던 같다.
·『帝王韻紀』 권상, "臣嘗爲式目執事[錄事], 閱都監文書, 偶得金國詔書二通, 其序皆云, '大金國皇

[○書至, 大臣極言和親不可. 御史中丞金富轍上疏, 以爲, "金人新破大遼, 遣使於我, 請爲兄弟之國, 以成永世和親之計, 我朝不許. 臣竊觀漢之於凶奴[匈奴], 唐之於突厥, 或與之稱臣, 或下嫁公主, 凡可以和親者, 無不爲之. 今, 大宋與契丹, 迭爲伯叔兄弟, 世世和通. 以天子之尊, 無敵於天下, 而於蠻胡之國, 屈而事之者, 乃所謂聖人權以濟道, 保全國家之良策也. 昔, 成宗之世, 馭邊失策, 以速遼人之入寇, 誠可爲鑑戒. 臣願, 盛朝思長圖遠策, 以保國家, 使無後悔". 宰樞無不笑, 且排之, 遂不報:節要轉載].[114)]

[→金新破遼, 遣使請結爲兄弟, 大臣極言不可, 至欲斬其使者. [御史中丞]富儀獨上疏曰, "臣竊觀漢之於凶奴[匈奴], 唐之於突厥, 或與之稱臣, 或下嫁公主, 凡可以和親者, 無不爲之. 今, 大宋與契丹, 迭爲伯叔兄弟, 世世和通. 以天子之尊, 無敵於天下, 而於蠻胡之國, 屈而事之者, 乃所謂聖人權以濟道, 保全國家之良策也. 昔, 成宗之世, 禦邊失策, 以速遼人之入寇, 誠爲可鑑. 臣伏願, 聖朝思長圖遠策, 以保國家, 而無後悔". 宰樞無不笑, 且排之, 遂不報:列傳10金富佾轉載].

[是月, 文德殿學士金沽, □□□□□[掌國子監試], 取王存等一百三人:選擧2國子試額轉載].[115)]

[是月, □[宋]徽宗御睿謀殿, 召一行人[李資諒等]賜宴, 作詩示之, 命和之. 資諒卽製進云, "鹿鳴嘉會宴賢良, 仙樂洋洋出洞房. 天上賜花頭上艶, 盤中宣橘袖中香. 黃河再報千年瑞, 綠醑輕浮萬壽觴. 今日陪臣參盛際, 願歌天保永無忘". 徽宗大加稱賞. 將還密諭曰, "聞汝國與女眞接壤. 後歲來朝, 可招諭數人偕來". 資諒奏曰, "女眞人

帝寄書于高麗國皇帝云云', 此結兄弟之訂也".

· 『三朝北盟會編』 권4, 政宣上帙4, "宣和三年正月, 金人差曷魯·大迪烏充使副持書來議夾攻. 金人國書正月日, 大金皇帝致書於大宋皇帝闕下, …".

· 『금사』 권62, 交聘表下, 正大 2년(1225), 夏國, "十二月, 夏使朝辭, 國書報聘稱, '兄大金皇帝致書於弟大夏皇帝闕下', 遣禮部尙書奧敦良弼·大理卿裴滿欽甫·侍御史烏古孫弘毅, 充報成使".

· 『자치통감』 권191, 唐紀7, 高祖武德 8년(625), "秋七月甲辰[12日], 上謂侍臣曰, 突厥貪婪無厭, 朕將征之, 自今勿復爲書, 皆用詔敕".

114) 이때(예종12) 金富轍(金富儀)의 관직이 御史中丞인데, 그의 열전에는 인종이 즉위한 이후에 어사중승에 발탁되었다고 되어 있다. 그러나 『고려사절요』에는 인종이 즉위한 이후 翰林學士에 발탁되었다고 되어 있음을 보아("初, 王在東宮, 富儀選爲府屬, 以文學, 特被眷倚. 及卽位, 擢授翰林學士"→인종 14년 10월 22일) 열전의 御史中丞은 翰林學士의 오류일 것이다.

· 열전10, 金富儀, "仁宗在東宮, 富儀爲詹事府司直, 以文學 被眷遇, 及卽位, 擢御史中丞[翰林學士]".

115) 이때 田起와 李陽允도 選拔되었다(田起妻高氏墓誌銘 ; 李陽允墓誌銘 ; 金龍善 2010년).

面獸心, 夷獠中最貪醜, 不可通上國". 宋宰臣聞之曰, "女眞地多產珍奇, 高麗素與互市, 不欲分利於我, 故沮之. 陛下於高麗愛之如子, 今負德如此, 可遣一介之使招女眞, 不必借高麗". 竟交通, 致靖康之禍:列傳8轉載].[116)]

[增補].[117)]

夏四月[己未朔小盡,乙巳], [甲子[6日], 流星出招搖北, 入北斗魁中, 大如雞子, 長七尺許:天文1轉載].

戊辰[10日], 漢[~~漢兒~~]人六[~~六大~~], 自遼來投.[118)]

庚午[12日], 王還宮.

[丙子[18日], 熒惑守行心星度:天文1轉載].

[丁丑[19日], 流星出爟星, 入外廚, 大如椀, 長五尺許:天文1轉載].

[辛巳[23日], 流星出角星東北, 入器府, 大如雞子, 長十五尺許, 又流星出天市門,

---

116) 이는 열전8, 李子淵, 資諒에서 전재한 것이다.

117) 이달에 송에 체재하고 있던 고려 사신단의 일정은 다음과 같다.

- 3월 2일(庚寅), 고려의 사신단이 崇政殿에 幸次하여 高麗에 籩·豆 各 12·簠·簋 各 4·登 1·鉶 2·鼎 2·罍洗 1·尊 2 등의 祭器를 下賜하고, 高麗進士 權適 등 4人에게 上舍及第를 下賜하고, 權適을 承事郞으로, 趙奭·金端을 文林郞으로, 甄惟氐를 從事郞으로 임명하여 進奉使 李資諒을 따라 귀국하도록 하였다(『송사』 권21·권119, 禮, 高麗進奉使見辭儀·권157, 選擧, 學校試 ; 『송회요집고』110책, 選擧7, 親試 宣和 7년 2월 9일條 ; 『옥해』 권154, 朝貢, 錫予外夷 ; 『皇朝編年綱目備要』 권28, 政和 5년 11월 ; 『皇宋十朝綱要』 권17 ; 『群書考索後集』 권30, 士門, 蕃學 ; 『문헌통고』 권325, 四裔考2, 高句麗 ; 지28, 選擧2, 科目2, 制科 ; 『동문선』 권35, 謝釋奠陪位表 ; 權適墓誌銘). 이때 權適은 徽宗으로부터 觀音像 1幀·法華書塔 1幀을 下賜받았고, 그의 官誥는 翰林待詔 楊球가 썼다고 한다(『보한집』 권下 ; 『경상도지리지』, 安東大都護府).
- 10일(戊戌), 徽宗이 使臣[中使]을 보내와 고려의 사신이 馬 1匹을 萬壽觀에 바쳐 徽宗의 祝壽를 빌었던 것에 대한 奬諭의 詔書를 전하였다(『동인지문사륙』 권9 : 『동문선』 권35, 謝奬諭表). 또 이 시기에 館伴인 學士 王黼(1079~1126)가 鄭沆이 지은 表章을 보고서 칭찬하였다고 한다(열전10, 鄭沆).
- 이후 開封府를 출발하였던 것으로 추측되고, 그들이 출발한 이후 3월 15일(癸卯) 館伴 王黻·范訥이 李資諒·李永[李允]이 賜宴에 대해 감격하여 눈물을 흘렸다고 보고하였다(『송회요집고』199책, 蕃夷7, 歷代朝貢).
- 이후 『東人之文四六』 권9에 수록된 金富軾의 시문에 의하면 南京應天府(現 江蘇省 南京市)→宿州(安徽省 宿州市)→泗州(江蘇省 盱眙縣)→楚州(淮安市 楚州區)→高郵軍(高郵市)→揚州(揚州市)→潤州(鎭江市)→常州(常州市)→蘇州(蘇州市)→秀州(浙江省 嘉興市)→杭州(杭州市)→越州(紹興市)→明州(寧波市)를 거쳐 定海縣에서 發船하였던 것 같다.

118) 앞에서의 表記方式을 따른다면 人六은 六人으로 고쳐야 할 것이다.

入傳說·魚星閒, 長七尺許:天文1轉載].

[癸未25日, 大風:五行3轉載].[119]

乙酉27日, 臺諫上疏, 請停安和寺工役, 從之.

五月戊子朔大盡,丙午, 慮囚.

庚寅3日雨雹[→13년 5월 옮겨감].

[癸巳6日, 流星出招搖, 入北斗魁中, 犯第四星:天文1轉載].

壬子25日, 門下侍郎平章事~~門下侍郞同中書門下平章事致仕~~任懿卒.[120] [年七十七. 諡貞敬:列傳8任懿轉載]. [懿, 少力學, 擢弟. 宣宗在藩邸, 素聞其名, 奏爲典籤, 及卽位, 累遷右承宣. 肅宗初, 內人以宿憾, 屢譖之. 肅宗雅知懿純正無他, 讒言, 卒不行:節要轉載].

丁巳30日, [小暑]. □□~~侍郞~~李資諒還自宋.

○進士權適·趙奭·金端等, 偕資諒還. 帝徽宗初親策試適等于集英殿, 賜適等四人上舍及第, 特授適華貫. 及還, 帝賜御製親札詔, 王迎于乾德殿. 詔曰, "朕仁不異遠, 聲敎所曁, 靡間內外, 罔敢不祗. 惟爾忠孝, 克篤事大, 制節謹度, 恭于時命. 惟土是享, 遹追前人之光. 述其世美, 知所畏慕. 航海遣使, 受學于師, 臨御便殿, 試藝于庭, 縻以官秩, 用榮其歸, 以爲爾邦之勸. 同底于道, 朕實汝嘉". ○康就正·甄惟底二人, 死于宋.

六月戊午朔小盡,丁未, 王如奉恩寺.

癸亥6日, 命置天章閣于禁中, 藏宋帝徽宗所賜親製詔書及御筆書畵.

丙寅9日, 尙州獻瑞麥, 兩岐三穗. 上表以賀.

戊辰11日, 漢人~~漢兒~~三來投.

庚午13日, 慮囚.[121]

---

119) 이날 일본의 京都에서 오전에 맑다가 오후에 비가 심하게 내렸다고 한다.
·『殿曆』, 永久 5년 4월, "廿五日癸未, 天晴, … 午後雨甚降".

120) 任懿는 1110년(예종5) 3월 26일(甲子)에 門下侍郞同中書門下平章事로 致仕하였다(任懿墓誌銘). 또 이날은 율리우스曆으로 1117년 6월 26일(그레고리曆 7월 3일)에 해당한다.

121) 이후 수차에 걸쳐 罪囚의 罪狀을 다시 조사한 사실[慮囚]의 사유는 분명치 않으나 旱魃로 인한 것 같다. 또 일본에서는 5, 6월 京都에서 旱魃이 있었다고 한다(中央氣象臺 1941年 2冊 530面).

甲戌[17日], 宴親王~~諸王~~·兩府于淸讌閣,[122] [用宋帝所賜桂香御酒·龍鳳茗團·珍果寶皿. 各:節要轉載]賜犀帶·襲衣. [命門下□□~~侍郞~~平章事金緣, 撰淸讌閣記, 寶文閣學士洪灌書諸石:節要轉載].

[→王宴親王·兩府于淸讌閣, 命仁存記其事, 其文曰, "王以聰明淵懿篤實輝光之德, 崇尙儒術, 樂慕華風, 故於大內之側延英書殿之北慈和之南, 別創寶文·淸讌二閣. 一以奉聖宋皇帝御製詔勅書畵, 揭爲訓則, 必拜稽肅容, 然後仰觀之. 一以集周·孔·軻·雄以來古今文書, 日與老師宿儒, 討論敷暢先王之道, 藏焉脩焉息焉遊焉, 不出一堂之上, 而三綱五常之敎, 性命道德之理, 充溢乎四履之間. 越今年夏, 召太傅·尙書令·帶方公臣俌, 守太傅·尙書令·大原公臣侾, 守太保·齊安侯臣偦, 守太保·通義侯臣僑, 守太保·樂浪侯臣景庸, 門下侍郞臣瑋, 門下侍郞臣資謙·臣緣, 中書侍郞臣仲璋, 參知政事臣晙, 守司空臣至和, 樞密院使臣軌, 知樞密院事臣字之, 同知樞密院事臣安仁等, 置高會于淸讌閣, 乃從容謂曰, 予顧德不類, 賴天降康, 廟社儲祉. 金革偃於三邊, 文軌同乎中夏, 凡立政造事, 大小云爲, 罔不資稟. 崇寧·大觀以來, 施設注措之方, 其於文閣·經筵, 求訪儒雅, 遵宣和之制也, 深堂密席, 迎見輔臣, 法大淸~~太淸~~之宴也.[123] 雖禮有豊殺, 而優賢尙能之意, 其致一也. 今入朝進貢使資謙~~資諒~~, 賫桂香·御酒·龍鳳茗團·珍果·寶皿來歸, 嘉與卿等, 樂斯盛美. 臣僚皆惶駭恐懼, 退伏階陛, 辭以固陋, 不敢干盛禮, 王趣令就坐, 溫顔以待之, 備物以享之. 其供帳之設, 器皿之列, 觴豆之實, 果核之品, 則六尙之名珍, 四方之美味, 無一不具. 復有上國玻瓈·瑪瑙·翡翠·犀兕, 瑰奇玩用之物, 交錯於案上, 塤篪·控揭·琴瑟·鐘磬, 安樂雅正之聲, 合奏於堂下. 王執爵, 命近臣監勸曰, 君臣交際, 惟以至

· 『殿曆』, 永久 5년 5월, 7월, "[五月]廿八日乙卯, 天晴, 今月雨不降, 五月不雨降, 不可思議事歟, 天災有之. … [七月]廿日丙午, 天陰, 自今曉雨降, 五月以後, 未見事也".

· 『二十二寺註式』, 六月, "是月, 旱魃"(筆者 未確認).

122) 『동문선』 권64, 淸讌閣記(金緣 撰)에 의하면 '今年丁酉夏四月甲戌有二日'로 되어 있는데, 4월 甲戌은 16日이고, 이 기사와 같이 6월 甲戌이면 17日이어서 차이가 있다. 또 이에 의하면 이때 守太傅·尙書令·帶方公俌, 守太傅·尙書令·太原公侾, 守太保·齊安侯偦, 守太保·通義侯僑, 守太保·樂浪侯金景庸, 門下侍中李偉~~李瑋~~, 門下侍郞平章事李資謙·金緣, 中書侍郞平章事趙仲璋, 參知政事金晙, 守司空·尙書左僕射金至和, 樞密院使李軌, 知樞密院事宇之~~王字之~~, 同知樞密院事韓安仁 등이 참석하였다고 한다. 또 親王은 諸王으로 고쳐야 옳게 되는데, 『고려사절요』 권8에는 옳게 되어 있다.

123) 大淸은 太淸으로 고쳐야 옳게 될 것이다. 이는 開封府 汴京의 宮城 後苑에 위치했던 藏書閣인 太淸樓를 가리킨다.

誠, 其各盡量, 不辭而飮. 左右再拜, 告旨而卒爵, 或獻或酬, 和樂孔皆. 及觴酒九行, 且令退息, 續有中貴人, 押賜襲衣·寶帶, 以將其厚意焉. 旣而復召, 促席而坐, 使飮食擧措各自便, 或開懷以言笑, 或縱目以觀覽. 欄楯之外, 疊石成山, 庭除之際, 引水爲沼, 峪崒萬狀, 淸渟四澈. 洞庭·吳·會, 幽勝之趣生, 而終宴無憚暑之意, 盡醉劇飮, 夜艾而罷. 於是, 縉紳士大夫, 擧欣欣然有喜色而相告曰, 吾王以慈儉爲寶, 而無肆溢之行, 衣不御文繡, 器不用彫鏤, 猶慮一夫之不得所, 一事之不合度, 每日焦勞惻怛於宵旰之中. 至於燕群臣嘉賓, 則發內府之寶藏, 傾上國之異恩. 而窮日之力, 以火繼之, 猶不以爲侈, 其尊賢重禮, 好善忘勢之心, 實可謂高出百王之上矣. 臣嘗聞, 昔魯公用天子禮樂, 以化成風俗, 故於泮宮, 則先生君子, 與之爲樂, 其詩曰, '魯侯戾止, 在泮飮酒, 旣飮旨酒, 永錫難老'.[124] 燕於路寢, 則大夫庶士, 與之相宜, 其詩曰, '魯侯燕喜, □□□□~~令妻壽母~~, 宜大夫庶士, 邦國是有, 旣多受祉, □□□□~~黃髮兒齒~~'[125] 今吾君, 奉天子恩意, 以寵待臣隣故, 公卿大夫, 懷天保報上之意, 言語法從, 賦我有嘉賓之詩, 瞽師歌工, 作君臣相悅之樂, 懽欣交通, 禮儀卒度. 當是時也, 人靈之和氣, 天地之休應, 上下之報施, 風俗之化原, 皆出於飮食衎衎載色載笑之間, 豈止永錫難老, 旣多受祉而已耶, 必當億萬斯年, 享大平之福, 而對揚天子永永無彊之休. 臣愚且拙, 遭逢萬幸, 代匱宰府, 不以臣之不材, 特有書事之命, 辭不獲已, 謹拜手稽首而强爲記". ○乃命寶文閣學士洪瓘~~洪灌~~, 書諸石:列傳9金仁存轉載].[126]

庚辰[23日],[127] 以金緣爲門下侍郞同中書門下平章事·上柱國, [參知政事]金晙△[爲]判刑部事, [守司空·左僕射]金至和△[爲]判工部事, [樞密院使]李軌△[爲]判三司事, 林有文爲尙書右僕射·判祕書省事, 朴景仁爲吏部尙書, 金若溫爲戶部尙書, [工部尙書·三司使]崔贊爲刑部尙書,[128] 崔德愷爲工部尙書, 崔弘宰爲御史大夫, 李壽爲右散騎常侍[·同修國史],[129] 金沽爲大司成·寶文閣學士, 朴昇中爲翰林學士·知禮部事, 許之奇·李永爲左·右諫議大夫, 拓俊京△[爲]知御史臺事, 李資諒爲刑部侍郞·知奏事兼太子右諭德, 金仁揆爲給事中·

124) 이 구절은 『詩經』, 頌, 魯頌, 泮水를 인용한 것이다.

125) 이 구절은 『詩經』, 頌, 魯頌, 閟宮을 인용한 것인데, ~~添字~~가 탈락되었다.

126) 洪瓘은 洪灌의 오자일 것이다.

127) 이때 御史大夫에 임명된 崔弘宰의 묘지명에는 6월 22일(己卯)로 되어 있는데, 어느 것이 옳은지는 판가름하기가 어렵다.

128) 崔贊(崔繼芳의 弟)는 이해의 2월에 工部尙書·三司使였다(崔繼芳墓誌銘).

129) 이때 李壽(李公壽)는 右散騎常侍·同修國史에 임명되었다(李公壽墓誌銘).

樞密院左承宣兼太子左贊善，金富佾爲中書舍人，文公美爲殿中少監·右承宣兼太子右贊善.

甲申27日，慮囚，放輕繫.

秋七月丁亥朔小盡,戊申，己亥13日，以禮賓卿智淑延爲西北面兵馬使，軍器監李惟寅爲東北面兵馬副使，[金輔臣爲慶尙道按察使],[130] [是時，以起居舍人崔巨鱗爲西海道按察使:追加].[131]

[丁未21日，月犯昴星:天文1轉載].

壬子26日，斷內外重刑.

[是月，遣使如金，請保州:追加].[132]

八月丙辰朔大盡,己酉，戊午3日，[白露]. 幸南京，以門下侍郎平章事李資謙·門下侍郎平章事金緣·中書侍郎平章事趙仲璋△爲留守.

[○黃昏，流星如月，落於巽方:天文1轉載].

乙丑10日，簽書樞密院事金黃元卒,[133] [年七十三:列傳10金黃元轉載]. [黃元，自幼好學，登科. 文詞，推爲海東第一，性淸勁，不附勢. 與李載同在翰林，齊名. 時契丹使至，黃元作內宴口號，有鳳含綸綍從天降，鼇駕蓬萊渡海來之句. 使驚嘆，求寫

---

130) 金輔臣은 『慶尙道營主題名記』에 의거하였다.

131) 이 시기에 崔巨鱗(後日改名 奇遇)이 서해도안찰사로 재직하고 있었던 것은 다음의 두 기사를 비교해 보면 알 수 있을 것이다.

· 열전11. 崔奇遇, "… 舊名巨鱗. 中第，補尙州司錄，以淸勤聞. …累遷至左司諫，遷御史，以起居舍人爲西海道按察使. 李資諒營院舘，侵奪吏民田園，掌其事者，因緣謀利，爲民害. 奇遇奏禁之，一方大喜. 李資謙大起屋宇，遣使求鐵于海州，囑曰，'勿令崔按察知之'. 睿宗17年.仁宗卽位，資謙專制國命，…".

· 세가14, 예종 12년 11월, "乙巳21日，門下侍郎平章事李資謙落成新第，王遣使，錫予甚厚".

132) 이는 다음의 자료에 의거하였다. 이에서 收國二年은 天輔元年으로 고쳐야 옳게 될 것이다(『金史』, 中華書局, 1985年 1414面). 이처럼 圖表로 作成된 『금사』 交聘表에는 組版過程에서 年代整理[繫年]에 실패한 사례가 찾아지고 있다. 또 이에서 고려 사신의 이름이 蒲馬로 기록된 점이 특이한데, 蒲馬가 고려에 귀화한 女眞人인지, 아니면 고려가 女眞人을 빌려서 使臣으로 派遣한 것[借使]인지는 알 수 없다.

· 『금사』 권2, 본기2, 太祖, 天輔 1년 8월, "癸亥8日，高麗遣使來，請保州".

· 『금사』 권60, 표2, 交聘表上, 收國二年天輔元年, "高麗遣蒲馬請保州，詔諭高麗王，保州近爾邊境，請爾自取".

133) 이날은 율리우스曆으로 1117년 9월 7일(그레고리曆 9월 14일)에 해당한다.

全篇而去. 然二人, 皆學古文, 不隨時態, 宰相李子威惡之曰, 若此輩, 久在文翰之地, 必詿誤後生, 遂奏斥之. 後, 出爲京山府使, 有惠政. 肅宗開延英殿, 召掌書籍, 每觀書, 有所疑, 則輒質之, 呼爲先輩, 而不名. 及王卽位, 以中書舍人奉使于遼, 道見北鄙大饑,[134] 人相食, 馳驛上書, 請發倉廩賑之. 及還, 百姓見之曰, "此活我相公也". 後睿宗11年女眞侵遼, 盡下東邊諸城, 唯來遠·抱州, 二城固守不下, 食盡, 以財減價貿穀于我, 邊吏禁民貿易. 黃元上疏曰, "幸灾不仁, 怒隣不義, 請糶二城, 兼許貿易". 不報. 然性不拘檢, 頗好聲色. 及卒, 禮部郞中金富軾請贈諡, 當途, 有不悅者, 沮之:節要轉載].

丁卯12日, 王至南京. 契丹投化人, 散居南京圻內者, 奏契丹歌舞雜戱以迎駕, 王駐蹕觀之.

戊辰13日, 御延興殿, 受朝賀, 製夜宴詩一絶, 以示群臣.

庚午15日, 宴諸王·兩府侍臣于行宮.

甲戌19日, 作佛事于延興殿七日.

癸未28日, 幸僧伽崛及藏義寺.

九月丙戌朔小盡,庚戌, 甲午9日, 設重陽宴於延興殿. 諸王·宰樞侍坐, 王懽甚賦詩, 宣示左右.

[某日, 召淸平居士李資玄, 赴行在. 資玄, 中書令子淵之孫, 容皃魁偉, 性聰敏. 登第, 爲大樂署丞, 忽棄官, 入春州淸平山, 葺文殊院居之, 蔬食布衣, 嗜禪悅道, 逍遙自樂. 王遣內臣, 賜茶香·金帛, 仍累詔徵之. 資玄, 對使者曰, '臣始出都門, 有不復踐京華之誓, 不敢奉詔'. 遂上表, 辭曰, '以鳥養鳥, 庶無鍾鼓之憂, 觀魚知魚, 俾遂江湖之性'. 王覽表, 知不可致, 特幸南京, 遣其弟尙書資德, 諭赴行在, 賜御製詩一首. 資玄赴召, 王曰, '道德之老, 嚮風久矣, 不宜以臣禮見'. 命上殿拜, 賜坐·茶湯, 從容相語. 仍命留三角山淸涼寺, 及再見, 問養性之要. 對曰, '莫善於寡欲'. 王特加嘆賞, 待遇甚厚, 旣而固請還山, 乃賜茶香·法服, 以寵之:節要轉載].[135]

---

134) 五穀이 모두 結實, 熟成되지 못했음을 大饑라고 하는데, 『고려사』에서도 이와 같은 用例로 사용되었을 것이다.
· 『자치통감』 권6, 秦紀1, 始皇帝 3년(BC244), "大饑[胡三省注, 五穀皆不熟爲大饑]".

135) 이와 같은 기사가 열전8, 李子淵, 資玄에도 수록되어 있으나 자구에 출입이 있다. 또 이 기사의 原型, 縮約으로 다음이 있다.

丙申[11日], 作佛事于延興殿五日.
壬寅[17日], 慮囚, 放輕繫.
癸卯[18日], [霜降]. 王發南京.
丁未[22日], 次長源亭.

冬十月[乙卯朔大盡,辛亥], 丁巳[3日], 以肅宗忌辰道場, 幸敬天寺.[136)]
[庚申[6日], 流星出五車, 入天囷, 大如椀, 長十尺許:天文1轉載].
乙丑[11日], 御齡昌閣, 望月賦詩, 宣示, 左右和進.
[丁卯[13日], 雷:五行1雷震轉載].
[己巳[15日], 熒惑守壘壁陣:天文1轉載].
丙子[22日], 王還宮.
丁丑[23日], 慮囚, 放輕繫.
庚辰[26日], 設百座道場於會慶殿, 齋僧一萬於闕庭, 二萬於州府.

十一月[乙酉朔[小盡,壬子], 雷:五行1雷震轉載].[137)]
辛卯[7日], 王召兩府宰樞, 曲宴于清讌閣.
甲午[10日], 御清讌閣, 命翰林學士朴昇中, 講詩關雎.

· 『동문선』 권64, 清平山文殊院記, "… 政和七年, 乘輿幸于南京, 遣公[李資玄]之舍弟尙書資德, 請赴行在, 仍以親製手書詩一首賜之曰, '願得平生見, 思量日漸加, 高賢志難奪, 其奈予心何'. 公上表辭之, 而懇切不回, 乃以其年八月, 謁于南京. 上曰, '道德之老, 積年傾慕, 不可以臣禮見之', 固命拜于殿上, 上亦答拜. 旣坐, 進茶湯 從容說話. 仍命蹔止于三角山清涼寺, 上乃往返, 諮問禪理. 公於是述進'心要'一篇, 旣而固請還山. 乃賜茶·香道具·衣服, 以寵其行, 而王妃·公主, 亦以衣服, 各致餽獻之禮".
· 『파한집』 권중, "眞樂公[李]資玄, 起自相門, … 睿王渴仰眞風, 累詔徵之, 對使者曰, '臣始出都門, 有不復踐京華之誓, 不敢奉詔'. 遂附表云, '唐虞之代, 堯舜之臣, 夔龍陳廊廟之謨, 巢許抗山林之志. 以鳥養鳥, 庶無鍾鼓之憂, 觀魚知魚, 俾遂江湖之性'. 上知其不可屈致, 特幸南都召見, 問以修身養性之要. 對曰, '古人云, 養性莫善於寡欲. 惟陛下留意焉'. 上嗟賞不已曰, '言可聞, 而道不可傳, 身可見, 而志不可屈, 眞穎陽之亞流也'. 賜茶藥還山".
· 『동국여지승람』 권3, 漢城府, 佛宇, "清涼寺, 在三角山. 高麗李資玄在春州清平山, 睿宗幸南京, 遣其弟資德諭赴行在, 留清涼寺. 嘗引見問養性之要, 遂進'心要'一篇, 王歎賞, 待遇甚厚".

136) 肅宗의 忌日은 10월 2일이므로 이날은 罷祭日이다.

137) 이때 일본의 京都에서 前日(30일, 甲申) 오후에 비가 내렸고, 이날은 흐렸다고 한다.
· 『殿曆』, 永久 5년 10월, 11월, "卅日甲申, 天晴, 午後雨下, … [十月]一日乙酉, 天陰, …".

乙巳[21日], 門下侍郎平章事李資謙落成新第, 王遣使, 錫予甚厚.

[○夜, 北方有赤氣, 發紫微宮, 指乾·艮方, 如布滿天而分散, 又赤氣, 發艮方:五行1轉載].

戊申[24日], 御淸讌閣, 命門下侍郎[平章事]金緣講禮記, 起居郞胡宗旦讀書[講書]無逸, 及第權適·趙奭·金端等讀諸經, 夜分乃罷.[138)]

十二月[甲寅朔大盡,癸丑], 乙卯[2日], 門下侍郎平章事致仕吳壽增卒,[139)] 諡康順. □□[壽增], 嘗[文宗34年]以兵馬判官, 從東界統軍使文正, 破賊有功.

庚午[17日], 幸龜山寺, 遂幸安和寺, 執役工匠, 賜物有差.

○流淮安伯沂于天安府. [沂, 辰韓侯愉之子也. 常與及第崔道元·進士白思允·□□[殿前]承旨權思道等, 遊道元, 占星命. 思允等亦無賴薄行, 沂與道元, 設醮于北山寺, 事覺, 並坐流. 沂尋召還:節要轉載].

[→沂與及第崔道元·進士白思允·□□[殿前]承旨權思道及吳世英等遊, 道元學陰陽術, 思允等皆無賴薄行. 沂與道元, 設醮山寺, 事聞, 鞫道元等, 不服. 沂與道元, 皆坐流, 沂尋召還:列傳3文宗王子辰韓侯愉轉載].

○地震.[140)]

癸酉[20日], 御淸讌閣, 命[門下侍郎平章事]金緣講書洪範, 令諸王·宰樞及諸學士聽講. 仍賜宴唱和, 各賜貂皮·煖扇.

丁丑[24日], 以[門下侍中]李瑋爲□[守]太傅·桂陽郡開國伯[·食邑二千戶·食實封三百戶:列傳11李瑋轉載], [參知政事]金晙爲尙書右僕射兼太子少傅, 李軌爲政堂文學·判翰林院事兼太子少傅, 朴景仁爲戶部尙書·知樞密院事·判三司事兼太子賓客, 王字之爲兵部尙書·知樞密院事, 韓安仁[韓皦如]爲右散騎常侍·同知樞密院事·翰林學士承旨, [賜名安仁:節要轉載],[141)] [崔弘宰爲朝請大夫·太子左詹事·御史大夫:追加].[142)]

---

138) 讀書는 『고려사절요』 권8에는 講書로 되어 있는데, 후자가 옳을 것이다.

139) 이날은 율리우스曆으로 1117년 12월 26일(그레고리曆 1118년 1월 2일)에 해당한다.

140) 地震은 이날(庚午)의 冒頭에 按配되어야 할 것인데, 組版過程에서 흐트러진 것 같다. 『고려사절요』 권8에는 옳게 되어 있다. 또 지9, 五行3, 土行, 地震에는 庚午가 戊午로 되어 있으나 오자일 것이다.

141) 韓安仁은 韓皦如의 改名이다. 이때 『고려사절요』 권8에는 韓皦如로 되어 있고, 韓皦如가 韓安仁으로 개명된 것은 是日이다.

142) 崔弘宰는 그의 墓誌銘에 의거하였다.

[是年, 守司空·尙書左僕射·判兵部事高義和, 上書言, 臣年六十九, 戶籍誤減一年.[143] 且臣病不能從事, 請致仕, 從之, 賜衛社功臣號:列傳8高義和轉載].

[○以[右散騎常侍]李壽爲工部尙書:追加].[144]

[○詹事府錄事文公裕進讀論語·孟子·尙書, 幷進書法:追加].[145]

[○命[內帝釋院大禪師]學一住錫安和寺:追加].[146]

[○命[開頓寺住持·三重大師]坦然住錫禪巖寺:追加].[147]

[○僧觀奧赴奉恩寺大選, 入格, 受大德:追加].[148]

戊戌[睿宗]十三年, [只用當該年干支], 遼天慶八年,[149]

[宋政和八年→11月, 重和元年], [金天輔二年][西曆1118年]

1118년 1월 24일(Gre1월 31일)에서 1119년 2월 11일(Gre2월 18일)까지, 13개월 384일

春正月甲申朔[小盡,甲寅], 放朝賀.

庚子[17日], 咸寧節, 御乾德殿受賀, 宴群臣.

癸卯[20日], 幸神衆院.

己酉[26日], 以大僕卿[太僕卿]李韶永爲西北面兵馬使, 吏部侍郎智祿延爲東北面兵馬副使, [白易宗爲慶尙道按察使:慶尙道營主題名記].

辛亥[28日], 御淸讌閣, 命寶文閣學士洪瓘[洪灌]講書舜典. 宴侍坐諸學士, 王賦詩一首, 卽令和進.[150]

---

143) 一年은 延世大學本과 東亞大學本에 二年으로 되어 있으나 일반적으로 官僚의 致仕(70歲) 要請은 1年前에 행해지므로 前者가 옳을 것이다.

144) 이는 「李公壽墓誌銘」에 의거하였다.

145) 이는 다음의 자료에 의거하였는데, 이해는 文公裕(1088~1159)가 30歲가 되던 1117년(예종12)이다.

· 「文公裕墓誌銘」, "… □[年]二十九, 爲給田錄事, 閱歲, 長陵在儀宸, 改爲簷事府[詹事府]錄事, 以論語·孟子·尙書進讀, 并進書法".

146) 이는 「淸道雲門寺圓應國師塔碑」에 의거하였다.

147) 이는 「山淸斷俗寺大鑑國師塔碑」에 의거하였다.

148) 이는 「修理寺住持·首座觀奧墓誌銘」에 의거하였다.

149) 이해에 거란의 연호를 사용한 사례도 있다(張文緯墓誌銘).

二月癸丑朔大盡,乙卯,[151] [戊午6日, 虎入太子行宮:五行2轉載].

壬戌10日, 御淸讌閣, 命寶文閣待制金富佾, 講詩魯頌.

甲子12日, 親醮闕庭.

丙寅14日, 女眞四十一人來, 獻土物.

辛未19日, 御淸讌閣, 命同知樞密院事韓安仁講易第11卦泰卦.

[甲戌22日, 月犯歲星:天文1轉載].

丙子24日, 幸長源亭.

三月癸未朔大盡,丙辰, [乙酉3日, 王師樂眞爲入寂, 年七十, 臘六十三. 上聞之震悼, 遣侍臣致祭慰贈 甚厚, 追謚曰元景, 命有司監護葬事:追加].[152]

[丙戌4日, 東方有赤氣:五行1轉載].

[戊子6日, 大雨雪:五行1轉載].[153]

丁酉15日, 守司空·尙書右僕射□□致仕劉載卒,[154] [年六十七, 謚定懿:追加]. [載, 宋泉州人, 嘗隨商船而來. 性朴素, 不事生産, 又能文. 時人多之:節要轉載].

[→載能文, 性朴素, 不事生産. 雖偕商人來, 自立朝, 不復相親, 時議多之:列傳10劉載轉載].

辛丑19日, 慮囚.

甲辰22日, 臺官不署事三日. 先是, 內侍給使歐辱臺吏, 臺官不問. 又太子府內竪犯禁, 著白綾襪袴·皀羅衫·烏犀帶. 臺吏脫之, 反被囚縶. 臺吏徐琰等言於臺官曰, 我輩雖卑賤, 皆憲官屬吏, 今爲內隷所辱, 其如臺綱何. 願極論, 以正公道. 臺官依違不從. 琰等十五人, 發憤自退, 無一人留者.

---

150) 洪瓘은 洪灌의 오자일 것이다.

151) 延世大學本과 東亞大學本에는 三月로 되어 있으나 오자이다.

152) 이는 「陜川般若寺元景王師塔碑」에 의거하였다. 王師 樂眞의 入寂 年度는 탑비의 해당 부분이 마멸되어 알 수 없으나 碑陰에 기록된 건립 경과를 기록한 天慶八年戊戌에 주목하여 是年을 入寂年度로 추정하고 있다(葛城末治 1935年 416面 ; 許興植 2019년 279面). 또 이날은 율리우스曆으로 1118년 3월 26일(그레고리曆 4월 2일)에 해당한다.

153) 이와 같은 기사가 지7, 五行1, 水, 雨雪에도 수록되어 있다. 이날 日本의 京都에서도 흐리고 비가 내렸다고 한다(高麗曆과 同一, 日本史料3-19册 226面).
・『中右記』, 元永 1년 3월, "六日, 天陰雨下".

154) 劉載(宋 泉州人)는 守司空·尙書右僕射·判工部事로 致仕한 후에 逝去하였다(劉載墓誌銘). 이날은 율리우스曆으로 1118년 4월 7일(그레고리曆 4월 14일)에 해당한다.

壬子30日, [門下侍中李瑋致仕:節要轉載], 以門下侍郎平章事李資謙△爲判吏部事, 門下侍郎平章事金緣△爲判兵部事, 政堂文學李軌爲戶部尙書·判禮部事, 知樞密院事朴景仁爲禮部尙書, [工部尙書李壽爲吏部尙書:追加],[155] [中書注書張文緯爲權知監察御史:追加].[156]

夏四月癸丑朔小盡,丁巳, 甲子12日, 王還宮.

[乙丑13日, 枉矢出西北, 向東南行:天文1轉載].

丁卯15日, 重修安和寺, 成. 設齋五日, 以落之.[157]

庚午18日, 親幸觀之. 幄帟連亘, 伎樂塡咽, 士女坌集.

壬申20日, 還宮下制, 董役官吏及工匠, 賜物有差. 初, 監督近臣務極奢侈, 勞費不貲. 又因使价如宋, 求妙筆書扁額, 帝徽宗聞之, 御筆書佛殿, 扁曰'能仁之殿', 命太師蔡京, 書門額曰, '靖國安和之寺', 以賜之. 且賜十六羅漢塑像.[158]

五月癸未朔~~壬午朔大盡~~,戊午, 日食.[159]

---

155) 이는 「李公壽墓誌銘」에 의거하였다.

156) 이는 「張文緯墓誌銘」에 의거하였다.

157) 安和寺(혹은 安和禪院)는 후백제에 人質로 잡혀 있다가 피살된 王信을 위한 願堂으로 930년(태조13) 8월에 건립되었다. 이곳의 篆額 一部는 徽宗과 蔡京이 썼다고 한다(→是月 20일).

- 『파한집』 권중, "鳳城北東安和寺, 本睿王所創也. 盖睿王以神聖至德, 事大宋無違禮, 顯孝皇帝徽宗優加褒賞, 別賜法書·名畵·珍奇異物, 不可勝計. 聞其搬是寺, 特遣使人, 以殿財像設送之, 宸翰親題殿額, 命蔡京榜於門, 其丹青營構之巧, 甲於海東".
- 『역옹패설』, "國安和寺有石刻睿王唐律四韻詩一篇, 其後云'太子某書'者, 仁王諱也. 是時, 王與太子皆礪精向學, 延訪儒雅, 尹瓘·吳延寵·李頫·李預 … 名臣賢士布列朝, 著討論潤色亹亹, 有中華之風, 後世莫及焉"(이의 縮約이 『신증동국여지승람』 권4, 개성부상, 佛宇, 安和寺에 인용되어 있다).
- 『고려도경』 권17, 祠宇, 靖國安和寺, "… 入安和之門, 次入靖國安和寺. 寺之額, 卽今太師蔡京書也. 門之西有亭, 榜曰泠泉. 又少北入紫翠門, 次入神護門. 門東廡, 有像, 曰帝釋. 西廡堂, 曰香積, 中建無量壽殿, 殿之側, 有二閣, 東曰陽和, 西曰重華. 自是之後, 列三門, 東曰神翰, 其後有殿, 曰能仁. 殿二額, 寔今上皇帝徽宗所賜御書也. 中門曰善法, 後有善法堂. 西門曰孝思. 院後有殿, 曰彌陁".

158) 徽宗 趙佶은 書畫에 능하였고, 文藝의 진흥에 노력하여 많은 書畫를 수집하여 內府에 所藏하였다. 그의 筆致는 독특하여 瘦金體(徽宗體, 瘦金字)라고 불리는 書風을 창시하였다고 한다. 또 官僚로서의 評判이 좋지 못했던 蔡京(1047~1126)은 弟 蔡卞(?~1117, 王安石의 壻)과 함께 伯父 蔡襄에게 書藝를 배웠고, 王羲之를 崇尙했던 唐代의 書體를 계승하였다고 한다. 이들은 北宋 後期에 자유분방했던 諸家들의 行草體에서 벗어난 이른바 舊派에 속한 인물로 行書에 능하였다고 한다(小川裕充 等編 1998年 325面).

159) 5월은 宋曆·契丹曆·日本曆에서는 壬午朔이고, 癸未는 2일에 해당한다. 宋에서는 "壬午朔, 日

戊子[7日], 賜金福允[金復尹]等及第[及第].[160)]

○以[門下侍郞平章事]李資謙△[爲]判西北面兵馬事兼中軍兵馬使, [門下侍郞平章事]金緣△[爲]判東北面兵馬事兼行營兵馬使, [知樞密院事·禮部尙書]朴景仁爲西北面兵馬使兼知中軍兵馬事, [知樞密院事·兵部尙書]王字之爲東北面兵馬使兼知行營兵馬事.

[庚寅[9日], 雨雹:五行1雨雹轉載←12年 5月에서 옮겨옴].[161)]

乙未[14日], 幸外帝釋院.

[丙申[15日], 月食:天文1轉載].[162)]

六月壬子朔[小盡,己未], 王如奉恩寺.

丁巳[6日], 御淸讌閣, 命寶文閣學士李永, 講書說命.

丙寅[15日], 王受菩薩戒乾德殿.

己巳[18日], 慮囚.

戊寅[27日], 御宴親殿置酒, 餞入宋使鄭克永·李之美, 召諸王·宰樞侍宴.

有食之"라 하여 일식이 있었고(『송사』 권52, 지5, 천문5, 日食), 일본의 京都에서도 壬午朔에 일식이 있었다(日本史料3-20册 1面). 이들 기사에 의해 일식의 관측이 고려와 송·일본의 사이에 1日의 차이가 있었던 것처럼 보이지만, 이는 성립될 수 없는 것이다. 그렇다면 『고려사』의 '五月癸未朔日食'은 '五月壬午朔日食'의 오류일 것이다. 또 이날(壬午)은 율리우스력의 1118년 5월 22일이고, 開京에서 일식 현상이 심했던 시간은 19시 9분, 食分은 0.47이었다(渡邊敏夫 1979年 306面).

·『송사』 권21, 본기21, 徽宗3, 重和 1년, "五月壬午朔, 日有食之"(권52, 5ㅣ5, 天文5, 日食에도 同一하다).

·『中右記』, 元永 1년 5월, "朔日壬午, 今日可有日蝕由, 曆道所奏也, 十五分之五半强, 虧初申三剋廿四分, 加時酉一剋廿九分, 復末酉三剋卌九分. 雨下不見蝕有無也".

·『本朝統曆』, 元永 1년, "五大, 朔壬午, 申七, 日蝕, 四分强, 申六, 酉三".

160) 이와 관련된 기사로 다음이 있는데, 金福允은 金復尹의 오자일 것이다(金復尹墓誌銘).

· 지27, 선거1, 科目1, 選場, "[睿宗]十三年五月, 政堂文學李軌知貢擧, 禮賓卿金沽同知貢擧, 取進士, □□[戊子], 賜金福允[金復尹]等二十三人及第".

161) 原文의 "十二年二月丁亥雨雹, 三月丁未雨雹, 十二年五月庚寅"에서 末尾는 "十三年五月庚寅[9日]"의 오자일 것이다(金一權 2007년 255面).

162) 宋에서도 丙申에 월식이 있었고, 일본의 京都에서도 월식이 있었다(日本史料3-20册 13面). 이날은 율리우스력의 1120년 4월 15일이고, 월식 현상이 심했던 때의 世界時는 13시 35분, 食分은 0.66이었다(渡邊敏夫 1979年 475面).

·『中右記』, 元永 1년 5월, "十五日丙申, 今夕月蝕, 十五分之十二半時, 虧初戌一刻十七分, 加時亥初刻十六□[分], 復末亥四刻七分, 月蝕正現皆旣, 亥時許天晴".

·『本朝統曆』 권8, 元永 1년, "五大, 十五望, 亥一, 月蝕, 十二分强, 戌一, 亥八".

秋七月辛巳□[~~朔~~大盡,庚申], 宋遣閤門祗候曹誼·醫官楊宗立等七人來.[163)]

[→先是, 太子附奏, "乞大方脉·瘡腫科等醫". 帝令誼, 押翰林醫官楊宗立等七人, 送之:節要轉載].[164)]

甲申[4日], 迎詔于乾德殿門, 詔曰, "省知明州樓异奏, 高麗國王世子·王子王某, 書乞借差大方脉·瘡瘇科等, 共三四許人, 使存心醫療, 式廣敎習事. 朕丕冒海邦, 咸躋壽域, 乃眷撫封之舊, 每殫修貢之勤. 載諒忠誠, 務隆恩意. 比閱使人之請, 遠須方術之工, 爰命國醫, 仍賫藥品, 俾往資於敎習, 用悉保於康寧. 其体至懷, 克承殊遇. 今差秉義郞·閤門祗候曹誼, 管押翰林醫官·大醫局敎授[~~太醫局敎授~~]·賜紫楊宗立, 翰林醫諭·大醫局敎授[~~太醫局敎授~~]·賜紫杜舜擧, 翰林醫候·大醫局敎學[~~太醫局敎學~~]成湘, 迪功郞·試大醫局學錄[~~試太醫局學錄~~]陳宗仁·藍茁, 前去".

丁酉[17日], 王如天壽寺.

八月[辛亥朔小盡,辛酉], 甲寅[4日], 以[工部尙書]李壽爲西北面兵馬使, 許載爲東北面兵馬副使, [李像爲慶尙道按察使, 高進明爲全羅道按察使:慶尙道營主題名記].[165)]

戊午[8日], 遣鄭克永·李之美如宋, 謝賜權適等制科還國·御筆詔書.[166)] ○王親製表文手書. 其辭曰, "九重帝所,[167)] 頒異渥以荐來, 一幅天書, 諭至懷而特厚, 拜承之際, 感涕無從. 竊惟東海之梯航, 世冒中天之雨露, 臣祖文王之述職, 戴元豊之大恩, 臣父肅王之撫封, 及崇寧之慈澤. 念臣庸昧之質, 傳家忠孝之風, 享上滋恭, 修方且

---

163) 辛巳에 朔이 탈락되었다.

164) 大方脈科는 北宋代에 정비된 醫學分科 13個科(大方脈·雜醫·小方脈·風·產·眼, 口齒·咽喉·正骨·金瘡腫·針灸·祝由·禁. 元代에는 10個科로 併合) 중의 하나인데, 成人의 疾病을 치료를 주로 담당하던 분야로서 현재의 內科에 해당한다. 또 瘡腫科는 唐代의 太醫署에 體療·瘡腫·少小·耳目口齒·角法 등의 5科 중의 하나로서 跌打損傷·療瘡·腫瘍(swelling) 등의 질병을 치료하던 부서로서 現在의 外科에 해당한다. 이에는 正骨·皮膚科도 포함되어 있었으나 北宋代에는 正骨·金鏃 등이 따로 分科되면서 瘡腫科의 의료 범위는 축소되었다고 한다(『宋會要輯稿』, 崇儒3, 醫學, 職官22, 太醫局 ; 『元典章』 권31, 禮部5, 學校2, 醫學, 藪內 淸 1967年 140面 ; 謝觀 等編 1994年).

165) 高進明은 是年의 9월 18일(丁酉)에 의거하였다.

166) 이때 前都部署使 韓柱가 行李都管句로서 鄭克永과 함께 宋에 들어갔다(韓惟忠墓誌銘).

167) 九重은 九門이라고도 하며 天子의 居處[宮闕]을 가리킨다.
· 『자치통감』 권192, 唐紀8, 太宗貞觀 1년(627) 12월 戊申, "上好騎射, [治書侍御史]孫伏伽諫, 以爲, '天子居則九門[胡三省注, 天門九重, 人主之門亦曰九重. 所謂禁衛九重, 虎豹九關, 皆言九門也], 行則警蹕, 非欲苟自尊嚴, 乃爲社稷生民之計也. …".

舊. 伏惟皇帝陛下, 虞舜聰明而稽古, 商湯勇智以濟時. 鑄寶鼎以奠九州, 作大晟而繼六代. 講明堂配帝之禮, 嚴辟雍養士之儀. 顧曠世以遭逢, 益馳誠於嚮慕. 遂遣子弟, 請入序庠, 通言雖托於象胥, 出谷企遷於喬木. 豈意包容之德, 加藥育於學黌, 又令斅道之歸, 稍知方於儒術, 召宮庭而試藝, 縻官秩以榮歸. 曲煩款密之辭, 仍作褒嘉之旨, 龍蛇落筆, 揮神翰之縱橫, 雲漢回天, 敷睿文之高妙. 此盖伏遇皇帝陛下, 畢擧聖人之能事, 丕承列考之遺風, 至仁均覆於萬邦, 殊眷獨深於小國. 每見使者, 示宴勞於內中, 或策諸生, 賜親臨於便殿, 因以手詔, 優加寵靈, 臣敢不祗服訓辭, 對揚休命. 緘藏十襲, 不惟傳子以及孫, 勸勉一方, 期致移風而易俗, 以玆薄效, 永答殊私".

辛未[21日], 御宣政殿, 決重刑.

癸酉[23日], 幸安和寺.

九月庚辰朔[大盡,壬戌], 慮囚.

甲申[5日], 王妃延德宮主李氏薨,[168] [資謙之□[二]女也, 性柔順聰慧, 有寵於王. 自寢疾, 王愁憂, 親自調藥, 及薨, 屢擧哭臨, 謚順德王后, 葬綏陵.[169] 王親祖送于神鳳門外:節要轉載].

[→薨. 后性柔嘉聰彗[聰慧], 有寵於王. 自寢疾, 王親調樂餌, 及薨, 屢擧哭臨. 謚[諡]順德王后, 葬綏陵, 王親祖送于神鳳門外:列傳1睿宗妃文敬太后李氏轉載].

[丙戌[7日], 天狗墜坤方. 流星出左旗北, 入天市東, 長十尺許:天文1轉載].

丁酉[18日], 葬[延德宮主]綏陵.

○全羅道按察使高進明劾南原府使池俊·判官蔡克誠·文安慶等侵漁之罪. 罷之.

[庚子[21日], 流星出奎星, 入天倉:天文1轉載].

[壬寅[23日], 月犯輿鬼:天文1轉載].

癸卯[24日], 慮囚.

[甲辰[25日], 流星出北河, 入軒轅:天文1轉載].

[丙午[27日], 鎭星犯天關:天文1轉載].

168) 延德宮主 李氏(睿宗妃, 李資謙의 第2女)는 死後에 順德王后로 追贈되었는데(열전1, 후비1, 睿宗 文敬太后李氏), 哀册은『동문선』권28, 順德王后哀册이다. 이날은 율리우스曆으로 1118년 9월 21일(그레고리曆 9월 28일)에 해당한다.

169) 綏陵은 失傳되어 현재 어디에 있는지를 알 수 없다.

己酉[30日], 設藏經道場於會慶殿, 王親行香. [侍臣[翰林學士]朴昇中·[寶文閣學士]洪灌·李璹等笑語聲, 徹御所. 臺官劾, 請罷職:節要轉載].

[→[朴昇中,] 後復爲翰林學士·知禮部事. 一日藏經行香, 與洪瓘·李璹, 綴侍臣班, 笑語聲, 徹王所, 爲臺官所劾免:列傳38朴昇中轉載].

閏[九]月[庚戌朔小盡,壬戌], 甲寅[5日], 宰樞詣內殿門, 三表請復常膳, 從之.

[戊午[9日], 雷:五行1雷震轉載].

[壬戌[13日], 亦如之[雷]:五行1雷震轉載].[170)]

癸酉[24日], 親設消灾道場于文德殿.

丙子[27日], 御淸讌閣, 命[同知樞密院事]韓安仁講老子.

戊寅[29日晦], 王太子釋喪服.

○守司空·左僕射·判尙書兵部事崔挻卒,[171)] 諡[謚]貞毅. 文宗嘗選武士, 挻以善射中選, 伐東女眞有功.

[冬十月][172)][己卯朔[大盡,癸亥], 小雪. 雷:五行1雷震轉載].[173)]

庚辰[2日], 命給事中崔滋盛等, 分道選軍.

壬午[4日], 王如天壽寺.

乙未[17日], 幸順德王后魂堂.

[○諫官上疏曰, “前日, 初喪, 悲哀過度, 及葬, 祖祭, 親拜獻酌, 臣民瞻望, 竊謂過禮. 今又守小信, 屈至尊, 以臨靈帷, 恐傷大體”. 王曰, “祖庭之事, 非自朕意, 嘗聞, 宋帝祖送靖和皇后, 出端門外, 親酌拜奠. 故倣而爲之, 況一幸魂堂, 何害於義?”:節要轉載].

[→後, 又幸魂堂, 諫官上疏曰, “前日, 初喪, 悲哀過度, 及葬, 祖祭, 親拜獻爵,

170) 이날 일본의 京都에서는 낮에는 맑았으나 저녁에 흐리고 밤중에 비가 심하게 내렸다고 한다.
·『殿曆』, 元永 1년 윤9월, “十三日, 天晴, … 及夕天陰, 及夜半雨甚降”.

171) 이날은 율리우스曆으로 1118년 11월 14일(그레고리曆 11월 21일)에 해당한다.

172) 庚辰은 10월 2일이므로 이 위치에 冬十月이 탈락되었다.『고려사절요』 권8에는 옳게 되어 있다(東亞大學 2008년 4책, 432面).

173) 이날 일본의 京都에서 밤중에 비가 내려 새벽까지 이어졌고, 明日(2일) 오전 7시 이후에 그쳤다고 한다.
·『中右記』, 元永 1년 10월, “一日己卯, … 夜半小雨, 及晩, 二日庚辰, 辰刻以·後, 雲晴雨止”.

臣民瞻望, 竊謂過禮. 今又守小信, 屈至尊, 以臨靈帳, 恐傷大體". 王曰, "祖庭之事, 非自朕起. 嘗聞, 宋帝祖送靖和皇后, 出端門外, 親酌拜奠. 故倣而爲之, 況一幸魂堂, 何害於義?":列傳1睿宗妃文敬太后李氏轉載].

十一月己酉朔[小盡,甲子], [冬至]. 御淸讌閣, 命[同知樞密院事]韓安仁講易[24卦]復卦.
[壬子[4日], 太白犯西咸:天文1轉載].
[壬戌[14日], 太白犯東咸:天文1轉載].
[辛未[23日], 熒惑犯房上相:天文1轉載].
[是月己酉朔, 宋改政和八年爲重和元年:追加].

十二月戊寅朔[大盡,乙丑], 慮囚.
[己卯[2日], 流星出軒轅, 入大微[太微], 長五尺許:天文1轉載].
[丙戌[9日], 流星出紫微, 入索[貫索]·女林[女床]間,[174] 長三十尺許:天文1轉載].
[戊子[11日], 日珥:天文1轉載].
[己丑[12日], 亦如之[日珥]:天文1轉載].
[己亥[22日], 明陵[顯宗妃金氏]火:五行1火災轉載].
[某日, 以[吏部尙書]李壽爲尙書右僕射, [權知監察御史]張文緯爲監察御史:追加].[175]
[某日, 以金尙磾△[爲]判閤門事, 李惟寅爲大府卿. 二人淸直自守, 所至皆有聲績, 而未嘗干謁權貴, 故年高未達. 同知樞密院事韓安仁上箚子, 請加擢用, 以勵具臣, 故有是命:節要轉載].[176]

[是年, 改知東京留守官, 復稱東京留守官, 移屬嵩善郡任內軍威·孝令縣於尙州任內:追加].[177]

---

174) 여기에서 貫은 天市垣의 貫索[貫索星]에서 貫이 탈락된 것 같다(孫曉 等編 2014年 1444面).

175) 이는 「李公壽墓誌銘」; 「張文緯墓誌銘」에 의거하였다.

176) 이와 같은 기사가 열전10, 韓安仁에도 수록되어 있다.

177) 이는 다음의 자료에 의거하였다.
- 『경상도지리지』, 慶州道, 慶州府, "睿宗時, 天慶戊戌, 復稱留守官". 이는 東京留守官의 職制가 改編된 것이 아니라 1095년(숙종 즉위년) 東京留守(3品以上)를 知留守事(副使, 3品以下)로 임명하였던 것을 다시 復舊한 것을 의미할 것이다.
- 『경상도지리지』, 尙州道, 軍威縣, "睿宗時, 天慶戊戌, 屬尙州任內".

[○判[冊], "五家以上火燒, 點檢將校, 科罪": 刑法1職制轉載].

[○以[監門衛錄事]林完爲詹事府主簿 : 追加].[178)]

[○以[前晉州牧司錄兼掌書記]王冲爲齊安府錄事 : 追加].[179)]

[○詔王弟·福世僧統澄儼住錫興王寺 : 追加].[180)]

己亥[睿宗]十四年, [只用當該年干支], [契丹天慶九年], [宋重和二年→2月, 宣和元年], [西曆1119年]

1119년 2월 12일(Gre2월 19일)에서 1120년 1월 31일(Gre2월 7일)까지, 355일

春正月戊申朔[小盡,丙寅], 放朝賀.

[辛酉[14日], 迎恩館火 : 五行1火災轉載].

戊辰[21日], [上將軍·]尙書左僕射致仕高義和卒, [年七十一 : 追加].[181)]

[己巳[22日], 雨雪交下, 或雨土 : 五行1雨雪轉載].[182)]

丙子[29日晦], 以李惟寅爲西北面兵馬使, 拓俊京爲東北面兵馬使, [梁永爲慶尙道按察使 : 慶尙道營主題名記].

二月[丁丑朔大盡,丁卯], 乙未[19日], 女眞來朝.

丙申[20日], [淸明]. 宋曹誼等還, 王出乾德殿, 附表以謝.

丁酉[21日], 幸順德王后[睿宗妃]魂堂.

○金主[阿骨打]遣使來聘. 致書曰, "詔諭高麗國王. 朕興師伐遼, 賴皇天助順, 屢敗敵兵, 北自上京, 南至于海, 部族人民, 悉皆撫定, 今遣孛菫朮孛報諭. 仍賜馬一匹,

---

· 『경상도지리지』, 尙州道, 兼孝令縣, "高麗睿宗時, 天慶戊戌, 屬尙州任內".

178) 이는 「林光墓誌銘」에 의거하였다.

179) 이는 「王冲墓誌銘」에 의거하였다.

180) 이는 「圓明國師墓誌銘」에 의거하였다.

181) 이는 高義和가 1117년(예종12) 69歲임을 감안하여 추가하였다(→예종 12년, 是年). 이날은 율리우스曆으로 1119년 3월 4일(그레고리曆 3월 11일)에 해당한다.

182) 이때 일본의 京都에서 24일 새벽 1시 무렵에 비가 심하게 내렸다고 한다(『中右記』, 元永 2년 1월, "廿三日, … 丑刻事了退出, 此間雨脚殊甚").

至可領也”.[183)]

壬寅[26日], 幸長源亭.

[是月庚辰[4日], 宋改重和二年爲宣和元年:追加].

三月丁未朔[小盡,戊辰], 以[守司空·左僕射]金至和爲左僕射·參知政事, 崔贇爲右僕射·判御書院事.

[庚戌[4日], 月犯鎭星:天文1轉載].

[乙卯[9日], 雨土:五行3轉載].[184)]

丙寅[20日], [立夏]. 慮囚.

夏四月[丙子朔大盡,己巳], 壬午[7日], 王還宮.

甲午[19日], 王弟通義侯僑卒.[185)] [僑, 聰敏力學, 尊賢好士:節要轉載].

[→[僑,] 年二十三, 謚英章. 性聰銳, 好學, 愛賓客:列傳3肅宗王子通義侯僑轉載].

五月[丙午朔[大盡,庚午], 熒惑犯壘壁陣:天文1轉載].

壬戌[17日], 幸安和寺.

六月丙子朔[小盡,辛未], 王如奉恩寺.

甲申[9日], 親醮闕庭.

庚寅[15日], 王受菩薩戒于乾德殿.

---

183) 孛菫 朮孛는 前年(天輔2) 12월 27일(甲辰)에 파견이 결정되었다. 이에서 勃菫(孛菫, beile)은 女眞語로 部族의 首領[酋長]을 指稱하며, 行政官을 意味하고('孛菫, 漢語謂官人'), 이에는 十進法을 적용한 軍事組織인 猛安·謀克制의 毋勃菫(萬夫長)·猛安勃菫(千夫長)·謀克勃菫(百夫長)·蒲輦勃菫(五十夫長) 등이 있었다.

· 『금사』 권2, 본기2, 太祖, 天輔 2년 12월, “甲辰, 遣孛菫朮孛, 以定遼地諭高麗”.

· 『금사』 권60, 表2, 交聘表上, 天輔 2년, “十二月, 遣孛菫朮孛, 以勝遼, 報諭高麗, 仍賜馬一疋”.

· 『금사』 권135, 열전73, 外國下, 高麗, “天輔二年 十二月, 詔諭高麗國王曰, 朕始興師伐遼, 已嘗佈告, 賴皇天助順, 屢敗敵兵, 北自上京, 南至于海, 其間京府州縣部族人民, 悉皆撫定. 今遣孛菫朮孛報諭, 仍賜馬一疋, 至可領也”. 『고려사』의 내용은 이 諭書를 縮約한 것 같다.

184) 이날 일본의 京都에서도 날씨가 흐리고 비가 내렸다고 한다(『中右記』, 元永 1년 3월, “九日乙卯, 天陰雨下”).

185) 이날은 율리우스曆으로 1119년 5월 29일(그레고리曆 6월 5일)에 해당한다.

甲午19日, [加門下侍郞平章事李資謙, 同德功臣·三重大匡:節要轉載]. 以門下侍郞平章事金緣△爲檢校太尉兼太子太保, 中書侍郞平章事趙仲璋爲太子太保, 參知政事·右僕射金晙△爲守司空, 參知政事金至和爲太子少師, 政堂文學李軌△爲修國史, 知樞密院事朴景仁△爲判翰林院事, 知樞密院事·兵部尙書王字之爲樞密院使·判三司事, 同知樞密院事韓安仁爲刑部尙書兼太子賓客~~知樞密院事·刑部尙書兼太子賓客~~,[186] [崔弘宰爲左散騎常侍·同知樞密院事兼太子賓客:追加],[187] 崔德玠爲吏部尙書, 金沽爲御史大夫, 鄭克永爲國子祭酒·左諫議大夫.[188]

[丁酉22日, 大風:五行3轉載].

秋七月乙巳朔大盡,壬申, 辛酉17日, 王如天壽寺.

[壬戌18日, 月犯天關:天文1轉載].

己亥某日,[189] 以尙書右丞李韶永爲西北面兵馬使, 戶部侍郞金縝爲東北面兵馬副使, [陳叔陳淑爲慶尙道按察使:慶尙道營主題名記].[190]

[□□是月, 詔廣設學舍, 敎養諸生. 置儒學六十人, 武學十七人, 以近臣管勾事務, 揀擇名儒, 爲學官·博士, 講論經義. 國初, 肇立文宣王廟于國子監, 建官置師, 至宣宗, 將欲敎育, 而未遑. 王銳意經術, 文風稍振:節要轉載].

[→國學始立養賢庫, 以養士. 自國初, 肇立文宣王廟于國子監, 建官置師, 至宣宗, 將欲敎育, 而未遑. 睿宗銳意儒術, 詔有司, 廣設學舍, 置儒學六十人, 武學十七人, 以近臣管勾事務, 選名儒, 爲學官·博士, 講論經義, 以敎導之:選擧2學校轉載].[191] [□□是時, 東堂, 始用經義:選擧1科目轉載].[192]

---

186) 刑部尙書兼太子賓客은 『고려사절요』 권8에는 刑部尙書·知樞密院事로 되어 있다(盧明鎬 等編 2016년 219面). 그렇다면 이 記事의 前後를 顧慮하면, 이때 韓安仁은 知樞密院事·刑部尙書兼太子賓客에 임명되었음을 알 수 있다.

187) 崔弘宰는 그의 묘지명에 의거하였다.

188) 이 기사의 傳寫 또는 組版 과정에서 朴景仁과 王字之의 順序가 바뀐 것 같다.

189) 己亥는 이달에 없어 오자인데, 앞의 記事인 辛酉(17일) 다음의 癸亥(19일) 또는 己巳(25일)의 잘못일 것이다.

190) 陳叔은 『고려사』에서는 陳淑, 『고려사절요』에는 陳叔으로 표기되어 있다.

191) 이와 관련된 기사로 지31, 百官2, 養賢庫, "睿宗十四年, 置判官, 丙科權務"가 있다.

192) 東堂은 원래 晋의 正殿인 太極東堂에서 유래하였는데, 이 기사에서는 殿試, 廷試를 指稱하는 것 같다(→목종 1년 1월 是時의 脚注).

八月乙亥朔[小盡,癸酉], 御淸讌閣, 命翰林學士朴昇中講書洪範.

丁丑[3日], 遣中書主事曹舜擧, 聘于金. 其書有况彼源發乎吾土之語, 金主[阿骨打]拒不受.

乙酉[11日], 幸順德王后魂堂.

丁亥[13日], 幸安和寺.

丁酉[23日], 幸長源亭.

癸卯[29日晦], 門下侍郞平章事趙仲璋卒, 諡康懷.[193)]

○契丹遣蕭公聽·耶律遵慶來.[194)] 東路兵馬使都部署牒云, "准樞密院奉聖旨箚字, 高麗近因道途阻礙, 難通貢賀, 頒賜恩禮, 亦且累年曠隔, 仰差小使, 因便傳詔, 幷致所賜衣著".

[九月甲辰朔[大盡,甲戌], 鎭星守井:天文1轉載].

[丁巳[14日], 熒惑犯羽林:天文1轉載].

冬十月[甲戌朔小盡,乙亥], 丁丑[4日], 王如天壽寺.

[辛巳[8日], 乾明殿火, 尋滅之:五行1火災轉載].

癸未[10日], 設百座會於內殿, 齋僧于闕庭三日.

十一月[癸卯朔大盡,丙子], 辛亥[9日], 御淸讌閣, 命[翰林學士]朴昇中講中庸.

[己未[17日], 鎭星犯東井:天文1轉載].

[丙寅[24日], 銀靑光祿大夫·檢校司徒·守司空·尙書右僕射柳子維卒, 諡良平:追加].[195)]

戊辰[26日], 王閱射于淸讌閣.

壬申[30日], 王閱射于重光殿, 中者賞之.

---

193) 趙仲璋은 參知政事 趙之遴(白川人)의 曾孫으로 門下侍郞同中書門下平章事로 逝去하였다고 한다(『重峰集』附錄권1, 世德). 또 이날은 율리우스曆으로 1119년 10월 5일(그레고리曆 10월 12일)에 해당한다.

194) 이들 거란의 사신이 고려에 파견된 것을 認知했던 金은 明年(天慶10) 2월 사신을 보내 질책하였다고 한다.

· 『요사』 권28, 본기28, 天祚皇帝2, 天慶 10년 2월, "金復遣烏林答贊謨持書及册文副本以來, 仍責乞兵于高麗".

195) 이는 「柳子維墓誌銘」에 의거하였는데, 이날은 율리우스曆으로 1119년 12월 27일(그레고리曆 1120년 1월 3일)에 해당한다.

[○屋瓦庭塼冰, 有文如花卉狀:五行2轉載].

十二月癸酉朔小盡,丁丑, [甲戌2日, 辰星犯歲:天文1轉載].
癸未11日, 幸安和寺.

是歲, 增築長城三尺. 金邊吏發兵止之. 不從, 報曰修補舊城.[196] 曷懶甸孛董胡剌古胡刺古·習顯史顯以聞. 金主阿骨打詔曰, "毋得侵軼生事, 但慎固營壘, 廣布耳目而已".[197]
[○入宋使鄭克永·李之美等, 賫帝賜佛牙還國:追加].[198]
[○王弟·福世僧統澄儼以疾辭職, 下旨移住崇善寺:追加].[199]
[○命三重大師·華藏寺住持敎雄, 移住三乘寺:追加].[200]
[○詔小君·僧之印移住法住寺:追加].[201]

---

196) 이 기사는 지36, 兵2, 城堡에도 수록되어 있다.

197) 이 기사는 『금사』에서도 비슷하게 기록되어 있다. 또 習顯은 『金史』의 표기 방식이고, 史顯은 『고려사』의 표기 방식인데, 이 기사에서 예외적으로 前者를 取하였다(→예종 4년 2월 23일).
- 『금사』 권2, 본기2, 太祖, 天輔 3년, "十一月, 曷懶甸長城, 高麗增築三尺, 詔胡剌古·習顯愼固營壘".
- 『금사』 권135, 열전73, 外國下, 高麗, "天輔三年, 高麗增築長城三尺, 邊吏發兵止之, 弗從. 報曰, 修補舊城. 曷懶甸孛董胡剌古·習顯以聞, 詔曰, 毋得侵軼生事, 但愼固營壘, 廣布耳目而已".
여기에서 曷懶甸孛董은 曷懶甸의 支配者[孛董, 統領]라는 意味일 것이다. 또 曷懶甸의 위치는 松花江 以南에서 咸興 以北說, 豆滿江 이남에서 定平 이북설, 吉州 이남에서 咸興 이북설, 咸關嶺 이남에서 定平 이북설, 현재의 두만강 이북의 延吉, 薰春을 중심으로 한 間島地域說, 延邊朝鮮族自治州 延吉市 地域說 등이 있다(문성렵 1980년 ; 尹汝德 2012년 ; 王崇時 1987年).

198) 이는 다음의 자료에 의거하였다.
- 『삼국유사』 권3, 塔像第4, 前後所將舍利, "… 大宋宣和元年己卯己亥[睿廟十五年], 入貢使鄭克永·李之美等所將佛牙, 今內殿置奉者, 是也". 여기에서 己卯는 添字[己亥]와 같이 고쳐야 옳게 되고, 十五年은 『고려사』의 編年方式인 踰年稱元法에 의하면 十四年이 되어야 한다.

199) 이는 「圓明國師墓誌銘」에 의거하였다.

200) 이는 「國淸寺住持敎雄墓誌銘」에 의거하였다.

201) 이는 「海東廣智大禪師墓誌銘」에 의거하였다.

庚子[睿宗]十五年, [只用當該年干支], [契丹天慶十年], [宋宣和三年], [西曆1120年]

1120년 2월 1일(Gre2월 8일)에서 1121년 1월 20일(Gre1월 27일)까지, 355일

[春正月[壬寅朔大盡,戊寅], <u>某日</u>, 以白易宗爲慶尙道按察使:慶尙道營主題名記].[202]

春二月[壬申朔小盡,己卯], 丙申[25日], 幸南京.

[三月辛丑朔[大盡,庚辰]:追加].

夏四月[辛未朔小盡,辛巳], 癸酉[3日], 至自南京.

五月[庚子朔大盡,壬午], 辛亥[12日], 御乾德殿, 覆試.

丁巳[18日], [夏至]. 賜李之氐等<u>及第</u>.[203]

[時, 王頗好樂. 妓玲瓏·遏雲等, 以善歌, 屢承恩賚. 國學生高孝冲, 作感二女詩, 以諷之. 中書舍人鄭克永言於王, 王不悅. 孝冲赴是擧, 王命黜之, 遂下獄. 寶文閣待制胡宗旦上書, 營救, 乃釋之:節要轉載].

[□□□□[~~又是時頃~~], [中書舍人鄭克永,]上表請延訪群臣曰, "臣聞忠無不報, 信不見疑. 古嘗爲然, 今實有望. 夫厝火於積薪之下, 而寢其上, 因未及然而謂之安, 養病於腹心之內, 而無其醫, 後必爲錮而莫之覺, 竊惟事勢, 方可痛傷. 臣謹按<u>前漢書</u>曰, 天下

---

202) 안찰사의 임명 시기는 前年(예종11)에 의거하여 1월에 比定하였다.

203) 이와 관련된 기사로 다음이 있는데, ~~添字~~가 추가되어 할 것이다.

· 지27, 선거1, 科目1, 選場, "[睿宗]十五年五月, [知樞密院事]<u>韓安仁</u>知貢擧, <u>金富佾</u>同知貢擧, 取進士, [~~辛亥御乾德殿~~], 覆試, [~~丁巳~~], 賜<u>李之氐</u>等三十八人及第. 是擧, 幷試策武學生".

이때 李之氐·[大樂署丞·權知春坊通事舍人]金永錫(丙科, 金永錫墓誌銘), 李坦之(武擧, 李坦之墓誌銘) 등이 及第하였다(『登科錄』; 『前朝科擧事蹟』, 朴龍雲 1990년 ; 許興植 2005년).

또 이때 金惟珪(1095~1158)가 27歲 때 武藝[虎學, 武學]로 과거[天場, 武擧]에 나가 第2人으로 급제하였던 것으로(金惟珪墓誌銘) 추정된다. 그런데 金惟珪의 나이 27세 때는 1121년(예종16)으로 1년의 차이가 있지만, 金惟珪의 생몰년은 그가 山에 묻힌 1158년(의종12) 2월 11일(壬寅)을 통해 逆算한 것이다. 그가 1157년에 죽은 후 1158년에 葬事를 하였을 가능성도 있으므로, 이해의 과거에서 製述業과 함께 시행된 武擧에 급제하였을 것이다. 또 宋의 醫官으로부터 醫術을 배웠다는 李坦之(1086~1152)도 나이 35세로 과거에 급제하였다고 하는데(李坦之墓誌銘), 이해에 해당하므로 역시 武擧에 급제하였던 것 같다(金龍善 2006년 194面).

之患, 在於土崩. 陳涉起窮巷, 偏袒大呼而天下從風, 其故何也? 由民困而上不恤, 下怨而上不知, 俗亂而政不脩. 此三者, 陳涉所以爲資也, 此之謂土崩.[204] 臣由是觀, 亦不可忍. 國家政令垢亂, 君臣道衰, 習亂安危, 無有脩省, 馴致災變, 不自覺知. 道貴因循, 耳蔽箴誨. 或以跡遠公正爲不肖, 或以親信權貴爲上賢. 或猶豫而莫辨所從, 或偏信而不知所惑. 縱欺罔而不能制, 混智愚而不能分. 況近世以來, 民苦賦役, 大兵之後, 歲仍飢荒, 獻計者, 以徒法擾民心, 當官者, 以苛政傷國體, 公私耗竭, 姦軌熾興. 上縱弛於王綱, 下鬱伊於物議, 若事變之一起, 雖歎息以何爲? 伏以陛下, 聖智天生, 聰明自負, 以前古聖賢爲陳迹, 以當世臣輔爲備員. 宵旰無稽古之勤, 几筵無延英之訪. 內微宗室維持盤石之勢, 外鮮腹心承衛社稷之忠, 唯常與近狎之徒, 僕隷之輩, 雜進巧說以成禍基. 陛下孤立而不自謀, 朝臣大息而無敢諫. 臣故扼腕痛心, 泣血叩閽, 近與拾遺韓冲, 各上疏具言此事. 又宰臣與諫官, 繼陳延訪之請, 至今並未見允許施行, 延頸跂踵, 彷徨歎息有日矣. 伏望陛下, 惕厲虛懷, 博延群彦, 稽朝綱之所致紊, 辨政道之所致庇[疵], 何施而國勢可安, 何惠而生靈可活, 推之原本, 責以將來, 使和氣克充於海隅, 則大平可齊於穹壤者矣. 臣又未知, 陛下以微臣, 爲拙而不足信, 謂狂言, 雖切而不足徵, 棄而不論者. 臨表尙有可惑, 故謹幷繕寫唐陸贄'奉天論延訪朝臣表'一道, 隨表以聞":列傳11鄭克永轉載].[205]

---

204) 이 구절은 다음의 기사를 축약한 것이다.

- 『한서』 권64상, 徐樂列傳第34上, "徐樂, 燕□[郡]無終人也. 上書曰, 臣聞天下之患, 在於土崩, 不在瓦解, 古今一也. 何謂土崩, 秦之末世, 是也. 陳涉無千乘之尊, 尺土之地, 身非王公·大人·名族之後, □[無]鄕曲之譽, 非有孔·曾·墨子之賢, 陶朱·猗頓之富也. 然起窮巷, 奮棘矜, 偏袒大呼, 天下從風, 此其故何也. 由民困而主不恤, 下怨而上不知, 俗已亂而政不修, 此三者, 陳涉之所以爲資也. 此之謂土崩. 故曰天下之患, 在乎土崩".
- 『사기』 권112, 平津侯[公孫弘]·主父[主父偃]列傳第52, "主父偃者, 齊臨淄人也, … 徐樂曰, 臣聞天下之患, 在於土崩, 不在於瓦解, 古今一也. 何謂土崩, 秦之末世, 是也. 陳涉無千乘之尊, 尺土之地, 身非王公·大人·名族之後, 無鄕曲之譽, 非有孔·墨·曾子之賢, 陶朱·猗頓之富也. 然起窮巷, 奮棘矜, 偏袒大呼, 而天下從風, 此其故何也. 由民困而主不恤, 下怨而上不知也, 俗已亂而政不脩, 此三者, 陳涉之所以爲資也. 是之謂土崩. 故曰天下之患, 在於土崩".
- 『文選』 文章篇, 過秦論, "… 始皇既沒, 餘威震于殊俗. 然而陳涉, 甕牖繩樞之子, 氓隷之人, 而遷徙之徒也. 才能不及中庸, 非有仲尼 · 墨翟之賢, 陶朱·猗頓之富. 躡足行伍之閒, 俛起阡陌之中, 率罷散之卒, 將數百之衆, 轉而攻秦, 斬木爲兵, 揭竿爲旗. …"(賈誼 作).
- 『新書』, 過秦上, 事勢, "… 始皇既沒, 餘威震於殊俗. 然陳涉瓮牖繩樞之子, 氓隷之人, 而遷徙之徒也. 才能不及中庸, 非有仲尼·墨翟之賢, 陶朱·猗頓之富. 躡足行伍之間, 而俛起阡陌之中, 率疲散之卒, 將數百之衆, 轉而攻秦, 斬木爲兵, 揭竿爲旗.…". 이는 위의 자료를 인용한 것인데, 자구에 출입이 있다.

甲子[25日], 禱雨于山川·社稷.

乙丑[26日], 召王師德緣, 講金剛經, 飯僧.

戊辰[29日], 迎入佛骨于禁中. 初王字之使還, 宋帝[徽宗]以金函, 盛佛牙頭骨, 以賜, 置外帝釋院. 至是, 置于山呼亭.[206)]

六月庚午朔[小盡,癸未], 王如奉恩寺.

辛未[2日], 雩.

甲戌[5日], 御淸讌閣, 命[翰林學士]朴昇中講書洪範.

丙子[~~7日~~],[207)] 以金晙爲中書侍郎平章事, 李軌△[爲]守司空·左僕射·參知政事, 林有文爲右僕射·知門下省事, 朴景仁△[爲]知樞密院事, ~~知樞密院事·刑部尙書兼太子賓客~~韓安仁爲禮部尙書, ~~同知樞密院事·左散騎常侍兼太子賓客~~崔弘宰爲刑部尙書,[208)] 尹惟贊爲尙書右僕射, 宋秀爲兵部尙書.

己卯[10日], 御淸讌閣, 命國子祭酒鄭克永, 講禮月令.

甲申[15日], 王受菩薩戒于乾德殿.

丙戌[17日], 慮囚.

丁亥[18日], 親醮于福源宮, 遂幸安和寺順德王后眞堂, 薦酌流涕.[209)]

---

205) 陸贄(754~805)가 783년(建中4) 10월 이래 奉天(現 陝西省 乾縣, 長安의 서북쪽 70km)에 播遷해 있던 唐 德宗에게 올린「論延訪朝臣表」는『唐文粹』권25에 수록되어 있다(『翰苑集』권13, 奉天請數對群臣兼許令論事狀).

206) 이 記事에서 佛牙는 王字之가 宋에서 가져 온 것으로 되어 있고(1116년, 예종 11년 6월 3일 歸還),『삼국유사』에서는 1119년(예종14) 鄭克永·李之美가 가져 온 것으로 되어 있다(→예종 14년 是歲의 脚注).

207) 이때 刑部尙書에 임명된 崔弘宰의 墓誌銘에는 6월 2일(辛未)로 되어 있다.

208) 이 구절은『고려사절요』권8에는 "韓安仁爲禮部尙書, 崔弘宰爲刑部尙書, 並同知樞密院事"로 되어 있다. 이 자료와 上記 記事에 의하면 韓安仁은 禮部尙書에, 崔弘宰는 刑部尙書에 임명되었고, 또 2人이 함께 同知樞密院事에 임명된 것으로 되어 있다. 그렇지만 韓安仁은 예종 12년 12월 24일(丁丑) 右散騎常侍·同知樞密院事에, 14년 6월 19일(甲午) 刑部尙書·知樞密院事에 각각 임명되었고, 이해의 12월 知樞密院事로 在職하고 있다. 또 이때 崔弘宰는 西北面兵馬使로 出鎭하여 元帥·門下侍郎平章事 金緣(金仁存)과 함께 抱州를 收復하고 義州城을 쌓은 功으로 同知樞密院事에 임명되었다고 한다(열전38, 崔弘宰).
그렇다면『고려사절요』권8의 기사는 "韓安仁爲禮部尙書, 崔弘宰爲刑部尙書·同知樞密院事"로 고쳐야 옳게 될 것이고, 위의 記事에서 韓安仁은 知樞密院事·禮部尙書에, 崔弘宰는 同知樞密院事·刑部尙書에 각각 임명된 것으로 읽어야 옳게 될 것이다[讀].

209) 이달에 행해진 雩祭를 위시한 여러 가지의 행사는 旱魃로 인한 祈雨를 위한 것인데, 일본에서

辛卯[22日], 宋商林淸等獻花木.

丁酉[28日], 御淸讌閣, 命[門下侍郞平章事]金緣講書大甲.

秋七月[己亥朔大盡,甲申], 甲辰[6日], 遼遣樂院副使蕭遵禮來, 詔曰, "省所上表, 具悉. 卿東陲立社, 北闕稱藩. 自二孼之戎生, 致一方之路阻, 嚮祈立嗣, 未始行封. 近稔勤王, 又嘗敵愾. 每念至此, 已多憮然. 更待乘宜, 輒圖蕩寇, 頃頒密詔, 俾諭玆懷, 道會多艱, 人難偕往. 或旋泝楫, 莫達封函, 賜幣微通, 僅能將意. 謝章遽拜, 益驗輸誠. 而又言出由衷, 心期報上. 旣增慊慨, 須事澄淸, 固在同仇, 是爲大順. 佇觀實效, 續俟來音, 更示頒宣, 第思遵領".

[丁未[9日], 月犯氐星:天文1轉載].

庚戌[12日], 禱雨于圜丘·廟社·群望.[210)]

乙卯[17日], 幸[城東]天和寺.

○以智祿延爲西北面兵馬使, 李鷩爲東北面兵馬使, [崔弘略爲慶尙道按察使:慶尙道營主題名記].

壬戌[24日], 宋遣承信郞許立·進武校尉林大容等來. [及還, 王欲許階上參見, 起居注韓冲·左司諫崔巨鱗[崔巨鱗]·侍御史崔洪略[崔弘略]等諫曰, "今詔使本商人, 嘗到我國, 與市井人販賣. 而又秩卑. 於傳詔日拜階上, 已是過謙, 今宜拜階下", 從之:節要轉載].[211)]

[○月犯東井:天文1轉載].

乙丑[27日], 中書侍郞平章事致仕康拯卒,[212)] [年七十二. 謚景襄:列傳10轉載]. [拯,

도 여러 지역에서 비가 내리지 않다가 6월 27일 京都에 甘雨가 내렸다고 한다(中央氣象臺 1941年 2冊 422面).

· 『中右記』, 保安 1년 6월, "廿七日丙申, 申時許, 大雷鳴已及數度, 其聲尤盛. 近日, 諸國頗仰雨脚之處, 可謂甘雨歟. 後聞雷落所々者, 入夜雨止".

210) 이달에 일본의 교토[京都]에서도 旱魃이 있었다고 한다(高麗曆과 同一, 日本史料3-24冊 436面).

· 『中右記』, 保安 1년 7월, 8월, "卅日, 今月, 雨不下之間, 田畠有損云々. … 八月, … 五日, 夜半雨頗降, 此一月許無雨澤, 仍天下人民所成憂也. 六日甲戌, 朝間天陰小雨. … 十四日, 天陰雨下, 久以炎旱, 可云甘雨也, … 廿一日, … 今夕大雨, 終夜不止".

211) 이와 같은 기사가 열전10, 韓冲에도 수록되어 있는데, 添字는 이에서 달리 표기된 것이다. 또 崔巨鱗은 『고려사』世家篇과 그의 열전에는 崔巨鱗(崔奇遇의 初名)으로 되어 있어 後者를 採擇하였다(열전11, 崔奇遇). 또 이때 귀국한 使臣 許立, 林大容은 9월 7일(乙巳) 崇政殿에서 徽宗을 알현하고 復命하였던 것 같다.

· 『三朝北盟會編』 권4, 政宣上秩4, 宣和 2년 7월, "七日乙巳, 止作新羅人使引見於崇政殿". 여기에서 '新羅人使'는 高麗[新羅]에 파견된 使臣[高麗使人]을 가리킨다.

家世平微，雖無技能，而勤愼從事，三征女眞，皆立戰功，遂至達官：節要轉載].

[丙寅[28日]，歲星犯羽林：天文1轉載].

[丁丑[某日]，震[靈巖郡]月生山神祠：五行1雷震轉載].[213)]

八月[己巳朔大盡,乙酉]，自夏不雨，至于是月,五穀不登，疫癘大興.

辛未[3日]，幸外帝釋院，命五部，讀般若經三日，以禳疫癘.

甲戌[6日]，慮囚．設佛頂道場於文德殿七日.

戊寅[10日]，御宣政殿，決重刑.

庚辰[12日]，幸安和寺順德王后眞堂，感傷久之，左右有流涕者.

辛巳[13日]，左正言洪若伊上疏，論時政得失，嘉納之.

[壬午[14日]，月食：天文1轉載].[214)]

乙酉[17日]，幸西京.

戊子[20日]，[秋分]．壽星[老人星]見.

[庚寅[22日]，震西京重興寺塔：五行1雷震轉載].

丁酉[29日]，幸興福·永明寺，觀潮.

戊戌[30日]，幸大東江[大同江]，登舟觀魚.[215)]

九月己亥朔[小盡,丙戌]，幸永明寺，觀潮.

癸卯[5日]，以順德王后[睿宗妃]大祥，飯僧于常安殿.[216)]

乙巳[7日]，設消灾道場于長樂殿.

戊申[10日]，制曰，"朕卽位以來，再巡陪京[西京]，昔旋至而卽歸，今久安而無患．庶推小惠，以慰輿情．八月乙酉[17日]以後，誤有所犯，爲所司論劾，及贖銅徵瓦，咸除之".

---

212) 이날은 율리우스曆으로 1120년 8월 22일(그레고리曆 8월 29일)에 해당한다.

213) 이달에는 丁丑이 없고 8월 9일(丁丑)일 가능성이 있다. 또 이날 초저녁에 일본의 京都에서 비가 내렸다고 한다(『中右記』, 保安 1년 8월, "九日，晩頭雨降").

214) 이날 일본의 京都에서 비가 내렸고(→7월 12일 脚注), 월식이 豫測되지 않았던 것 같다(高麗曆과 同一, 日本史料3-25冊 3面). 이날은 율리우스력의 1120년 9월 8일인데, 월식에 관련된 각종의 정보가 없다(渡邊敏夫 1979年 475面).

215) 여러 판본의 『고려사』에서 大東江으로 되어 있으나, 大同江의 오자이다. 『고려사절요』 권8에는 옳게 되어 있다(東亞大學 2008년 4책 436面).

216) 睿宗妃 李氏(李資謙의 第2女, 順德皇后)의 忌日은 9월 5일이어서 일치한다.

[己酉[11日], 震雷, 雨雹:五行1雷震轉載].

[壬子[14日], 月食:天文1轉載].[217)]

癸丑[15日], 宴群臣於長樂殿, 親製壽星明詞, 使樂工歌之.

乙卯[17日], 慮囚.

癸亥[25日], [守司空·左僕射·]樞密院使致仕金漢忠卒.[218)]

[→[金漢忠,] 以尙書左僕射致仕. 卒年七十八, 遺命薄葬, 謚元平:列傳8金漢忠轉載]. [漢忠, 少雄偉力學, 登科. 嘗爲安西都護府使, 政尙寬簡, 吏民便之. 尹瓘之初伐女眞也, 漢忠爲兵馬使, 與瓘謀, 卑辭厚禮, 結和女眞, 以息邊患. 後又從瓘再出師, 女眞, 恃和親不設備, 遂掩擊敗之. 其妻, 文宗幸婢之女, 以故雖至達官, 不得入臺省:節要轉載].[219)]

[→金漢忠, 新羅大輔閼智之後, 高祖庾廉[裕廉], 從敬順王, 歸太祖爲功臣. 漢忠, 少雄偉, 力學登第. 以尙書左僕射致仕. 卒年七十八, 遺命薄葬, 謚元平. 漢忠妻, 文宗婢妾之女也, 以故雖至達官, 不得入臺省. 子景初·景元·景若:列傳8金漢忠轉載].[220)]

冬十月戊辰朔[大盡,丁亥], 日食.[221)]

---

217) 이날 일본의 교토에서도 월식이 관측되었다(高麗曆과 同一, 日本史料3-25册 34面). 이날은 율리우스력의 1120년 10월 8일이고, 월식 현상이 심했던 때의 世界時는 15시 57분, 食分은 0.53이었다(渡邊敏夫 1979年 475面).

· 『中右記』, 保安 1년 9월, "十四日, 今夜月蝕, 子·丑剋, 十五分之九分. 禁中卅口御讀經, 中殿東庇被行, 上卿治部卿云々, 中宮又有卅口御讀經云々. 後聞, 雖天陰雲間正現, 度分剋限不誤云々".

218) 이날은 율리우스曆으로 1120년 10월 19일(그레고리曆 10월 26일)에 해당한다.

219) 金漢忠은 그의 壻인 崔精의 묘지명에 의하면, 新羅 武烈王의 13世孫이라고 한다.

· 「崔精墓誌銘」, "娶金氏, 新羅國中興之主太宗春秋大王十三世孫, 守司空·尙書之僕射·樞密院使·判工部事致仕, 贈謚元平公漢忠之第二女".

220) 여기에서 金庾廉은 金裕廉의 오자일 가능성이 있다. 그는 935년(태조18) 11월 敬順王 金傅를 隨從하여 고려에 온 것이 아니라, 931년(태조14, 경순왕5) 5월 왕건이 慶州에서 귀환할 때 人質로 고려에 보내졌다(→태조 14년 5월 26일, 全基雄 1993년).

221) 이날 金에서도 일식이 있었다(『금사』 권2, 본기2, 太祖, 天輔 4년 10월 戊辰朔 ; 권20, 지1, 天文, 日薄食煇珥雲氣). 또 이날 일본의 京都에서도 일식이 있었다(高麗曆과 同一, 日本史料3-25册 51面). 이날은 율리우스력의 1120년 10월 24일이고, 개경에서 일식 현상이 심했던 시간은 15시 12분, 食分은 0.82이었다(渡邊敏夫 1979年 306面).

· 『中右記』, 保安 1년 10월, "朔日戊辰, 天晴, 今日有日蝕, 及申刻正現, 十五分之十一分蝕, 曆道之所勘如指掌. 後聞, 於中殿卅口御讀經, 上卿侍從中納言云々, 又山座主行爦盛光法. … 今日, 於叡山中堂被行千僧御讀經, 行事右中辨雅兼, 度者使左中將忠宗".

[○鵠嶺城火:五行1火災轉載].

辛巳14日, 設八關會, 王觀雜戲. 有國初功臣金樂·申崇謙偶像, 王感歎賦詩.222)

十一月戊戌朔小盡,戊子, 壬寅5日, 王至自西京, 赦.

甲辰7日, 慮囚.

[某日, 左遷侍御史陳叔陳淑, 盧元崇爲都官員外郎. 先是, 御史臺奏, "邇者, 風俗日侈, 公私宴會, 器皿華麗, 上下無等, 請依舊制, 申行禁止. 如或違者, 尊者奏決, 卑者先囚後奏", 王從之. 至是, 八關習儀, 樞密院果卓逾制, 臺官拘囚執事·別駕. □□樞密院使王字之·知□□樞密院事韓安仁, 乘醉怒罵, 使釋之, 臺官不聽. 字之等奏, "臣等不肖, 爲小官所辱, 乞罷職". 王重違大臣意, 左遷叔等, 遣近臣敦諭, 字之等視事:節要轉載].223)

癸亥26日, 御淸讌閣, 命金富佾講詩泮水.

十二月丁卯朔大盡,己丑, 王以順德王后喪畢, 召太子及門下侍郎平章事李資謙·知奏事李資諒等, 置酒極歡, 恩賚甚渥.

甲申18日, 親醮于福源宮, 遂幸安和寺.

辛卯25日, 以演△爲檢校司徒·守司空·[上柱國:追加]·晋康伯·[食邑三百戶:追加],224)

---

222) 이 시문이 다음의 「悼二將歌」, 「賜功臣詩」일 것으로 추정되는데(金東旭 1994년 ; 『大丘表忠祠事蹟』, 譜文社, 2006 所收), 轉寫過程에서 原形을 잃었을 가능성도 있을 것이다.

· 「悼二將歌」 2首,

a. "主乙完乎白乎, 心聞際天乙及昆, 魂是去賜矣中, 三烏賜敎職麻又欲(임을 온전하게 하신 마음은 하늘 끝까지 미쳤으니, 넋은 갔어도 삼으신 벼슬만은 또 하는구나)".

b. "望彌阿里刺, 及彼可二功臣良, 久乃直隱, 跡烏隱現乎賜丁(바라보니 알겠노라, 그때의 두 功臣이여, 오래 되었지만 곧은 자취는 나타난다)".

· 「賜功臣詩」 ; "見二功臣像, 汍瀾有所思, 公山蹤寂寞, 平壤事留遺, 忠義明千古, 死生惟一時, 爲君踏百刃, 從此保王基".

223) 이와 같은 기사가 열전10, 韓安仁에도 수록되어 있으나 자구에 출입이 있다. 또 左遷이라는 말은 特定의 官職에서 左右職이 있을 때(隋唐代 尙書都省의 左右僕射, 左右丞과 같이), 右職이 左職으로 貶職되는 것을 가리킨다. 이는 漢·魏以前의 右高左卑일 때에 사용된 용어이지만, 南北朝時代 이후에 左高右卑로 바뀐 이후에도 그대로 살아남아 현재까지 사용되고 있다. 『고려사』에서는 左遷을 1116년(예종11) 무렵부터 사용하고 있고, 그 이전에는 貶職을 사용하였던 것 같고, 左右職의 右高左卑는 몽골제국의 압제 하에서 때때[一時]로 適用되었던 것 같다.

224) 이는 열전3, 文宗王子, 辰韓侯愉에 의거하였다.

禔△[爲]檢校司徒·守司空[·上柱國:追加],[225] 朴景仁△[爲]守司空·尙書左僕射·參知政事, 仍令致仕.[226]

[某日, 以軍器主簿同正梁元俊爲光州監務:追加].[227]

[是年, 以尹彦頤爲詹事府司直:追加].[228]

[○以[前權直翰林院]張脩爲秘書省校書郞:追加].[229]

[○以[禪巖寺住持·三重大師]坦然爲禪師:追加].[230]

[○以[三重大師·三乘寺住持]敎雄爲禪師, 賜官誥一道及磨衲掩脊一領, 住錫月峰寺:追加].[231]

[增補].[232]

---

225) 이는 열전3, 顯宗王子, 平壤公基에 의거하였다.

226) 朴景仁(朴寅亮의 子, 初名 景綽)은 光祿大夫·檢校太子太保·守司空·左僕射·參知政事·判禮部事·太子少師·修國史로 致仕하였다(朴景仁墓誌銘).

227) 이는「梁元俊墓誌銘」에 의거하였다.

228) 이는「尹彦頤墓誌銘」에 의거하였다.

229) 이는「張脩墓誌銘」에 의거하였다.

230) 이는「山淸斷俗寺大鑑國師塔碑」에 의거하였다.

231) 이는「國淸寺住持敎雄墓誌銘」에 의거하였다.

232) 이해에 金은 다음 자료와 같이 保州城(抱州, 現 平安北道 義州郡), 畢里圍城(位置不明) 부근에 위치한 咸州路都統司에 命하여 고려가 遼와 交通하는 것을 偵探하게 하였다고 한다. 또 金은 高麗에 習顯을 파견하여 遼의 州郡을 獲得한 것을 전달하고 타이르자, 高麗가 表를 올려 祝賀하고 方物을 바쳤다고 한다.

- 『금사』 권60, 表2, 交聘表上, 天輔 4년, "詔使習顯, 以獲遼國州郡, 諭高麗. 高麗使謂習顯曰, '此與先父國王之書'. 習顯就館, 卽依舊禮接見, 以表來賀, 幷貢方物".
- 『금사』 권135, 열전73, 外國下, 高麗, "[天輔]四年, 咸州路都統司以兵分屯于保州·畢里圍二城, 請益兵, 詔曰, '汝等分列屯戍, 以固封守, 甚善. 高麗累世臣事于遼, 或有交通, 可常遣人偵伺'. 使習顯以獲遼國州郡諭高麗, 其國方誅亂者, 使謂習顯曰, '此與先父國王之書'. 習顯就館. 凡誅戮官僚七十餘人, 卽依舊禮接見, 而以表來賀, 幷貢方物. 復以遼帝亡入夏國報之".

辛丑[睿宗]十六年, [只用當該年干支], [契丹保大元年], [宋宣和三年], [西曆1121年]

1121년 1월 21일(Gre1월 28일)에서 1122년 2월 8일(Gre2월 15일)까지, 13개월 384일

春正月丁酉朔小盡,庚寅, 放朝賀.

己亥3日, 制曰, "男女之制, 尤重大倫, 帝王之興, 亦資內輔[233]. 欲家人之正位, 須關雎之好仇. 今將以辰韓公長女·大卿崔湧季女, 備之內職, 有司宜據禮典, 定名以聞". 禮司請以王氏爲貴妃, 崔氏爲淑妃, 詔可.

[戊申12日, 夜, 白氣亘天:五行2轉載].

辛亥15日, 王太子加元服于壽春宮, 百官表賀. [先是, 太子在行宮, 欲加冠, 門下侍郞平章事金緣奏曰, "冠者禮之始, 事之重, 故冠於阼, 三加彌尊,[234] 所以尊其禮, 而著成人之義也. 今以元子之貴, 行事於外, 非所以法先王, 示後代, 宜令有司, 擧禮以行", 從之:節要·禮8王太子加元服儀轉載].[235]

[○夜, 鵂鶹鳴于神鳳門上:五行1轉載].

癸丑17日, 以咸寧節, 御乾德殿受賀, 賜群臣宴.

乙卯19日, 納貴妃.

[戊午22日, 日有暈:天文1轉載].

甲子28日, 納淑妃.

[某日, 以李倀陽爲慶尙道按察使:慶尙道營主題名記].

[是月丁酉朔, 遼改元保大:追加].

二月[丙寅朔大盡,辛卯, 王輪寺西北山石頹:五行3轉載].[236]

[庚午5日, 夜, 赤氣, 從乾至巽, 長三尺許, 素氣, 從房心至坎, 長七尺許:五行1轉載].

---

233) 內輔는『고려사절요』권8에는 內助로 되어 있다(東亞大學 2008년 4책 437面).

234) 三加에 대한 설명으로 다음이 있다.

- 『여유당전서』권25, 小學紺珠, 三之類, "三加者, 冠禮也[注, 加冠於首]. 始加以緇布冠[三襞積也], 再加以皮弁[白鹿皮爲之], 三加以爵弁[帛, 如雀頭色者, 以爲冠也], 此之謂三加也[弁, 周冠也]. 三加之名, 出士冠禮".

235) 이와 같은 기사가 열전9, 金仁存에도 수록되어 있으나 자구에 출입이 있다.

236) 丙寅에 朔이 탈락되었다.

壬辰[27日], 左遷中書舍人韓冲爲西京副留守, 左正言任元濬爲殿中內給事. [先是, 同知樞密院事崔弘宰, 隨尹瓘伐女眞, 密祈陰助, 仍許願成大藏堂於開國寺. 至是, 請軍將輸材木, 冲等論奏擅興之罪. 王諭止之, 冲等固執乞罷. 故有是除:節要轉載].[237)]

[→[韓冲,] 尋遷中書舍人. 崔弘嗣[崔弘宰]將隨尹瓘伐女眞, 誓佛云, "功若成, 創大藏堂于開國寺". 及還, 私令軍, 將輸材, 冲與左正言任元濬劾奏, 王諭止之. 冲, 固執乞罷, 左遷爲西京副留守:列傳10韓冲轉載].[238)]

三月[丙申朔小盡,壬辰], 戊戌[3日], 幸彰信寺, 微行至綏陵[睿宗妃]. 王之將行, 諫官奏曰, "前古君王, 未有親詣后妃陵寢, 考之禮典, 亦無其文. 玄宮久掩, 宿草荒翳, 至尊俯臨, 能無悲感. 臣子之心, 不勝恐懼, 伏望以禮自抑, 俯循人望". 不從.

乙巳[10日], 宋遣姚喜來.

壬子[17日], 幸外帝釋院.

甲寅[19日], 御淸讌閣, 命翰林學士朴昇中, 講禮月令, 起居注金富軾, 講書說命.

[庚申[25日], 赤氣, 起於張·翼間:五行1轉載].

[癸亥[28日], 市廛火:五行1火災轉載].

夏四月乙丑朔[小盡,癸巳], 幸普濟寺.

戊辰[4日], 慮囚.

乙亥[11日], 幸妙通寺.

戊子[24日], 幸安和寺. 還次[門下侍郞平章事]李資謙山齋, 置酒.

己丑[25日], 以李資謙爲[推聖佐理功臣:節要轉載]·邵城郡開國伯, [子之美·公儀皆進職:節要轉載].

[→累加同德推誠佐理功臣邵城郡開國伯, 食邑二千三百戶, 食實封三百戶, 諸子並進爵:列傳40李資謙轉載].

五月[甲午朔大盡,甲午], 丁酉[4日] 慮囚.

237) 이때 崔弘宰(崔弘正의 改名)의 官職이 同知樞密院事이고, 女眞征伐 때에 중견 관료로서 참전하였음은 그의 묘지명에 반영되어 있다(崔弘宰墓誌銘 ; 金龍善 2015년).

238) 崔弘嗣는 崔弘宰의 오자이다.

[己酉[16日], 北山兜率堀山石頽:五行3轉載].

甲寅[21日], 設消灾道場於賞春亭及日月·王輪·高峯·極樂寺三七日.

乙卯[22日], 慮囚.

癸亥[30日], 百官禱雨于興國寺, 五日.

[是月, 判[制], "明經業以下諸業監試, 司業以上官, 同各業員, 試選":選擧1科目轉載].

閏[五]月甲子朔[小盡,甲午], 王如奉恩寺.

丙寅[3日], 慮囚.

丁卯[4日], 召王師德緣, 禱雨於乾德殿五日, 又禱于佛宇·神祠.

辛未[8日], 聚巫禱雨.

壬申[9日], 復召[王師]德緣, 禱于山呼亭.

乙亥[12日] 制曰, "天時失順, 旱暵爲灾.[239] 顧寡人否德, 以降殃慖, 庶民無辜而殞命. 祈禳無應, 恐懼未遑, 庶幾推恩, 以召和氣. 凡在獄囚, 除斬·絞二罪外, 皆原之. 其或官吏, 因緣公法, 苛刻作弊, 或以腐朽之穀, 强給取息, 或徵荒田之租, 或興不急之役者, 令中外攸司, 一切禁治".[240]

[→制曰, "官吏, 因緣公法, 苛刻作弊, 或以腐朽之穀, 强給取息, 或徵荒田之租, 或興不急之役者, 令中外攸司, 一切禁治":刑法1職制轉載].

丙子[13日], 親醮于純福殿, 禱雨.

[○又禱于王輪寺:五行2轉載].

[戊寅[15日], 小暑. 又禱于日月寺:五行2轉載], 聚僧又禱于山呼亭及佛宇.

庚辰[17日], 御淸讌閣, 命[翰林學士]朴昇中講書洪範.

[→庚辰[17日], 聚僧于山呼亭, 講經祈雨:五行2轉載].

[辛巳[18日], 命有司, 雩祀圜丘:五行2轉載].

壬午[19日], 禱雨于法雲寺.

辛卯[28日], 御淸讌閣, 命起居舍人林存, 講詩雲漢.[241]

---

239) 旱暵(한한)은 『고려사절요』 권8에는 旱熯(한한)으로 되어 있는데, 전자가 옳을 것이다.

240) 여기에서 '其或官吏' 以下는 지38, 刑法1, 職制에도 수록되어 있다.

241) 이때 크게 가물어서 睿宗이 林存에게 毛詩 雲漢을, 朴昇中에게 尙書 洪範을 각각 講讀하게 하자 비가 내렸다고 한다.

· 『익재난고』 권9상, 忠憲王世家, "睿王十六年六月, 大旱, 開淸讌閣, 命起居舍人林存講詩雲漢,

六月癸巳朔大盡,乙未, [大暑]. 御長齡殿, 命翰林學士朴昇中講禮月令.

乙未3日, 設道場于文德殿三日.

己亥7日, 再雩.

[○流星, 一出織女北, 入紫微, 一出紫微, 入勾陳, 一出奎星, 入雷電:天文1轉載].

庚子8日, 命百官設羅漢齋, 禱雨.

[辛丑9日, 流星出天津, 入天弁:天文1轉載].

丙午14日, 大雨.

[→大雨, 自四月旱, 至是乃雨:五行2轉載].

辛酉29日, 左僕射·參知政事致仕朴景仁卒.[242] [年六十七, 謚章簡:列傳8轉載]. [景仁, 少力學, 登科. 三爲諫官, 言論鯁直, 無所依違. 時議重之:節要轉載].

秋七月癸亥朔大盡,丙申, 己卯17日, 幸天和寺.

辛巳19日, 以李壽爲西北面兵馬使, 崔滋盛爲東北面兵馬使, [鄭俊侯爲慶尙道按察使:慶尙道營主題名記].[243]

壬午20日, 王如興王寺.

[甲辰某日, 流星出河鼓, 入南斗:天文1轉載].[244]

八月癸巳朔小盡,丁酉, [甲午2日, 秋分. 鎭星入輿鬼:天文1轉載].

戊戌6日, 御宣政殿, 決重刑.

壬寅10日, 幸普濟寺.

丁未15日, 謁英肅宗·崇肅宗妃二陵. 還次因孝院, 製五言詩一首, 令侍從文臣和進.

乙卯23日, 幸長源亭.

[某日, 判制, "監獄, 臺省·內侍, 皆一時敎定, 並以職次, 交坐":禮10監獄日臺省·內侍坐起儀轉載].

學士朴承冲朴昇中講書洪範, 得雨".

· 열전38, 朴昇中, "朴昇中, 尋授翰林學士承旨. 是時久旱, 王御淸讌閣, 命昇中講洪範, 其日偶大雨, 或有以爲講經之效者".

242) 이날은 율리우스曆으로 1121년 8월 13일(그레고리曆 8월 20일)에 해당한다.

243) 鄭俊侯는 原文에는 鄭俊候로 되어 있지만, 前者가 옳을 것이다(→인종 9년 3월 23일).

244) 7월에는 甲辰이 없다.

九月[壬戌朔大盡,戊戌], [乙亥[14日], 雨雹:五行1雨雹轉載].
丁亥[26日], 還宮.
辛卯[30日], 慮囚.

冬十月[壬辰朔大盡,己亥], 乙未[4日], [小雪]. 王如天壽寺.
丙申[5日], 設百座道場于會慶殿, 令中外齋僧三萬.
[○雷:五行1雷震轉載].
壬子[21日], 幸洪圓寺.
○太白晝見, 經天三十餘日.[245)]
[丁巳[26日], 月入氐星:天文1轉載].

[十一月[壬戌朔小盡,庚子], 庚午[9日], 淑妃崔氏生子:追加].[246)]
[壬申[11日], 月有暈:天文1轉載].
[甲申[23日], 以[知樞密院事?]崔弘宰爲兵部尙書:追加].[247)]
[某日, 定□□□□□□[州鎭長相將校祿], 四十石[中郞將], 三十三石[郞將, 攝中郞將], 二十石[攝郞將, 或十八石], 十八石[別將], 十四石[校尉], 九石[隊正]:食貨3州鎭長相將校祿轉載].
[是月, 無冰:五行1恒燠轉載].[248)]

十二月[辛卯朔大盡,辛丑], 壬辰[2日], 御淸讌閣, 以宋帝[徽宗]所賜書畫等物, 宣示宰樞·侍臣.
[丙申[6日], 月犯歲星:天文1轉載].
[庚子[10日], 王輪寺北岡岩石, 鳴:五行1鼓妖轉載].[249)]

---

245) 지1, 천문1, 月五星淩犯及星變에는 日辰인 壬子가 탈락되었다.『고려사절요』권8에는 옳게 되어 있다.

246) 이는「卒玄化寺住持僧統墓誌銘」에 의거하였다(→예종 17년 4월 8일).

247) 이는 崔弘宰의 墓誌銘에 의거하였다.

248) 恒燠는 季節의 變化에 따라 萬物의 生成, 消滅이 이루어지는데, 그렇지 못한 경우에 사용되는 語彙인 것 같다. 季節의 변화에 걸맞지 않는 氣候 現象을 가리키는 것 같다(→의종 4년 10월 是月의 脚注).
·『宋書』권32, 지31, 오행3, 恒燠, "庶徵之恒燠, 劉向·班固以冬亡冰及霜不殺草應之".

249) 原文에는 "十六年十一月庚子[十二月庚子], 王輪寺北岡岩石, 鳴"으로 되어 있으나, 11월에는 庚子가

辛丑[11日], 幸福源宮, 遂幸龜山·安和二寺, 御玉岑亭, 宴從官.

[戊申[18日], 流星出閣道, 入天將, 長七尺許:天文1轉載].

庚申[30日], 慮囚.

[是年, 詔王弟·崇善寺住持澄儼, 復住錫全州歸信寺:追加].[250)]

[○遣前尙書李資德詣淸平山文殊院, 命眞精居士李資玄設楞嚴講會:追加].[251)]

[○以[權知春坊通事舍人]金永錫爲詹事府主簿:追加].[252)]

[○以朴璜爲工部令史:追加].[253)]

壬寅[睿宗]十七年, [只用當該年干支], 宋宣和四年,[254)] [西曆1122年]

1122년 2월 9일(Gre2월 16일)에서 1123년 1월 28일(Gre2월 4일)까지, 354일

春正月辛酉朔[小盡,壬寅], 放朝賀.

癸亥[3日], 以太原公俉爲太保[~~守太保~~],[255)] 齊安侯偦進爵, 爲公.[256)]

辛未[11日], 幸神衆院.

丁丑[17日], 咸寧節, 御乾德殿受賀, 賜群臣宴.

己卯[19日], 以許載爲西北面兵馬使, 李資德爲東北面兵馬副使, [安稷崇爲慶尙道按察使:慶尙道營主題名記].

[→[許載]三爲兩界兵馬使, 久在邊, 知敵情, 奏守邊策, 王下兩界諸鎭使遵用:列傳11許載轉載].

없다. 이에서 '十一月庚子'는 '十二月庚子'의 오류로 추측된다.

250) 이는 「圓明國師墓誌銘」에 의거하였다.

251) 이는 다음의 자료에 의거하였다.

· 『동문선』 권64, 淸平山文殊院記, "… 至宣和三年, 尙書[李資德]再奉王命, 詣于山中, 特開楞嚴講會, 而諸方學者, 來集聽受".

252) 이는 「金永錫墓誌銘」에 의거하였다.

253) 이는 「朴璜墓誌銘」에 의거하였다.

254) 이 시기에도 宋의 年號를 사용한 사례가 있다(崔褒抗墓誌銘).

255) 이때 王俉는 守太保에 책봉되었다(王俉廟誌銘).

256) 이 기사는 열전3, 肅宗王子, 齊安公偦에도 수록되어 있다.

[甲申[24日], 日暈有珥:天文1轉載].

丙戌[26日], 御淸讌閣, 命中書舍人金富軾講易[第1卦]乾卦.

二月庚寅朔[大盡,癸卯], 日食.[257)]

[丙申[7日], 春分. 流星出北斗中, 入天廚·傳舍間, 又出北斗第一星, 分爲二, 乃滅:天文1轉載].

己亥[10日], 門下侍郎平章事致仕崔弘嗣[崔洪嗣]卒,[258)] [年八十. 諡貞敬, 王遣使吊祭:列傳10崔弘嗣轉載].[259)] [弘嗣, 起自寒微, 以文行聞, 性, 貞介寡欲, 朝無黨與. 居家, 不言公事, 妻子未嘗見其戲笑. 人有饋遺, 雖蔬果不受, 王深重之. 然務苛察, 見人小過, 輒不忘, 世以此短之:節要轉載].

[甲辰[15日], 月食:天文1轉載].[260)]

三月[庚申朔小盡,甲辰], [丁卯[8日], 穀雨. 日有暈:天文1轉載].

[己巳[10日], 日有珥:天文1轉載].

[某日, 尹彦植爲衛尉少卿兼太子中尹:追加].[261)]

庚午[11日], 以[中書侍郎平章事]金晙△[爲]守司徒·判禮部事, 林有文△[爲]守司空·參知政事·判刑部事[·兼太子少師:節要轉載], 王字之爲吏部尙書·參知政事·判戶部事[·兼太子少傅:節要轉載], 韓安仁△[爲]參知政事·判工部事[·修國史:節要轉載], 崔弘宰爲樞密院使[·兼太子賓客:節要轉載]·判三司事,[262)] 金若溫△[爲]知樞密院事[·兼太子賓客:節要轉載], 李資諒爲樞密院副使[·兼太子賓客:節要轉載], 朴昇中爲翰林學

---

257) 이날 거란에서도 皆旣日蝕이 있었고, 金에서도 일식이 있었다(『금사』 권2, 본기2, 太祖, 天輔 6년 2월 庚寅 ; 권20, 지1, 天文, 日薄食煇珥雲氣). 또 이날 일본의 京都에서도 일식이 있었다는 흔적이 찾아진다(高麗曆과 同一, 日本史料3-29册 130面). 그리고 이날은 율리우스력의 1122년 3월 10일이고, 개경에서 일식 현상이 심했던 시간은 15시 11분, 食分은 0.73이었다(渡邊敏夫 1979年 306面).

· 『요사』 권29, 본기29, 天祚皇帝3, 保大 2년 2월, "庚寅朔, 日有食之, 旣".

258) 이날은 율리우스曆으로 1122년 3월 19일(그레고리曆 3월 26일)에 해당한다.

259) 이는 『동국여지승람』 권14, 忠州牧, 人物 ; 「崔時允墓誌銘」에서도 확인된다.

260) 이날은 율리우스력의 1122년 3월 24일이고, 월식 현상이 심했던 때의 世界時는 22시 42분, 食分은 0.29이었다(渡邊敏夫 1979年 475面).

261) 尹彦植(尹瓘의 子)은 그의 묘지명에 의거하였는데, 그 시기는 11일 이전이다(金龍善 2014년).

262) 이날 崔弘宰는 樞密院使·判三司事兼太子賓客에 임명되었다고 한다(崔弘宰墓誌銘).

士承旨, 國子祭酒鄭克永爲翰林學士, 李永△爲知御史臺事·寶文閣學士, 文公美爲禮賓少卿·樞密院知奏事, 拓俊京爲衛尉卿·直門下省□事, 金仁揆爲左諫議大夫, [尹彦植爲衛尉少卿兼太子中尹·左副承宣:追加].[263]

丙子17日, 慮囚.

丁丑18日, 御紗樓, 召文臣五十六人, 刻燭, 命賦牧丹詩六韻. 詹事府注薄~~注簿~~安寶麟~~安甫麟~~爲第二~~第一~~,[264] 賜絹有差. 時, 康日用以能詩鳴, 王跂觀其作.[265] 燭將盡, 日用纔得一聯云, "頭白醉翁看殿後, 眼明儒老倚欄邊". 袖其藁, 伏御溝中. 王命小黃門, 取視, 嗟賞不已曰, "此古人所謂, 臼頭花鈿滿面, 不如西施半粃".[266] 慰諭而遣之.

己卯20日, 親醮闕庭.

壬午23日, [立夏]. 幸順天館, 點檢接賓之事.

○宴宰樞于香林亭, 忽覺背有微瘇, 促駕還宮.

癸未24日,[267] 王不豫, 分遣人禱于山川神祗~~神祇~~.

○參知政事王字之卒, [年五十七, 謚章順:列傳5王字之轉載]. [字之, □□□□~~王儒玄孫~~, 由胥史進,[268] 其妹壻上將軍王國髦之殺李資義也, 衛宮門, 以功爲都校令, 肅宗丁亥睿宗丁亥2年,[269] 以□□行營兵馬判官, 伐女眞, 屢有戰功:節要轉載].[270]

乙酉26日, 飯僧一萬于諸寺.

---

263) 尹彦植은 그의 묘지명에 의거하였는데(金龍善 2014년), 이날(11일) 左副承宣에 임명되었고 나머지의 관직은 以前과 같았다고 한다.
· 「尹彦植墓誌銘」, "壬寅睿宗17年三月, 拜衛尉少卿兼太子中尹, 十一日入樞密院左副承宣, 餘並如故".

264) 安寶麟은 1126년(인종4) 2월 25일에는 安甫麟으로, 열전7, 智蔡文, 祿延 ; 열전40, 李資謙에는 安甫麟으로 표기되어 있다.

265) 跂는 『고려사절요』 권8에는 跂로 되어 있다(東亞大學 2008년 4책 439面).

266) 粃은 『고려사절요』 권8에는 粧로 되어 있다(東亞大學 2008년 4책 439面). 또 이 구절은 다음의 자료에 의거한 것 같다.
· 『唐摭言』 권10, 載應不捷聲價益振, "乾符中, 蔣凝應宏詞爲賦, 止及四韻, 邃曳白而去, 試官不之信, 逼請所試, 凝以實告, 旣而比之, 諸公凝有得色, 試官歎息久之. 頃刻之間, 播於人口, 或稱之曰, 白頭花鈿滿面, 不若徐妃半粧".
· 『海錄碎事』 권19, 文學部, 賦門, 臼頭花鈿, "蔣凝應宏詞爲賦, 止四韻邃出, 頃刻傳播, 時謂, 臼頭花鈿滿面, 不若徐妃半粧".

267) 이날은 율리우스曆으로 1122년 5월 2일(그레고리曆 5월 9일)에 해당한다.

268) 胥史는 胥吏와 같은 意味이지만, 열전5, 王儒, 字之에는 胥吏로 되어 있다.

269) 肅宗丁亥는 睿宗丁亥로 고쳐야 옳게 된다.

270) 이와 같은 기사가 열전5, 王儒, 字之에도 수록되어 있다.

丙戌[27日], 慮囚.

丁亥[28日], 設消灾道場于乾德殿五日.

戊子[29日晦], 齋僧一萬.

[某日, 命門下省降誥王弟太原公侾曰, "眷此賢公曰予寵弟, 肅考所以加愛, 朕心豈敢遺忘, 爰據邦彝宜優禮數, 幷下勅曰, 卿肅考之愛子也, 而朕之寵弟, 生於富貴, 克自卑謙, 出入起居, 罔非有法, 視聽言貌, 罔非有儀, 實爲宗籍之英, 玆乃王家之衛. 位雖魁於五等, 望未然於三公不, 有異恩曷旌, 乃善肆褒, 陞於茂秩, 宜務稱於寵光":追加].[271)]

夏四月己丑朔[小盡,乙巳], 設道場於文德·宴親殿各五日, 制曰, "寡人祇承天命, 叨纘丕緒, 御于家邦, 多歷年所. 然臨事制宜, 莫知其方, 以致陰陽失序, 穹壤挻祆. 加疾病以彌留, 愈憂懼而自勵. 冀推渙汗, 以謝幽明, 凡名山大川秩在祀典者, 各加名號, 諸有罪者, 除斬絞外, 皆原之, 流配者量移".

[是時, 上因疾, 召安和寺大禪師學一於內殿, 欲拜爲王師, 一固辭不受. 門下侍郎平章事金緣等謂一, "上欲以不臣禮, 事師久矣, 師之不受, 何耶?", 不得已受命. 於是, 上便行師拜, 然未及册禮, 而登遐:追加].[272)]

庚寅[2日], 設道場于宣政殿五日.

癸巳[5日], 門下侍郎平章事李資謙等詣純福殿, 告天禱曰, "昔周武王有疾, 周公以至誠, 請命于天, 厥疾乃瘳. 今臣等皆以愚不肖, 承乏備員, 無政術以安于民庶, 無德行以媚于神祇. 但以貪鄙不道, 爲國巨蠹, 天作之孼, 上延君父. 惟天聰明, 宜降疾咎于臣等之身, 無令元首久困沈痾".

乙未[7日], 王疾革, 扶坐, 見宰樞曰, "朕以不德, 天降之孼, 疾疹不瘳, 將何以處臣民之上, 摠軍國之事. 太子雖在幼少, 德行宿成, 諸公同心恊輔, 無墜祖構. 群臣俯伏流涕, 不知所言". 王召太子曰, "予疾大漸, 勢不復痊. 爰釋重任, 傳歸於汝. 予追思平生所行, 得少失多, 愼勿效焉. 但當稽古聖賢之道, 奉我太祖之訓, 不懈于位, 永綏庶民". 太子俛首泣, 不能起. 王命[參知政事]韓安仁, 取國璽以授之. ○遺詔曰,[273)]

271) 이는 「王侾廟誌銘」에 의거하였다.

272) 이는 「淸道雲門寺圓應國師塔碑」에 의거하였다. 그 중에서 原文에는 金緣이 門下侍中金仁存으로 되어 있지만, 이때 그는 門下侍郎平章事金緣이었던 것 같다.

"~~詔內外文虎臣寮 僧道 軍民等,~~ 朕荷天地之景命, 奉[承]祖宗之遺基, 奄有三韓, 十有八載. 扶衰救弊, 思與萬民而同休, 宵衣旰食~~旰食宵衣~~,[274] 未嘗一日而暫逸. 憂勞積慮, 疾恙踰時, 有加無瘳, 遂至大漸. 權國事楷~~諱仁王~~, 睿哲之性, 禀自天成, 元良之資, 蔚[鬱]於人望, 宜承末命, 以卽王位, 凡軍國重事~~大事~~, 並取嗣君處分. 喪服以日易月, 山陵制度, 務從儉約. 方鎭州牧, 止[只]於本處擧哀, 不得擅離理所, 成服三日而除. 於戱, 死生常道, 人所難逃. 始終得宜, 朕亦何憾. 尙賴廟社儲祉, 臣隣協心~~協心~~, 同[用]輔嗣君, 永康王室, 使我國祚, 垂于無窮. 咨爾多方, 當體予意~~體予之意~~".[275]

丙申[8日], [日有重輪:天文1轉載].[276]

[○南方有異氣, 五色鮮明, 良久而散. 遣使, 行天祥祭:五行1轉載].

○薨, 殯于宣政殿. 壽四十五, 在位十七年. 謚曰文孝, 廟號睿宗.[277]

---

273) 이 遺詔의 全文은 『東人之文四六』 권7 : 『동문선』 권23, 睿王遺敎[遺詔](金富軾 作)인데, 위의 기사와 비교할 때 자구의 출입이 있지만 모두 原形을 喪失하였다. ~~添字~~는 『동인지문사륙』에 의거하였지만, 『고려사』에서 더 들어간 글자[衍字]도 있다. 또 이 기사는 다음의 기사에도 수록되어 있지만, 世家編에서 遺詔가 7일(乙未)에 내려졌다는 것과 차이가 있다.

· 지18, 禮6, 國恤, "丙申[8日], 遺詔, 喪服以日易月, 方鎭州牧, 止於本處, 擧哀, 成服三日而除, 遂薨. 殯于宣政殿".

274) 여기에서 宵衣旰食과 旰食宵衣('새벽부터 밤늦게까지 政事에 힘써')는 竝用되는 字句이다.

· 南朝 陳徐陵, 陳文帝哀册, "勤民聽政, 旰衣宵食".

· 『구당서』 권190下, 열전140下, 文苑下, 劉蕡, "大和二年, 策試賢良曰, … 任賢惕勵, 宵衣旰食, … 對曰, 若夫任賢惕勵, 宵衣旰食, 宜黜左右之纖佞, 進股肱之大臣".

275) 여기에서 當體予意와 體予之意(나의 뜻을 잘 헤아리시오)는 같은 의미인 것 같다(→인종 24년 2월 遺詔).

· 『송회요집고』 刑法1, 格令1, "明道二年五月二十五日, 詔曰, 王言爲命, 著在格言, 君擧必書, 聞諸前史, … 佈告遐邇, 當體予意".

276) 이날은 율리우스曆으로 1122년 5월 15일(그레고리曆 5월 22일)에 해당한다.

277) 이 기사는 『익재난고』 권9상, 忠憲王世家에는 "[睿宗]十七年夏四月甲午[丙申], 薨"으로 되어 있으나 ~~添字~~와 같이 고쳐야 옳게 될 것이다. 또 睿宗에게는 4人의 后妃가 있었다고 기록되어 있지만(열전1, 后妃1, 睿宗妃), 그 이외에도 여러 後宮이 있었을 것이다. 그 하나의 사례로 廣智大禪師 王之印(1102~1158, 仁宗의 庶兄)의 母인 後宮 殷氏가 찾아진다. 또 睿宗의 淑妃崔氏의 所生으로 玄化寺住持인 僧統 覺觀(1121~1174)이 있었으나 『고려사』에 入傳되지 못하였다.

· 「海東廣智大禪師墓誌銘」, "師諱之印, 字覺老, 自號靈源叟, 考聖祖睿王, 母殷氏, 爲王之媵".

· 「卒玄化寺住持僧統墓誌銘」, "師諱覺觀, 字致許, 俗姓王氏, 王室之胤也. 母崔氏, 當睿廟十五年~~十七年~~辛丑十一月九日誕生, …". 여기에서 十五年은 十七年의 오자로 추측되는데, 辛丑年은 卽位年稱元法에 따르면 예종 17년에 해당한다.

그리고 이날 睿宗은 樞密院使·太子賓客 崔弘宰를 불러 어떤 指示를 내렸다고 한다.

· 「崔弘宰墓誌銘」, "四月八日, 睿宗昇遐, 時召公執手, 密有指揮, 則公爲先王之腹心, 亦可知矣".

[甲寅26日:節要轉載], 葬于城南, 陵曰裕陵,278) 仁宗十八年加諡明烈, 高宗四十年加齊順.

史臣贊曰, "睿宗天資明哲, 嘗在東宮, 禮接賢士, 敦行孝弟. 及乎卽位, 宵旰憂勤, 勵精求治. 但志存拓境, 僥倖邊功, 仇隙未已. 歆慕華風, 信用胡宗旦, 頗惑其言,279) 未免有所失矣. 然知用兵之難, 棄怨修好, 使隣境感慕來服. 恤鰥寡, 養耆老. 開設學校, 敎養生員. 置淸讌·寶文兩閣, 日與文臣, 講論六經. 偃武修文, 欲以禮樂成俗. 故韓安仁曰, '十七年事業, 可以貽厥後世', 信哉".

[睿宗在位年間]

[○睿宗時, 殷元中亦以道詵說, 上書言之:列傳35金謂磾轉載].280)

[○僧慧照奉詔西學, 市遼本大藏三部而來. 其中一本, 今在定惠寺, 海印寺有一本, 許參政宅有一本]:追加].281)

[○上嘗取迎桐華寺 '佛骨簡子', 置闕內內瞻敬, 忽失九者中一簡, 以象牙代之, 送還本寺:追加].282)

[仁同人 張東翼 校注, 增補].

---

278) 裕陵은 開城市 開豊郡 五山里에 있다(보존급유적 1701호, 張慶姬 2013년 ; 홍영의 2018년).

279) 延世大學本과 東亞大學本에는 惑이 感字와 비슷하게 刻字되어 있다.

280) 殷元中은 다음의 자료에 수록된 殷元忠과 동일한 인물로 추측된다.

· 『파한집』 권중, "眞樂公李資玄, 起自相門, 雖寓跡簪組, 常有紫霞逸想. 少遊金閨, 從術士殷元忠, 密訪溪山勝地, 可以卜隱. 殷公云, '楊子江上, 有靑山一曲, 眞避世之境'. 聞之常掛於心".

281) 이는 다음의 자료에 의거하였다. 또 『삼국유사』의 草稿가 거의 完城될 무렵인 普覺國師 一然(1206~1289, 충렬왕15)의 老年에 參文學事(옛 參知政事)로 임명된 許氏는 許珙이다(→충렬왕 6년 12월 5일). 그러므로 이 기사에서 許參政으로 불린 인물은 許珙일 가능성이 높다.

· 『삼국유사』 권3, 塔像第4, 前後所藏舍利, "本朝睿廟時, 慧照國師奉詔西學, 市遼本大藏三部而來, 一本今在定惠寺[注, 海印寺有一本, 許參政宅有一本]".

282) 이는 다음의 자료에 의거하였는데, 여기에서 聖簡은 俗離山에 보관되었던 眞表律師의 佛骨簡子를 가리킨다.

· 『삼국유사』 권4, 義解第5, 心地繼祖, "… 本朝睿王, 嘗取迎聖簡, 致內瞻敬, 忽失九者一簡, 以牙代之, 送還本寺. 今則漸變同一色, 難辨新古, 其質乃非牙非玉".

新編高麗史全文

세가3책 선종–예종

초판 1쇄 인쇄 | 2023년 05월 23일
초판 1쇄 발행 | 2023년 05월 30일

지은이 | 張東翼
발행인 | 한정희
발행처 | 경인문화사
편집부 | 김지선 유지혜 한주연 이다빈 김윤진
마케팅 | 전병관 하재일 유인순
출판번호 | 제406-1973-000003호
주소 | 경기도 파주시 회동길 445-1 경인빌딩 B동 4층
전화 | 031-955-9300 팩스 | 031-955-9310
홈페이지 | http://www.kyunginp.co.kr
이메일 | kyungin@kyunginp.co.kr

ISBN 978-89-499-6708-0 94910
978-89-499-6754-7 (세트)
값 26,000원